3학년 영어듣기평가

{ 분석 및 학습법 }

KB181391

1 시험 개요

- 1학기(4월), 2학기(9월)에 각각 1회씩 실시한다.
- 서울시에서는 보통 6월과 11월에 실시한다.
- 총 20문항으로 오지선다형 문제로만 출제된다.
- 시험 시간은 20분 이내이다.
- 모든 문제는 한 번씩만 들려준다. 따라서 집중해서 들어야 한다.

2 시험 난이도

- 〈전국 16개 시·도교육청 주관 영어듣기평가〉보다는 일반적으로 〈서울시 영어듣기평가〉가 조금 더 어렵게 출제된다.
- 대본에 사용되는 어휘 수와 발화 속도의 차이는 다음과 같다.

영어듣기평가별 대본 전체 어휘 수 비교

시험 학년	전국 16개 시·도교육청	서울 ○○교육지원청	서울 △△교육지원청
1학년	876	968	981
2학년	1,262	1,116	1,444
3학년	1,344	1,371	1,592

- 1학년 시험은 대체로 쉽게 출제되는 편이다. 하지만 2학년 시험부터는 난이도가 급격하게 올라간다. 따라서 너무 쉬운 문제만 풀어서는 안 된다.
- 서울시 영어듣기평가는 산하 각 교육지원청에 따라 난이도가 16개 시·도교육청의 시험과 비슷하거나 높은 경향을 보인다.

영어듣기평가별 발화 속도(WPM) 비교

시험 학년	전국 16개 시·도교육청	서울 ○○교육지원청	서울 △△교육지원청
1학년	111	139	158
2학년	114	145	157
3학년	124	146	158

* WPM은 1분 동안 발음되는 단어의 수를 의미한다.

- 각 시험별 학년이 올라감에 따라 발화 속도는 크게 빨라지지 않는다.
- 16개 시·도교육청 시험의 발화 속도는 느린 편에 해당한다.
- 서울 교육지원청의 발화 속도는 대체로 조금 빠른 편이다.

3 문제 유형

- 전국 시·도교육청 듣기평가와 서울시 듣기평가 시험 간의 문제 유형은 배치 순서만 다를 뿐 큰 차이는 없다.
- 문제 유형은 16개 시·도교육청 듣기평가에서 정선되어 있고, 서울시 문제 출제자도 이를 참고하여 내는 경향이 있다.
- 4월과 9월에 실시하는 두 시험 간의 유형 차이는 거의 없거나 혹은 2~3문항 정도 유형이 다르게 출제되기도 한다.
- 대본은 3개의 담화(Monologue)와 17개의 대화(Dialogue)로 구성되어 있다.
  ※담화(談話):어떤 단체나 공적인 자리에 있는 사람이 어떤 문제에 대하여 자신의 의견이나 태도를 공식적으로 밝히는 말.
- 대본의 길이는 담화는 6~10개 문장, 대화는 6~10개의 문장으로 구성되어 있다.

【 3학년 듣기평가 문제 유형_최신 기준 】

01 그림 묘사

대화에서 묘사하고 있는 것 고르기

①   ②   ③   ④   ⑤

02 언급되지 않은 것 ①

대화에서 언급되지 않은 내용 파악하기

03 목적 ①

대화에서 남자나 여자가 전화한 목적 파악하기

04 시각

대화에서 언급된 구체적인 시각 파악하기

05 장소

대화가 이루어지고 있는 장소 추론하기

06 그림 상황

그림 상황에 맞는 대화 고르기

①   ②   ③   ④   ⑤

07 부탁한 일

대화에서 상대방에게 부탁한 일 파악하기

08 언급되지 않은 것 ②

담화에서 언급되지 않은 내용 파악하기

09 담화 화제 / 주제

담화가 무엇에 관한 내용인지 핵심 파악하기

10 어색한 대화

들려주는 대화 쌍을 듣고 어색한 대화 고르기

11 할 일

대화에서 남자나 여자가 할 일 파악하기

12 날짜 / 요일

대화에서 남자나 여자가 약속을 정한 날짜나 요일 파악하기

13 표 정보 / 그림 정보

표나 그림을 보고 대화에서 남자나 여자가 선택할 정보 파악하기

	Show	Length	Time
①	Magic show	1 hour	12:00 p.m.
②	Magic show	2 hours	3:00 p.m.
③	Animal show	1 hour	12:00 p.m.
④	Animal show	2 hours	1:00 p.m.
⑤	Animal show	1 hour	3:00 p.m.

14 과거에 한 일

대화에서 남자나 여자가 과거에 한 일 파악하기

15 목적 ②

담화에서 방송의 목적을 파악하기

16 금액

대화에서 남자나 여자가 지불해야 할 금액 파악하기

17 적절한 응답 ①

대화에서 마지막 말에 이어질 응답 추론하기

18 적절한 응답 ②

대화에서 마지막 말에 이어질 응답 추론하기

19 적절한 응답 ③

대화에서 마지막 말에 이어질 응답 추론하기

20 상황에 맞는 말

상황에 맞게 해줄 수 있는 말 추론하기

4 대학수학능력시험 듣기평가와의 연계성

- 듣기평가 문제 유형은 궁극적으로 대학수학능력시험의 듣기평가 문제 유형과도 일치한다.
- 아래 표는 중학영어듣기평가 문항과 대학수학능력시험 듣기평가 문항과의 연계성을 나타낸 표이다.
- 같은 유형끼리는 같은 색으로 표시하였다. 대학수학능력시험의 듣기 문제 유형 중 90%가 전국 시·도교육청 듣기평가 문제 유형과 중복된다는 것을 알 수 있다. 즉, 대화 길이만 늘어났을 뿐 문제 유형은 같다.
- 듣기 문항은 대체로 유형이 정해져 있어서 유형 연습만 제대로 한다면 대학수학능력시험 듣기 평가도 아주 쉽게 대비할 수 있다.

【 듣기 문제 유형 상호 연계표_중학영어듣기평가 VS 대수능 듣기평가 】

번호	중학영어듣기평가 문항 분석			대학수학능력시험 듣기평가 문항 분석
	1학년	2학년	3학년	
01	그림 지칭	날씨	그림 묘사	적절한 응답 ①
02	그림 묘사	그림 묘사	언급되지 않은 것 ①	적절한 응답 ②
03	날씨	언급하지 않은 것 ①	전화한 목적	목적
04	말의 의도	과거에 한 일	심정 / 말의 의도	의견
05	언급하지 않은 것	장소	그림 상황	두 사람의 관계
06	시각 / 금액	말의 의도	장소	그림 묘사
07	장래 희망	세부 정보	부탁한 일	할 일
08	일치하지 않는 것	바로 할 일	언급되지 않은 것 ②	이유
09	바로 할 일	언급하지 않은 것 ②	★담화 화제	금액
10	★대화 화제	★담화 화제	어색한 대화	언급하지 않은 것 ①
11	교통수단	일치하지 않는 것	할 일	일치하지 않는 것
12	이유	목적	날짜 / 요일	표 정보
13	장소 / 관계	금액 / 시각 / 날짜	표 정보 / 그림 정보	적절한 응답 ③
14	그림 위치	두 사람의 관계	과거에 한 일	적절한 응답 ④
15	부탁한 일	부탁한 일	세부 정보	상황에 맞는 말
16	제안한 것	이유	시각 / 금액	★주제
17	과거에 한 일 / 어색한 대화	그림 상황	적절한 응답 ①	언급하지 않은 것 ②
18	직업	언급하지 않은 것 ③	적절한 응답 ②	
19	이어질 말 ①	이어질 말 ①	적절한 응답 ③	
20	이어질 말 ②	이어질 말 ②	상황에 맞는 말	

【 대학수학능력시험 듣기평가 문제와 얼마나 유사할까? 】

20××학년도 대학수학능력시험 문제지
영어 영역

9 대화를 듣고, 여자가 지불할 금액을 고르시오. [3점]
① $72 ② $74 ③ $76 ④ $78 ⑤ $80

10 대화를 듣고, Ten Year Class Reunion Party에 관해 언급되지 않은 것을 고르시오.
① 장소 ② 날짜 ③ 회비
④ 음식 ⑤ 기념품

12 다음 표를 보면서 대화를 듣고, 두 사람이 예약할 항공편을 고르시오.

Flight Schedule to New York City Area

Flight	Ticket Price	Departure Time	Arrival Airport	Stops
① A	$600	6:00 a.m.	JFK	1 stop
② B	$625	10:00 a.m.	Newark	1 stop
③ C	$700	11:30 a.m.	JFK	1 stop
④ D	$785	2:30 a.m.	JFK	1 stop
⑤ E	$810	6:30 a.m.	Newark	1 stop

13 대화를 듣고, 여자의 마지막 말에 대한 남자의 응답으로 가장 적절한 것을 고르시오.

Man: _____
① It's worthwhile to spend money on my suit.
② It would be awesome to borrow your brother's.
③ Your brother will have a fun time at the festival.
④ I'm looking forward to seeing you in a new suit.
⑤ You're going to build a great reputation as an MC.

15 다음 상황 설명을 듣고, Brian의 어머니가 Brian에게 할 말로 가장 적절한 것을 고르시오. [3점]

Brian's mother: _____
① Make sure to call me whenever you go somewhere new.
② School trips are good opportunities to make friends.
③ I believe traveling broadens your perspective.
④ How about carrying the luggage on your own?
⑤ Why don't you pack your bag by yourself for the trip?

전국 16개 시·도교육청 공동 주관 영어듣기능력평가 (중3)
20××. ○. ○ (목) 시행

16 대화를 듣고, 여자가 지불할 금액을 고르시오.
① $10 ② $15 ③ $20 ④ $25 ⑤ $30

2 대화를 듣고, 외투에 관해 언급되지 않은 것을 고르시오.
① 색상 ② 치수 ③ 가격
④ 제조사 ⑤ 소재

12 다음 표를 보면서 대화를 듣고, 두 사람이 관람할 쇼를 고르시오.

	Show	Length	Time
①	Magic show	1 hour	12:00 p.m.
②	Magic show	2 hours	3:00 p.m.
③	Animal show	1 hour	12:00 p.m.
④	Animal show	2 hours	1:00 p.m.
⑤	Animal show	1 hour	3:00 p.m.

18 대화를 듣고, 여자의 마지막 말에 대한 남자의 응답으로 가장 적절한 것을 고르시오.

Man: _____
① No problem. I'll read those books.
② Right. My brother is eleven years old.
③ Good. Let me write a letter to the teacher.
④ Sorry. I can't give you a ride to the library.
⑤ Okay. I'll bring two bags to you right away.

20 다음 상황 설명을 듣고, David가 여자에게 할 말로 가장 적절한 것을 고르시오.

David: _____
① Could you be quiet, please?
② I'd like to return these books.
③ This copy machine doesn't work.
④ Will you give me a wake-up call?
⑤ You're not allowed to take pictures.

90%나 똑같다고??

그렇지! 중학교 듣기 문제만 잘 풀어도 수능 듣기평가 대비는 문제 없다니까! 문제는, 어떤 책으로 공부하느냐에 달렸다고 봐야겠지?

5 학습법

(1) 평상시 : 점수를 올리는 듣기 훈련

- 틀린 문제 유형은 반드시 받아쓰기를 한다.
- 맞힌 문제라도 받아쓰기를 해보도록 한다. 왜냐하면 본인이 찍어서 맞힌 문제일 수도 있기 때문이다. 완벽한 실전 대비를 위해서는 모든 문제를 받아쓰기 한다.
- 듣기 내용은 가능한 한 빠른 속도로 듣도록 한다.
- 무엇을 묻는 문제인지 지시문의 핵심 키워드에 동그라미를 한다.
  (일치하는 것, 일치하지 않는 것, 언급되지 않은 것, 시각 등 핵심어에 표시하기)
- 들으면서 핵심 표현이나 숫자 등은 빠른 속도로 간단히 메모하는 습관을 들이도록 한다.
  (메모에 치중하느라 녹음 내용을 듣지 못하는 불상사도 피해야 한다. 즉, 순간적으로 메모하면서 들어야 한다.)

(2) 시험 하루 전

- 시험 하루 전날에는 기출 문제를 풀어보거나 기출 문제 동영상을 보며 마음속으로 정리한다.
- 문제집에서 그동안 틀린 문제들만 모아서 다시 풀어본다.
- 새로운 어휘나 표현을 외우려 하지 말고 이미 알고 있는 표현들을 복습하는 선에서 마무리한다.

(3) 시험 당일

- 시험이 시작되고, 방송이 나오기 전에 시험 문제들을 재빨리 훑어본다.
- 문제와 문제 사이의 빈 시간 동안에는 다음 문제의 지시문과 선택지를 살펴보고 대화의 내용을 유추해 본다.
- 한 번 푼 문제는 다시 보지 않는다. 다음 문제에 집중한다.
- 내용을 끝까지 잘 듣고 함정에 유의하며 답을 고르도록 한다.

이 책의 특장

🎧 바로 Listening 중학영어듣기 모의고사 24회에서는...

- 최신 경향의 전국 시·도교육청 듣기 기출 문제 유형을 반영하였습니다.
- 시·도교육청 문제보다 조금 더 긴 대본과 빠른 속도의 MP3를 제공하며 <u>영국식(15%)</u> 및 <u>호주식 영어(5%)</u> 발음도 추가하여 녹음하였습니다.
- native speaker가 대본을 직접 작성하였습니다. 실용적이고 authentic한 표현들로 가득합니다.
- 서울시 현직 교사도 문제 및 대본 작성에 참여하였습니다. 서울시 영어듣기평가도 완벽하게 대비할 수 있습니다.
- 대학수학능력시험 영어듣기평가도 연계하여 대비할 수 있도록 구성이나 내용이 알찹니다.
- 틀린 문제를 확실하게 풀고 넘어갈 수 있도록 받아쓰기를 3단계로 설계하였습니다.
  Step 1 들으면서 대본의 빈칸 채우기
  Step 2 축쇄 문제를 보며 다시 풀어 보기
  Step 3 해석을 보며 영어로 말하거나 영작해 보기
- 소리로 확실하게 듣고 이해할 수 있도록 QR코드로 연결되는 App에서 빠른 속도의 MP3, 문항별 MP3 등을 제공합니다.
- 시험 직전 활용할 수 있도록 최신 기출 동영상을 제공합니다.

[이 책의 활용법]

전국 16개 시·도교육청 영어듣기평가 및 서울시 영어듣기평가를 대비하기 위한 최적의 학습 시스템을 갖췄습니다.

일반 수준 학습 로드맵 ➔ Vocabulary ➔ 실전 모의고사 24회 ➔ Dictation

상위 수준 학습 로드맵 ➔ 실전 모의고사 24회 ➔ Dictation ➔ Vocabulary

Vocabulary

• 실전 모의고사에 나오는 주요 표현을 미리 듣고 익힐 수 있습니다.

• 어휘를 듣고 쓰며 연습할 수 있습니다.

• 복습용으로도 활용 가능합니다.

QR 코드 활용법 ≫

• **Vocabulary**

1. 어휘 목록과 어휘 테스트의 음성 녹음을 들을 수 있습니다.

2. 원어민의 음성을 들으며 어휘를 익힐 수 있습니다.

실전 모의고사 [24]회

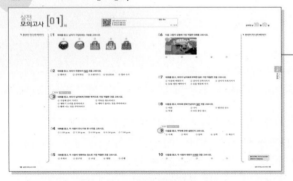

• 최신 경향의 기출 문제 유형을 반영하였습니다.

• 메모하면서 푸는 습관을 들이도록 설계되었습니다.

• 고난도 문제가 표시되어 있습니다.

• **실전 모의고사 24회**

1. 시험은 보통 속도, 빠른 속도를 선택해서 들을 수 있습니다.

2. 시험 볼 때는 보통 속도, 복습할 때는 빠른 속도로 들으세요.

3. 상위 수준 학습자는 처음부터 빠른 속도로 들으셔도 됩니다.

Dictation

• 영어 문장을 자세히 듣고 받아 적으면서 실력을 키웁니다.

• 구문 설명 및 해석을 함께 제시하여 공부하기가 편합니다.

• 틀린 문제는 오답 노트처럼 활용할 수 있습니다.

• 해석을 보며 영어로 말하거나 영작 연습을 할 수 있습니다.

• **Dictation**

1. 받아쓰기 전체 듣기 및 문항별 듣기가 가능합니다.

2. 틀린 문제만 콕 집어서 반복해서 듣기 연습을 할 수 있어 편합니다.

자기 주도 학습 관리표

스스로 매일 조금씩 공부하며 성취도를 체크할 수 있는 자기 주도 학습 관리표를 제공합니다.

A 아주 잘함 B 잘함 C 보통 D 조금 부족함 F 아주 부족함

실전 모의고사		공부한 날 (월/일)			나의 성취도 체크		
		어휘	실전 모의고사	받아쓰기	어휘 모두 암기	모의고사 점수 만족도	틀린 문제는 꼭 받아쓰기
p. 8	01회						
p. 24	02회						
p. 40	03회						
p. 56	04회						
p. 72	05회						
p. 88	06회						
p. 104	07회						
p. 120	08회						
p. 136	09회						
p. 152	10회						
p. 168	11회						
p. 184	12회						
p. 200	13회						
p. 216	14회						
p. 232	15회						
p. 248	16회						
p. 264	17회						
p. 280	18회						
p. 296	19회						
p. 312	20회						
p. 328	21회						
p. 344	22회						
p. 360	23회						
p. 376	24회						

작성 방법

- 공부한 날에 간단히 월/일을 기록합니다. (e.g. 3월 5일에 공부했으면 ➔ 3/5)
- 나의 성취도 체크에는 A, B, C, D, F 중에서 하나를 골라 각 칸에 적습니다. 스스로 평가해 보세요.
- D나 F가 많은 실전 모의고사는 나중에 반드시 복습을 하도록 합니다.

모의고사를 먼저 풀고 싶으면 10쪽으로 이동하세요.

🎧 다음 표현을 듣고 모르는 것에 표시하시오.

- [ ] 01 **prefer** 선호하다
- [ ] 02 **checkered** 체크무늬의
- [ ] 03 **sold out** 다 팔린, 매진된
- [ ] 04 **favor** 호의, 부탁
- [ ] 05 **washing machine** 세탁기
- [ ] 06 **laundry** 세탁(물)
- [ ] 07 **envelope** 봉투
- [ ] 08 **had better** ~하는 것이 좋다
- [ ] 09 **buckle up** 안전벨트를 매다
- [ ] 10 **remind** 상기시키다
- [ ] 11 **spare** 여분의, 예비의
- [ ] 12 **vet** 수의사(= veterinarian)
- [ ] 13 **appointment** 약속
- [ ] 14 **attention** 주의, 주목
- [ ] 15 **lost child** 미아
- [ ] 16 **guardian** 보호자, 후견인
- [ ] 17 **particular** 특정한, 특별한
- [ ] 18 **table** 표
- [ ] 19 **column** 세로줄
- [ ] 20 **row** 가로줄
- [ ] 21 **either** (둘 중) 어느 하나[것]
- [ ] 22 **repair** 수리하다; 수리, 수선
- [ ] 23 **except** ~을 제외하고

- [ ] 24 **still** 아직, 여전히
- [ ] 25 **reservation** 예약
- [ ] 26 **party** 일행; 파티
- [ ] 27 **possible** 가능한
- [ ] 28 **performance** 공연
- [ ] 29 **due to** ~ 때문에
- [ ] 30 **construction** 공사
- [ ] 31 **vehicle** 차량
- [ ] 32 **pedestrian** 보행자
- [ ] 33 **ongoing** 진행 중인
- [ ] 34 **cancel** 취소하다
- [ ] 35 **refund** 환불하다
- [ ] 36 **along** ~을 따라
- [ ] 37 **spell** 철자를 말하다[쓰다]
- [ ] 38 **in detail** 자세히
- [ ] 39 **confused** 혼란스러운, 당황한
- [ ] 40 **understanding** 이해

📝 **알아두면 유용한 선택지 어휘**

- [ ] 41 **cheer up** 기운을 내다
- [ ] 42 **safety gear** 안전 장비
- [ ] 43 **keep one's fingers crossed** 행운을 빌다
- [ ] 44 **I beg your pardon?** 다시 한 번 말씀해 주시겠어요?

공부한 날 ☐ 월 ☐ 일

🎧 들으면서 표현을 완성한 다음, 뜻을 고르시오.

표현의 의미를 생각하며 다시 써 보기!

01 fav⬜r   ☐ 호의, 부탁   ☐ 일행   → _____

02 r⬜min⬜   ☐ 상기시키다   ☐ 집중하다   → _____

03 app⬜intment   ☐ 친절   ☐ 약속   → _____

04 parti⬜ular   ☐ 확실한   ☐ 특정한   → _____

05 ped⬜strian   ☐ 보호자   ☐ 보행자   → _____

06 possi⬜le   ☐ 가능한   ☐ 자세한   → _____

07 re⬜und   ☐ 지불하다   ☐ 환불하다   → _____

08 l⬜undry   ☐ 세탁(물)   ☐ 세탁기   → _____

09 reser⬜ation   ☐ 예약   ☐ 방문   → _____

10 confu⬜ed   ☐ 혼란스러운   ☐ 유감스러운   → _____

11 ve⬜icle   ☐ 차도   ☐ 차량   → _____

12 safety⬜ear   ☐ 안전 장비   ☐ 주의 사항   → _____

13 cance⬜   ☐ 진행하다   ☐ 취소하다   → _____

14 e⬜cept   ☐ ~을 포함하여   ☐ ~을 제외하고   → _____

15 spa⬜e   ☐ 여분의   ☐ 특별한   → _____

16 per⬜ormance   ☐ 완벽   ☐ 공연   → _____

17 at⬜ention   ☐ 참석   ☐ 주의, 주목   → _____

18 colu⬜n   ☐ 가로줄   ☐ 세로줄   → _____

19 repa⬜r   ☐ 고장 나다   ☐ 수리하다   → _____

20 co⬜stru⬜tion   ☐ 폭발   ☐ 공사   → _____

어휘 01회

실전
모의고사 [01]회

실전 모의고사 01회 →
모의고사 보통 속도
모의고사 빠른 속도

✎ 들으면서 주요 표현 메모하기!

01 대화를 듣고, 남자가 구입하려는 가방을 고르시오.

① ② ③ ④ ⑤

02 대화를 듣고, 여자가 주문하지 <u>않은</u> 것을 고르시오.

① 햄버거　　② 감자튀김　　③ 오렌지주스　　④ 탄산음료　　⑤ 양파 수프

고난도　메모하며 풀기

03 대화를 듣고, 여자가 남자에게 전화한 목적으로 가장 적절한 것을 고르시오.

① 극장에 같이 가려고　　　　　　② 약속을 취소하려고
③ 세탁기 수리를 문의하려고　　　　④ 세탁기 돌리는 것을 부탁하려고
⑤ 빨래 너는 것을 부탁하려고

04 대화를 듣고, 두 사람이 만나기로 한 시각을 고르시오.

① 1:00 p.m.　② 5:30 p.m.　③ 6:00 p.m.　④ 6:30 p.m.　⑤ 7:00 p.m.

05 대화를 듣고, 두 사람이 대화하는 장소로 가장 적절한 곳을 고르시오.

① 우체국　　② 문구점　　③ 교실　　④ 병원　　⑤ 은행

06 다음 그림의 상황에 가장 적절한 대화를 고르시오.

① 　　　② 　　　③ 　　　④ 　　　⑤

✎ 들으면서 주요 표현 메모하기!

07 대화를 듣고, 여자가 남자에게 부탁한 일로 가장 적절한 것을 고르시오.
① 아침에 깨워주기 　　② 강아지 산책시키기 　　③ 강아지 목욕시키기
④ 동물 병원 예약하기 　　⑤ 동물 병원에 가기

08 다음을 듣고, 미아에 관해 언급되지 <u>않은</u> 것을 고르시오.
① 이름 　　　　　② 나이 　　　　　③ 발견된 장소
④ 복장 　　　　　⑤ 보호 중인 장소

고난도 메모하며 풀기

09 다음을 듣고, 무엇에 관한 설명인지 고르시오.
① 시계 　　② 액자 　　③ 달력 　　④ 공책 　　⑤ 계산기

10 다음을 듣고, 두 사람의 대화가 <u>어색한</u> 것을 고르시오.
① 　　　② 　　　③ 　　　④ 　　　⑤

틀린 문제는 Dictation에서
완벽하게 이해하세요.

✎ 들으면서 주요 표현 메모하기!

11 대화를 듣고, 두 사람이 대화 직후에 할 일로 가장 적절한 것을 고르시오.

① 산책 가기   ② 서점 가기   ③ 백화점 가기

④ 영화표 사기   ⑤ 저녁 식사하기

12 다음 표를 보면서 대화를 듣고, 남자가 예약한 내용을 고르시오.

	Date	Time	Number of People	Room
①	May 5th	5 p.m.	13	Diamond
②	May 5th	2 p.m.	30	Crystal
③	May 5th	2 p.m.	13	Ruby
④	May 15th	5 p.m.	13	Crystal
⑤	May 15th	2 p.m.	30	Ruby

13 대화를 듣고, 축제가 열리는 날짜를 고르시오.

① June 3rd   ② June 23rd   ③ June 26th   ④ July 23rd   ⑤ July 30th

14 대화를 듣고, 여자가 여름 방학에 한 일을 고르시오.

① 봉사 활동   ② 가족 여행   ③ 과학 캠프 참가

④ 인터넷 강의 수강   ⑤ 역사 캠프 참가

고난도   메모하며 풀기

15 다음을 듣고, 방송의 목적으로 가장 적절한 것을 고르시오.

① 교통사고를 보도하려고   ② 도로 공사를 알리려고

③ 변경된 버스 노선을 공지하려고   ④ 새 교통 법규를 설명하려고

⑤ 공사 날짜 변경을 안내하려고

16 대화를 듣고, 남자가 환불받을 금액을 고르시오.

① $4　　　　② $8　　　　③ $10　　　　④ $36　　　　⑤ $40

🖊 들으면서 주요 표현 메모하기!

17 대화를 듣고, 여자의 마지막 말에 대한 남자의 응답으로 가장 적절한 것을 고르시오.

Man: _____

① I go to school by bike.
② I saw you riding a bike.
③ That's too bad. Cheer up!
④ Don't forget to wear safety gear as well.
⑤ I didn't know you didn't like riding a bike.

고난도 메모하며 풀기

18 대화를 듣고, 남자의 마지막 말에 대한 여자의 응답으로 가장 적절한 것을 고르시오.

Woman: _____

① I'm sorry, but I can't.
② I'll meet him someday.
③ I can't see it very well.
④ Okay. When shall we meet?
⑤ Well, I'll keep my fingers crossed for you.

19 대화를 듣고, 여자의 마지막 말에 대한 남자의 응답으로 가장 적절한 것을 고르시오.

Man: _____

① I've already had dinner.
② I hope you enjoy your meal.
③ Okay. I'll go to the restaurant later.
④ What? I called and made the reservation myself.
⑤ I'm sorry to hear that. You can do better next time.

20 다음 상황 설명을 듣고, Noah가 할머니에게 할 말로 가장 적절한 것을 고르시오.

Noah: Grandma, _____

① are you following me?
② I beg your pardon?
③ what does that mean?
④ you need to buy a new phone.
⑤ I don't know how to send a text message.

틀린 문제는 Dictation에서 완벽하게 이해하세요.

01 그림 묘사
*들을 때마다 체크

대화를 듣고, 남자가 구입하려는 가방을 고르시오.

① ② ③
④ ⑤

여 안녕하세요. 어떻게 도와드릴까요?
남 저는 누나에게 줄 핸드백을 찾고 있어요.
여 그렇군요. 하트 모양의 이 가방은 어떠세요? 인기 상품이에요.
남 글쎄요, 귀여워 보이는데 누나는 가방에 항상 책을 가지고 다녀서 네모난 가방을 선호할 거예요.
여 그렇다면 이쪽으로 오세요. 이 검은색과 흰색의 체크 무늬 스타일은 인기도 있고 책을 가지고 다닐 만큼 충분히 커요.
남 크기는 좋은데, 꽃무늬가 있는 것이 있나요?
여 물론, 있습니다. 한 개 남았어요. 운이 좋으시네요.
남 오, 잘됐네요! 그것으로 할게요.

W Good afternoon. How may I help you?
M I'm _____ _____ a handbag for my sister.
W Okay. How about this heart-shaped bag? This is the bestseller.
M   Well, it looks cute, but my sister would _____ _____ _____ bag because she always carries a book in her bag.
W Then come over here. This checkered style in black and white is popular and _____ _____ to carry a book.
M The size is good, but do you have the one with flowers on it?
W Of course, we do. There's _____ _____ _____. You're lucky.
M Oh, that's great! I'll take it.

> **Solution Tip** 접속사 but 뒤에는 앞에서 말한 내용과 반대되는 내용이 나오므로 집중해서 들어야 한다.

02 구입할 물건

대화를 듣고, 여자가 주문하지 **않은** 것을 고르시오.
① 햄버거   ② 감자튀김
③ 오렌지주스   ④ 탄산음료
⑤ 양파 수프

남 안녕하세요. 주문하시겠어요?
여 네. 저는 햄버거 두 개랑 감자튀김으로 할게요.
남 햄버거 두 개랑 감자튀김이요. 음료는 하시겠어요?
여 네, 오렌지주스 한 잔과 탄산음료 하나 주세요.
남 네. 오늘 그게 다인가요?
여 네. 오, 잠깐만요! 양파 수프 되나요?
남 죄송하지만 양파 수프는 다 팔렸습니다.
여 그렇군요. 그럼 그게 다입니다.
남 네. 총 금액은 15달러입니다.
여 여기 있습니다.

M Hello. May I take your _____?
W Yes. I'd like to have two hamburgers and French fries, please.
M Two hamburgers and French fries. Would you like _____ _____ _____?
W Sure, I'd like a glass of orange juice and a soda.
M Okay. Would that be all for you today?
W Yeah. Oh, wait! Can I get an onion soup?
M I'm afraid it is _____ _____.
W I see. Then, that's it.
M All right. Your total _____ _____ 15 dollars.
W Here you are.

Dictation 01회 →
[전체 듣기
[문항별 듣기

Dictation의 효과적인 활용법
STEP 1 들으면서 대본의 빈칸 채우기
STEP 2 축쇄 문제를 보며 다시 풀어 보기
STEP 3 해석을 보며 영어로 말하거나 영작해 보기

공부한 날　　월　　일

03 목적

대화를 듣고, 여자가 남자에게 전화한 목적으로 가장 적절한 것을 고르시오.

① 극장에 같이 가려고
② 약속을 취소하려고
③ 세탁기 수리를 문의하려고
④ 세탁기 돌리는 것을 부탁하려고
⑤ 빨래 너는 것을 부탁하려고

[전화벨이 울린다.]
남　여보세요?
여　Dave, 나야.
남　오, 엄마. 극장에 계시지 않으세요?
여　응, 영화는 15분 후에 시작해. Dave, 부탁 좀 들어줄래?
남　물론이죠. 뭔데요?
여　집에서 나올 때 세탁기를 돌렸어. 빨래를 널어 줄래?
남　네. 빨래가 끝나면 널게요.
여　아주 좋아! 고마워.

☎ Telephone rings.

M　Hello?

W　Dave, it's me.

M　Oh, Mom. Aren't you at the movie theater?

W　Yeah, the movie starts in 15 minutes. Dave, can you _____ _____ _____ _____?

M　Of course. What is it?

W　I ran the washing machine when I left home. 🎵정답 근거 Can you _____ _____ the laundry?

M　Sure. I'll do it when the laundry is finished.

W　Great! Thanks.

🔈 Sound Tip　**Aren't you**
우리말 '굳이'는 [구지]로 읽는데 이는 ㄷ이 [이] 소리와 만나 발음하기 쉽게 변하기 때문이다. 영어도 두 소리가 만나 다른 소리를 내는 경우가 있는데, Aren't you는 /아ㄹ 츄/, Did you는 /디쥬/로 발음한다.

04 시각

대화를 듣고, 두 사람이 만나기로 한 시각을 고르시오.

① 1:00 p.m.　　② 5:30 p.m.
③ 6:00 p.m.　　④ 6:30 p.m.
⑤ 7:00 p.m.

남　보람아, 나랑 이번 토요일에 뮤지컬 'Lions'를 보러 갈래? 표가 두 장 있어.
여　좋아. 언제 시작하는데?
남　오후 7시에 시작해.
여　알겠어. 우리 몇 시에 만날까?
남　6시 30분 어때?
여　글쎄, 뮤지컬 보기 전에 같이 저녁을 먹는 것은 어때?
남　나는 좋아. 저녁을 먹으려면 적어도 한 시간은 필요할 것 같아.
여　네 말이 맞아. 그럼 극장 앞에서 5시 30분에 만나자.
남　알겠어, 그때 보자.

🇬🇧

M　Boram, do you want to _____ _____ for the musical, *Lions*, this Saturday? I have two tickets.

W　Sounds great. When does it start?

M　It starts at 7 p.m.

W　Okay. _____ _____ shall we meet?

 함정 주의
M　How about 6:30?
제안하는 표현: ~은 어때?

W　Well, why don't we have dinner together before the musical?
제안하는 표현: ~하는 게 어때?

M　Sounds good to me. I think we need _____ _____ one hour for dinner.

🎵정답 근거
W　You're right. Then _____ _____ at 5:30 in front of the theater.

M　Okay, see you then.

05 장소

대화를 듣고, 두 사람이 대화하는 장소로 가장 적절한 곳을 고르시오.

① 우체국 ② 문구점
③ 교실   ④ 병원
⑤ 은행

W Excuse me. I can't find letters and envelopes.

　정답 근거
M They're right over here, _____ the notebooks _____ pens.

W Oh, I see. Thank you. [*Pause*] Um, do you _____ _____?

M Sorry, but we don't. **You'd better go to the post office.**
　　　had better: ~하는 것이 좋다

W Can you tell me _____ the post office is?

M Sure. It's across the street, _____ _____ the bank.

W Thank you.

여 실례합니다. 편지지와 봉투를 찾을 수가 없어요.
남 그것들은 바로 여기 공책과 펜 사이에 있습니다.
여 오, 그렇군요. 고맙습니다. [잠시 후] 음, 우표도 있나요?
남 죄송하지만, 없습니다. 우체국에 가 보시는 것이 좋겠네요.
여 우체국이 어디에 있는지 말씀해 주시겠어요?
남 물론이죠. 그건 길 건너편 은행 옆에 있어요.
여 고맙습니다.

06 그림 상황

다음 그림의 상황에 가장 적절한 대화를 고르시오.

① ② ③ ④ ⑤

① W Did he just run a red light?

　M Yeah. I _____ _____ my eyes.

② W My train leaves in 30 minutes. I'm worried I'll
　　　　　가까운 미래는 현재 시제로 나타낼 수 있다.
　_____ it.

　M Okay. I'll go a little _____.

③ W Why don't you buckle up? I got a ticket the other day.
　　　　　　　안전벨트를 매다

　M Okay. Thanks for _____ me.

④ W Do you have a spare tire?

　M I'm afraid I don't.

⑤ W _____ _____ are you going to play basketball?

　M For about one hour.

① 여 그가 방금 빨간 신호에 지나간 거야?
　남 응. 내 눈을 믿을 수가 없어.
② 여 기차가 30분 후에 출발해요. 그것을 놓칠까 걱정이 됩니다.
　남 알겠습니다. 조금 더 빨리 갈게요.
③ 여 안전벨트를 매는 게 어떠니? 나는 저번에 딱지를 끊었거든.
　남 알겠어. 알려 줘서 고마워.
④ 여 너는 여분의 타이어를 가지고 있니?
　남 유감스럽지만 없어.
⑤ 여 너는 얼마나 오래 농구를 할 거니?
　남 한 시간 정도.

07 부탁한 일

대화를 듣고, 여자가 남자에게 부탁한 일로 가장 적절한 것을 고르시오.

① 아침에 깨워주기
② 강아지 산책시키기
③ 강아지 목욕시키기
④ 동물 병원 예약하기
⑤ 동물 병원에 가기

여 Chris, 일찍 일어났구나. 왜?
남 오늘 아침에 강아지들 산책을 시키고 싶어서요.
여 그거 좋구나! 강아지들 똥을 치우는 것도 잊지 말렴.
남 네, 그리고 오늘 오후에 동물 병원에 강아지들을 데려 가야 하는 것을 알고 계시죠?
여 오, 이런! 완전히 잊고 있었어. 약속이 있는데. 네가 데 려가 줄 수 있니?
남 물론이죠. 거기에 몇 시까지 가야 해요?
여 2시 30분까지 거기에 가야 해.
남 알겠어요. 제가 갈게요.

W Chris, you got up early. How come?
  = Why?
M I want to _____ the puppies this morning.
W That's great! Don't forget to clean up after the puppies.
  정답 근거   ~ 뒤를 깨끗이 치우다
M Okay, and you know we have to _____ _____ _____ _____ _____ this afternoon.
W Oh, no! I totally forgot. I have an _____. Can you take them?
M Sure. What time do they need to be there?
W They need to be there at 2:30.
M All right. I'll go.

→ **Solution Tip** 남자가 자발적으로 하는 일과 여자가 부탁하는 일을 구별해야 한다.

---

08 언급되지 않은 것

다음을 듣고, 미아에 관해 언급되지 않은 것을 고르시오.

① 이름   ② 나이
③ 발견된 장소   ④ 복장
⑤ 보호 중인 장소

여 주목해 주시기 바랍니다. 미아를 데리고 있습니다. 이 름은 Brian입니다. 그는 3층에 있는 식당에서 발견되 었습니다. 그는 흰 셔츠와 검은 바지를 입고 있습니다. 안경도 쓰고 있습니다. 아이의 부모님 또는 보호자께 서는 2층에 있는 고객 서비스 센터로 와 주시기 바랍 니다. 감사합니다.

🇬🇧

W Attention, please. We have a _____ _____. His
                                  정답 근거
  name is Brian. He was _____ in the restaurant on the
  third floor. He's wearing a white shirt and black pants.
  He's also _____ _____. If you are his parent or
                                조건을 나타내는 부사절을 이끄는 접속사: (만약) ~라면
  _____, please come to the customer service center on
  the second floor. Thank you.

→ **Solution Tip** 미아의 이름(Brian), 발견된 장소(in the restaurant on the third floor), 복장 (wearing a white shirt and black pants / wearing glasses), 보호 중인 장소(the customer service center)는 언급되었으나, 나이는 언급되지 않았다.

09 담화 화제

다음을 듣고, 무엇에 관한 설명인지 고르시오.
① 시계 ② 액자
③ 달력 ④ 공책
⑤ 계산기

남 이것은 우리가 벽에 걸거나 책상 위에 두는 것이다. 그것은 다양한 크기와 디자인으로 나온다. 그것은 특정 해의 날이나 주, 그리고 달을 보여 준다. 날에는 숫자 1부터 31까지 사용되고, 달에는 1부터 12까지 사용된다. 그것은 대개 한 쪽에 7개의 세로줄과 6개의 가로줄이 있는 표가 있다. 그것을 잘 활용하기 위해서 우리는 중요한 행사를 적는다.

M This is something we _____ _____ a wall or put on a desk. It comes in various sizes and designs. It shows the days, weeks, and months of a _____ _____. The numbers from 1 to 31 _____ _____ for the day and from 1 to 12 for the month. It usually has a table with 7 _____ and 6 _____ on a page. To make good use of this, we _____ _____ important events.

정답 근거

to부정사의 부사적 용법(목적)

10 어색한 대화

다음을 듣고, 두 사람의 대화가 어색한 것을 고르시오.
① ② ③ ④ ⑤

① 여 문이 모두 잠겨 있는지 확인했니?
  남 응, 했어. 나는 그것들을 두 번 확인했어.
② 여 내가 여기에 주차해야 하니, 아니면 길거리에 해야 하니?
  남 어떻게 하든 괜찮아.
③ 여 우리 이번 주말에 영화 보러 갈까?
  남 좋아. 무엇을 보고 싶니?
④ 여 그 수리점은 토요일마다 문을 일찍 닫지, 그렇지 않니?
  남 응, 그래. 토요일마다 오후 1시에 문을 닫아.
⑤ 여 너는 점심으로 무엇을 먹고 싶니?
  남 물론이지. 그러고 싶어.

① W Did you check if all the doors _____ _____?
  명사절을 이끄는 접속사: ~(인)지
  M Yes, I did. I checked them twice.
  = the doors
② W Should I park here, or on the street?
  M _____ is fine.
③ W Why don't we go to the movies this weekend?
  M Sounds good. What do you want _____ _____?
④ W The repair shop closes early on Saturdays, _____ _____?
  M Yes, it does. It closes at 1 p.m. on Saturdays.
  정답 근거
⑤ W What would you like to eat for lunch?
  M Sure. I'd love to.

Solution Tip 의문사 what으로 시작하는 의문문에는 Yes나 No로 답하지 않는다. 여기서는 '무엇을' 먹고 싶은지로 답하는 것이 자연스럽다.

11 할 일

대화를 듣고, 두 사람이 대화 직후에 할 일로 가장 적절한 것을 고르시오.

① 산책 가기　　② 서점 가기
③ 백화점 가기　　④ 영화표 사기
⑤ 저녁 식사하기

W: Oh, no! All the tickets are sold out _____ the tickets for 7 p.m.
  (다 팔린, 매진된)

M: What time is it now?

W: It's only 4 p.m. Do you _____ want to see this movie?

M: Yes. This is _____ _____ _____ to see for a long time.
  (오랫동안)

W: I see. Then, what can we do for 3 hours?

M: How about _____ to a bookstore? I want to buy a movie magazine. Then, we can have dinner.

W: 🎵정답 근거
  Okay. Let's buy the tickets _____.

여: 오, 이런! 오후 7시 표를 제외하고는 모든 표가 매진되었어.
남: 지금이 몇 시지?
여: 오후 4시밖에 안 됐어. 그래도 너는 이 영화를 보고 싶니?
남: 응. 이건 내가 오랫동안 보려고 기다려 왔던 거야.
여: 알겠어. 그러면, 우리가 3시간 동안 무엇을 할 수 있을까?
남: 서점에 가는 게 어때? 나는 영화 잡지를 사고 싶거든. 그런 다음, 저녁을 먹을 수 있을 거야.
여: 그래. 먼저 표를 사자.

12 표 정보

다음 표를 보면서 대화를 듣고, 남자가 예약한 내용을 고르시오.

	Date	Time	Number of People	Room
①	May 5th	5 p.m.	13	Diamond
②	May 5th	2 p.m.	30	Crystal
③	May 5th	2 p.m.	13	Ruby
④	May 15th	5 p.m.	13	Crystal
⑤	May 15th	2 p.m.	30	Ruby

[전화벨이 울린다.]
여: 여보세요. Joe's 식당입니다.
남: 안녕하세요. 5월 5일 오후 2시에 예약을 하고 싶어요.
여: 일행이 몇 분이신가요?
남: 30명 정도예요. 할아버지의 80세 생신 잔치를 하려고 하거든요.
여: 축하드려요! 성함과 전화번호를 알려 주시겠어요?
남: 제 이름은 Kevin Lee이고, 전화번호는 010-1234-0000입니다.
여: 네. 필요하신 게 더 있으신가요?
남: 가능하다면 크리스털 룸으로 하고 싶어요.
여: 문제없습니다.

📞Telephone rings.

W: Hello. Joe's Restaurant.

M: 🎵정답 근거
  Hello. I'd like to _____ _____ _____ for 2 p.m. on May 5th.

W: _____ _____ _____ will there be in your party?

M: About 30. We're having our grandfather's 80th birthday party.

W: Congratulations! Can I have your name and phone number, please?

M: My name is Kevin Lee, and my phone number is 010-1234-0000.

W: All right. Do you need anything else?

M: _____ _____, I'd like to have the Crystal Room.

W: No problem.

🔙Solution Tip 표의 정보를 묻는 문제는 듣기 전에 선택지의 헷갈리는 날짜나 숫자 등을 먼저 확인한다.

13 날짜

대화를 듣고, 축제가 열리는 날짜를 고르시오.
① June 3rd ② June 23rd
③ June 26th ④ July 23rd
⑤ July 30th

W Hey, Alex. Is your band going to _____ _____ _____ the school festival?

M Right. Where did you hear that?

W I read it in the school newspaper. You must be _____.
　　강한 추측을 나타내는 조동사(~임에 틀림없다)

M Yeah, but we're a little worried that we don't have enough time to practice.
　　🎸정답 근거

W Today is June 23rd, and ....

M Yes. We now have only _____ _____ _____ until the performance.

W Don't worry. I think your band will be great!

M Thanks.

여 안녕, Alex. 너의 밴드가 학교 축제에 참가하니?
남 맞아. 어디서 들었니?
여 학교 신문에서 그것을 읽었어. 신나겠구나.
남 응, 그런데 연습할 시간이 충분하지 않아서 조금 걱정이야.
여 오늘이 6월 23일이니까……
남 응. 지금 우리는 공연까지 3일 밖에 안 남았어.
여 걱정하지 마. 너의 밴드는 잘할 것 같아!
남 고마워.

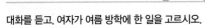 **Solution Tip** 오늘은 6월 23일이고 공연까지 3일이 남았다.

14 과거에 한 일

대화를 듣고, 여자가 여름 방학에 한 일을 고르시오.
① 봉사 활동
② 가족 여행
③ 과학 캠프 참가
④ 인터넷 강의 수강
⑤ 역사 캠프 참가

M Emma, long time no see. How was your summer vacation?

W It was great. I _____ _____ a science camp.
　　🎸정답 근거

M Really? What did you do there?

W I _____ some _____ and took interesting lessons. I also made a lot of friends there.

M Wow, you had a really good time!

W Sure. A week seemed _____ _____.

M You can sign up for the camp again next summer.
　　~에 등록하다

남 Emma, 오랜만이야. 여름 방학 어땠니?
여 즐거웠어. 난 과학 캠프에 갔었어.
남 정말? 거기서 뭘 했니?
여 실험을 했고 재미있는 수업도 들었어. 그리고 거기서 친구들도 많이 사귀었어.
남 와, 정말 좋은 시간을 보냈구나!
여 물론이야. 일주일이 너무 짧은 것 같더라.
남 다음 여름에 캠프를 또 신청할 수 있을 거야.

15 목적

다음을 듣고, 방송의 목적으로 가장 적절한 것을 고르시오.

① 교통사고를 보도하려고
② 도로 공사를 알리려고
③ 변경된 버스 노선을 공지하려고
④ 새 교통 법규를 설명하려고
⑤ 공사 날짜 변경을 안내하려고

M Hello, listeners. This is Eric Peterson, and I'll report a _____ _____. There's an important traffic condition you need to know today. **정답 근거** Main Bridge is closed _____ _____ road construction. Therefore, all vehicles and
따라서, 그러므로
pedestrians _____ _____ _____ to enter Main Bridge. The construction work will be ongoing until
진행 중인
October 31st. Thank you.

남 안녕하세요, 청취자 여러분. 저는 Eric Peterson입니다. 최신의 교통 상황을 알려 드리겠습니다. 오늘 여러분이 아셔야 할 중요한 교통 상황이 있습니다. Main 다리가 도로 공사로 인해 폐쇄되었습니다. 따라서 모든 차량들과 보행자들은 Main 다리로 진입할 수 없습니다. 공사는 10월 31일까지 계속될 예정입니다. 감사합니다.

🔑 **Sound Tip** 잘 들리지 않는 소리 [t, d, p, b, k, g]

영어에서 [t, d, p, b, k, g]는 낱말의 처음이나 중간에서 비교적 잘 들리지만, 끝에서는 공기를 아예 내뱉지 않거나 약하게 내뱉기 때문에 소리가 잘 들리지 않는다. 예를 들어 work의 k는 약하게 발음되어 거의 들리지 않는다.

16 금액

대화를 듣고, 남자가 환불받을 금액을 고르시오.
① $4   ② $8   ③ $10
④ $36   ⑤ $40

[전화벨이 울린다.]
여 여보세요, 어떻게 도와드릴까요?
남 안녕하세요. 저는 기차표를 취소하고 싶어요.
여 알겠습니다. 어떤 것을 취소하고 싶으신가요?
남 오늘 오후 4시 보스턴행 두 장이요. 제가 4시까지 갈 수 있을 것 같지가 않네요.
여 오, 지금 3시 30분이네요. 이 경우에는 총 금액의 10%를 지불하지 않으면 취소할 수 없어요.
남 그럼, 저는 36달러를 환불받을 수 있네요. 맞나요?
여 맞아요. 그래도 그것들을 취소하고 싶으세요?
남 네. 선택의 여지가 없는 것 같네요.

📞 Telephone rings.

W Hello, how may I help you?

M Hi. I'd like to cancel my train tickets.

W All right. What would you like to cancel?

M Two tickets to Boston for 4 o'clock this afternoon. I don't think I can _____ _____ by 4.

W Oh, it's 3:30 now. In this case, you can't cancel without _____ 10% of the total price.
without+동명사: ~하지 않고

M **정답 근거** Then, I could _____ 36 dollars _____. Right?

W That's right. Do you still want to cancel them?

M Yes. I guess I'm left with _____ _____.
be left with: 계속 지니다, 맡겨지다

↩ **Solution Tip** 기차표를 취소하려면 총 금액의 10%를 내야 한다고 하자 남자는 환불금이 36달러가 맞는지 확인했다.

17 적절한 응답

대화를 듣고, 여자의 마지막 말에 대한 남자의 응답으로 가장 적절한 것을 고르시오.

Man: _____

① I go to school by bike.
② I saw you riding a bike.
③ That's too bad. Cheer up!
④ Don't forget to wear safety gear as well.
⑤ I didn't know you didn't like riding a bike.

여 Jake, 뭐 하고 있니?
남 아무것도 안 해. 지루하다.
여 우리 재미있는 무언가를 하지 않을래?
남 좋아. 컴퓨터 게임하는 건 어때?
여 그러지 말고! 너 항상 컴퓨터 게임하잖아! 날씨가 정말 좋아. 밖으로 나가자.
남 그러면 강을 따라 자전거 타는 건 어때?
여 그거 좋은 생각이야. 자전거 가져 올게.
남 ④ 안전 장비를 하는 것도 잊지 마.

W Jake, what are you doing?
M Nothing. I _____ _____.
W Why don't we do something fun?
<u>-thing으로 끝나는 대명사는 뒤에서 수식</u>
M Okay. How about playing computer games?
W Come on! You _____ _____ computer games! The weather is really nice. Let's _____ _____.
🎵정답 근거
M Then, how about riding bikes along the river?
<u>~을 따라</u>
W That sounds great. I'll get the bike.
M ④ Don't forget to wear safety gear as well.

① 나는 자전거를 타고 학교에 가. ② 나는 네가 자전거를 타고 있는 걸 봤어.
③ 안됐구나. 기운 내! ⑤ 나는 네가 자전거 타는 것을 안 좋아하는지 몰랐어.

18 적절한 응답

대화를 듣고, 남자의 마지막 말에 대한 여자의 응답으로 가장 적절한 것을 고르시오.

Woman: _____

① I'm sorry, but I can't.
② I'll meet him someday.
③ I can't see it very well.
④ Okay. When shall we meet?
⑤ Well, I'll keep my fingers crossed for you.

여 안녕, Richard.
남 안녕, Sally.
여 너 또 하늘을 보고 있는 거야? 왜 그러는 거야?
남 내가 지난주에 UFO에 관한 책을 한 권 읽었거든. UFO를 본 사람들에 관한 이야기가 정말 많더라.
여 그래서…… 너도 하나 기다리는 거야?
남 응.
여 그 이야기들이 진짜인지 아닌지조차 모르잖아!
남 그 이야기들은 많은 증거로 뒷받침되고 있어. 나는 언젠가 UFO를 볼 거라고 확신해.
여 ⑤ 글쎄, 행운을 빌게.

W Hi, Richard.
M Hey, Sally.
W Are you _____ _____ the sky again? Why do you do that?
M I read a book about UFOs last week. There were so many stories about _____ _____ _____ UFOs.
W So ... are you waiting for one?
<u>* = a UFO</u>
<u>wait for: ~을 기다리다</u>
M Yeah.
W You don't even know _____ those stories are real or not!
🎵정답 근거
M They're _____ _____ a lot of evidence. I'm sure I'll see one someday.
<u>= a UFO</u>
W ⑤ Well, I'll keep my fingers crossed for you.

① 미안하지만 나는 못해. ② 나는 언젠가 그를 만날 거야.
③ 나는 그것이 잘 안 보여. ④ 좋아. 우리 언제 만날까?

19 적절한 응답 ☐☐

대화를 듣고, 여자의 마지막 말에 대한 남자의 응답으로 가장 적절한 것을 고르시오.

Man: _____

① I've already had dinner.
② I hope you enjoy your meal.
③ Okay. I'll go to the restaurant later.
④ What? I called and made the reservation myself.
⑤ I'm sorry to hear that. You can do better next time.

여 안녕하세요, 손님. 무엇을 도와드릴까요?
남 제가 7시에 다섯 명을 예약했는데요.
여 성함을 말씀해 주시겠습니까?
남 Daniel McCoy입니다.
여 성의 철자를 말씀해 주시겠어요?
남 M-c-C-o-y입니다. Daniel McCoy예요.
여 죄송하지만 손님 이름으로 예약된 것이 없습니다.
남 ④ 뭐라고요? 제가 전화해서 직접 예약을 했는데요.

W Good evening, sir. What can I do for you?
M I _____ _____ _____ at 7 for five people.
W May I have your name, please?
M Daniel McCoy.
W Can you _____ your last name?
성(= family name) cf. given[first] name: 이름
M M-c-C-o-y. Daniel McCoy.
🎵정답 근거
W I'm afraid we have no reservation _____ _____ _____.

M ④ What? I called and made the reservation myself.

① 저는 이미 저녁을 먹었어요. ② 식사를 맛있게 하길 바랍니다. ③ 좋아요. 그 식당에 나중에 가 볼게요.
⑤ 그것을 듣게 되어 유감이네요. 다음에는 더 잘할 수 있을 거예요.

20 상황에 맞는 말 ☐☐

다음 상황 설명을 듣고, Noah가 할머니에게 할 말로 가장 적절한 것을 고르시오.

Noah: Grandma, _____

① are you following me?
② I beg your pardon?
③ what does that mean?
④ you need to buy a new phone.
⑤ I don't know how to send a text message.

여 Noah의 할머니는 스마트폰으로 자신의 친구에게 문자 메시지를 보내고 싶다. Noah는 할머니께 메시지 보내는 방법을 자세히 설명해 드린다. 하지만 할머니께서 스마트폰을 처음 사용해 보는 것이라서 할머니는 무척 혼란스러워하시는 것처럼 보인다. Noah는 할머니께서 이해하셨는지를 확인하고 싶다. 이러한 상황에서 Noah는 할머니께 뭐라고 말할까?

Noah 할머니, ① 제 말 이해하셨어요?

W Noah's grandmother wants to _____ her friend with her smartphone. Noah explains to his grandmother how to send a message _____ _____. However, it is
how+to부정사: ~하는 방법
her first time to use the smartphone, so she _____ very
🎵정답 근거
_____. Noah wants to _____ _____ _____.
In this situation, what would Noah most likely say to his grandmother?

Noah Grandma, ① are you following me?

② 다시 한 번 말씀해 주시겠어요? ③ 그것이 무슨 뜻인가요?
④ 새 전화기를 구입하셔야 해요. ⑤ 저는 문자 메시지 보내는 법을 몰라요.

[VOCABULARY] 실전 모의고사 02회

어휘를 알아야 들린다

모의고사를 먼저 풀고 싶으면 26쪽으로 이동하세요.

🎧 다음 표현을 듣고 모르는 것에 표시하시오.

- [ ] 01 nephew 남자 조카
- [ ] 02 squirrel 다람쥐
- [ ] 03 gift-wrap 선물용으로 포장하다
- [ ] 04 cough 기침하다
- [ ] 05 have a runny nose 콧물이 나다
- [ ] 06 flu 독감(= influenza)
- [ ] 07 confirm 확인하다
- [ ] 08 inconvenience 불편
- [ ] 09 look into ~을 조사하다, 살펴보다
- [ ] 10 originally 원래(cf. original 원래의)
- [ ] 11 as usual 늘 그렇듯이
- [ ] 12 instead 대신에
- [ ] 13 book 예약하다
- [ ] 14 broom 빗자루
- [ ] 15 mop (걸레로) 닦다
- [ ] 16 principal 교장
- [ ] 17 debate 토론
- [ ] 18 participate in ~에 참가하다
- [ ] 19 right 권리
- [ ] 20 vote 투표하다
- [ ] 21 substance 물질
- [ ] 22 crystal 결정체
- [ ] 23 necessary 필요한
- [ ] 24 preserve 보존하다

- [ ] 25 medium (고기 따위를) 중간쯤 익힌
- [ ] 26 research 조사
- [ ] 27 consider 고려하다
- [ ] 28 advanced 상급의
- [ ] 29 swimming stroke (수)영법
- [ ] 30 regret 후회하다
- [ ] 31 rerun 재방송
- [ ] 32 donate 기부하다
- [ ] 33 passenger 승객
- [ ] 34 technical 기술적인
- [ ] 35 voucher 상품권, 쿠폰
- [ ] 36 departure 출발
- [ ] 37 apologize 사과하다
- [ ] 38 inform 알리다
- [ ] 39 recommend 추천하다
- [ ] 40 spicy 매운, 양념 맛이 강한
- [ ] 41 attend 참석하다
- [ ] 42 breed (동식물의) 품종
- [ ] 43 doorbell 초인종

📝 알아두면 유용한 선택지 **어휘**

- [ ] 44 pay for 비용을 지불하다
- [ ] 45 dial 전화를 걸다
- [ ] 46 leash (개 등을 매어 두는) 목줄

🎧 들으면서 표현을 완성한 다음, 뜻을 고르시오.

표현의 의미를 생각하며 다시 써 보기!

01 re　ret　　　☐ 후회하다　☐ 망설이다　　➜ _____

02 co　g　　　☐ 삼키다　☐ 기침하다　　➜ _____

03 inconv　ni　nce　☐ 불편　☐ 편리　　➜ _____

04 apolo　ize　　☐ 용서하다　☐ 사과하다　➜ _____

05 b　eed　　　☐ (동식물의) 품종　☐ 빗자루　➜ _____

06 su　stance　　☐ 결정체　☐ 물질　　➜ _____

07 at　end　　　☐ 참석하다　☐ 연기하다　➜ _____

08 inste　d　　　☐ 대신에　☐ 원래　　➜ _____

09 princip　l　　☐ 원리　☐ 교장　　➜ _____

10 do　ate　　　☐ 기부하다　☐ 봉사하다　➜ _____

11 ne　essary　　☐ 중간의　☐ 필요한　➜ _____

12 depart　re　　☐ 출발　☐ 도착　　➜ _____

13 recom　end　　☐ 추천하다　☐ 거절하다　➜ _____

14 pass　nger　　☐ 통로　☐ 승객　　➜ _____

15 nep　ew　　　☐ 사촌　☐ 남자 조카　➜ _____

16 conf　rm　　　☐ 확인하다　☐ 조사하다　➜ _____

17 sp　cy　　　☐ 달콤한　☐ 매운　　➜ _____

18 　ote　　　☐ 참여하다　☐ 투표하다　➜ _____

19 deb　te　　　☐ 토론　☐ 결함　　➜ _____

20 te　hni　al　　☐ 권위적인　☐ 기술적인　➜ _____

실전 모의고사 [02] 회

실전 모의고사 02회 →
┌ 모의고사 보통 속도
└ 모의고사 빠른 속도

✎ 들으면서 주요 표현 메모하기!

01 대화를 듣고, 여자가 구입할 티셔츠를 고르시오.

① ② ③ ④ ⑤

02 대화를 듣고, 남자의 증상으로 언급되지 <u>않은</u> 것을 고르시오.

① 두통 ② 기침 ③ 콧물 ④ 발열 ⑤ 인후통

03 다음 그림의 상황에 가장 적절한 대화를 고르시오.

① ② ③ ④ ⑤

고난도 메모하며 풀기

04 대화를 듣고, 여자가 일어날 시각을 고르시오.

① 7:00 a.m. ② 7:30 a.m. ③ 8:00 a.m. ④ 8:30 a.m. ⑤ 9:00 a.m.

05 대화를 듣고, 남자가 여자에게 전화한 목적으로 가장 적절한 것을 고르시오.

① 방을 바꾸려고　　　　　　② 모닝콜을 부탁하려고
③ 룸서비스를 이용하려고　　　④ 식당 예약을 요청하려고
⑤ 온수가 안 나오는 것을 항의하려고

06 대화를 듣고, 두 사람이 대화하는 장소로 가장 적절한 곳을 고르시오.

① 우체국   ② 도서관   ③ 카페   ④ 약국   ⑤ 서점

07 대화를 듣고, 여자가 남자에게 부탁한 일로 가장 적절한 것을 고르시오.

① 걸레로 바닥 닦기   ② 빗자루로 바닥 쓸기   ③ 청소기 수리하기
④ 청소기 수리 신청하기   ⑤ 서비스 센터 방문하기

고난도 메모하며 풀기
08 다음을 듣고, 영어 토론 대회에 관해 언급되지 <u>않은</u> 것을 고르시오.

① 대회 날짜   ② 대회 장소   ③ 토론 주제
④ 신청 기간   ⑤ 수상자 혜택

고난도 메모하며 풀기
09 다음을 듣고, 무엇에 관한 설명인지 고르시오.

① 설탕   ② 소금   ③ 밀가루   ④ 후추   ⑤ 고춧가루

10 다음을 듣고, 두 사람의 대화가 <u>어색한</u> 것을 고르시오.

①   ②   ③   ④   ⑤

✎ 들으면서 주요 표현 메모하기!

틀린 문제는 Dictation에서
완벽하게 이해하세요.

실전 모의고사 [02]회

✎ 들으면서 주요 표현 메모하기!

11 대화를 듣고, 남자가 할 일로 가장 적절한 것을 고르시오.
① 여행사 방문하기 ② 여행자 보험 들기 ③ 여행 계획 보내 주기
④ 여행 계획 세우기 ⑤ 여행지 고르기

12 다음 표를 보면서 대화를 듣고, 여자가 신청할 수영 강좌를 고르시오.

	Lesson	Time	Days	Level
①	A	7–8 a.m.	Mon., Wed., Fri.	Beginner
②	B	7–8 a.m.	Tues., Thurs.	Master
③	C	9–10 a.m.	Mon., Wed., Fri.	Beginner
④	D	9–10 a.m.	Tues., Thurs.	Beginner
⑤	E	9–10 a.m.	Mon., Wed., Fri.	Master

13 대화를 듣고, 두 사람이 공연을 보기로 한 날짜를 고르시오.
① 6월 14일 ② 6월 15일 ③ 7월 14일 ④ 7월 15일 ⑤ 7월 16일

14 대화를 듣고, 남자가 어제 한 일로 가장 적절한 것을 고르시오.
① 쇼핑하기 ② 영화 보기 ③ 병원 가기
④ 양로원 방문하기 ⑤ 헌 옷 기부하기

고난도 메모하며 풀기

15 다음을 듣고, 무엇에 관한 안내 방송인지 고르시오.
① 공항 식당 위치 ② 상품권 사용 방법 ③ 비행기 출발 지연
④ 비행기 비상 탈출 ⑤ 비행기 탑승구 변경

고난도 메모하며 풀기

16 대화를 듣고, 여자가 지불할 금액을 고르시오.

① $40　　② $41　　③ $45　　④ $46　　⑤ $50

🖊 들으면서 주요 표현 메모하기!

17 대화를 듣고, 남자의 마지막 말에 대한 여자의 응답으로 가장 적절한 것을 고르시오.

Woman: _____

① Okay. I'd like that, please.
② Why do you want to eat curry?
③ Sorry, but I don't like Indian food.
④ I think you're really good at cooking.
⑤ I didn't like that when I came here last time.

18 대화를 듣고, 여자의 마지막 말에 대한 남자의 응답으로 가장 적절한 것을 고르시오.

Man: _____

① What's your address?
② You must pay for the call.
③ I don't have any paper to write on.
④ Sorry, but you dialed the wrong number.
⑤ That's okay. I'll send her a text message.

19 대화를 듣고, 남자의 마지막 말에 대한 여자의 응답으로 가장 적절한 것을 고르시오.

Woman: _____

① He's from Germany.
② He likes to eat meat.
③ I should've put a leash on him.
④ Don't worry. He'll be back home soon.
⑤ He's small and white. He's wearing a green leash.

고난도 메모하며 풀기

20 다음 상황 설명을 듣고, Derek이 Christina에게 할 말로 가장 적절한 것을 고르시오.

Derek: Christina, _____

① please close the door.
② be quiet. It's too noisy.
③ stop playing mobile games.
④ will you answer the doorbell?
⑤ can you help me with my homework?

틀린 문제는 **Dictation**에서
완벽하게 이해하세요. 🖍

01 그림 묘사

*들을 때마다 체크

대화를 듣고, 여자가 구입할 티셔츠를 고르시오.

① ② ③

④ ⑤

남 안녕하세요. 도와드릴까요?
여 네. 저는 조카에게 줄 티셔츠를 사고 싶어요. 그는 5살이에요.
남 자동차가 그려진 이것은 어떠세요?
여 그것도 좋은데, 동물이 그려진 것이 있나요?
남 물론이죠. 저것들을 보세요. 토끼, 호랑이, 또는 다람쥐가 그려진 귀여운 티셔츠가 있어요.
여 그렇군요. 조카는 다람쥐를 가장 좋아하는 것 같아요. 다람쥐가 그려진 것으로 하나 살게요.
남 좋은 선택이세요! 티셔츠를 선물 포장하실건가요?
여 그러면 좋겠어요.

M Hello. May I help you?

W Yes. I'd like to buy a T-shirt for _____ _____. He's 5 years old.

M How about this one with a car on it?

W It's nice, but do you have _____ with _____?

M Of course. Take a look at those. There are lovely T-shirts with a rabbit, a tiger, or a squirrel.
~을 보다

W I see. I guess my nephew _____ squirrels _____ _____. I'll take the one with a squirrel.
정답 근거

M Good choice! Would you like the T-shirt gift-wrapped?
~하시겠습니까?

W That would be great.

> **Sound Tip** 축약형
> 축약된 발음은 다른 표현으로 혼동하기 쉽기 때문에 문맥이나 상황으로 미루어 짐작한다. It's는 Its인지 eats인지, He's는 He is인지 He has인지 앞뒤 문맥을 잘 살펴보아야 한다.

---

02 언급되지 않은 것

대화를 듣고, 남자의 증상으로 언급되지 않은 것을 고르시오.

① 두통   ② 기침   ③ 콧물
④ 발열   ⑤ 인후통

여 Lucas, 너 아파 보여. 무슨 일이니?
남 몸이 안 좋아요. 두통이 너무 심해요.
여 약은 먹었니?
남 네, 그런데 전혀 효과가 없어요. 지금은 기침도 심하고 콧물도 나요.
여 어디 보자. 흠…… 열도 있구나.
남 감기나 독감에 걸린 것 같아요.
여 지금 당장 병원에 가는 게 좋겠어.
남 네, 그렇게 할게요.

W Lucas, you _____ _____. What's wrong?

M I don't feel well. I have a terrible _____.
정답 근거

W Did you take some medicine?
take medicine: 약을 먹다

M Yeah, but it didn't work at all. Now I _____ a lot and have a _____ _____.

W Let me see. Hmm ... you also have a _____.

M I think I have a _____ or the flu.
= influenza

W You'd better see a doctor right now.
병원에 가다

M Okay, I will.

> **Solution Tip** 두통(a terrible headache), 기침(cough), 콧물(a runny nose), 발열(a fever)은 언급되었지만, 인후통(a sore throat)은 언급되지 않았다.

Dictation 02회 →
전체 듣기
문항별 듣기

Dictation의 효과적인 활용법

STEP 1 들으면서 대본의 빈칸 채우기
STEP 2 축쇄 문제를 보며 다시 풀어 보기
STEP 3 해석을 보며 영어로 말하거나 영작해 보기

공부한 날   월   일

03 그림 상황

다음 그림의 상황에 가장 적절한 대화를 고르시오.

① ② ③ ④ ⑤

① 남 너의 언니는 무엇을 입고 있니?
　여 그녀는 반바지를 입고 안경을 쓰고 있어.
② 남 제가 이 외투를 입어 봐도 될까요?
　여 물론이죠. 입어 보세요.
③ 남 예약을 확인하고 싶습니다.
　여 네. 성함을 말씀해 주시겠어요?
④ 남 여권을 주시겠어요?
　여 여기 있습니다.
⑤ 남 무엇을 도와드릴까요?
　여 저는 이 외투를 드라이클리닝해야 합니다.

① M What is your sister wearing?

　W She's _____ _____ and _____.

② M Can I _____ _____ this coat?

　W Sure. Go ahead.

③ M I'd like to _____ my reservation.

　W Okay. Can I have your name, please?

④ M May I have your passport, please?

　W _____ _____ _____.

⑤ M What can I do for you?

🎵정답 근거

　W I need this coat dry-cleaned.

02회 영어듣기

04 시각

대화를 듣고, 여자가 일어날 시각을 고르시오.

① 7:00 a.m.　　② 7:30 a.m.
③ 8:00 a.m.　　④ 8:30 a.m.
⑤ 9:00 a.m.

남 일어나렴, Julie. 7시야.
여 아, 아빠. 토요일이잖아요, 그리고 저는 어젯밤에 늦게 잤다고요.
남 기억 안 나니? 우리 오늘 아침에 영화 보러 가기로 했잖아.
여 오, 맞아요. 영화가 몇 시에 시작하죠?
남 오전 9시란. 지금 씻고 아침을 먹는 게 좋겠다.
여 저는 아침을 먹는 것보다 잠을 더 자고 싶어요. 30분 뒤에 저를 깨워 주시겠어요?
남 그래, 알겠다.

M Wake up, Julie. It's 7 o'clock. 💬함정 주의 7시는 현재 시각

W Ah, Dad. It's Saturday, and I went to bed late last night.

M Don't you remember? We're _____ _____ see a movie this morning.

W Oh, you're right. What time does the movie start?

💬함정 주의 9시는 영화가 시작하는 시각

M At 9 a.m. You'd better _____ _____ _____ and
= had better: ~하는 것이 낫다
have breakfast now.

🎵정답 근거

W I'd rather sleep more than eat breakfast. Can you _____
would rather A than B: B하기보다 차라리 A하고 싶다
_____ _____ in 30 minutes?
in+시간: ~ 후에

M All right, then.

→ **Solution Tip** 현재 시각은 7시이고 30분 뒤에 깨워달라고 했으므로, 여자가 일어날 시각은 7시 30분이다.

[Dictation]실전 모의고사 **02**회

05 목적

대화를 듣고, 남자가 여자에게 전화한 목적으로 가장 적절한 것을 고르시오.
① 방을 바꾸려고
② 모닝콜을 부탁하려고
③ 룸서비스를 이용하려고
④ 식당 예약을 요청하려고
⑤ 온수가 안 나오는 것을 항의하려고

[전화벨이 울린다.]
여 안내 데스크입니다. 도와드릴까요?
남 1301호에 문제가 조금 있어요.
여 무슨 문제가 있나요?
남 욕실에 뜨거운 물이 안 나와요.
여 불편을 드려 정말 죄송합니다. 즉시 누군가가 그것을 살펴보게 할게요.
남 알겠습니다.
여 다른 필요한 것이 있으신가요?
남 아니에요, 고맙습니다.

📞 Telephone rings.

W　Front desk. May I help you?

M　I have a little problem with Room 1301.

W　What _____ _____ _____ the problem?
🎵정답 근거

M　There's no hot water in the bathroom.

W　I'm really sorry for _____ _____. I'll have someone look into it right away.
look into: ~을 조사하다, 살펴보다

M　Okay.

W　_____ _____ anything else you need?

M　No, thanks. 🔊함정 주의 온수가 안 나오지만 방을 바꾸는 것을 요청하지 않음

---- 🔙 **Solution Tip** 남자의 두 번째 대사를 통해 욕실에 온수가 안 나오는 문제를 해결하기 위해 전화했다는 것을 알 수 있다.

06 장소

대화를 듣고, 두 사람이 대화하는 장소로 가장 적절한 곳을 고르시오.
① 우체국　② 도서관　③ 카페
④ 약국　⑤ 서점

남 안녕하세요, Nick.
여 안녕하세요, Nick, 오늘은 어떻게 도와드릴까요?
남 이 달걀 샌드위치가 맛있어 보이네요. 얼마인가요?
여 그것은 원래 5달러였는데, 지금은 4달러예요. 샌드위치는 저녁에 할인을 해요.
남 그거 잘됐네요. 달걀 샌드위치를 2개 주세요.
여 네, 늘 그렇듯이 카푸치노를 원하시나요?
남 오늘은 아니에요. 대신 핫초코로 할게요.
여 다른 것은요?
남 그게 다예요. 여기 제 신용 카드요.

M　Good evening, Jennifer.

W　Good evening, Nick. How may I help you today?

M　This egg sandwich _____ _____. How much is it?

W　It was originally five dollars, but it's four dollars now.
🎵정답 근거
Sandwiches are _____ _____ in the evening.

M　That's great. I'll take two egg sandwiches.

W　Okay. Would you like a cappuccino _____ _____?

M　Not today. I'd like a hot chocolate _____.
= would like

W　Anything else?

M　That's all. _____ my credit card.

---- 🔙 **Solution Tip** 가격을 묻는 표현인 How much it it?과 sandwiches, a cappuccino, a hot chocolate 등의 표현으로 장소를 추측할 수 있다.

07 부탁한 일

대화를 듣고, 여자가 남자에게 부탁한 일로 가장 적절한 것을 고르시오.
① 걸레로 바닥 닦기
② 빗자루로 바닥 쓸기
③ 청소기 수리하기
④ 청소기 수리 신청하기
⑤ 서비스 센터 방문하기

W Oh, my! The vacuum cleaner doesn't work again.

M Again? Did you check the _____ bag in the cleaner?

W Yes. It's not _____. I _____ it just a few minutes
ago.
= the dust bag

M I guess we have to take it to the service center today.
= the vacuum cleaner

W The service center _____ _____ on weekends. I'll
_____ a repair visit online.
주말마다

M Good. Then, we're not cleaning the house today?

W No way! 🎸정답 근거 Can you _____ the floor with a broom? I'll
_____ the floor.

M Okay, I got it.

여 오, 이런! 진공청소기가 또 작동을 안 해.
남 또? 청소기 안의 먼지 주머니는 확인했어?
여 응. 그건 가득 차 있지 않아. 내가 불과 몇 분 전에 그것을 비웠거든.
남 그것을 오늘 서비스 센터에 맡겨야 할 것 같아.
여 서비스 센터는 주말에는 닫아. 내가 온라인으로 방문 수리를 예약할게.
남 좋아. 그럼, 오늘 집 청소는 안 하는 거야?
여 아니! 빗자루로 바닥을 쓸어 줄래? 내가 걸레로 바닥을 닦을게.
남 알겠어, 그렇게 할게.

08 언급되지 않은 것

다음을 듣고, 영어 토론 대회에 관해 언급되지 않은 것을 고르시오.
① 대회 날짜   ② 대회 장소
③ 토론 주제   ④ 신청 기간
⑤ 수상자 혜택

W Hello, everyone! I'm your _____. I'll tell you about the
🎸정답 근거
English Debate Contest. The contest _____ _____
_____ on May 11th in the school hall. Students who
① 대회 날짜   ② 대회 장소   주격 관계대명사
want to participate in the contest have to sign up online
~에 참가하다   신청하다
first. The _____ of the debate is "Should teenagers
③ 토론 주제
have the _____ to vote?" The winner will receive a
⑤ 수상자 혜택
laptop computer and _____ _____ _____ to
enter the National English Debate Contest. I hope many
students will participate in this event. Thank you.

여 안녕하세요, 여러분! 저는 교장입니다. 여러분에게 영어 토론 대회에 관해 말씀드리겠습니다. 대회는 학교 강당에서 5월 11일에 열릴 예정입니다. 대회 참가를 희망하는 학생들은 먼저 온라인으로 신청해야 합니다. 토론의 주제는 '십 대들은 투표할 권리를 가져야 하는가?'입니다. 우승자는 노트북 컴퓨터를 받고, 전국 영어 토론 대회에 참가할 기회를 얻게 될 것입니다. 많은 학생들이 이 행사에 참여하길 바랍니다. 감사합니다.

 **Solution Tip** 대회 날짜(May 11th), 대회 장소(the school hall), 토론 주제(Should teenagers have the right to vote?), 수상자 혜택(receive a laptop computer / get a chance to enter the National English Debate Contest)은 언급되었지만, 신청 기간은 언급되지 않았다.

09 담화 화제

다음을 듣고, 무엇에 관한 설명인지 고르시오.
① 설탕　② 소금　③ 밀가루
④ 후추　⑤ 고춧가루

M This is a strong-tasting substance, in the form of _____
~의 형태로
_____ or crystals. It is necessary when we _____.
It is added to food to make it taste better or to _____
= food　정답 근거
it. We can get it from the sea water. When the sea water
= food　= a strong-tasting substance
_____ _____, it is left over on the ground. In the
be left over: 남다
past, it was once used as money.

남 이것은 하얀 가루 또는 결정의 형태로, 강한 맛이 나는 물질이다. 그것은 우리가 요리할 때 필요하다. 그것은 음식 맛을 더 좋아지게 만들거나, 음식을 보존하기 위해 첨가된다. 우리는 그것을 바닷물로부터 얻을 수 있다. 바닷물이 바싹 마르면 땅 위에 그것이 남는다. 과거 한때는 그것이 돈으로 사용되었다.

Sound Tip 발음이 비슷해서 혼동되는 낱말
영어에는 see와 sea, walk와 work, fare와 fair처럼 발음이 동일하거나 매우 비슷한 낱말들이 있기 때문에 문맥이나 상황을 통해 어떤 낱말이 쓰였는지 파악한다.

10 어색한 대화

다음을 듣고, 두 사람의 대화가 어색한 것을 고르시오.
①　②　③　④　⑤

정답 근거
① **W** I'm sorry, but I have _____ appointment.
M Come on! You're good enough.
② **W** How would you like your hair _____?
M I'd like to get my hair _____ a little.
③ **W** You don't look _____. Is something wrong?
M I had a bad dream last night.
④ **W** Where were you last weekend?
M I _____ the whole weekend at my uncle's farm.
⑤ **W** _____ would you like your steak?
M _____, please.

① 여 미안하지만 나는 다른 약속이 있어.
　남 이봐! 너는 충분히 괜찮아.
② 여 머리를 어떻게 손질해 드릴까요?
　남 저는 머리를 약간만 자르고 싶어요.
③ 여 너는 안 좋아 보인다. 안 좋은 일이 있니?
　남 어젯밤에 나쁜 꿈을 꿨어.
④ 여 너는 지난 주말에 어디에 있었니?
　남 나는 주말 내내 삼촌의 농장에 있었어.
⑤ 여 스테이크를 어떻게 해 드릴까요?
　남 중간 정도로 익혀 주세요.

Sound Tip [n] 뒤에 나오는 [t]
nt 앞에 강세가 들어간 경우에 [t]는 보통 발음하지 않는다. 그러므로 appointment는 /어포인먼트/로 발음한다.

11 할 일

대화를 듣고, 남자가 할 일로 가장 적절한 것을 고르시오.

① 여행사 방문하기
② 여행자 보험 들기
③ 여행 계획 보내 주기
④ 여행 계획 세우기
⑤ 여행지 고르기

남 안녕, Lisa. 너 바빠 보인다. 뭐 하고 있어?
여 안녕, Mark. 나는 다음 달에 호주로 여행 가려고 조사를 좀 하고 있어.
남 좋겠다!
여 응, 그런데 어디를 방문할지 결정하는 것이 쉽지 않아.
남 내가 참고할만한 것들을 좀 줄 수 있어. 나는 작년에 10일 동안 호주에 갔었거든.
여 그래?
남 응. 내 컴퓨터에 여행을 위해 만든 계획이 아직 있어. 네가 원하면 너에게 그것을 보내 줄 수 있어.
여 당연히 원해.
남 알았어. 오늘 밤에 너에게 이메일을 보낼게.

M Hi, Lisa. You look _____. What are you doing?

W Hi, Mark. I'm doing some _____ for my trip to Australia next month.

M That's great!

W Yeah, but it's not _____ _____ _____ where to visit.
where+to부정사: 어디를 ~할지

M I can give you some tips. I went to Australia for ten days last year.

W Really?

🔑정답 근거
M Yeah. I still have the plan I made for the trip on my computer. I can _____ it _____ _____ if you want.
= the plan

W Of course, I do.

M All right. I'll email you tonight.

12 표 정보

다음 표를 보면서 대화를 듣고, 여자가 신청할 수영 강좌를 고르시오.

	Lesson	Time	Days	Level
①	A	7–8 a.m.	Mon., Wed., Fri.	Beginner
②	B	7–8 a.m.	Tues., Thurs.	Master
③	C	9–10 a.m.	Mon., Wed., Fri.	Beginner
④	D	9–10 a.m.	Tues., Thurs.	Beginner
⑤	E	9–10 a.m.	Mon., Wed., Fri.	Master

남 너는 여름 방학에 뭐 할 거야?
여 나는 수영 강습을 받으려고 생각 중이야.
남 정말? 나는 오전 7시에 수영 강습을 받아. 나랑 같이 갈래?
여 글쎄, 아침 7시는 너무 이른 것 같아. 나는 오전 9시에 시작하는 강습을 원해.
남 너는 얼마나 자주 강습을 받고 싶어?
여 나한테는 일주일에 세 번이 좋을 것 같아.
남 그렇구나. 그럼 초보자 레벨부터 시작할 거니?
여 아니. 나는 이미 기본 기술을 배워서 이번에는 상급 수영법을 배우고 싶어.

M What are you going to do _____ summer vacation?

W I'm _____ taking swimming lessons.

M Really? I take swimming lessons at 7 a.m. Will you come with me?

🔑정답 근거
W Well, I think 7 a.m. is _____ _____. I want the lesson that starts at 9 a.m.

M How often do you want to have a lesson?
빈도를 묻는 말: 얼마나 자주

W _____ a week would be fine with me.
함정 주의 기본기를 이미 배웠다고 답함
M I see. Then, will you start from the beginner level?

W No. I've already learned _____ skills, so I want to learn _____ swimming strokes this time.

⬅ Solution Tip 표의 정보를 묻는 문제는 대본을 듣기 전에 선택지의 날짜나 숫자 정보 등을 먼저 확인한다. 여자는 오전 7시에 시작하고 일주일에 세 번 있으며 상급 수영법을 배울 수 있는 강좌를 원한다고 했다.

13 날짜

대화를 듣고, 두 사람이 공연을 보기로 한 날짜를 고르시오.
① 6월 14일
② 6월 15일
③ 7월 14일
④ 7월 15일
⑤ 7월 16일

W　Namsu! I'm glad I ran into you. There's something I want
　　run into: ~를 우연히 만나다
　to ask you.

M　Hi, Julia. What is it?

W　I've got two hip-hop concert tickets. Would you like to
　　　　　　　　　　　　　　　　　　제안하는 말: ~하시겠어요?
　_____ _____ me?

M　Sure, I'd love to. When is it?

W　At 7 p.m., next Wednesday.

M　　　정답 근거
　Wait. You mean July 14th? I'm _____ I _____.
　I have to watch a soccer game on that day.

W　Come on, you'll _____ it if you miss this concert.
　　　　　　　　　　　　　　　조건을 나타내는 부사절 접속사: (만약) ~라면
　People say it's really good.

M　Hmm ... okay. Then I'll watch a _____ of the game
　later. Where and when shall we meet?

W　Let's meet at 6 p.m. _____ _____ _____ the
　school.

여 남수야! 널 만나서 기쁘다. 네게 물어보고 싶은 게 있거든.
남 안녕, Julia. 그게 뭔데?
여 힙합 콘서트 표가 두 장 생겼어. 나랑 같이 갈래?
남 물론, 가고 싶지. 언제야?
여 다음 주 수요일 오후 7시야.
남 잠깐만. 7월 14일 말하는 거야? 미안하지만 못 갈 것 같아. 나는 그날 축구 경기를 봐야 하거든.
여 이봐, 이 콘서트를 놓치면 너는 후회할 거야. 사람들이 정말 좋다고 했어.
남 흠…… 알겠어. 그러면 나중에 경기를 재방송으로 볼게. 어디에서 언제 만날까?
여 학교 앞에서 오후 6시에 만나자.

14 과거에 한 일

대화를 듣고, 남자가 어제 한 일로 가장 적절한 것을 고르시오.
① 쇼핑하기
② 영화 보기
③ 병원 가기
④ 양로원 방문하기
⑤ 헌 옷 기부하기

W　Did you enjoy your day off yesterday?
　　　　　　　　　　　(근무·일을) 쉬는 날

M　Yeah. Actually, I'm happy with what I did yesterday.

W　What did you do?

M　　　정답 근거
　I had a lot of clothes that I didn't _____ anymore,
　　　　　　　　　　　　　　　목적격 관계대명사
　but they were still in good condition. I _____ them
　　　　　　　　　　　　　　　　　　　　　　　　= clothes
　_____ _____.

W　Wow, that's a nice thing to do!

M　Yes, it really is. I think _____ _____ _____ us
　_____ good.
　　　　　　　　　　　　　　　🔎함정 주의 양로원에서 자원봉사를 하는 사람은 여자임에 주의

W　You bet. That's _____ I volunteer at a nursing home on
　　강한 동의를 나타내는 말
　weekends.

여 어제 휴가는 잘 보냈니?
남 응. 실은 어제 내가 한 일로 행복해.
여 뭘 했는데?
남 나는 더는 입지 않는 옷들이 많았는데, 그것들은 여전히 상태가 좋았어. 그것들을 자선 단체에 기부했어.
여 와, 그거 좋은 일이다!
남 응, 정말 그래. 다른 사람들을 돕는 것은 우리를 기분 좋게 만드는 것 같아.
여 물론이지. 그래서 나는 주말마다 양로원에서 자원봉사를 해.

15 담화 주제

다음을 듣고, 무엇에 관한 안내 방송인지 고르시오.
① 공항 식당 위치
② 상품권 사용 방법
③ 비행기 출발 지연
④ 비행기 비상 탈출
⑤ 비행기 탑승구 변경

M May I have your attention, please? This is an announcement for _____ on Flight 232 to Los Angeles. The flight has been _____ due to _____ problems. We'll provide
~ 때문에
vouchers for all passengers to buy food in the dining area. Please ask the airline staffs for the vouchers. The _____ _____ time will be 10:50 p.m. We _____ _____ any inconvenience this may cause. We'll keep
비행기 출발 지연
you _____ of the situation. Thank you.

남 주목해 주시겠습니까? 로스앤젤레스로 가는 232 항공기에 탑승하시는 승객들을 위한 안내 방송입니다. 기술적인 문제로 인해 비행이 지연되었습니다. 저희는 모든 승객들에게 식당가에서 음식을 구입할 수 있는 상품권을 제공할 것입니다. 상품권에 관해서는 항공사 직원들에게 문의해 주시기를 바랍니다. 새로운 출발 시각은 오후 10시 50분이 될 예정입니다. 이에 따를 수 있는 불편함에 사과드립니다. 상황은 계속 알려 드리겠습니다. 감사합니다.

16 금액

대화를 듣고, 여자가 지불할 금액을 고르시오.
① $40   ② $41   ③ $45
④ $46   ⑤ $50

M What can I do for you?

W Hi. _____ _____ _____ buy a scarf for my mom.

M Okay. How about this one? It's the most popular _____ these days.
최상급

W It looks nice. How much is it?

M The _____ _____ is 50 dollars, but we're giving a 10% discount this month.
give a discount: 할인해 주다

W Oh, that's great. I'll take it.

M Do you _____ it gift-wrapped? It'll _____ one dollar.

W Yes, please.

남 무엇을 도와드릴까요?
여 안녕하세요. 저는 저의 엄마께 드릴 스카프를 사고 싶어요.
남 알겠습니다. 이것은 어떠세요? 그건 요즘 가장 인기 있는 상품이에요.
여 좋아 보이네요. 얼마인가요?
남 원래 가격은 50달러인데, 이번 달에 10% 할인을 해 드리고 있어요.
여 오, 잘됐네요. 그것으로 할게요.
남 선물용 포장을 원하시나요? 그것은 1달러가 들어요.
여 네, 해 주세요.

🔁 **Solution Tip** 스카프의 원래 가격은 50달러인데 10% 할인 중이라고 했으므로 할인된 가격은 45달러이고, 여기에 선물용 포장 값 1달러를 더해 여자가 지불할 총 금액은 46달러이다.

17 적절한 응답

대화를 듣고, 남자의 마지막 말에 대한 여자의 응답으로
가장 적절한 것을 고르시오.

Woman: _____

① Okay. I'd like that, please.
② Why do you want to eat curry?
③ Sorry, but I don't like Indian food.
④ I think you're really good at cooking.
⑤ I didn't like that when I came here last
time.

남 주문하시겠어요?
여 네. 실은 제가 인도 음식점에 방문한 것이 이번이 처음
　 이에요. 그러니 제게 무언가를 추천해 주시겠어요?
남 물론이죠. 매운 음식을 좋아하시나요?
여 별로요. 저는 매운 것보다는 달콤한 음식을 더 좋아해요.
남 그러시군요. 그러면 이 코코넛 새우 카레를 드셔 보시
　 는 게 어때요?
여 코코넛 새우 카레요?
남 네. 그건 달콤하고, 전혀 맵지 않아요. 많은 손님들이
　 그것을 좋아하세요.
여 ① 알겠습니다. 그것으로 주세요.

M　May I take your order?
　　주문을 받는 표현(= Are you ready to order?)
W　Yes. Actually, this is my first time _____ an Indian
　　　　　　정답 근거
restaurant. So, can you _____ something for me?

M　Sure. Do you like spicy food?

W　Not really. I like sweet food _____ _____ spicy.

M　I see. Then, why don't you _____ this coconut shrimp
　　　　　　　제안하는 표현: ~해 보시는 게 어때요?
curry?

W　Coconut shrimp curry?

M　Yes. It's sweet, and not spicy _____ _____. Many
customers like it.

W　① Okay. I'd like that, please.

> **Solution Tip** 매운 것보다는 달콤한 음식을 좋아한다는 말에 코코넛 새우 카레를 추천해 주었으므로,
> 추천을 받아들이거나 거절하는 말이 와야 적절하다.

② 왜 카레를 드시고 싶으세요?　　　　③ 죄송하지만 저는 인도 음식을 안 좋아해요.
④ 저는 당신이 요리를 무척 잘한다고 생각해요.　⑤ 지난번에 제가 이곳에 왔을 때는 그것이 마음에 안 들었어요.

18 적절한 응답

대화를 듣고, 여자의 마지막 말에 대한 남자의 응답으로
가장 적절한 것을 고르시오.

Man: _____

① What's your address?
② You must pay for the call.
③ I don't have any paper to write on.
④ Sorry, but you dialed the wrong number.
⑤ That's okay. I'll send her a text message.

[전화벨이 울린다.]
여 여보세요.
남 여보세요. 저는 영업부의 John Smith입니다.
　 Anderson 씨와 통화할 수 있을까요?
여 죄송하지만, 몇 분 전에 막 나가셨어요.
남 그렇군요. 그녀가 언제 돌아오는지 아세요?
여 아뇨, 모릅니다.
남 그러면 그녀가 오늘 오후 회의에 참석하는지 말씀해
　 주실 수 있나요?
여 글쎄요, 저는 잘 모르겠어요. 메시지를 남겨 드릴까요?
남 ⑤ 괜찮습니다. 제가 그녀에게 문자 메시지를 보낼게요.

📞 Telephone rings.

W　Hello.

M　Hello. This is John Smith in the sales department. _____
_____ _____ _____ Ms. Anderson, please?

W　Sorry, but she stepped out just a few minutes ago.
　　　　　　　　step out: 나가다

M　Okay. Do you know _____ she'll be back?

W　No, I don't.

M　Then can you tell me _____ she'll attend the meeting
this afternoon?
　　　　　　　　　　정답 근거
W　Well, I'm not sure. Can I _____ your _____?

M　⑤ That's okay. I'll send her a text message.

① 당신의 주소가 뭔가요?　　　　② 당신은 그 전화 통화에 대해 비용을 지불해야 합니다.
③ 저는 적을 종이가 없습니다.　　④ 죄송하지만 전화를 잘못 거셨습니다.

19 적절한 응답

대화를 듣고, 남자의 마지막 말에 대한 여자의 응답으로 가장 적절한 것을 고르시오.

Woman: _____

① He's from Germany.
② He likes to eat meat.
③ I should've put a leash on him.
④ Don't worry. He'll be back home soon.
⑤ He's small and white. He's wearing a green leash.

M Good afternoon. May I help you?

W Hello. I'm looking for my puppy, Lucky. I _____
   _____.
   look for: ~을 찾다

M Okay. What's his breed?

W He's a Maltese.

M _____ _____ _____ _____ where and when
   you lost him?

W At the park around 3 p.m.
   🎵정답 근거

M _____ does he _____ _____?

W ⑤ He's small and white. He's wearing a green leash.

남 안녕하세요. 도와드릴까요?
여 안녕하세요. 저는 저의 강아지 Lucky를 찾고 있어요. 그를 잃어버렸어요.
남 그렇군요. 종이 무엇인가요?
여 몰티즈예요.
남 어디서 언제 잃어버리셨는지 말씀해 주시겠어요?
여 공원에서 오후 3시쯤이요.
남 어떻게 생겼나요?
여 ⑤ 그는 작고 흰색이에요. 초록색 목줄을 하고 있어요.

① 그는 독일 출신이에요.　　　　② 그는 고기 먹는 것을 좋아해요.
③ 저는 개에게 목줄을 채웠어야 했어요.　　④ 걱정하지 마세요. 그는 곧 집에 돌아올 거예요.

---

20 상황에 맞는 말

다음 상황 설명을 듣고, Derek이 Christina에게 할 말로 가장 적절한 것을 고르시오.

Derek: Christina, _____

① please close the door.
② be quiet. It's too noisy.
③ stop playing mobile games.
④ will you answer the doorbell?
⑤ can you help me with my homework?

W Derek is _____ _____ his science homework. His
   parents are not at home, and his little sister Christina
   is playing mobile games with her friend in the living
   room. It's _____ _____, so Derek keeps his door
   _____. At that moment, the doorbell rings loudly.
   🎵정답 근거
   Derek wants Christina to _____ _____ _____.
   In this situation, what would Derek most likely say to
   Christina?

Derek Christina, ④ will you answer the doorbell?

여 Derek은 과학 숙제를 하느라 바쁘다. 부모님은 집에 안 계시고, 여동생 Christina는 친구랑 거실에서 휴대 전화 게임을 하고 있다. 꽤 시끄러워서 Derek은 방문을 닫아 놓았다. 그때 초인종이 큰 소리로 울린다. Derek은 Christina가 초인종에 답하기를 원한다. 이러한 상황에서 Derek은 Christina에게 뭐라고 말할까?
Derek Christina, ④ 초인종에 답 좀 할래?

① 문을 닫아 줘.　② 조용히 해. 너무 시끄러워.　③ 휴대 전화 게임 그만해.　⑤ 내 숙제를 도와줄래?

[VOCABULARY] 실전 모의고사 03회

어휘를 알아야 들린다

모의고사를 먼저 풀고 싶으면 42쪽으로 이동하세요.

🎧 다음 표현을 듣고 모르는 것에 표시하시오.

- [ ] 01 **flag** 깃발
- [ ] 02 **include** 포함하다
- [ ] 03 **symbol** 상징
- [ ] 04 **colorful** 다채로운
- [ ] 05 **rectangular** 직사각형의
- [ ] 06 **similar** 비슷한
- [ ] 07 **fabric** 천, 직물
- [ ] 08 **leather** 가죽
- [ ] 09 **relief** 안도, 안심
- [ ] 10 **reserve** 예약하다
- [ ] 11 **express** 급행의
- [ ] 12 **twist** 삐다, 접질리다
- [ ] 13 **swollen** 부어오른
- [ ] 14 **apply** 바르다
- [ ] 15 **painkiller** 진통제
- [ ] 16 **infect** 감염시키다
- [ ] 17 **shut down** (기계가) 멈추다
- [ ] 18 **reset** 재설정하다
- [ ] 19 **take turns** 교대로 ~을 하다
- [ ] 20 **opponent** 상대편
- [ ] 21 **surround** 둘러싸다
- [ ] 22 **protect** 보호하다
- [ ] 23 **environment** 환경
- [ ] 24 **look after** ~을 돌보다
- [ ] 25 **stuck** 꼼짝도 못 하는
- [ ] 26 **schedule** 일정을 잡다
- [ ] 27 **available** 시간이 있는
- [ ] 28 **allow** 허락하다, 허용하다
- [ ] 29 **recently** 최근에
- [ ] 30 **one-way** 편도의
- [ ] 31 **round-trip** 왕복 여행의
- [ ] 32 **librarian** 도서관 사서
- [ ] 33 **celebrate** 기념하다
- [ ] 34 **application form** 신청서
- [ ] 35 **publish** 출판하다
- [ ] 36 **wireless** 무선의
- [ ] 37 **switch off** ~을 끄다
- [ ] 38 **high-quality** 고품질의
- [ ] 39 **blue** 울적한
- [ ] 40 **habit** 버릇, 습관
- [ ] 41 **accept** 받아 주다
- [ ] 42 **apology** 사과
- [ ] 43 **frightening** 무서운
- [ ] 44 **newly** 최근에, 새로
- [ ] 45 **make friends with** ~와 친해지다
- [ ] 46 **encourage** 격려하다

🎧 들으면서 표현을 완성한 다음, 뜻을 고르시오.

표현의 의미를 생각하며 다시 써 보기!

01 colorf　l ☐ 다채로운 ☐ 단조로운 → _____

02 s　he　ule ☐ 머물다 ☐ 일정을 잡다 → _____

03 li　rarian ☐ 도서관 사서 ☐ 관리자 → _____

04 le　ther ☐ 털 ☐ 가죽 → _____

05 recta　gular ☐ 직사각형의 ☐ 정육면체의 → _____

06 wir　less ☐ 유선의 ☐ 무선의 → _____

07 sw　ll　n ☐ 부어오른 ☐ 삼킨 → _____

08 apo　ogy ☐ 사과 ☐ 거절 → _____

09 in　ect ☐ 추론하다 ☐ 감염시키다 → _____

10 reli　f ☐ 안도, 안심 ☐ 호감 → _____

11 　imi　ar ☐ 다른 ☐ 비슷한 → _____

12 en　oura　e ☐ 격려하다 ☐ 포함하다 → _____

13 a　aila　le ☐ 시간이 있는 ☐ 가치가 있는 → _____

14 f　bric ☐ 용지 ☐ 천, 직물 → _____

15 a　plication fo　m ☐ 면허증 ☐ 신청서 → _____

16 loo　 afte　 ☐ ～을 돌보다 ☐ ～을 존경하다 → _____

17 e　press ☐ 완행의 ☐ 급행의 → _____

18 opp　nent ☐ 동료 ☐ 상대편 → _____

19 　nvironment ☐ 환경 ☐ 오염 → _____

20 sur　ound ☐ 항복하다 ☐ 둘러싸다 → _____

실전 모의고사 [03] 회

실전 모의고사 03회 →
┌ 모의고사 보통 속도
└ 모의고사 빠른 속도

✎ 들으면서 주요 표현 메모하기!

01 대화를 듣고, 남자가 완성할 깃발을 고르시오.

①   ②   ③   ④   ⑤

`고난도` `메모하며 풀기`

02 대화를 듣고, 지갑에 관해 언급되지 <u>않은</u> 것을 고르시오.

① 모양   ② 색상   ③ 재질   ④ 가격   ⑤ 내용물

03 대화를 듣고, 남자가 여자에게 전화한 목적으로 가장 적절한 것을 고르시오.

① 회의 장소를 예약하려고   ② 회의 장소를 변경하려고
③ 참석 인원을 확인하려고   ④ 장소 대여 가격을 문의하려고
⑤ 회의 날짜를 공지하려고

04 대화를 듣고, 여자가 탑승할 기차의 출발 시각을 고르시오.

① 12:15 p.m.   ② 12:50 p.m.   ③ 1:00 p.m.   ④ 1:15 p.m.   ⑤ 1:50 p.m.

05 다음 그림의 상황에 가장 적절한 대화를 고르시오.

①   ②   ③   ④   ⑤

06 대화를 듣고, 두 사람이 대화하는 장소로 가장 적절한 곳을 고르시오.

① 은행　　　② 약국　　　③ 우체국　　　④ 경찰서　　　⑤ 공항

✎ 들으면서 주요 표현 메모하기!

고난도　메모하며 풀기

07 대화를 듣고, 남자가 여자에게 부탁한 일로 가장 적절한 것을 고르시오.

① 애완견 돌보기　　　② 호텔 예약하기　　　③ 집 봐 주기
④ 화분에 물 주기　　　⑤ 도서관에 책 반납하기

08 대화를 듣고, 두 사람의 관계로 가장 적절한 것을 고르시오.

① 경찰관 — 시민　　　② 의사 — 환자　　　③ 수리 기사 — 고객
④ 기자 — 배우　　　⑤ 판매 사원 — 고객

고난도　메모하며 풀기

09 다음을 듣고, 무엇에 관한 설명인지 고르시오.

① 체스　　　② 바둑　　　③ 장기　　　④ 윷놀이　　　⑤ 제기차기

10 다음을 듣고, 두 사람의 대화가 <u>어색한</u> 것을 고르시오.

①　　　　②　　　　③　　　　④　　　　⑤

틀린 문제는 Dictation에서
완벽하게 이해하세요.

✎ 들으면서 주요 표현 메모하기!

11 대화를 듣고, 여자가 방과 후에 할 일로 가장 적절한 것을 고르시오.

① 병원 가기   ② 오빠 돌보기   ③ 숙제하기
④ 자전거 타기   ⑤ 인라인스케이트 타기

12 대화를 듣고, 남자가 병원에 갈 요일을 고르시오.

① Monday   ② Tuesday   ③ Wednesday
④ Thursday   ⑤ Friday

13 다음을 듣고, 방송의 목적으로 가장 적절한 것을 고르시오.

① 학생회 모임 장소를 안내하려고   ② 체육관 공사를 공지하려고
③ 체육관 조명 시설 고장을 알리려고   ④ 동아리 가입을 권장하려고
⑤ 체육관 사용 후 소등을 당부하려고

14 다음 표를 보면서 대화를 듣고, 여자가 탑승할 비행기를 고르시오.

	출발지	도착지	편도/왕복	출발일
①	Incheon	London	one-way	Monday
②	Incheon	London	one-way	Sunday
③	Incheon	London	round-trip	Sunday
④	London	Incheon	one-way	Friday
⑤	London	Incheon	round-trip	Monday

고난도 메모하며 풀기

15 다음을 듣고, *Book Review Contest*에 관해 언급되지 <u>않은</u> 것을 고르시오.

① 참가 대상   ② 접수 방법   ③ 참가비
④ 접수 기한   ⑤ 수상자 발표일

16 대화를 듣고, 남자가 받을 거스름돈이 얼마인지 고르시오.

① $5   ② $15   ③ $20   ④ $30   ⑤ $50

17 대화를 듣고, 남자의 마지막 말에 대한 여자의 응답으로 가장 적절한 것을 고르시오.

Woman: _____

① I had no choice.
② Cheer up. She'll get well soon.
③ I wanted to meet your best friend.
④ Why don't you write an apology letter to her?
⑤ No worries. It was my pleasure helping you.

18 대화를 듣고, 여자의 마지막 말에 대한 남자의 응답으로 가장 적절한 것을 고르시오.

Man: _____

① I prefer dogs to cats.
② Why didn't you call the police?
③ I've raised a cat for seven years.
④ You should have taken her to the hospital.
⑤ You must have been terrified. Don't leave the window open.

19 대화를 듣고, 남자의 마지막 말에 대한 여자의 응답으로 가장 적절한 것을 고르시오.

Woman: _____

① Thanks for the tip.
② I really liked the food.
③ You delivered the wrong food.
④ The restaurant is closed on Mondays.
⑤ That's fine with me. Let's meet at 7 o'clock.

고난도 | 메모하며 풀기

20 다음 상황 설명을 듣고, Jenny가 Lucas에게 할 말로 가장 적절한 것을 고르시오.

Jenny: Lucas, _____

① congratulations!
② do you have time?
③ don't take things so hard.
④ how about going shopping with her?
⑤ don't be scared. You should go say hello to her.

틀린 문제는 Dictation에서
완벽하게 이해하세요.

01 그림 묘사
*들을 때마다 체크

대화를 듣고, 남자가 완성할 깃발을 고르시오.

① Richmond
② Richmond
③ Richmond
④ Richmond
⑤ Richmond

남 엄마, 이것은 제가 Richmond 시 깃발 디자인 대회를 위해 디자인한 깃발이에요.
여 와, 멋져 보이는구나! 도시 이름 밑에 나무 세 그루가 있구나. 그것들을 왜 그렸니?
남 Richmond는 전국에서 가장 나무가 많은 도시 중 하나이니까요.
여 오, 알겠다. 도시의 상징인 해바라기를 포함하면 어때?
남 좋은 아이디어예요! 그것은 깃발을 더 다채롭게 만들어 줄 거예요. 도시 이름 양쪽에 해바라기를 그릴게요.
여 좋아. 네가 상을 받기를 바라.
남 고마워요, 엄마.

M Mom, this is the flag I _____ for the Richmond City Flag Design Contest.

W Wow, it looks great! There are three trees below the city name. Why did you draw them?
= three trees

M It's because Richmond is _____ _____ _____
이유를 나타내는 접속사
_____ with the most trees around the country.

W Oh, I see. Why don't you include a sunflower, the _____ for the city?

M That's a great idea! It'll make the flag _____ _____. I'll draw a sunflower on both sides of the city name.
~의 양쪽에

W Sounds good. I hope you win a prize.

M Thanks, Mom.

02 언급되지 않은 것

대화를 듣고, 지갑에 관해 언급되지 <u>않은</u> 것을 고르시오.

① 모양　　② 색상　　③ 재질
④ 가격　　⑤ 내용물

[전화벨이 울린다.]
여 여보세요, 분실물 센터입니다. 어떻게 도와드릴까요?
남 안녕하세요. 제가 오늘 아침에 지하철에서 지갑을 잃어버렸습니다.
여 알겠습니다. 그것은 어떻게 생겼나요?
남 그것은 직사각형이고 짙은 갈색입니다.
여 확인해 볼게요. 비슷한 지갑이 몇 개 있어요. 당신의 것은 천으로 만들어졌나요?
남 아뇨, 그것은 가죽입니다. 지갑 안에 현금 조금과 제 신분증이 있어요. 제 이름은 Steve Jones입니다.
여 잠시만 기다려 주시겠어요? [잠시 후] Jones 씨, 당신의 지갑을 저희가 여기에 가지고 있어요.
남 정말 다행이군요! 바로 거기로 갈게요. 감사합니다.

📞 Telephone rings.

W Hello, Lost and Found Center. How may I help you?
분실물 센터

M Hi. I _____ my wallet in the subway this morning.
생김새를 묻는 말

W Okay. What does it look like?

M It's _____ and dark brown.

W Let me check. There are _____ wallets that are _____. Is yours made of fabric?
함정 주의 천 지갑인지 묻는 말에 가죽이라는 응답이 이어짐

M No, it's _____. I had a little cash and my ID in the
= identification(신분증)의 약어
wallet. My name is Steve Jones.

W Could you wait _____ _____ _____? [Pause] We have your wallet here, Mr. Jones.

M What a relief! I'll be right there. Thank you.
안도를 나타내는 표현(= That's a relief!)

Solution Tip 지갑의 모양(rectangular), 색상(dark brown), 재질(leather), 내용물(a little cash and my ID)은 언급되었지만, 가격은 언급되지 않았다.

Dictation 03회→
┌ 전체 듣기
└ 문항별 듣기

Dictation의 효과적인 활용법
STEP 1 들으면서 대본의 빈칸 채우기
STEP 2 축쇄 문제를 보며 다시 풀어 보기
STEP 3 해석을 보며 영어로 말하거나 영작해 보기

공부한 날   월   일

03 목적

대화를 듣고, 남자가 여자에게 전화한 목적으로 가장 적절한 것을 고르시오.

① 회의 장소를 예약하려고
② 회의 장소를 변경하려고
③ 참석 인원을 확인하려고
④ 장소 대여 가격을 문의하려고
⑤ 회의 날짜를 공지하려고

☎ Telephone rings.

W Meeting Space. How can I help you?

M Hello. I'd like to _____ a meeting room on April 5th. 〔정답 근거〕

W Okay. _____ _____ is your group?

M There are four of us.

W Let me check. [*Typing sound*] _____ _____ only one room for eight people. Is it okay with you?

M Well, how much is it?

W It's 50 dollars _____ _____. Do you want to reserve it?

M Yes, please.

[전화벨이 울린다.]
여 Meeting Space입니다. 어떻게 도와드릴까요?
남 여보세요. 4월 5일에 회의실을 예약하고 싶습니다.
여 알겠습니다. 일행이 몇 분이신가요?
남 4명입니다.
여 확인해 볼게요. [타자 치는 소리] 8명을 위한 회의실 하나밖에 없네요. 괜찮으신가요?
남 흠, 얼마인가요?
여 한 시간에 50달러입니다. 그것을 예약하길 원하세요?
남 네, 그렇게 해 주세요.

💡 **Sound Tip** 묵음 h
철자로 표기되지만 발음하지 않는 소리를 묵음이라고 한다. 단어의 맨 앞에 오는 h는 간혹 묵음 처리 되어 hour는 /아우어/, honest는 /아니스트/, honor는 /아너/로 발음한다.

04 시각

대화를 듣고, 여자가 탑승할 기차의 출발 시각을 고르시오.

① 12:15 p.m.   ② 12:50 p.m.
③ 1:00 p.m.   ④ 1:15 p.m.
⑤ 1:50 p.m.

M _____ can I _____ for you, ma'am?

W Hi, I'd like to buy a train ticket to Incheon International Airport.

M Okay. The earliest train leaves at 12:50 p.m. 〔함정 주의〕

W Is it the express train?

M No, it isn't. The next express train leaves at 1:00 p.m. 〔정답 근거〕

W I'll buy the ticket for the express because I have to _____ _____ _____ _____ _____ 1:50.

M All right. It's 9,500 won.

W Here it is.

남 무엇을 도와드릴까요, 부인?
여 안녕하세요, 저는 인천국제공항으로 가는 기차표를 사고 싶어요.
남 알겠습니다. 가장 이른 시각의 기차는 오후 12시 50 분에 출발합니다.
여 그것은 급행열차인가요?
남 아니요, 그렇지 않습니다. 다음 급행열차는 오후 1시에 출발해요.
여 저는 1시 50분 전에 공항에 도착해야 해서 급행열차 표를 살게요.
남 좋습니다. 9,500원입니다.
여 여기 있습니다.

🔑 **Solution Tip** 가장 이른 시각의 기차는 오후 12시 50분에 출발하는데, 여자는 1시 50분까지 공항에 도착해야 해서 오후 1시에 출발하는 급행열차 표를 구입했다.

05 그림 상황

다음 그림의 상황에 가장 적절한 대화를 고르시오.

① ② ③ ④ ⑤

① 여 그 영화는 어땠니?
　남 지루해서 나는 잠이 들었어.
② 여 너는 숙제를 다 했니?
　남 아직 안 했어요. 지금 그걸 바로 할게요.
③ 여 지하철역까지 나를 태워다 줄래?
　남 미안한데 5분 후에 회의가 있어.
④ 여 너 안 좋아 보여. 무슨 일이야?
　남 두통이 심해.
⑤ 여 너는 어디를 가는 중이니?
　남 나는 보건실에 가는 중이야.

① W _____ _____ _____ the movie?

M It was boring, so I fell asleep.
　　결과를 나타내는 접속사: 그래서

② W Did you finish your homework?

M _____ _____. I'll do it right now.

③ W Can you take me to the subway station?

M Sorry, I have a meeting in five minutes.
　　　　　　　in+시간: ~ 후에

④ W You don't look well. _____ _____ _____?

M I have a terrible headache.

⑤ W _____ are you going?

M I'm going to the nurse's office.
　　　　　　　　보건실

06 장소

대화를 듣고, 두 사람이 대화하는 장소로 가장 적절한
곳을 고르시오.
① 은행　　② 약국　　③ 우체국
④ 경찰서　⑤ 공항

여 안녕하세요. 무엇을 드릴까요?
남 안녕하세요. 제가 방금 전에 걷다가 발목을 삐었어요.
여 발목을 살펴볼게요. [잠시 후] 오, 부었네요. 병원에 먼저
　가 보셔야 할 것 같아요.
남 그럴 수가 없어요. 저는 한 시간 후에 매우 중요한 시
　험이 있어요.
여 그럼 우선은 이 크림을 발목에 바르세요. 만약 통증이
　사라지지 않으면, 이 진통제를 드세요.
남 네, 그렇게 할게요. 다 해서 얼마인가요?
여 15달러입니다.

W Good morning. What can I get for you?

M Hi. I _____ my ankle _____ just now.
　　　　　　　　　　　　　방금 전에

W Let me see your ankle. [Pause] Oh, it's _____. I think
you should see a doctor first.

M I'm afraid I can't. I have a very important exam in an
hour.

W Then, _____ this cream to your ankle for now. If the
　　　　　　　　　　　　　　　우선은, 현재로는
pain _____ _____ _____, take this painkiller.

M Okay, I'll do that. How much are they altogether?

W They're 15 dollars.

> **Solution Tip** 발목을 삔 남자에게 병원에 가 보라고 충고하면서 크림과 진통제를 파는 것으로 보아,
> 여자는 약사임을 알 수 있다.

07 부탁한 일

대화를 듣고, 남자가 여자에게 부탁한 일로 가장 적절한 것을 고르시오.

① 애완견 돌보기
② 호텔 예약하기
③ 집 봐 주기
④ 화분에 물 주기
⑤ 도서관에 책 반납하기

남 Emma, 부탁 좀 들어줄래?
여 물론이지. 뭔데?
남 음, 내가 다음 주에 휴가를 가는데, 3주 동안 가 있을 거야.
여 그렇게 길게? 오, 알겠다. 내가 네 애완견을 돌봐 주기를 바라는구나?
남 사실은, 아니야. 나는 이미 그를 위한 동물 호텔을 예약했어.
여 그럼, 내가 뭘 해 주길 바라니?
남 일주일에 한 번씩 우리 집에 와서 화분에 물을 줄 수 있어?
여 문제없지. 할 수 있어.
남 정말 고마워.

M Emma, will you do me a favor?
　　　　　　부탁하는 표현
W Sure. What is it?
M Well, I'm _____ _____ _____ next week, and I'll be gone for three weeks.
　　　　　　　　　　　　　함정 주의 여자가 추측한 남자의 부탁
W That long? Oh, I see. Do you want me to take care of your
　(부사) 그렇게　　　　　　　　　　　　～을 돌보다(= look after)
pet dog?
M Actually, no. I've already booked an animal hotel for him.
　　　　　　　　　　　현재완료(완료)
W Then, what do you _____ _____ _____ _____?
🔑 정답 근거
M Can you come to my place once a week to _____ _____ _____?
W No problem. I can do that.
M Thanks a lot.

08 두 사람의 관계

대화를 듣고, 두 사람의 관계로 가장 적절한 것을 고르시오.

① 경찰관 — 시민
② 의사 — 환자
③ 수리 기사 — 고객
④ 기자 — 배우
⑤ 판매 사원 — 고객

남 안녕하세요. 어떻게 도와드릴까요?
여 안녕하세요. 저는 지난달에 이 휴대 전화기를 구입했는데, 계속해서 저절로 꺼져요.
남 살펴볼게요. [잠시 후] 그것은 바이러스에 감염되었어요. 그것이 전화기를 멈추게 하는 것 같아요.
여 오, 그렇군요. 그것을 고칠 수 있나요?
남 네, 그런데 전화기가 재설정되어야 할 거예요.
여 그럼 전화기에 있는 모든 데이터는 어떻게 되나요?
남 걱정하지 마세요. 제가 전화기를 고치기 전에 모든 데이터를 백업해 둘게요.
여 좋아요! 감사합니다.

M Good afternoon. How can I help you?
W Hi. I _____ this cellphone last month, but it keeps
🔑 정답 근거
turning off by itself.
keep (on)+동사원형-ing: ～을 계속하다
M Let me see. [Pause] It's _____ _____ a virus. I guess it causes the phone to shut down.
W Oh, I see. Can you _____ it?
M Yeah, but your phone will need to be _____.
W Then what will _____ _____ all the data on my phone?
M Don't worry. I'll back up all the data before I _____ your phone.
　　　　　　　　　백업하다
W That's great! Thank you.

Solution Tip 여자가 전화기에 생긴 문제를 말하자, 남자는 문제의 원인을 말하며 고칠 수 있다고 했다. 전화기에 생긴 문제를 파악하고 해결할 수 있는 사람은 수리 기사이다.

03회 받아쓰기

09 담화 화제

다음을 듣고, 무엇에 관한 설명인지 고르시오.
① 체스 ② 바둑 ③ 장기
④ 윷놀이 ⑤ 제기차기

M This is a kind of board game for two players. The players _____ stones on a board. _____ uses white stones, and _____ _____ uses black. This game starts with an empty board, and the players _____ _____ placing one stone on the board. Once placed on the board, stones are not moved. However, they _____ _____ _____ from the board when the opponent's stones completely surround them.

접속사 once: 일단 ~하면
= stones

남 이것은 두 선수가 하는 보드 게임의 한 종류이다. 선수들은 판 위에 돌을 놓는다. 한 사람은 흰 돌을 사용하고, 다른 한 사람은 검은 돌을 사용한다. 이 게임은 비어 있는 판으로 시작하고, 선수들은 번갈아가며 판에 돌을 한 개씩 놓는다. 일단 판 위에 놓이면, 돌은 움직이지 않는다. 하지만, 돌들은 상대방의 돌이 그것들을 완전히 둘러싸면 판에서 제거될 수 있다.

10 어색한 대화

다음을 듣고, 두 사람의 대화가 어색한 것을 고르시오.
① ② ③ ④ ⑤

① W _____ _____ does it take by bus?
  M It takes about _____ _____ _____.
② W My baseball team lost the game again.
  M Congratulations! I thought you could make it.
③ W We must protect our environment.
  M I _____ _____ _____.
④ W Can you give me a hand?
  give ~ a hand: ~를 도와주다
  M Sure. What can I do for you?
⑤ W Which one do you like _____?
  M I prefer this one.

① 여 버스로 시간이 얼마나 걸리나요?
  남 30분 정도가 걸려요.
② 여 우리 야구팀이 경기에서 또 졌어.
  남 축하해! 나는 네가 해낼 수 있을 거라 생각했어.
③ 여 우리는 환경을 보호해야 해.
  남 네 말에 전적으로 동의해.
④ 여 저를 도와주시겠어요?
  남 물론이죠. 무엇을 도와드릴까요?
⑤ 여 너는 어느 것이 더 좋니?
  남 나는 이것이 더 좋아.

Sound Tip [r]처럼 들리는 t

[t] 앞에 강세를 받는 모음이 오고 그 뒤에 강세 없는 모음이 오면 [t]는 우리말로 /ㄹ/과 /ㄷ/의 중간쯤 되는 소리로 발음된다. 예를 들어 better는 /베터/가 아니라 /베러/로, matter는 /매터/가 아니라 /매리/처럼 발음된다. 이는 대개 미국 영어에서 나타나는 현상으로, 영국이나 호주 영어에서는 잘 나타나지 않는다.

11 할 일

대화를 듣고, 여자가 방과 후에 할 일로 가장 적절한 것을 고르시오.
① 병원 가기
② 오빠 돌보기
③ 숙제하기
④ 자전거 타기
⑤ 인라인스케이트 타기

🔔 함정 주의 인라인스케이트를 타러 가는 남자의 제안을 거절하는 말이 이어짐

M _____ _____ sunny day! Let's go inline skating after school today.

W Oh, I'd love to, but I can't.

M Why not?

🔑 정답 근거
W I have to look after my older brother at home.
~를 돌보다(= take care of)

M _____ _____ _____ with him?

W He broke his leg yesterday while he was riding his bike.
break one's leg: 다리가 부러지다
And now, he's _____ _____ _____.

M That's too bad. I hope he gets well soon.

W Thank you.

남 정말 화창한 날이구나! 오늘 학교 끝나고 인라인스케이트를 타러 가자.
여 오, 그러고 싶은데 그럴 수 없어.
남 왜 그럴 수 없는데?
여 집에서 오빠를 돌봐야 해.
남 오빠에게 무슨 일이 있어?
여 그는 어제 자전거를 타다가 다리가 부러졌어. 그리고 지금은 침대에서 꼼짝 못하고 있어.
남 정말 안됐다. 그가 곧 낫기를 바랄게.
여 고마워.

---

12 요일

대화를 듣고, 남자가 병원에 갈 요일을 고르시오.
① Monday　　② Tuesday
③ Wednesday　④ Thursday
⑤ Friday

🇬🇧

📞 Telephone rings.

W Hello. Dr. Bennett's office.

M Hello. I'm Jonathan Parker. I'm _____ _____ _____ Dr. Bennett tomorrow at 4 p.m.

🔔 함정 주의 화요일 진료를 변경하고 싶다는 말이 이어짐
W Yes, your name is on Tuesday's list.

M I'm sorry, but if _____, I'd like to _____ the appointment.

W When can you make it?

M Is Dr. Bennett available _____ _____ _____ _____ at 2 p.m.?

🔑 정답 근거
W Do you mean Wednesday? Let me see. [Pause] She's available. I'll put your name on the list.
put one's name on the list: 명단에 ~의 이름을 올리다

M That's great. Thank you.

[전화벨이 울린다.]
여 여보세요. Bennett 병원입니다.
남 안녕하세요. 저는 Jonathan Parker입니다. 내일 오후 4시에 Bennett 선생님 진료를 볼 예정입니다.
여 네, 이름이 화요일 명단에 있네요.
남 실례지만, 가능하다면 약속을 변경하고 싶어요.
여 언제 오실 수 있나요?
남 Bennett 선생님이 모레 오후 2시에 가능한가요?
여 수요일 말씀하시는 건가요? 볼게요. [잠시 후] 가능합니다. 명단에 이름을 올려 둘게요.
남 잘됐네요. 감사합니다.

🔊 **Sound Tip** schedule

schedule은 미국 영어에서는 /스케쥴/, 영국 영어에서는 /쉐쥴/로 다르게 발음하므로 주의해서 듣는다.

13 담화 주제 ☐☐

다음을 듣고, 방송의 목적으로 가장 적절한 것을 고르시오.

① 학생회 모임 장소를 안내하려고
② 체육관 공사를 공지하려고
③ 체육관 조명 시설 고장을 알리려고
④ 동아리 가입을 권장하려고
⑤ 체육관 사용 후 소등을 당부하려고

W Hello, everyone. I'm Leah Davis, the school president. I have a special announcement about the school gym. Since last year, our school _____ _____ _____
전치사(~부터)
any club or group to use the gym for their activities. Recently, however, it has been reported that the lights
완료형 수동태: have been+p.p.
in the gym were still _____ when no one was inside. Please make sure to _____ _____ _____
반드시 ~하다
_____ when you leave. Thank you for listening.

여 안녕하세요, 여러분. 저는 학생회장, Leah Davis입니다. 학교 체육관에 관한 특별 공지 사항이 있습니다. 작년부터 저희 학교는 어떤 동아리나 단체들도 그들의 활동을 위해 체육관을 사용하도록 허용하고 있습니다. 하지만 최근에 안에 아무도 없을 때도 체육관의 불이 여전히 켜져 있다고 전해집니다. 체육관을 나갈 때는 불을 반드시 꺼 주시길 바랍니다. 들어 주셔서 감사합니다.

14 표 정보 ☐☐

다음 표를 보면서 대화를 듣고, 여자가 탑승할 비행기를 고르시오.

	출발지	도착지	편도/왕복	출발일
①	Incheon	London	one-way	Monday
②	Incheon	London	one-way	Sunday
③	Incheon	London	round-trip	Sunday
④	London	Incheon	one-way	Friday
⑤	London	Incheon	round-trip	Monday

📞Telephone rings.

M ABC Airline. What can I do for you?

W Hello. I'd like to _____ _____ _____ from Incheon to London.

M Okay. Would you like a one-way ticket or a _____- _____ ticket?

W One-way, please.

M When would you like to leave?

W I _____ _____ _____ this Sunday at 10 a.m.

M Let me check. [*Pause*] We only have business class on that flight. Is it okay with you?
비즈니스석
cf. economy class: 일반석
first class: 일등석

W Yes, it's okay. I'd like to buy a ticket for one _____, please.

[전화벨이 울린다.]
남 ABC 항공사입니다. 무엇을 도와드릴까요?
여 여보세요. 저는 인천에서 런던으로 가는 항공기를 예약하고 싶어요.
남 알겠습니다. 편도를 원하시나요, 왕복을 원하시나요?
여 편도로 부탁드립니다.
남 언제 떠나고 싶으신가요?
여 이번 주 일요일 오전 10시에 떠나고 싶어요.
남 확인해 볼게요. [잠시 후] 그 비행기에는 비즈니스석만 있습니다. 괜찮으신가요?
여 네, 괜찮습니다. 성인 1명에 대한 표를 사고 싶어요.

15 언급되지 않은 것

다음을 듣고, *Book Review Contest*에 관해 언급되지 않은 것을 고르시오.

① 참가 대상　　② 접수 방법
③ 참가비　　　④ 접수 기한
⑤ 수상자 발표일

남　안녕하세요. 저는 학교 도서관 사서 Jack Taylor입니다. 독서의 달을 기념하기 위해서 우리 학교는 독후감 대회를 개최할 것입니다. 모든 학생들이 그 대회에 참여하도록 권장됩니다. 신청서는 학교 웹 사이트에서 다운받을 수 있습니다. 어떤 종류의 책에 관해서도 독후감을 작성하셔도 됩니다. 독후감을 신청서와 함께 9월 말까지 이메일로 제출해야 합니다. 우수작 세 편은 학교 신문에 실릴 것입니다. 수상자는 10월 10일에 발표될 것입니다. 더 많은 세부 사항을 원하시면, 학교 웹 사이트를 방문해 주세요. 감사합니다.

M　Good morning. I'm Jack Taylor, the school librarian. In
　　（in order to: ~하기 위해(목적)）
order to _____ reading month, our school is going
　　　　　　　　　　　　　　　　🔑 정답 근거
to hold a Book Review Contest. All students _____
　　　　　　　　　　　　　　　① 참가 대상
_____ to participate in the contest. The application
form can be downloaded from our school website. You
can write a _____ on any type of book. You have to
　　　　　　　　（~에 관하여）　　　　　　　② 접수 방법
_____ _____ your review with the application
_____ email by the end of September. The best three
　　　　　④ 접수 기한
reviews _____ _____ _____ in our school
newspaper. The winners will be announced on October
　　　　　　　⑤ 수상자 발표일
10th. For more details, please visit the school website.
Thank you.

---

16 금액

대화를 듣고, 남자가 받을 거스름돈이 얼마인지 고르시오.

① $5　　　② $15　　　③ $20
④ $30　　　⑤ $50

여　안녕하세요, 선생님. 도와드릴까요?
남　안녕하세요. 저는 무선 마우스를 사고 싶어요.
여　운이 좋으시네요. 무선 마우스는 이번 주에 할인을 해요.
남　오, 그 소식을 듣게 되어 좋네요. 저에게 하나 추천해 주실 수 있나요?
여　물론이죠. 이것은 어떠세요? 이 마우스는 컴퓨터가 꺼지면 저절로 전원이 꺼지기 때문에 건전지의 수명이 길어요.
남　그거 좋네요. 얼마인가요?
여　50% 할인을 해서 단돈 15달러에 고품질의 무선 마우스를 가져가실 수 있어요.
남　좋아요. 그것으로 할게요. 20달러 여기 있습니다.

W　Good afternoon, sir. May I help you?

M　Hello. I'd like to buy a wireless mouse.

W　You're lucky. Wireless _____ are _____ _____
this week.

M　Oh, good to hear that. Can you _____ one for me?
　　　　　　　　　　　　　　　　　　　= a wireless mouse

W　Sure. How about this one? This mouse has a long battery
life because it _____ _____ itself when your
　　　이유를 나타내는 접속사　　　　　　　시간을 나타내는 접속사
computer is turned off.

M　That's cool. How much is it?
　　　　　　　　　　　🔑 정답 근거
W　It's 50% _____, so for just _____ dollars, you can
get a high-quality wireless mouse.

M　Great. I'll get it. Here's 20 dollars.

🔙 **Solution Tip** 무선 마우스의 가격은 50% 할인해서 15달러이고, 남자는 20달러를 지불했으므로 5달러를 거슬러 받아야 한다.

17 적절한 응답

대화를 듣고, 남자의 마지막 말에 대한 여자의 응답으로 가장 적절한 것을 고르시오.

Woman: _____

① I had no choice.
② Cheer up. She'll get well soon.
③ I wanted to meet your best friend.
④ Why don't you write an apology letter to her?
⑤ No worries. It was my pleasure helping you.

여 Tom, 너 울적해 보인다. 무슨 일이야?
남 Jessie가 저에게 화가 났어요.
여 왜? 너희 둘은 가장 친한 친구잖아.
남 매주 금요일에 저희는 함께 수학 공부를 하는데, 제가 항상 늦어요.
여 지각하는 것은 좋지 않은 버릇이야.
남 알아요. 제가 늦지 않겠다고 약속했거든요. 그런데 오늘 또 늦었어요.
여 Jessie가 화가 날 만도 하구나. 그녀에게 미안하다고 했니?
남 네, 그런데 제 사과를 받아 주지 않았어요. 제가 어떻게 해야 하죠?
여 ④ 그녀에게 사과 편지를 쓰는 게 어때?

W Tom, you look blue. What's the matter?
🎵정답 근거 look + 형용사 보어: ~해 보이다
M Jessie _____ _____ _____ me.

W Why? You two are best friends.

M Every Friday we study math together, and I'm always late.

W _____ _____ is not a good habit.

M I know. I promised _____ _____ _____ late. Today I was late again, though.

W No wonder Jessie got angry. Did you say sorry to her?
No wonder (that) ~: ~할 만도 하다
M Yeah, but she didn't _____ my apology. What should I do?
조언을 구하는 말

W ④ Why don't you write an apology letter to her?

① 나는 선택의 여지가 없었어.
② 힘내. 그녀는 곧 나을 거야.
③ 나는 너의 가장 친한 친구를 만나고 싶었어.
⑤ 괜찮아. 너를 돕게 되어 기뻤어.

18 적절한 응답

대화를 듣고, 여자의 마지막 말에 대한 남자의 응답으로 가장 적절한 것을 고르시오.

Man: _____

① I prefer dogs to cats.
② Why didn't you call the police?
③ I've raised a cat for seven years.
④ You should have taken her to the hospital.
⑤ You must have been terrified. Don't leave the window open.

여 나는 지난밤에 무서운 경험을 했어.
남 무슨 일이 있었니?
여 내가 침대에서 책을 읽다가 부엌에서 접시가 깨지는 소리를 들었어.
남 그래서 어떻게 했니?
여 야구 방망이를 가지고 침실 밖으로 나갔어. 누구였는지 짐작이 가니?
남 글쎄, 유령?
여 아니. 옆집에 사는 고양이었어. 열린 창문을 통해 집으로 들어왔던 것 같아.
남 ⑤ 무서웠겠다. 창문을 열어 놓지 마.

🎵정답 근거
W I had a frightening experience last night.

M What happened?

W I _____ some _____ _____ in the kitchen while I was reading in bed.

M So, what did you do?

W I went out of the bedroom with a bat. Can you guess _____ _____ _____?

M Well, a ghost?

W No. It was the cat _____ next door. I think it came into the house through the open window.

M ⑤ You must have been terrified. Don't leave the window open.

① 나는 고양이보다 개가 더 좋아.
② 왜 경찰에 전화를 안 했니?
③ 나는 7년 동안 고양이를 키워 왔어.
④ 너는 그녀를 병원에 데려가야만 했어.

19 적절한 응답

대화를 듣고, 남자의 마지막 말에 대한 여자의 응답으로 가장 적절한 것을 고르시오.

Woman: _____

① Thanks for the tip.
② I really liked the food.
③ You delivered the wrong food.
④ The restaurant is closed on Mondays.
⑤ That's fine with me. Let's meet at 7 o'clock.

M There's a Mexican restaurant over there.

W Yeah, it's _____ _____.

M Look! So many people are standing in line in front of it.
<u>stand in line: 줄을 서다</u>

W It's _____ Carlos Kim, a very famous chef, opened it.

M Oh, really? _____ _____ _____ _____ there?

W Once. I had lunch there with my friends last Saturday.
🔑정답 근거

M What did you think of it?
상대방의 의견을 묻는 말

W ② I really liked the food.

남 저기에 멕시코 식당이 있어.
여 응, 그것은 최근에 열었어.
남 봐! 정말 많은 사람들이 그 앞에 줄을 서 있어.
여 아주 유명한 요리사인 Carlos Kim이 그것을 열었기 때문이야.
남 오, 그래? 너는 거기서 먹어 본 적이 있니?
여 한 번. 지난 토요일에 친구들과 거기에서 점심을 먹었어.
남 어땠니?
여 ② 나는 음식이 정말 좋았어.

① 알려 줘서 고마워.   ③ 음식을 잘못 가져다 주셨어요.
④ 그 식당은 월요일에 문을 닫아.   ⑤ 그건 내게 괜찮아. 7시에 만나자.

---

20 상황에 맞는 말

다음 상황 설명을 듣고, Jenny가 Lucas에게 할 말로 가장 적절한 것을 고르시오.

Jenny: Lucas, _____

① congratulations!
② do you have time?
③ don't take things so hard.
④ how about going shopping with her?
⑤ don't be scared. You should go say hello to her.

W Lucas, Jenny's twin brother, wants to _____ _____
동격: Lucas = Jenny's twin brother
_____ a girl in his class. He sees her at school every day. She's pretty and looks so kind. Lucas likes her very
🔑정답 근거
much, but he's _____ _____ _____ _____ to her. So, Jenny wants to encourage Lucas to say hello to
~에게 인사하다
the girl. In this situation, what would Jenny most likely say to Lucas?

Jenny Lucas, ⑤ don't be scared. You should go say hello to her.

여 Jenny의 쌍둥이 남동생 Lucas는 그의 반에 있는 한 소녀와 친해지고 싶다. 그는 그녀를 학교에서 매일 본다. 그녀는 예쁘고 무척 친절해 보인다. Lucas는 그녀를 아주 많이 좋아하지만, 너무 수줍음이 많아서 그녀에게 말을 걸 수 없다. 그래서 Jenny는 그 소녀에게 인사를 해 보라고 Lucas를 격려해 주고 싶다. 이러한 상황에서 Jenny는 Lucas에게 뭐라고 말할까?

Jenny Lucas, ⑤ 두려워하지 마. 가서 그녀에게 인사를 해 봐.

🔊 **Sound Tip** 자음 생략 현상
동일한 자음이 연이어 나올 때 정상 속도로 말할 경우 둘 중 하나를 생략하고 발음한다. 예를 들어, looks so는 /룩스 쏘우/가 아니라 /룩쏘우/로 발음한다.

① 축하해! ② 시간 있니? ③ 너무 심각하게 여기지 마. ④ 그녀와 함께 쇼핑을 가는 게 어때?

[VOCABULARY] 실전 모의고사 04회

어휘를 알아야 들린다

모의고사를 먼저 풀고 싶으면 58쪽으로 이동하세요.

🎧 다음 표현을 듣고 모르는 것에 표시하시오.

- [ ] 01 **handy** 유용한, 편리한
- [ ] 02 **avoid** 피하다
- [ ] 03 **insult** 모욕(적인 말·행동)
- [ ] 04 **overcome** 극복하다
- [ ] 05 **fear** 두려움, 공포
- [ ] 06 **tight** (옷이 몸에) 꽉 조이는
- [ ] 07 **backache** 요통
- [ ] 08 **put off** ~을 미루다
- [ ] 09 **weight** 무게, 체중
- [ ] 10 **secret** 비결, 비법
- [ ] 11 **low-calorie diet** 저칼로리 식이
- [ ] 12 **recipe** 조리법
- [ ] 13 **trim** 다듬기, 약간 자르기
- [ ] 14 **tidy up** ~을 깔끔하게 정리하다
- [ ] 15 **parcel** 소포
- [ ] 16 **purchase** 구입하다
- [ ] 17 **exit** 나가다
- [ ] 18 **entrance** (출)입구, 문
- [ ] 19 **rest** 나머지; (어떤 것에) 걸치다
- [ ] 20 **platform** 플랫폼, 승강장
- [ ] 21 **offer** 제공하다
- [ ] 22 **facilities** 시설, 설비
- [ ] 23 **register** 등록하다
- [ ] 24 **seating chart** 좌석 배치도

- [ ] 25 **poor** 좋지 못한
- [ ] 26 **eyesight** 시력
- [ ] 27 **consist of** ~으로 이루어지다
- [ ] 28 **frame** 프레임, 안경테
- [ ] 29 **material** 재료, 소재
- [ ] 30 **object** 물체
- [ ] 31 **brand-new** 신상품의
- [ ] 32 **solid** 다른 색깔이 섞이지 않은
- [ ] 33 **add** 추가하다
- [ ] 34 **deliver** 배달하다
- [ ] 35 **suit** 어울리다
- [ ] 36 **crowded** 붐비는
- [ ] 37 **wait in line** 줄을 서서 기다리다
- [ ] 38 **stare** 빤히 쳐다보다

📖 알아두면 유용한 선택지 **어휘**

- [ ] 39 **flight attendant** 비행기 승무원
- [ ] 40 **instructor** (기술·운동을 가르치는) 강사
- [ ] 41 **annoyed** 짜증이 난
- [ ] 42 **regretful** 후회하는
- [ ] 43 **jealous** 질투하는
- [ ] 44 **slip one's mind** 깜빡 잊다
- [ ] 45 **look forward to** ~을 고대하다

🎧 들으면서 표현을 완성한 다음, 뜻을 고르시오.

표현의 의미를 생각하며 다시 써 보기!

01 p⬜rchase   ☐ 구입하다   ☐ 걸치다   →

02 d⬜liver   ☐ 기대하다   ☐ 배달하다   →

03 ins⬜lt   ☐ 모욕   ☐ 공포   →

04 mate⬜ial   ☐ 상품   ☐ 재료, 소재   →

05 re⬜ipe   ☐ 조리법   ☐ 영수증   →

06 sol⬜d   ☐ 속이 빈   ☐ 다른 색깔이 섞이지 않은   →

07 ⬜egister   ☐ 등록하다   ☐ 참가하다   →

08 st⬜re   ☐ 기다리다   ☐ 빤히 쳐다보다   →

09 o⬜ercome   ☐ 버리다   ☐ 극복하다   →

10 parc⬜l   ☐ 소포   ☐ 구획   →

11 backac⬜e   ☐ 복통   ☐ 요통   →

12 eye⬜ight   ☐ 시력   ☐ 관점   →

13 entr⬜nce   ☐ (출)입구   ☐ 기회   →

14 s⬜it   ☐ 유용하다   ☐ 어울리다   →

15 fa⬜iliti⬜s   ☐ 배치   ☐ 시설, 설비   →

16 cro⬜ded   ☐ 붐비는   ☐ 넉넉한   →

17 ha⬜dy   ☐ 손의   ☐ 유용한   →

18 t⬜im   ☐ 나머지   ☐ 다듬기   →

19 con⬜ist of   ☐ 개최되다   ☐ ~으로 이루어지다   →

20 of⬜er   ☐ 억제하다   ☐ 제공하다   →

실전 모의고사 [04]회

실전 모의고사 04회 →
┌ 모의고사 보통 속도
└ 모의고사 빠른 속도

✎ 들으면서 주요 표현 메모하기!

01 대화를 듣고, 남자가 설명한 손동작을 고르시오.

① 　② 　③ 　④ 　⑤

[고난도] [메모하며 풀기]

02 대화를 듣고, 여자의 직업으로 가장 적절한 것을 고르시오.

① police officer　② tour guide　③ flight attendant
④ driving instructor　⑤ taxi driver

03 다음 그림의 상황에 가장 적절한 대화를 고르시오.

①　②　③　④　⑤

04 대화를 듣고, 남자의 심정으로 가장 적절한 것을 고르시오.

① scared　② annoyed　③ regretful　④ relaxed　⑤ jealous

05 대화를 듣고, 여자가 남자에게 부탁한 일로 가장 적절한 것을 고르시오.

① 함께 조깅하기　② 식사 준비하기　③ 짐 옮겨 주기
④ 조리법 알려 주기　⑤ 블로그 방문하기

06 대화를 듣고, 두 사람이 대화하는 장소로 가장 적절한 곳을 고르시오.

① 식당　　　　② 서점　　　　③ 도서관　　　　④ 우체국　　　　⑤ 미용실

07 대화를 듣고, 남자가 할 일로 가장 적절한 것을 고르시오.

① 케이크 사기　　　　② 양초 만들기　　　　③ 케이크 만들기
④ 교실 장식하기　　　　⑤ 선물 구매하기

08 대화를 듣고, 여자가 지불할 금액을 고르시오.

① $3　　　　② $10　　　　③ $13　　　　④ $30　　　　⑤ $40

고난도　메모하며 풀기

09 다음을 듣고, 무엇에 관한 안내 방송인지 고르시오.

① 미아 찾기　　　　② 폐점 시각　　　　③ 할인 행사
④ 비상구 위치　　　　⑤ 영업시간 연장

10 다음을 듣고, 두 사람의 대화가 <u>어색한</u> 것을 고르시오.

①　　　　②　　　　③　　　　④　　　　⑤

틀린 문제는 Dictation에서
완벽하게 이해하세요.

✎ 들으면서 주요 표현 메모하기!

11 대화를 듣고, 여자의 마지막 말에 담긴 의도로 가장 적절한 것을 고르시오.

① 요청　　②동의　　③ 감사　　④ 제안　　⑤ 거절

12 다음을 듣고, *Greenville Community Center*에 관해 언급되지 <u>않은</u> 것을 고르시오.

① 개장일　　　　②내부 시설　　　　③ 운영 프로그램
④ 운영 시간　　　⑤ 휴관일

고난도 메모하며 풀기

13 다음 배치도를 보면서 대화를 듣고, 두 사람이 예약할 좌석의 구역을 고르시오.

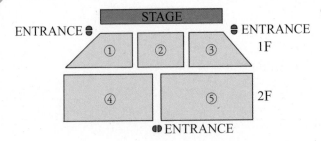

고난도 메모하며 풀기

14 다음을 듣고, 무엇에 관한 설명인지 고르시오.

① 귀마개　　②시계　　③ 안경　　④ 현미경　　⑤ 망원경

15 대화를 듣고, 남자가 대화 직후에 할 일로 가장 적절한 것을 고르시오.

① 친구 만나기　　　②장 보러 가기　　　③ 캠핑 가기
④ 방 청소하기　　　⑤ 동생 돌보기

16 대화를 듣고, 여자가 구입할 물건을 고르시오.

✎ 들으면서 주요 표현 메모하기!

① gloves   ② pants   ③ wallet   ④ muffler   ⑤ jacket

17 대화를 듣고, 남자의 마지막 말에 대한 여자의 응답으로 가장 적절한 것을 고르시오.

Woman: _____

① I've already ordered it.
② 13 Maple Street, please.
③ I have a 10% discount coupon.
④ Okay. I won't let it slip my mind.
⑤ I'm looking forward to seeing you soon.

18 대화를 듣고, 여자의 마지막 말에 대한 남자의 응답으로 가장 적절한 것을 고르시오.

Man: _____

① What a mess!
② Let's walk your dog.
③ I feed him three times a day.
④ Why don't you take him to a vet?
⑤ Maybe you should see a dentist.

19 대화를 듣고, 남자의 마지막 말에 대한 여자의 응답으로 가장 적절한 것을 고르시오.

Woman: _____

① I'll pay with my credit card.
② I think it's too big for me.
③ Sure, you can pay by check.
④ The fitting room is over there.
⑤ That's the special offer, only for you.

고난도 | 메모하며 풀기

20 다음 상황 설명을 듣고, Ellen이 소년에게 할 말로 가장 적절한 것을 고르시오.

Ellen: Hey, _____

① I can't hear you.
② don't cut in line.
③ you have to deal with it.
④ what time shall we make it?
⑤ do you want to play baseball?

틀린 문제는 Dictation에서
완벽하게 이해하세요.

01 그림 묘사

*들을 때마다 체크

대화를 듣고, 남자가 설명한 손동작을 고르시오.

① ② ③
④ ⑤

여 안녕, Mike. 무엇을 읽고 있니?
남 '국제적인 손동작에 관한 당신의 유용한 안내서'라는 제목의 기사를 읽고 있어.
여 재미있겠다. 나에게 태국에서 유용한 제스처를 알려 줘. 다음 달에 방콕에 계시는 이모 집에 가거든.
남 물론이지. 태국에서는 엄지를 올리는 몸짓을 피해야 하는데, 그것은 최악의 모욕적인 행동들 중 하나이기 때문이야.
여 정말? 나는 그것이 '훌륭해' 또는 '좋아'를 의미한다고 생각했어.
남 나도 그렇게 알고 있었어.
여 네가 다 읽은 후에 내가 그 기사를 읽어도 될까? 나에게 유용할 것 같아.

W Hey, Mike. What are you reading?

M I'm reading an article _____ "Your Handy Guide to International Hand Gestures."

W Sounds interesting. Let me know some useful _____ in Thailand because I'm going to visit _____ _____ in Bangkok next month.

🔑정답 근거

M Sure. In Thailand, you should _____ a thumbs-up sign because it's _____ _____ the worst insults.
엄지 올리기

W Really? I thought it means "well done" or "good."

M That's _____ I understood it, too.

W Can I read the article after you finish it? I think it can be useful to me.

02 직업

대화를 듣고, 여자의 직업으로 가장 적절한 것을 고르시오.

① police officer
② tour guide
③ flight attendant
④ driving instructor
⑤ taxi driver

여 안녕하세요. Dave. 벌써 우리의 마지막 수업이네요.
남 그러게요. 시간이 빨리 지나갔어요.
여 맞아요. 오늘 우리는 고속도로에서 운전할 거예요.
남 고속도로요? 하지만 저는 아직도 제 옆을 빠르게 지나가는 다른 차들이 무서워요.
여 걱정하지 마세요. 당신은 연습을 많이 해 왔고, 운전이 대단히 향상됐어요.
남 알겠습니다. 운전에 대한 두려움을 극복하려고 노력해 볼게요.
여 전 당신이 할 수 있다고 믿어요. 이제, 오늘 수업을 시작합시다.

① 경찰관　② 여행 가이드　③ 비행기 승무원
④ 운전 강사　⑤ 택시 운전사

🔑정답 근거

W Hello. Dave. It's already our last lesson.

M I know. _____ _____ _____ quickly.

W Right. Today we're going to drive on the highway.

M Highway? But I'm still afraid of other cars quickly _____ next to me.
be afraid of: ~을 두려워하다

W Don't worry. You've been practicing a lot, and your driving _____ _____ greatly.
현재완료 진행

M Okay. I'll try to _____ my fear of driving.

W I believe you can. Now, let's start today's lesson.

◀ **Solution Tip** 여자의 대사 중 마지막 수업이라는 말과 고속도로에서 운전할 거라는 말, 그리고 남자의 운전 실력이 향상됐다고 격려하는 말로 보아 여자는 남자에게 운전을 가르치고 있음을 알 수 있다.

Dictation 04회 →
┌ 전체 듣기
└ 문항별 듣기

Dictation의 효과적인 활용법
STEP 1 들으면서 대본의 빈칸 채우기
STEP 2 축쇄 문제를 보며 다시 풀어 보기
STEP 3 해석을 보며 영어로 말하거나 영작해 보기

공부한 날   월   일

03 그림 상황

다음 그림의 상황에 가장 적절한 대화를 고르시오.

① ② ③ ④ ⑤

① 남 이 재킷은 저에게 조금 조이네요.
　여 더 큰 사이즈를 입어 보시겠어요?
② 남 몇 층에 가시나요?
　여 10층 부탁합니다. 감사합니다.
③ 남 Hamilton 백화점에 어떻게 가나요?
　여 두 블록을 직진하다가 모퉁이에서 오른쪽으로 도세요.
④ 남 너 오늘 아파 보인다. 무슨 일이야?
　여 허리가 너무 아파.
⑤ 남 아들에게 줄 티셔츠를 찾고 있어요.
　여 그는 몇 살인가요?

① M This jacket is a little _____ _____ me.
　W Would you like to try on a bigger size?
　　　　　　　　~을 입어[신어] 보다
② M What _____ are you going to?
　W Tenth, please. Thank you.
③ M How can I get to Hamilton Department Store?
　　　길을 묻는 말(= Can you show me the way to ~?)
　W _____ _____ two blocks and turn right at the corner.
④ M You look so sick today. What's wrong?
　W I have a _____ _____.
⑤ M I'm looking for a T-shirt for my son.
　W How old is he?

04 심정

대화를 듣고, 남자의 심정으로 가장 적절한 것을 고르시오.

① scared　　　　② annoyed
③ regretful　　　④ relaxed
⑤ jealous

여 Steve, 너는 걱정돼 보이는구나. 무슨 일이니?
남 오늘 오후에 영어 과제물을 내야 하는데, 아직 쓰지 못했어.
여 왜 어제 그것을 쓰지 않았니?
남 한국과 일본 간의 축구 경기를 보느라 바빴거든.
여 오, 이런! 너는 먼저 과제물을 끝냈어야 했어.
남 맞아.
여 내가 늘 너에게 '오늘 할 수 있는 일을 내일까지 미루지 말라.'고 말하잖니.
남 나도 알아. 너의 충고를 들었어야 했어.

① 무서워하는　　② 짜증이 난　　③ 후회하는
④ 느긋한　　　　⑤ 질투하는

W Steve, you look worried. What's the problem?
M I have to hand in my English essay this afternoon, but I _____ _____ it yet.
W Why didn't you write it yesterday?
M I was _____ _____ the soccer match between Korea and Japan.
　　　　　　　　　　　　　　between A and B: A와 B 사이에
W Oh, no! You should've completed the essay first.
　　　　　　should have+p.p.: ~했어야 했다
M You're right.
W I always tell you, "Don't _____ _____ until
　　　　　　　　　　　선행사를 포함하는 관계대명사
tomorrow what you can do today."
M I know. I should've _____ to your advice.

🎵 Sound Tip **연음 put off**
영어에서는 대개 구(phrase) 안에서 연음이 일어난다. 예를 들어 take off를 정상적인 속도로 발음하면 /테이코프/로, put on은 /푸돈/, put off은 /푸더프/처럼 들린다.

05 부탁한 일

대화를 듣고, 여자가 남자에게 부탁한 일로 가장 적절한 것을 고르시오.
① 함께 조깅하기
② 식사 준비하기
③ 짐 옮겨 주기
④ 조리법 알려 주기
⑤ 블로그 방문하기

W _____ _____ _____ _____, David. It seems like you've lost some weight.
lose weight: 살을 빼다

M Yeah, I've lost about 5 kilograms.

W 5 kilograms? Please let me know your secret.

M I just jog for one hour every day.

W Of course you do. I think there must be _____ _____ _____ than that. What is it?
~임에 틀림없다(강한 추측)

M Well, actually, I've had a low-calorie diet for 6 months.
🔑정답 근거   for+기간: ~ 동안

W Now, I get it. Can I get your diet recipes?

M Sure. I _____ them on my blog.
= diet recipes

여 오랜만이구나, David. 너 살이 좀 빠진 것 같아.
남 응, 5kg 정도를 뺐어.
여 5kg? 내게 비법 좀 알려 줘.
남 나는 그냥 매일 한 시간씩 조깅해.
여 물론 그렇겠지. 그것보다 더 중요한 무언가가 분명히 있을 것 같은데. 뭐야?
남 음, 사실은 내가 6개월 동안 저칼로리 식이 요법을 했어.
여 이제 알겠다. 네 식단의 조리법들을 알 수 있을까?
남 물론이지. 내 블로그에 그것들을 올려놓았어.

06 장소

대화를 듣고, 두 사람이 대화하는 장소로 가장 적절한 곳을 고르시오.
① 식당   ② 서점   ③ 도서관
④ 우체국   ⑤ 미용실

🇬🇧
W Good afternoon. What can I do for you?
🔑정답 근거

M Hello. I'd like to _____ my hair _____.

W Did you make a reservation?

M No, I didn't. Can I get it cut now?

W Sure. Have a _____ here, please.

M Thank you.

W So, how would you like your hair cut?

M The same style _____ _____ _____ now, just a little trim to tidy it up.
tidy up: ~을 깔끔하게 정리하다

W All right, then let's get _____.

여 안녕하세요. 무엇을 도와드릴까요?
남 안녕하세요. 머리를 자르고 싶어요.
여 예약은 하셨나요?
남 아뇨, 안 했습니다. 지금 자를 수 있나요?
여 네. 여기 앉으세요.
남 고맙습니다.
여 그럼, 머리를 어떻게 자르고 싶으세요?
남 지금과 같은 스타일로 해 주시되, 정리를 위해 약간만 다듬어 주세요.
여 알겠어요. 그럼 시작할게요.

◀ **Solution Tip** get my hair cut, Have a seat, trim, tidy it up 등의 표현에서 대화를 나누는 장소가 미용실임을 알 수 있다.

07 할 일

대화를 듣고, 남자가 할 일로 가장 적절한 것을 고르시오.

① 케이크 사기
② 양초 만들기
③ 케이크 만들기
④ 교실 장식하기
⑤ 선물 구매하기

[휴대 전화벨이 울린다.]
여 Matthew. 무슨 일이야?
남 안녕, Stephanie. 너 내일 오후에 뭐 해?
여 특별한 일 없어. 왜 물어?
남 내일이 Emma의 생일이라고 들었어. 너는 알고 있었니?
여 정말? 몰랐어.
남 방과 후에 그녀를 위해 깜짝 파티를 열면 어때?
여 좋은 생각이야! 그녀는 양초를 좋아하니까 나는 선물로 양초를 만들게.
남 알았어, 그럼 나는 생일 케이크를 만들게. 내일 학교에서 보자.

📞 Cellphone rings.

W Matthew. What's up?
   = What's happening?
M Hi, Stephanie. What _____ you _____ _____ do tomorrow afternoon?

W Nothing special. Why are you asking?

M I _____ tomorrow is Emma's birthday. Did you know that?

W Really? I didn't know that.

M Why don't we _____ _____ _____ _____ for her after school?

   함정 주의 여자가 양초를 만든다고 함
W Good idea! She loves candles, so I'll make a candle as a present.

   정답 근거
M Okay, then I'll bake a birthday cake. See you at school tomorrow.

08 금액

대화를 듣고, 여자가 지불할 금액을 고르시오.

① $3   ② $10   ③ $13
④ $30   ⑤ $40

남 안녕하세요. 어떻게 도와드릴까요?
여 저는 이 소포를 파리로 보내고 싶어요.
남 그것을 저울 위에 올려놓으세요. [잠시 후] 어디 볼까요. 3kg이 나가네요.
여 비용은 얼마인가요?
남 30달러입니다. 그렇지만 그것을 빠른우편으로 보내길 원하시면 10달러를 더 내셔야 합니다.
여 빠른우편으로는 시간이 얼마나 걸리나요?
남 하루 또는 이틀 정도 걸려요.
여 오, 나쁘지 않네요. 빠른우편으로 보내고 싶어요.

M Hello. How can I help you?

W I want to _____ this _____ to Paris.

M Put it on the scale, please. [Pause] Let me see. It _____
   put on: ~을 올려놓다
   three kilograms.

W How much does it cost?

   정답 근거
M It costs 30 dollars. But _____ _____ want to send it
   by express, you should pay 10 more dollars.
   수단을 나타내는 전치사: ~로

W _____ _____ _____ it _____ by express?

M About one or two days.

W Oh, that's not bad. I'd like to send it by express, please.

Solution Tip 그냥 보내면 30달러인데 빠른우편으로 보내면 10달러를 더 내야 한다고 했다. 여자는 빠른우편을 선택했으므로 40달러를 지불해야 한다.

09 담화 주제

다음을 듣고, 무엇에 관한 안내 방송인지 고르시오.
① 미아 찾기
② 폐점 시각
③ 할인 행사
④ 비상구 위치
⑤ 영업시간 연장

M Good evening, shoppers. It's 8:50 now, and we'll be closing in 10 minutes. Please bring the items you _____ _____ _____ to one of the checkout stands. We also ask that you _____ by the main entrance only. _____ there's any inconvenience, please ask a staff member to help you. We want to remind you that we'll open tomorrow at 10 a.m. We _____ _____ _____ the rest of your shopping. Thank you.

남 안녕하세요, 쇼핑객 여러분. 현재 8시 50분이고, 저희는 10분 후에 폐점을 합니다. 구입을 원하는 물품을 계산대 중 한 곳으로 가지고 오세요. 또한 주 출입구로만 나가 주시길 부탁드립니다. 불편한 점이 있다면 직원에게 도움을 요청해 주세요. 내일 개장 시각은 오전 10시라는 것을 알려드립니다. 남은 쇼핑을 즐기시길 바랍니다. 감사합니다.

10 어색한 대화

다음을 듣고, 두 사람의 대화가 어색한 것을 고르시오.
① ② ③ ④ ⑤

① W I think it's going to rain this afternoon.
   M You're right. We'd _____ _____ umbrellas.
② W What platform does the train to London leave from?
   M It _____ from platform 3.
③ W Where will the event take place?
   M It'll take place on August 15th.
④ W _____ you _____ _____ the book *The Great Gatsby*?
   M Yeah. I read it last summer.
⑤ W What _____ _____ _____ the problem?
   M I have a fever and a stomachache.

① 여 오늘 오후에 비가 올 것 같아.
   남 맞아. 우리는 우산을 가져가는 게 좋겠어.
② 여 런던으로 가는 기차는 어느 플랫폼에서 출발하나요?
   남 그것은 3번 플랫폼에서 출발합니다.
③ 여 그 행사는 어디에서 열리나요?
   남 8월 15일에 열립니다.
④ 여 너는 '위대한 개츠비'라는 책을 읽어 본 적이 있어?
   남 응. 지난여름에 읽었어.
⑤ 여 무슨 문제가 있는 것 같으세요?
   남 저는 열과 복통이 있어요.

 Solution Tip 의문사 Where로 시작하는 의문문이므로 행사가 열리는 장소로 답해야 한다.

11 마지막 말의 의도

대화를 듣고, 여자의 마지막 말에 담긴 의도로 가장
적절한 것을 고르시오.
① 요청   ② 동의   ③ 감사
④ 제안   ⑤ 거절

[휴대 전화벨이 울린다.]
여 여보세요, Brian. 지금 극장에 오고 있어?
남 응, 거의 다 왔어. 그런데 차가 막혀.
여 정말? 여기 언제 도착할 수 있어?
남 다행히도 영화가 시작하기 전에 갈 수 있어.
여 알겠어. 나는 핫도그를 사려고 줄을 서 있어. 네 것도
   하나 살까?
남 당연하지. 마을에서 가장 맛있는 핫도그잖아.
여 정말 그래.

☎ Cellphone rings.

W   Hello, Brian. Are you coming to the theater now?

M   Yeah, I'm almost there. But the _____ is _____.

W   Really? When can you arrive here?

M   Luckily, I can make it before the movie starts.

W   Okay. I'm _____ _____ _____ to buy a hot dog.
    to부정사의 부사적 용법(목적)
    Do you want me to buy one for you?
    정답 근거 = a hot dog
M   Of course I do. They have the best hot dog in town.

W   _____ _____ _____ _____ again.

---

12 언급되지 않은 것

다음을 듣고, *Greenville Community Center*에 관해
언급되지 않은 것을 고르시오.
① 개장일   ② 내부 시설
③ 운영 프로그램   ④ 운영 시간
⑤ 휴관일

남 마침내, Greenville 문화 센터가 1월 1일에 문을 열었
   습니다. 그것은 모든 연령의 사람들을 위한 것입니다.
   그것은 수영장, 댄스 스튜디오, 컴퓨터실, 도서관, 그
   리고 공연장을 제공합니다. 센터의 시설을 사용하려
   면 등록을 위해 신분증을 가지고 센터를 방문하셔야
   합니다. 센터는 주중에는 오전 7시부터 오후 9시까지
   열고, 주말에는 오전 7시부터 오후 5시까지 엽니다.
   격주로 일요일은 휴관입니다.

M   Finally, the Greenville Community Center _____ on
    정답 근거
    January 1st. It is for people of _____ _____. It
    ① 개장일
    _____ a swimming pool, a dance studio, a computer
    ② 내부 시설
    lab, a library, and a concert hall. In order to use the
    ~하기 위해(목적)
    center's facilities, you need to visit the center with your
    ID card _____ _____. The center is open from 7
    ④ 운영 시간
    a.m. to 9 p.m. on _____ and from 7 a.m. to 5 p.m. on
    weekends. It is closed _____ _____ Sunday.
    ⑤ 휴관일

[Dictation]실전 모의고사 회

13 그림 정보 🎧☐☐

다음 배치도를 보면서 대화를 듣고, 두 사람이 예약할 좌석의 구역을 고르시오.

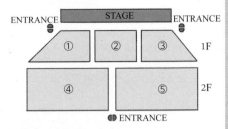

ENTRANCE	STAGE	ENTRANCE
①	②	③ 1F
④	⑤	2F
	◀▶ ENTRANCE	

남 Jessica, 와서 이것 좀 봐.
여 뭔데?
남 극장의 좌석 배치도야. 우리는 좌석을 예약해야 해. 너는 어디에 앉고 싶어?
여 나는 무대 전체를 더 잘 볼 수 있어서 2층에 앉고 싶어.
남 흠. 2층은 이미 꽉 찼어. 1층에 있는 3개 구역 중 하나에 앉아야 해.
여 입구 근처에는 앉지 말자.
남 그렇다면 한 구역만 남네.

M Jessica, come and _____ _____ _____ at this.

W What is it?

M It's the _____ _____ for the theater. We need to reserve our seats. Where do you want to _____?

> 함정 주의 여자가 원한 2층에는 자리가 없다는 말이 이어짐

W I want to sit on the second floor because I can see the whole stage better.

M Hmm. The second floor _____ already _____. 🔑정답 근거 We have to sit in one of the three sections on the first floor.

W _____ _____ _____ near the entrance.

M Then, only one section is left.

> 👉 Solution Tip 남자는 2층이 이미 꽉 찼다며 1층에 있는 3개 구역 중 하나에 앉아야 한다고 했다. 그러자 여자가 입구 근처에는 앉지 말자고 했으므로, 입구와 먼 ②번 구역을 예약할 것임을 알 수 있다.

14 담화 화제 🎧☐☐

다음을 듣고, 무엇에 관한 설명인지 고르시오.
① 귀마개   ② 시계   ③ 안경
④ 현미경   ⑤ 망원경

여 이것은 시력이 나쁜 사람에게 필요하다. 시력이 좋은 몇몇 사람들은 패션 아이템으로 그것들을 쓰는 것을 좋아한다. 그것들은 안경테에 고정된 유리 또는 단단한 플라스틱 렌즈와 귀에 걸치는 두 개의 안경다리로 이루어져 있다. 안경테와 렌즈를 디자인할 때 사용될 수 있는 다양한 모양, 색깔, 그리고 소재가 있다. 나이가 들면서 가까운 물체에 초점을 맞추는 것이 어렵기 때문에 거의 모든 사람들은 독서를 할 때 그것들을 써야 한다.

W 🔑정답 근거 These are necessary for someone who has _____
주격 관계대명사
_____. Some people with good eyesight like to wear them as a fashion item. They _____ _____ glass or hard plastic lenses _____ in a frame and two arms resting over the ears. There are different shapes, colors, and materials that _____ _____ _____ when
주격 관계대명사   가주어 it ~ 진주어 to부정사 ...
designing frames and lenses. With age, it is difficult to
나이가 들면서
_____ _____ close objects, so nearly everyone needs to wear them when reading.

15 할 일

대화를 듣고, 남자가 대화 직후에 할 일로 가장 적절한 것을 고르시오.
① 친구 만나기
② 장 보러 가기
③ 캠핑 가기
④ 방 청소하기
⑤ 동생 돌보기

🔑 정답 근거

W Tony, did you _____ _____ clean up your room?

M Sorry, Mom. I forgot all about it. I'll do it tomorrow.

W Please _____ _____ _____ it now.

M But I'm supposed to meet my friends in an hour. I can _____ everything _____ on the weekend.

W We're going to go camping this weekend. There won't be time for cleaning _____.
~할 시간이 없을 것이다

M I promise to do it tomorrow.

W No, now!

M Okay. I'll do it now.

💡 Sound Tip won't
will not의 축약형인 won't는 동사 want와 발음이 비슷하기 때문에 won't인지 want인지를 대화의 상황과 문맥을 통해 파악한다.

여 Tony, 네 방 청소하라고 한 것 기억하니?
남 죄송해요, 엄마. 잊어버렸어요. 내일 할게요.
여 지금 하렴.
남 하지만 한 시간 후에 친구들을 만나기로 했어요. 주말에 다 할 수 있을 거예요.
여 우리는 이번 주말에 캠핑을 갈 거야. 그땐 청소할 시간이 없어.
남 내일 하겠다고 약속할게요.
여 안 돼, 지금 하렴!
남 알겠어요. 지금 할게요.

16 구입할 물건

대화를 듣고, 여자가 구입할 물건을 고르시오.
① gloves   ② pants
③ wallet   ④ muffler
⑤ jacket

M Good afternoon. Can I help you?

W Yes, please. I'd like to buy some _____ for my dad.

M How about these leather gloves?

W They look nice, but my dad has _____ _____. Anything else you'd recommend?

M Then, how about a wallet or a muffler? We have brand-new items here.
신상품

⚠️ 함정 주의 목도리가 더 나을 것 같다는 말이 이어짐 🔑 정답 근거
W Both are fine, but I think a muffler would _____ _____ for him.

M Okay. Which do you prefer, _____ _____ _____?
Which do you prefer, A or B?: A와 B 중, 어느 것을 선호하나요?

W I'll take this brown striped one.
= muffler

남 안녕하세요. 도와드릴까요?
여 네, 부탁합니다. 아빠께 드릴 선물을 사고 싶어요.
남 이 가죽 장갑은 어떠세요?
여 멋져 보이지만 아빠는 비슷한 것을 가지고 계세요. 추천할 만한 다른 것이 있나요?
남 그럼 지갑이나 목도리는 어떠세요? 여기 신상품이 있어요.
여 둘 다 좋은데, 아빠께는 목도리가 더 나을 것 같아요.
남 알겠습니다. 단색과 줄무늬 중, 어느 것이 더 좋으세요?
여 저는 이 갈색 줄무늬가 있는 것으로 살게요.

① 장갑 ② 바지 ③ 지갑 ④ 목도리 ⑤ 재킷

17 적절한 응답

대화를 듣고, 남자의 마지막 말에 대한 여자의 응답으로 가장 적절한 것을 고르시오.

Woman: _____

① I've already ordered it.
② 13 Maple Street, please.
③ I have a 10% discount coupon.
④ Okay. I won't let it slip my mind.
⑤ I'm looking forward to seeing you soon.

[전화벨이 울린다.]
남 여보세요. Yummy Box입니다. 어떻게 도와드릴까요?
여 안녕하세요. 저는 치킨샌드위치 다섯 개를 주문하고 싶어요. 그리고 샐러드가 있나요?
남 네. 2달러에 그린샐러드를 구입하실 수 있어요.
여 그럼, 그린샐러드 여섯 개를 추가할게요.
남 그러면 치킨샌드위치 다섯 개와 샐러드 여섯 개, 맞으시죠?
여 네, 맞아요.
남 어디로 배달해 드리길 원하세요?
여 ④ Maple 가 13번지요.

Telephone rings.

M   Hello. Yummy Box. _____ _____ I help you?

W   Hi. I'd like to _____ five chicken sandwiches, and do you have salads?

M   Yes. You _____ _____ a green salad for two dollars.
양상추 등의 녹색 채소가 들어간 샐러드

W   Then, I'll _____ six green salads.

M   So, five chicken sandwiches and six salads, right?

W   Yes, that's right.
정답 근거

M   Where would you like them _____?

W   ② 13 Maple Street, please.

① 저는 그것을 벌써 주문했어요.   ③ 저는 10% 할인 쿠폰을 가지고 있어요.
④ 알겠어요. 그것을 잊지 않을게요.   ⑤ 곧 당신을 만나기를 고대하고 있어요.

18 적절한 응답

대화를 듣고, 여자의 마지막 말에 대한 남자의 응답으로 가장 적절한 것을 고르시오.

Man: _____

① What a mess!
② Let's walk your dog.
③ I feed him three times a day.
④ Why don't you take him to a vet?
⑤ Maybe you should see a dentist.

남 걱정스러워 보이는구나, Angela. 무슨 일이야?
여 나의 개가 또 아픈 것 같아.
남 오, 안됐구나.
여 그는 전혀 먹지도 마시지도 않아. 하루 종일 잠만 자.
남 심각한 것 같네. 언제부터 그랬니?
여 어제부터. 나는 그가 정말로 걱정돼.
남 전에도 이런 적이 있었니?
여 작년에도 한 번 심하게 아프긴 했었는데, 이번에는 다른 것 같아. 무엇을 해야 할지 모르겠어.
남 ④ 그를 수의사에게 데려가 보렴.

M   You _____ _____, Angela. What's wrong?
정답 근거

W   I think my dog is sick again.

M   Oh, that's too bad.

W   He _____ _____ and drinks. He only sleeps all day.

M   That sounds serious. When did it start?

W   Since yesterday. I'm really worried about him.

M   _____ this ever _____ before?

W   He was awfully sick once last year, but I think this time is different. I don't know what to do.
= what I should do

M   ④ Why don't you take him to a vet?

① 엉망진창이구나!   ② 강아지를 산책시키자.
③ 나는 하루에 세 번 먹이를 줘.   ⑤ 아마도 너는 치과에 가 보는 것이 좋겠어.

19 적절한 응답 □□

대화를 듣고, 남자의 마지막 말에 대한 여자의 응답으로
가장 적절한 것을 고르시오.

Woman: _____

① I'll pay with my credit card.
② I think it's too big for me.
③ Sure, you can pay by check.
④ The fitting room is over there.
⑤ That's the special offer, only for you.

여 실례합니다. 이 스웨터 얼마인가요?
남 150달러입니다.
여 정말 좋은데 너무 비싸네요.
남 100% 순모이고, 싸게 드리는 거예요. 원래 가격은
   200달러예요. 입어 보시겠어요?
여 음······ 네.
남 [잠시 후] 오, 손님께 정말 잘 어울려요.
여 네. 이 스웨터를 사지 않을 수가 없네요.
남 산 것을 후회하지 않으실 거예요! 어떻게 지불하실 건
   가요?
여 ① 신용 카드로 지불할게요.

W Excuse me. How much is this sweater?

M It's 150 dollars.

W It's very nice, but _____ _____.

M It's 100% pure wool, and it's a _____ _____. The
   original price is 200 dollars. <u>Why don't you try it on?</u>
   옷을 입어 보라고 권유하는 말

W Um ... yes, please.

M [*Pause*] Oh, it _____ you perfectly.

W Yeah. I _____ _____ _____ this sweater.
                    🎵 정답 근거

M You won't regret it! <u>How would you like to pay?</u>
   = buying the sweater

W ① I'll pay with my credit card.

---

② 그건 제게 너무 큰 것 같아요.   ③ 물론이죠, 수표로 지불하셔도 됩니다.
④ 탈의실은 저쪽에 있어요.   ⑤ 손님께만 특별히 제안 드리는 거예요.

---

20 상황에 맞는 말 □□

다음 상황 설명을 듣고, Ellen이 소년에게 할 말로 가장
적절한 것을 고르시오.

Ellen: Hey, _____

① I can't hear you.
② don't cut in line.
③ you have to deal with it.
④ what time shall we make it?
⑤ do you want to play baseball?

남 Ellen은 야구 경기를 보러 야구장에 갔다. 그녀는 토요
   일 오후라서 야구장이 붐빈다는 것을 알게 되었다. 그
   녀는 표를 사기 위해 30분도 더 줄을 서서 기다려야
   했다. 그녀가 기다리던 중에 한 소년이 그녀 앞에 와서
   새치기하려 했다. 그녀는 너무 화가 나서 그를 똑바로
   쳐다보았다. 이러한 상황에서 Ellen은 그 소년에게 뭐
   라고 말할까?
Ellen 이봐요, ② 새치기하지 마세요.

M Ellen went to a ballpark <u>to watch</u> a baseball game. She
   to부정사의 부사적 용법(목적)
   _____ the ballpark _____ because <u>it</u> was Saturday
   🎵 정답 근거   비인칭 주어 it
   afternoon. She had to _____ _____ _____ more

   than 30 minutes <u>to get</u> a ticket. While she was waiting, a
   to부정사의 부사적 용법(목적)
   boy _____ _____ _____ in front of her and <u>push</u>
   새치기하다(= cut in line)
   <u>in</u>. She was _____ _____ that she stared at him. In

   this situation, what would Ellen most likely say to the

   boy?

Ellen Hey, ② don't cut in line.

---

① 당신의 말이 안 들려요.   ③ 당신이 그것을 처리해야 합니다.
④ 우리 몇 시에 만날까요?   ⑤ 야구를 하고 싶으세요?

[VOCABULARY] 실전 모의고사 05회

어휘를 알아야 들린다

모의고사를 먼저 풀고 싶으면 74쪽으로 이동하세요.

🎧 다음 표현을 듣고 모르는 것에 표시하시오.

- 01 surf the Internet 인터넷을 검색하다
- 02 anniversary 기념일
- 03 package 소포
- 04 security office 경비실
- 05 aisle 통로
- 06 run (버스 등이) 운행하다
- 07 catch (버스 등을) 시간 맞춰 타다
- 08 fill out 작성하다
- 09 form 양식, 서류
- 10 senior citizen 노인, 어르신
- 11 disabled 장애를 가진
- 12 laboratory 실험실 (= lab)
- 13 replace 대체하다
- 14 expect 기대하다
- 15 convenient 편리한
- 16 handlebars (자전거·오토바이) 핸들
- 17 pedal (자전거) 페달
- 18 wheel 바퀴
- 19 attached 부착된
- 20 forward 앞으로
- 21 presentation 발표
- 22 cultural 문화의
- 23 difference 차이, 다름
- 24 script 대본, 원고
- 25 correct 바로잡다
- 26 rice cooker 밥솥
- 27 get boring 싫증나다
- 28 sights 관광지, 명소
- 29 palace 궁전
- 30 drop off (승객을) 내려 주다
- 31 exhibition 전시회
- 32 change 거스름돈
- 33 blanket 담요
- 34 scratch 긁다; 긁힌 자국
- 35 strict 엄한
- 36 due ~하기로 되어 있는
- 37 be in trouble 곤경에 처하다
- 38 terrified 무서워하는
- 39 drown 익사하다
- 40 fortunately 다행스럽게도
- 41 babysit 아이를 봐 주다

📝 **알아두면 유용한 선택지 어휘**

- 42 in time 시간 맞춰
- 43 rescue 구하다, 구조하다
- 44 Don't be stupid. 어리석게 굴지 마.
- 45 be satisfied with ~에 만족하다

🎧 들으면서 표현을 완성한 다음, 뜻을 고르시오.

표현의 의미를 생각하며 다시 써 보기!

01 e　hibition　　☐ 전시회　　☐ 작품　　➜ _____

02 dro　n　　☐ 끌리다　　☐ 익사하다　　➜ _____

03 rep　ace　　☐ 대체하다　　☐ 감소하다　　➜ _____

04 ai　le　　☐ 목표　　☐ 통로　　➜ _____

05 co　rect　　☐ 바로잡다　　☐ 모으다　　➜ _____

06 pac　age　　☐ 배송　　☐ 소포　　➜ _____

07 chan　e　　☐ 거스름돈　　☐ 금액　　➜ _____

08 an　ivers　ry　　☐ 기념일　　☐ 공휴일　　➜ _____

09 st　ict　　☐ 곧은　　☐ 엄한　　➜ _____

10 sigh　s　　☐ 관광지　　☐ 궁전　　➜ _____

11 attach　d　　☐ 떨어진　　☐ 부착된　　➜ _____

12 conv　nient　　☐ 편리한　　☐ 유능한　　➜ _____

13 la　oratory　　☐ 실험실　　☐ 노동　　➜ _____

14 pres　nta　ion　　☐ 공연　　☐ 발표　　➜ _____

15 cul　ural　　☐ 정치적인　　☐ 문화의　　➜ _____

16 bla　ket　　☐ 담요　　☐ 빈칸　　➜ _____

17 dif　erence　　☐ 차별　　☐ 차이　　➜ _____

18 whe　l　　☐ 동전　　☐ 바퀴　　➜ _____

19 scratc　　　☐ 긁다　　☐ 닦다　　➜ _____

20 for　ard　　☐ 나중의　　☐ 앞으로　　➜ _____

어휘 05회

실전 모의고사 [05]회

실전 모의고사 05회 ➔
┌ 모의고사 보통 쑥노
└ 모의고사 빠른 속도

✎ 들으면서 주요 표현 메모하기!

01 대화를 듣고, 남자가 구입할 상자를 고르시오.

① 　② 　③ 　④ 　⑤

02 대화를 듣고, 여자가 남자에게 전화한 목적으로 가장 적절한 것을 고르시오.

① 생일 파티에 초대하려고　　② 약속 시간을 물어보려고
③ 사무실 위치를 알려 주려고　　④ 생일 파티 초대를 거절하려고
⑤ 소포 찾는 것을 부탁하려고

03 다음 그림의 상황에 가장 적절한 대화를 고르시오.

①　　　　②　　　　③　　　　④　　　　⑤

고난도 ｜ 메모하며 풀기

04 대화를 듣고, 남자가 판매하는 자전거에 관해 언급되지 않은 것을 고르시오.

① 구입 시기　② 색깔　③ 종류　④ 무게　⑤ 가격

05 대화를 듣고, 현재 시각을 고르시오.

① 5:00 p.m.　② 5:20 p.m.　③ 5:25 p.m.　④ 5:30 p.m.　⑤ 5:35 p.m.

맞은 개수

개 / 20개

06 대화를 듣고, 두 사람이 대화하는 장소로 가장 적절한 곳을 고르시오.

① car museum   ② driving school   ③ car repair shop
④ used-car market   ⑤ car rental shop

✎ 들으면서 주요 표현 메모하기!

07 다음을 듣고, 두 사람의 대화가 <u>어색한</u> 것을 고르시오.

①   ②   ③   ④   ⑤

08 다음을 듣고, 방송의 목적으로 가장 적절한 것을 고르시오.

① 새 과학 선생님을 소개하려고   ② 실험실 폐쇄를 안내하려고
③ 실험 기기 교체를 요청하려고   ④ 보고서 제출 기한을 공지하려고
⑤ 실험실 이용 시 유의 사항을 설명하려고

고난도   메모하며 풀기

09 다음을 듣고, 무엇에 관한 설명인지 고르시오.

① 유모차   ② 자전거   ③ 오토바이
④ 킥보드   ⑤ 스케이트보드

10 대화를 듣고, 여자가 남자에게 부탁한 일로 가장 적절한 것을 고르시오.

① 발표 주제 정하기   ② 발표 자료 조사하기   ③ 보고서 작성하기
④ 대본 검토하기   ⑤ 대본 번역하기

틀린 문제는 Dictation에서
완벽하게 이해하세요.

실전 모의고사 [05]회

🖊 들으면서 주요 표현 메모하기!

11 대화를 듣고, 남자가 할 일로 가장 적절한 것을 고르시오.
① 에세이 쓰기   ② 프린터 고치기   ③ 이메일 보내기
④ 에세이 프린트하기   ⑤ 서비스 센터 방문하기

고난도 | 메모하며 풀기

12 다음 표를 보면서 대화를 듣고, 두 사람이 구입할 밥솥을 고르시오.

	Model	Price	Size	Color
①	AQ04B	$80	2 cups	black
②	AQ04R	$110	2 cups	red
③	CM20B	$100	4 cups	black
④	CM20R	$100	4 cups	red
⑤	CM40R	$120	4 cups	red

13 다음을 듣고, *Happy City Tours*에 관해 언급되지 <u>않은</u> 것을 고르시오.
① 가이드 이름   ② 버스 출발 시각   ③ 관광할 장소
④ 관광지 입장료   ⑤ 최종 도착지

14 대화를 듣고, 두 사람의 관계로 가장 적절한 것을 고르시오.
① 관람객 — 미술관 직원   ② 환자 — 의사   ③ 학생 — 교사
④ 모델 — 사진작가   ⑤ 택배 기사 — 물품 구매자

15 대화를 듣고, 요리 경연 대회가 열리는 날짜를 고르시오.
① July 2nd   ② July 3rd   ③ July 5th   ④ July 15th   ⑤ July 30th

16 대화를 듣고, 남자가 지불할 금액을 고르시오.

① $7　　　② $8　　　③ $9　　　④ $10　　　⑤ $11

17 대화를 듣고, 여자의 마지막 말에 대한 남자의 응답으로 가장 적절한 것을 고르시오.

Man: _____

① What are friends for?
② Oh! I never thought of that.
③ Let's choose a different table.
④ You shouldn't leave it as a blank.
⑤ I got a refund because of a scratch.

고난도 | 메모하며 풀기

18 대화를 듣고, 남자의 마지막 말에 대한 여자의 응답으로 가장 적절한 것을 고르시오.

Woman: _____

① You'd better see a doctor.
② I'm sure you're telling a lie.
③ I hope you'll get better soon.
④ If I were you, I would just tell the truth.
⑤ She said we had to hand in the report in time.

19 대화를 듣고, 여자의 마지막 말에 대한 남자의 응답으로 가장 적절한 것을 고르시오.

Man: _____

① I can rescue you.
② You can teach me how to swim.
③ You really do have a serious problem.
④ Be careful. You must warm up for swimming.
⑤ Don't be stupid. You can't miss this chance.

20 다음 상황 설명을 듣고, Mason이 Julie에게 할 말로 가장 적절한 것을 고르시오.

Mason: Julie, _____

① where did you buy your phone?
② you must be really disappointed.
③ are you interested in babysitting?
④ why don't you find a babysitter?
⑤ are you satisfied with your babysitter?

틀린 문제는 Dictation에서
완벽하게 이해하세요.

01 그림 묘사

*들을 때마다 체크

대화를 듣고, 남자가 구입할 상자를 고르시오.

① ② ③
④ ⑤

W　What are you doing on the computer?

M　I'm _____ the Internet to find a gift box for chocolate,
to부정사의 부사적 용법(목적)
but it's not _____ _____ _____ one.
= a gift box

W　A gift box for chocolate?

M　Yeah. This Saturday is my parents' _____ _____, so
I made chocolate by myself.
by oneself: 혼자

W　Wow, that's great! Then, let me help you. **How about this
round box with hearts?** 함정 주의 뒤 이어 남자는 무늬가 없는 것이 좋다고 함
정답 근거

M　Not bad, but I prefer something _____ _____.

W　Then, what about a heart-shaped one _____ _____?

M　That's pretty! I'll order it.

여 컴퓨터로 무엇을 하고 있니?
남 나는 초콜릿을 넣을 선물 상자를 찾기 위해 인터넷을 검색하고 있어. 그런데 하나를 고르는 것이 쉽지 않아.
여 초콜릿을 넣을 선물 상자?
남 응. 이번 토요일이 부모님의 결혼 기념일이라서 내가 직접 초콜릿을 만들었어.
여 와, 대단하다! 그럼 내가 도와줄게. 하트무늬가 있는 이 둥근 상자는 어때?
남 나쁘지 않은데, 나는 무늬가 없는 것이 더 좋아.
여 그럼, 리본이 있는 하트 모양 상자는 어때?
남 예쁘다! 그것으로 주문할게.

02 목적

대화를 듣고, 여자가 남자에게 전화한 목적으로 가장 적절한 것을 고르시오.
① 생일 파티에 초대하려고
② 약속 시간을 물어보려고
③ 사무실 위치를 알려 주려고
④ 생일 파티 초대를 거절하려고
⑤ 소포 찾는 것을 부탁하려고

Cellphone rings.

W　Honey, it's me. When will you _____ the office today?

M　In about an hour. Why?

W　I'm having Sarah's birthday party at her house this
evening.

M　I remember that. Have fun!

W　Okay, I will. By the way, we _____ _____ _____
그런데(화제 전환)
at the security office. Can you pick it up _____
경비실　　　　　　　　　　　　　　　= the package
_____ _____ _____?

M　No problem. Anything else?

W　No, thanks. See you later.

[휴대 전화벨이 울린다.]
여 여보, 저예요. 오늘 언제 퇴근하나요?
남 한 시간쯤 후에요. 왜요?
여 저는 오늘 저녁에 Sarah의 집에서 그녀의 생일 파티를 해요.
남 기억하고 있어요. 재미있는 시간 보내요!
여 네, 그럴게요. 그런데 경비실에 소포가 있어요. 집에 가는 길에 그것을 가지고 가 줄래요?
남 문제없어요. 다른 것은요?
여 없어요. 고마워요. 나중에 봐요.

🔊 Sound Tip pick it up
영어의 자음와 모음이 만나면 자연스럽게 연결하여 발음한다. pick it up은 정상 속도로 발음하면 /픽 잇 업/으로 들리지 않고 /피키럽/으로 들린다.

Dictation의 효과적인 활용법
STEP 1 들으면서 대본의 빈칸 채우기
STEP 2 축쇄 문제를 보며 다시 풀어 보기
STEP 3 해석을 보며 영어로 말하거나 영작해 보기

공부한 날   월   일

03 그림 상황

다음 그림의 상황에 가장 적절한 대화를 고르시오.

① ② ③ ④ ⑤

① 여 무엇을 주문하시겠어요?
남 버섯 피자와 샐러드로 할게요.
② 여 커튼을 쳐 줄래요?
남 네. 그렇게 할게요.
③ 여 누구세요?
남 저는 Steve입니다.
④ 여 창가 좌석과 통로 좌석 중, 어느 좌석을 선호하세요?
남 창가 좌석으로 주세요.
⑤ 여 무엇을 읽고 있니?
남 나는 유명한 피아니스트에 관한 기사를 읽고 있어.

① W _____ would you like to _____?

M I'll have a mushroom pizza and a salad.

🔑정답 근거
② W Would you _____ the curtains?

M Okay. I'll do that.

③ W _____ _____, please?

M This is Steve speaking.

④ W _____ seat do you prefer, a window seat or an _____ seat?

M A window seat, please.

⑤ W What are you reading?

M I'm reading an _____ about a famous pianist.

💡**Sound Tip** 묵음 s
영어에서 자음 s는 자음 l 앞에서 소리내어 발음하지 않기도 한다. 예를 들면, aisle는 /아일/로 island는 /아일랜드/로 발음한다.

04 언급되지 않은 것

대화를 듣고, 남자가 판매하는 자전거에 관해 언급되지 않은 것을 고르시오.
① 구입 시기 ② 색깔 ③ 종류
④ 무게 ⑤ 가격

W Hi, Ryan. I heard you _____ _____ your old bike.

M Yes. I decided to sell it because I got a new bike as a present from my uncle.

W That's great. I'm interested in your bike. When did you buy it?
be interested in: ~에 관심이 있다

🔑정답 근거
M I _____ it six months ago.

W I see. I remember your bike is blue, isn't it?
부가 의문문에 대한 응답은 답하는 내용이 긍정이면 Yes, 부정이면 No로 함
M Yes. And it _____ _____ about 10 kilograms.

W Then, _____ _____ is it?

M It's 100 dollars.

W Sounds good. I'll take it.

여 안녕, Ryan. 네가 오래된 자전거를 팔고 있다고 들었어.
남 응. 나는 삼촌께 선물로 새 자전거를 받아서 그것을 팔기로 했어.
여 잘됐다. 나는 네 자전거에 관심이 있어. 너는 그것을 언제 샀니?
남 6개월 전에 샀어.
여 그렇구나. 네 자전거는 파란색인 걸로 기억하는데, 그렇지 않니?
남 응. 그리고 그것은 10kg 정도밖에 나가지 않아.
여 그럼 얼마야?
남 100달러야.
여 좋아. 내가 그것을 살게.

👆**Solution Tip** 자전거의 구입 시기(six months ago), 색깔(blue), 무게(about 10 kilograms), 가격(100 dollars)은 언급되었지만, 종류는 언급되지 않았다.

05회 듣기쓰기

05 시각

대화를 듣고, 현재 시각을 고르시오.
① 5:00 p.m.　　② 5:20 p.m.
③ 5:25 p.m.　　④ 5:30 p.m.
⑤ 5:35 p.m.

W Excuse me. _____ _____ _____ to the airport?

M You can take a shuttle bus at the stop across the street.
　　　　　　　　　　　　　　　　　　　　길 건너에

W I see. _____ _____ does the bus run?

M Every thirty minutes. You have to _____ if you want to
　　　(빈도) ~마다
catch the bus.

W Why is that?
　　　정답 근거
M It's because the last bus is at 5:30 p.m.

W Oh, I've _____ only five minutes. Thank you.

여 실례합니다. 공항까지 어떻게 갈 수 있나요?
남 길 건너편 정류장에서 셔틀버스를 타면 됩니다.
여 그렇군요. 버스는 얼마나 자주 운행하나요?
남 30분마다 있어요. 그 버스를 타고 싶다면 서둘러야 해요.
여 왜 그렇죠?
남 마지막 버스가 오후 5시 30분에 있거든요.
여 오, 5분밖에 안 남았네요. 고맙습니다.

> **Solution Tip** 남자가 마지막 셔틀버스는 오후 5시 30분에 있다고 했고, 여자는 5분밖에 안 남았다고 했으므로 현재 시각은 오후 5시 25분이다.

06 장소

대화를 듣고, 두 사람이 대화하는 장소로 가장 적절한 곳을 고르시오.
① car museum
② driving school
③ car repair shop
④ used-car market
⑤ car rental shop

W Hi. How may I help you?
　　　정답 근거
M Hi. My car is making a _____ _____.

W Okay. Is it your first visit here?

M Yes, it is.

W Then would you please _____ _____ this _____?

M Sure. How long will it take to fix my car?
　　　　　　얼마나 오래
W Well, I have to _____ _____ _____ it first.

여 안녕하세요. 어떻게 도와드릴까요?
남 안녕하세요. 제 차에서 이상한 소리가 나고 있어서요.
여 그렇군요. 이번이 첫 번째 방문인가요?
남 네, 그렇습니다.
여 그러면 이 양식을 작성해 주시겠어요?
남 물론이죠. 제 차를 고치는 데 시간이 얼마나 걸릴까요?
여 글쎄요, 먼저 차를 살펴봐야 합니다.

① 자동차 박물관　　② 운전 학원
③ 자동차 정비소　　④ 중고차 시장
⑤ 렌터카 가게

> **Solution Tip** 남자는 차에서 이상한 소리가 나서 수리하려고 한다. 차를 수리하는 곳은 자동차 정비소(car repair shop)이다.

07 어색한 대화

다음을 듣고, 두 사람의 대화가 <u>어색한</u> 것을 고르시오.

①   ②   ③   ④   ⑤

① 남 시청까지 가는 길을 알려 주시겠어요?
   여 150번 버스를 타세요.
② 남 다음 공연의 표를 사고 싶어요.
   여 죄송합니다, 손님. 모든 표가 매진됐어요.
③ 남 이 버스의 좌석 중 몇 개는 왜 노란색인가요?
   여 그것들은 어르신들, 장애인들, 또는 어린이들을 위한 거예요.
④ 남 이 주변에 괜찮은 중국 음식점이 있나요?
   여 고맙습니다. 그런데 저는 패스트푸드를 좋아하지 않아요.
⑤ 남 오늘 밤에 영화 보러 가자.
   여 그러고 싶지만, 못 가. 나는 수학 시험 때문에 공부를 해야 해.

① **M** Can you _____ _____ the way to City Hall?

   W Take bus number 150.

② **M** I'd like to buy a ticket for the next show.

   W I'm sorry, sir. They're all _____ _____.

③ **M** Why are some of the seats on this bus yellow?

   W They're for _____ _____, the disabled, or children.
                                 the+형용사: ~한 사람들
     🎵 정답 근거

④ **M** _____ _____ any good Chinese restaurants around here?

   W Thank you, but I don't like fast food.

⑤ **M** Let's _____ _____ a movie tonight.

   W I'd love to, but I can't. I have to study for my math test.

08 목적

다음을 듣고, 방송의 목적으로 가장 적절한 것을 고르시오.

① 새 과학 선생님을 소개하려고
② 실험실 폐쇄를 안내하려고
③ 실험 기기 교체를 요청하려고
④ 보고서 제출 기한을 공지하려고
⑤ 실험실 이용 시 유의 사항을 설명하려고

W Attention, please. This is your science teacher, Ms. Stevens. I have an announcement about our school _____. Next week, old tables and chairs _____ _____ _____ with new ones. Also, the walls will _____ _____. For these reasons, the lab will be
                            🎵 정답 근거
             이러한 이유로
closed for a week. I'm sorry for closing the lab, but I expect this will _____ it _____ _____ to use.
                      = the lab
Thank you.

여 주목해 주세요. 저는 과학 선생님인 Stevens입니다. 우리 학교 실험실에 관한 안내 말씀 드리겠습니다. 다음 주에 오래된 탁자들과 의자들을 새로운 것으로 교체할 것입니다. 또한, 벽에 페인트칠을 할 것입니다. 이런 이유로 실험실이 일주일 동안 폐쇄될 것입니다. 실험실을 폐쇄하게 되어 유감이지만, 이것이 실험실을 사용하기에 좀 더 편리하게 만들어 줄 것이라고 기대합니다. 감사합니다.

09 담화 화제

다음을 듣고, 무엇에 관한 설명인지 고르시오.

① 유모차　　② 자전거
③ 오토바이　　④ 킥보드
⑤ 스케이트보드

M This is a _____ that you ride by sitting on it. It usually has a seat, handlebars, two pedals, and two wheels. The wheels _____ _____ to a frame one behind the other. In order to move forward, you have to _____ _____ two pedals with your feet. You can _____ _____ by turning handlebars that are connected to the front wheel.

하나 뒤에 다른 하나(= one after another)
~하기 위해(목적)
be connected to: ~에 연결되다

남 이것은 여러분이 앉아서 타는 운송 수단이다. 그것은 대개 앉는 부분, 핸들, 2개의 페달, 그리고 2개의 바퀴를 가지고 있다. 바퀴는 하나 뒤에 다른 하나가 오는 방식으로 본체에 부착되어 있다. 앞으로 나아가기 위해 여러분은 발로 2개의 페달을 계속 밀어야 한다. 여러분은 앞바퀴에 연결된 핸들을 돌림으로써 방향을 바꿀 수 있다.

Solution Tip 앉는 부분, 핸들, 페달, 그리고 바퀴가 있고, 발로 페달을 밀어 움직이는 운송 수단은 자전거이다.

10 부탁한 일

대화를 듣고, 여자가 남자에게 부탁한 일로 가장 적절한 것을 고르시오.

① 발표 주제 정하기
② 발표 자료 조사하기
③ 보고서 작성하기
④ 대본 검토하기
⑤ 대본 번역하기

M Hi, Anna. You _____ _____ these days.

W Hey, Jun. I'm preparing for a presentation in my Korean class.

M Oh, what are you going to talk about?

W I'm going to talk about cultural differences. _____ _____ me so much _____ _____ the script in Korean.

문화적 차이

M I see. Do you need any help?

W Yes. Would you _____ my script and _____ any mistakes?

M No problem.

W Thanks a lot.

남 안녕, Anna. 너 요즘 바빠 보이더라.
여 안녕, Jun. 한국어 수업 때 할 발표를 준비하는 중이야.
남 오, 무엇에 관해 이야기할 건데?
여 나는 문화적 차이에 관해 이야기할 거야. 대본을 한국어로 쓰는 데 시간이 아주 많이 걸렸어.
남 그렇구나. 도움이 필요하니?
여 응. 대본을 읽고 실수를 고쳐 줄래?
남 문제없어.
여 정말 고마워.

11 할 일

대화를 듣고, 남자가 할 일로 가장 적절한 것을 고르시오.

① 에세이 쓰기
② 프린터 고치기
③ 이메일 보내기
④ 에세이 프린트하기
⑤ 서비스 센터 방문하기

[휴대 전화벨이 울린다.]
여 안녕. Brian. 에세이 어떻게 되어 가니?
남 안녕, Chloe. 나는 다 썼어. 네 것은 어때?
여 나는 방금 다 썼는데, 프린터가 작동하지 않아.
남 오, 이런! 우리 내일 에세이를 제출해야 하지 않아?
여 맞아. 프린터가 뭐가 문제인지 모르겠어.
남 그럼 그것을 나에게 이메일로 보내면 내가 출력해 줄 수 있어.
여 정말? 고마워. 나는 프린터를 서비스 센터에 가져가야겠어.
남 그래야겠다.

📞Cellphone rings.

W　Hi. Brian. _____ your essay _____ ?

M　Hi, Chloe. I'm done writing it. How's _____ ?

W　I've just finished _____ it, but the printer is not
　　working.
　　현재완료(완료)

M　Oh, no! Don't we have to hand in the essay tomorrow?
　　　　　　부정 의문문　　　　　　　~을 제출하다

W　Right. I don't know _____ _____ _____ with the
　　printer.
　　　　정답 근거

M　Then I can print it out if you _____ _____ to me.
　　　　　　　　　　　　　　　조건을 나타내는 접속사: (만약) ~라면

W　Really? Thanks. **I think I have to take the printer to the**
　　service center. 함정 주의 고장난 프린터를 서비스 센터에 가져 가겠다고 말한 사람은 여자임

M　You should.

💡 Sound Tip don't know
nt로 끝나는 경우 마지막 소리인 [t]는 약하게 발음하므로, don't know는 일반적으로 /돈트 노우/가 아닌 /도운 노우/로 들린다. 또한 know에서 k는 묵음이다.

---

12 표 정보

다음 표를 보면서 대화를 듣고, 두 사람이 구입할 밥솥을 고르시오.

	Model	Price	Size	Color
①	AQ04B	$80	2 cups	black
②	AQ04R	$110	2 cups	red
③	CM20B	$100	4 cups	black
④	CM20R	$100	4 cups	red
⑤	CM40R	$120	4 cups	red

남 여보, 블랙 프라이데이예요. 우리는 이번에 새 밥솥을 사야 해요.
여 좋아요. 염두에 둔 것이 있나요?
남 아뇨, 그런데 100달러까지 쓸 수 있어요. 온라인 쇼핑 사이트를 확인해 봐요.
여 좋은 생각이에요! 어디 보자. [잠시 후] 오, 먼저 크기를 선택해야 할 것 같아요.
남 4인용 밥솥은 어때요? 우리 것은 2인용 밥솥인데 우리에겐 너무 작아요.
여 당신 말에 동의해요. 검은색과 빨간색 중, 어느 것이 더 좋아요?
남 검은색은 싫증나는 법이 없어요.
여 맞아요. 그럼, 그것으로 주문하죠.

M　Honey, it's Black Friday. We need to buy a new rice
　　cooker this time.
　　　　　~해야 한다

W　Okay. Do you _____ something _____ _____ ?

M　No, but we can spend up to 100 dollars. Let's check out
　　　　　정답 근거　　　　　　~까지
　　online shopping sites.

W　Good idea! Let's see. [*Pause*] Oh, I think we have to
　　_____ the size first.

M　How about a 4-cup cooker? **Ours is a 2-cup cooker, and**
　　it's _____ _____ for us.
　　　　　= Our rice cooker

W　I agree with you. Which color do you prefer, black or red?
　　상대방의 말에 동의하는 표현(= I think so, too., You can say that again. 등)

M　Black _____ _____ _____ .

W　You're right. Then, let's order it.

13 언급되지 않은 것

다음을 듣고, *Happy City Tours*에 관해 언급되지 **않은** 것을 고르시오.

① 가이드 이름　　② 버스 출발 시각
③ 관광할 장소　　④ 관광지 입장료
⑤ 최종 도착지

M　Welcome to Happy City Tours. I'm your guide, Michael Brown. The bus _____ at 9 a.m., and the tour _____ _____ 3 hours. You can _____ the best of London's sights. You'll _____ the Tower of London, Big Ben, and Buckingham Palace. At the end of the tour, we'll _____ _____ _____ right here at Double Tree Hotel. I hope all of you enjoy the tour. Thank you.

~의 끝에
바로 이곳에

남　Happy City Tours에 오신 것을 환영합니다. 저는 여러분의 가이드, Michael Brown입니다. 버스는 오전 9시에 출발하고, 관광은 3시간 동안 진행됩니다. 여러분은 런던 최고의 관광지들을 즐기실 수 있습니다. 여러분은 런던탑, 빅 벤, 그리고 버킹엄 궁전을 방문할 것입니다. 관광이 끝날 때 저희는 여러분을 바로 이곳 Double Tree 호텔에 내려 드릴 것입니다. 여러분 모두가 관광을 즐기시길 바랍니다. 감사합니다.

> **Sound Tip** 「the + 모음」으로 시작하는 단어
> the 뒤에 bag, desk처럼 자음으로 시작하는 말이 오면 /더/로 발음하지만, end, apple처럼 모음으로 시작하는 말이 오면 /디/로 발음한다.

14 두 사람의 관계

대화를 듣고, 두 사람의 관계로 가장 적절한 것을 고르시오.

① 관람객 — 미술관 직원
② 환자 — 의사
③ 학생 — 교사
④ 모델 — 사진작가
⑤ 택배 기사 — 물품 구매자

W　Excuse me. Could you tell me where the special exhibition hall is?

목적어로 쓰인 명사절(간접의문문)

M　It's _____ _____ _____ _____. You can use the elevator over there.

W　Okay. Is there an audio guide _____?

M　Sure. You can get one here for 5 dollars.

= an audio guide

W　I'd like one, please. _____ _____ 5 dollars.

M　Thank you. Please _____ it to the audio guide desk after you use it.

W　I see. Thank you so much.

여　실례합니다. 특별 전시관이 어디인지 알려 주시겠어요?
남　3층에 있습니다. 저쪽에 있는 엘리베이터를 이용하실 수 있어요.
여　알겠습니다. 음성 가이드를 이용할 수 있나요?
남　물론이죠. 5달러를 내시면 여기서 받으실 수 있어요.
여　하나 주세요. 여기 5달러입니다.
남　고맙습니다. 그것을 사용하신 뒤에 음성 가이드 접수처에 반납해 주세요.
여　알겠습니다. 정말 고맙습니다.

> **Solution Tip** special exhibition hall, audio guide 등의 표현으로 보아 대화하는 장소는 미술관이고, 주로 질문하는 쪽인 여자는 관람객, 대답하는 쪽인 남자는 미술관 직원임을 알 수 있다.

15 날짜

대화를 듣고, 요리 경연 대회가 열리는 날짜를 고르시오.

① July 2nd ② July 3rd
③ July 5th ④ July 15th
⑤ July 30th

W Jack, you _____ _____ _____ _____ this.

M What is it?

W I heard there will be a cooking contest at the community center. Why don't you participate in the contest?
　~하는 게 어때?

M It _____ _____ _____. How can I apply for it?

🔴함정 주의 7월 3일은 신청 기한임 🎵정답 근거

W You must apply online by July 3rd, and the contest is on
　~해야 한다(의무)
July 15th.

M Really? I don't have much time to practice.
　　　　　　　　　　　　　　　　　to부정사의 형용사적 용법(앞의 time 수식)

W Don't worry. I think you're _____ _____.

여 Jack, 너는 이것에 관심 있을지도 몰라.
남 뭔데?
여 나는 주민 센터에서 요리 경연 대회가 있을 거라고 들었어. 네가 경연 대회에 참가하면 어때?
남 재미있을 것 같아. 어떻게 신청할 수 있어?
여 7월 3일까지 온라인으로 신청해야 해. 그리고 경연 대회는 7월 15일이야.
남 정말? 연습할 시간이 많지 않네.
여 걱정하지 마. 나는 네가 훌륭한 요리사라고 생각해.

🔊 Sound Tip wonderful
wonderful은 /원더풀/로 발음되지만 발음 기호는 [wʌndərfl]로 자음 [w]으로 시작하는 단어이다.

16 금액

대화를 듣고, 남자가 지불할 금액을 고르시오.
① $7　②$8　③ $9
④$10　⑤ $11

W Good evening. May I take your order?

M Hi. I'd like one _____ _____ popcorn and two _____ _____ orange juice, please.

🎵정답 근거

W That's 11 dollars altogether. Do you have a movie ticket for today?

M Yes, I do. Why?

W We can give you a one-dollar _____ _____ _____ ticket.

M Great. I have two. Here is 10 dollars.

W Thank you. Here is your _____.

여 안녕하세요. 주문하시겠어요?
남 안녕하세요. 팝콘 한 상자와 오렌지주스 두 병 주세요.
여 모두 합쳐 11달러입니다. 오늘자 영화표가 있으세요?
남 네, 있어요. 왜요?
여 표 한 장에 1달러씩 할인을 해 드려요.
남 잘됐네요. 두 장 있어요. 여기 10달러요.
여 고맙습니다. 여기 거스름돈입니다.

🔄 Solution Tip 영화표 한 장에 1달러 할인을 받을 수 있다고 했다. 총 금액은 11달러이고, 남자는 영화표를 두 장 가지고 있으므로 11달러에서 2달러를 할인받은 9달러를 지불해야 한다.

17 적절한 응답

대화를 듣고, 여자의 마지막 말에 대한 남자의 응답으로 가장 적절한 것을 고르시오.

Man: _____

① What are friends for?
② Oh! I never thought of that.
③ Let's choose a different table.
④ You shouldn't leave it as a blank.
⑤ I got a refund because of a scratch.

W   Dave, are you busy now?

M   No. Why are you asking?

W   Would you _____ _____ _____ this table?
　　　　　　　　　　　　　　　　　　　　정답 근거

M   Sure. Do you want to move it to the corner?
　　　　　　　　　　to부정사의 명사적 용법(동사 want의 목적어)

W   Yes. Wait a second. Let me _____ _____ _____.
　　　　= Wait a minute[moment].

M   A blanket? Why do we need it?

W   We'll _____ _____ _____ without it.
　　　　　　　　　　　　　　　　　= a blanket

M   ② Oh! I never thought of that.

여 Dave, 지금 바빠?
남 아니. 왜 물어?
여 이 탁자 옮기는 것을 도와줄래?
남 그래. 그걸 구석으로 옮기고 싶은 거야?
여 응. 잠시만 기다려 줘. 담요를 가져올게.
남 담요? 그게 왜 필요한데?
여 담요가 없으면 바닥에 긁힌 자국이 나게 될 거야.
남 ② 오! 그 생각을 못했네.

① 친구 좋다는 게 뭐겠어?　　　　　　　　③ 다른 탁자를 골라 보자.
④ 너는 그것을 빈칸으로 남겨 두어서는 안 돼.　⑤ 나는 흠집 때문에 환불을 받았어.

18 적절한 응답

대화를 듣고, 남자의 마지막 말에 대한 여자의 응답으로 가장 적절한 것을 고르시오.

Woman: _____

① You'd better see a doctor.
② I'm sure you're telling a lie.
③ I hope you'll get better soon.
④ If I were you, I would just tell the truth.
⑤ She said we had to hand in the report in time.

W   You look worried. _____ _____ _____?

M   Nothing serious.

W   Come on, just tell me.

M   Well, you know Ms. McGuire?

W   Of course I know her. She's _____ _____ teacher in
　　　　　　　　　　　　　　　　　정답 근거
    our school. Why?

M   I totally forgot to hand in her homework. It was _____
　　　　　　　　　forget+to부정사: ~할 것을 잊다 cf. forget+동명사: ~한 것을 잊다
    yesterday.

W   Uh-oh, I think you're _____ _____ _____.

M   What would you say if I told her a lie that I was sick?

W   ④ If I were you, I would just tell the truth.

여 너 걱정스러워 보이는구나. 무슨 일이야?
남 심각한 거 아니야.
여 이봐, 그냥 내게 말해 봐.
남 글쎄, 너 McGuire 선생님 알지?
여 물론 그녀를 알지. 우리 학교에서 가장 엄격한 선생님
    이시잖아. 왜?
남 내가 선생님이 내 주신 숙제를 제출하는 것을 완전히
    잊어버렸거든. 어제가 마감 기한이었어.
여 이런, 너 큰일 난 것 같다.
남 내가 아팠다고 선생님께 거짓말을 한다면 너는 뭐라고
    말하겠니?
여 ④ 내가 너라면, 나는 사실을 말할 거야.

① 너는 병원에 가 보는 게 좋겠어.　　　② 나는 네가 거짓말을 하고 있다고 확신해.
③ 네가 곧 나아지길 바라.　　　　　　　⑤ 그녀는 우리가 제시간에 보고서를 제출해야 한다고 말씀하셨어.

19 적절한 응답

대화를 듣고, 여자의 마지막 말에 대한 남자의 응답으로 가장 적절한 것을 고르시오.

Man: _____

① I can rescue you.
② You can teach me how to swim.
③ You really do have a serious problem.
④ Be careful. You must warm up for swimming.
⑤ Don't be stupid. You can't miss this chance.

남 수지야, 수영 동아리에 가입하자. 그건 재미있을 거야.
여 글쎄, 나는 물 근처에는 가고 싶지 않아.
남 왜 가고 싶지 않은데?
여 나는 수영을 못해. 물은 나를 두렵게 해.
남 물에 관해 나쁜 기억이 있니?
여 응. 내가 열 살 때 수영장에서 거의 익사할 뻔 했거든.
남 오, 그렇구나. 일대일 강습을 받아 보는 것은 어때? 덜 긴장하게 될 거야.
여 한번 시도해 봤는데 수영장에 들어가자마자 두려움이 나를 얼어붙게 만들었어.
남 ③ 너는 정말 심각한 문제가 있구나.

M Suji, let's join a swimming club. It'll be fun.
　　제안하는 표현: ~하자
W Well, I don't want to go near the water.

M Why not?

W I can't swim. Water _____ _____ _____.

M Do you have a bad memory about water?

W Yes. I nearly _____ in a pool when I was 10.

M 🎵정답 근거 Oh, I see. How about taking a one-on-one lesson? You'd
　　　　　　　　　　　　　　　　　　　　　　　일대일 강습
be _____ _____.

W I tried that once, but _____ _____ _____ I got in
　　　　　　　= taking a one-on-one lesson
the pool, the fear made me freeze.

M ③ You really do have a serious problem.

① 내가 너를 구해 줄 수 있어.　　　　　　　② 네가 나에게 수영하는 법을 가르쳐 줄 수 있어.
④ 조심해. 너는 수영하기 위해 준비운동을 해야 해.　⑤ 어리석게 굴지 마. 너는 이 기회를 놓치면 안 돼.

20 상황에 맞는 말

다음 상황 설명을 듣고, Mason이 Julie에게 할 말로 가장 적절한 것을 고르시오.

Mason: Julie, _____

① where did you buy your phone?
② you must be really disappointed.
③ are you interested in babysitting?
④ why don't you find a babysitter?
⑤ are you satisfied with your babysitter?

W 🎵정답 근거 Mason happens to see his friend Julie looking at her phone
　　happen to: 우연히 ~하다
for a part-time job. Fortunately, Mason knows his aunt
_____ _____ _____ a babysitter for her baby.
He also knows that 명사절을 이끄는 접속사 Julie loves babies. Mason _____
_____ _____ be willing to: 기꺼이 ~하다 if she's willing to babysit. In this
명사절을 이끄는 접속사: ~인지
situation, what would Mason most likely say to Julie?

Mason Julie, ③ are you interested in babysitting?

여 Mason은 그의 친구 Julie가 시간제 일을 찾으려고 전화기를 보고 있는 것을 우연히 본다. 다행스럽게도 Mason은 그의 이모가 그녀의 아기를 돌봐 줄 사람을 찾고 있다는 것을 알고 있다. 그는 Julie가 아기들을 무척 좋아한다는 것 역시 알고 있다. Mason은 그녀가 아기를 돌볼 의사가 있는지 물어보고 싶다. 이러한 상황에서 Mason은 Julie에게 뭐라고 말할까?
Mason Julie, ③ 너는 아기 돌보는 것에 관심이 있니?

① 너는 전화기를 어디서 샀니?　　　　② 너는 틀림없이 무척 실망했을 거야.
④ 아기 돌보는 사람을 찾아보는 게 어때?　⑤ 너는 아기 돌보는 사람이 마음에 드니?

모의고사를 먼저 풀고 싶으면 90쪽으로 이동하세요.

🎧 다음 표현을 듣고 모르는 것에 표시하시오.

- 01 **campaign** 캠페인, 운동
- 02 **eye-catching** 눈길을 끄는
- 03 **iceberg** 빙산
- 04 **attractive** 매력적인
- 05 **scary** 무서운
- 06 **sneakers** 운동화
- 07 **neither** (부정문을 만들며) ~도 마찬가지이다
- 08 **thousands of** 수천의
- 09 **borrow** 빌리다
- 10 **period** (학교의 일과를 나눠 놓은) 시간, 교시
- 11 **bring back** 돌려주다
- 12 **get married** 결혼하다
- 13 **exact** 정확한
- 14 **as soon as possible** 가능한 한 빨리
- 15 **concerned** 걱정하는
- 16 **introduce** 소개하다
- 17 **family motto** 가훈
- 18 **include** 포함하다
- 19 **device** 장치, 기구
- 20 **allow** 허용하다
- 21 **permit** 허락하다
- 22 **inside** ~의 안에
- 23 **go well with** ~와 잘 어울리다
- 24 **for half price** 반값에

- 25 **be located** 위치해 있다
- 26 **avenue** 도로, –가
- 27 **app** 앱(= application)
- 28 **aquarium** 수족관
- 29 **feature** 특징
- 30 **cashier** 출납원(계산하는 직원)
- 31 **physical** 신체의
- 32 **medical specialist** 전문의
- 33 **dozen** 12개짜리 한 묶음
- 34 **skip** 빼먹다, 거르다
- 35 **sunburn** 햇볕으로 입은 화상; ~을 햇볕에 태우다
- 36 **even if** 비록 ~일지라도
- 37 **itch** 가렵다, 근질근질하다
- 38 **nightmare** 악몽
- 39 **chase** 뒤쫓다
- 40 **manage** 운영하다
- 41 **hire** 고용하다

📖 알아두면 유용한 선택지 **어휘**

- 42 **vending machine** 자동판매기
- 43 **gifted** 재능이 있는
- 44 **give ~ a ride** (차에) ~를 태워 주다
- 45 **reasonable** 가격이 적당한

🎧 들으면서 표현을 완성한 다음, 뜻을 고르시오.

표현의 의미를 생각하며 다시 써 보기!

01 a⬚uarium ☐ 수족관 ☐ 연못 ➔ _____

02 it⬚h ☐ 화끈거리다 ☐ 가렵다 ➔ _____

03 concern⬚d ☐ 걱정하는 ☐ 싫어하는 ➔ _____

04 de⬚ice ☐ 개발 ☐ 장치, 기구 ➔ _____

05 inc⬚ude ☐ 포함하다 ☐ 제외하다 ➔ _____

06 campai⬚n ☐ 선거 ☐ 캠페인, 운동 ➔ _____

07 att⬚active ☐ 매력적인 ☐ 꾸밈없는 ➔ _____

08 do⬚en ☐ 12개짜리 한 묶음 ☐ 10개짜리 한 묶음 ➔ _____

09 c⬚ase ☐ 잡다 ☐ 뒤쫓다 ➔ _____

10 reas⬚nabl⬚ ☐ 가격이 적당한 ☐ 이용할 수 있는 ➔ _____

11 gift⬚d ☐ 선물받은 ☐ 재능이 있는 ➔ _____

12 pe⬚mit ☐ 허락하다 ☐ 금지하다 ➔ _____

13 ⬚xact ☐ 정확한 ☐ 깔끔한 ➔ _____

14 borro⬚ ☐ 빌려주다 ☐ 빌리다 ➔ _____

15 introd⬚ce ☐ 인사하다 ☐ 소개하다 ➔ _____

16 s⬚ip ☐ 빼먹다 ☐ 쏠다 ➔ _____

17 nightm⬚r⬚ ☐ 자정 ☐ 악몽 ➔ _____

18 aven⬚e ☐ 마을 ☐ 도로 ➔ _____

19 e⬚e-catching ☐ 눈길을 끄는 ☐ 선명한 ➔ _____

20 iceber⬚ ☐ 계곡 ☐ 빙산 ➔ _____

어휘 06회

실전 모의고사 [06]회

실전 모의고사 06회 →
┌ 모의고사 보통 속도
└ 모의고사 빠른 속도

✎ 들으면서 주요 표현 메모하기!

01 대화를 듣고, 남자가 만든 포스터를 고르시오.

 ① ② ③ ④ ⑤

02 대화를 듣고, 남자가 여자에게 전화한 목적으로 가장 적절한 것을 고르시오.
① 빵집의 위치를 확인하려고
② 빵집의 영업시간을 알아보려고
③ 참치샌드위치가 남았는지 문의하려고
④ 참치샌드위치가 품절된 것을 알려 주려고
⑤ 치즈버거를 사다 줄 것을 부탁하려고

03 다음 그림의 상황에 가장 적절한 대화를 고르시오.

① ② ③ ④ ⑤

04 대화를 듣고, 두 사람의 관계로 가장 적절한 것을 고르시오.
① 택시 운전사 — 승객 ② 경찰관 — 시민 ③ 가게 점원 — 손님
④ 간호사 — 환자 ⑤ 부동산 중개인 — 고객

고난도 메모하며 풀기

05 대화를 듣고, 두 사람이 만나기로 한 시각을 고르시오.
① 5:30 p.m. ② 6:00 p.m. ③ 6:30 p.m. ④ 7:00 p.m. ⑤ 7:30 p.m.

06 대화를 듣고, 여자가 남자에게 부탁한 일로 가장 적절한 것을 고르시오.

① 숙제 제출하기　　　　　　② 책 반납하기
③ 수학 공부 도와주기　　　　④ 교과서 빌려주기
⑤ 학교에 교과서 가져오기

✎ 들으면서 주요 표현 메모하기!

07 다음을 듣고, 두 사람의 대화가 <u>어색한</u> 것을 고르시오.

① 　　　　② 　　　　③ 　　　　④ 　　　　⑤

08 대화를 듣고, 가족 신문에 실을 내용으로 언급되지 <u>않은</u> 것을 고르시오.

① 신문 이름　　　　② 신문 발행일　　　　③ 가족 소개
④ 가훈　　　　　　⑤ 여행 사진

09 다음을 듣고, 무엇에 관한 안내 방송인지 고르시오.

① 공연 시간　　　　② 공연 내용　　　　③ 공연장 시설
④ 공연 관람 예절　　⑤ 공연장 안전 수칙

고난도 | 메모하며 풀기

10 대화를 듣고, 여자가 지불할 금액을 고르시오.

① $30　　　② $70　　　③ $85　　　④ $90　　　⑤ $100

틀린 문제는 Dictation에서
완벽하게 이해하세요.

실전 모의고사 [06]회

✏️ 들으면서 주요 표현 메모하기!

11 다음을 듣고, *Cowboy Steak House*에 관해 언급되지 <u>않은</u> 것을 고르시오.

① 위치   ② 영업시간   ③ 개업 연도
④ 회원 혜택   ⑤ 회원 가입 방법

12 다음 수족관 배치도를 보면서 대화를 듣고, 두 사람이 가장 먼저 방문할 구역을 고르시오.

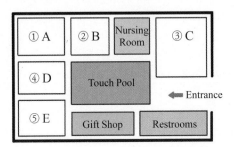

13 다음을 듣고, 무엇에 관한 설명인지 고르시오.

① oven   ② refrigerator   ③ dishwasher
④ washing machine   ⑤ vending machine

14 대화를 듣고, 여자가 이번 주 목요일에 할 일로 가장 적절한 것을 고르시오.

① 야구장 견학 가기   ② 코치와 상담하기
③ 전문의에게 진찰 받기   ④ 고강도 훈련하기
⑤ 야구 경기하기

15 대화를 듣고, 두 사람이 대화하는 장소로 가장 적절한 곳을 고르시오.

① park   ② library   ③ restaurant
④ bookstore   ⑤ flower shop

고난도 메모하며 풀기

16 대화를 듣고, 두 사람이 영화를 보기로 한 요일을 고르시오.

① 월요일　　② 화요일　　③ 수요일　　④ 목요일　　⑤ 금요일

✎ 들으면서 주요 표현 메모하기!

17 대화를 듣고, 여자의 마지막 말에 대한 남자의 응답으로 가장 적절한 것을 고르시오.

Man: _____

① Sure. You'll be a great dancer.
② I didn't know you were so gifted in art.
③ All right. I'll give you a ride to the theater.
④ Little by little, that's just how great things get done.
⑤ You should have practiced dancing when you had time.

18 대화를 듣고, 남자의 마지막 말에 대한 여자의 응답으로 가장 적절한 것을 고르시오.

Woman: _____

① Take this medicine after meals.
② You should drink water often.
③ I got a suntan at the beach.
④ It's reasonable. I'll take it.
⑤ Three times a day.

고난도 메모하며 풀기

19 대화를 듣고, 여자의 마지막 말에 대한 남자의 응답으로 가장 적절한 것을 고르시오.

Man: _____

① It sounds like a great idea!
② No way! That's not your fault.
③ Nothing happened to me today.
④ Don't worry. It was just a dream.
⑤ Let's watch a zombie movie today.

20 다음 상황 설명을 듣고, Ms. Brown이 Eric에게 할 말로 가장 적절한 것을 고르시오.

Ms. Brown: Eric, _____

① our new menu is on sale.
② we start serving dinner at 6 on Friday.
③ is it okay for you to work on weekends?
④ for your hard work, I'll give you a raise next week.
⑤ after you clean the tables, please take out the trash.

틀린 문제는 Dictation에서
완벽하게 이해하세요.

01 그림 묘사

*들을 때마다 체크

대화를 듣고, 남자가 만든 포스터를 고르시오.

① ② ③
④ ⑤

M Mia, can you check out my campaign poster?

W Sure. I see you _____ the title "SAVE POLAR BEARS" _____ _____ _____ _____ the poster. It's eye-catching!
(정답 근거)

M Thanks. And I drew a _____ polar bear, which is standing on an iceberg.
주격 관계대명사의 계속적 용법 (= and it)

W Good. It makes the message very clear.

M Should I draw more polar bears?
함정 주의 북극곰을 더 그려야 할지 고민하는 남자에게 뒤 이어 여자가 그리지 말라고 조언함

W I don't think so. They could make the poster less _____.

M Okay, then I'll just leave it _____ _____ _____.

남 Mia, 내가 그린 캠페인 포스터 좀 봐 줄래?
여 그래. 포스터 맨 위에 'SAVE POLAR BEARS'라고 제목을 쓴 게 보여. 눈길을 끈다!
남 고마워. 그리고 나는 울고 있는 북극곰을 한 마리 그렸는데, 그것은 빙산 위에 서 있어.
여 좋아. 그건 메시지를 매우 명확하게 만들고 있어.
남 내가 북극곰을 더 그려야 할까?
여 나는 그렇게 생각하지 않아. 포스터를 덜 매력적으로 만들 수도 있어.
남 알았어, 그럼 그냥 이대로 둘게.

02 목적

대화를 듣고, 남자가 여자에게 전화한 목적으로 가장 적절한 것을 고르시오.
① 빵집의 위치를 확인하려고
② 빵집의 영업시간을 알아보려고
③ 참치샌드위치가 남았는지 문의하려고
④ 참치샌드위치가 품절된 것을 알려 주려고
⑤ 치즈버거를 사다 줄 것을 부탁하려고

📞 Cellphone rings.

M Honey, I'm at the bakery. I have bad news for you.
(정답 근거)

W Don't _____ _____ _____ _____ tuna sandwiches _____!

M Sorry. They're sold out.
= Tuna sandwiches

W Oh, no! They're really popular.

M That's true. I should've _____.
함정 주의 여자가 남자에게 부탁하는 것

W Then, would you get me a cheeseburger at Penguin Burger next to the bakery?

M Okay. I will.

W Thank you.

[휴대 전화벨이 울린다.]
남 여보, 저는 빵집에 있어요. 당신에게 전할 나쁜 소식이 있어요.
여 참치샌드위치가 남아 있지 않다고 말하지 마세요!
남 미안해요. 그것들은 다 팔렸어요.
여 오, 이런! 그것들은 정말 인기 있네요.
남 맞아요. 내가 더 일찍 왔어야 했어요.
여 그러면, 빵집 옆에 있는 Penguin Burger에서 치즈버거를 하나 사다 줄래요?
남 알겠어요. 그렇게 할게요.
여 고마워요.

⬅ **Solution Tip** 남자가 여자에게 전해 줄 나쁜 소식이 있다며 참치샌드위치가 다 팔렸다고 말했다. 여자가 남자에게 부탁하는 내용과 구분하여 듣도록 한다.

Dictation 06회 →
전체 듣기
문항별 듣기

Dictation의 효과적인 활용법
STEP 1 들으면서 대본의 빈칸 채우기
STEP 2 축쇄 문제를 보며 다시 풀어 보기
STEP 3 해석을 보며 영어로 말하거나 영작해 보기

공부한 날   월   일

03 그림 상황

다음 그림의 상황에 가장 적절한 대화를 고르시오.

① ② ③ ④ ⑤

① 남 내가 네 사진을 찍어 줄까?
　 여 지금은 아니에요. 너무 긴장되거든요.
② 남 저쪽에 있는 롤러코스터를 봐.
　 여 오, 정말 무서워 보인다.
③ 남 표를 보여 주시겠습니까?
　 여 여기 있습니다.
④ 남 죄송하지만 롤러코스터를 타기에는 키가 충분히 크지 않네요.
　 여 오, 안 돼요! 저는 한 시간 동안이나 기다렸어요.
⑤ 남 실례합니다. 유령의 집은 어디에 있나요?
　 여 똑바로 가다가 두 번째 모퉁이에서 왼쪽으로 도세요.

① M Do you want me to _____ _____ _____ _____ you?

　 W Not now. I'm so nervous.

② M Look at the roller coaster over there.

　 W Oh, it _____ so _____.

③ M Can I see your ticket, please?

　 W Here you are.

④ M I'm sorry, but 정답 근거 you're not _____ _____ _____ _____ the roller coaster.

　 W Oh, no! I've been waiting for an hour.
　　　현재완료 진행: 계속 ~해 오고 있다

⑤ M Excuse me. Where's the haunted house?
　　　　　　　　　　　　　　유령의 집

　 W Go straight and turn left at the second corner.

06회

04 두 사람의 관계

대화를 듣고, 두 사람의 관계로 가장 적절한 것을 고르시오.

① 택시 운전사 — 승객
② 경찰관 — 시민
③ 가게 점원 — 손님
④ 간호사 — 환자
⑤ 부동산 중개인 — 고객

여 안녕하세요. 도와주시겠어요?
남 물론이죠. 무엇을 도와드릴까요, 손님?
여 저는 이 운동화를 사고 싶은데요.
남 이것들은 저희 가게에서 가장 인기 있는 품목이랍니다. 몇 사이즈를 신으시나요?
여 저는 8 사이즈를 신어요.
남 네. 흰색과 검은색 중에 어떤 색이 더 좋으신가요?
여 저는 흰색이 더 좋아요.
남 확인해 보겠습니다. [잠시 후] 죄송합니다만 저희는 지금 검은색 운동화만 가지고 있네요.
여 그러면 검은색 운동화로 주세요.

W Hello. _____ _____ _____ me?

M   정답 근거 Sure. What can I do for you, ma'am?

W I'd like to buy these sneakers.

M These are the most popular items in our store. _____ _____ do you _____?

W I wear a size 8.

M Okay. What color do you prefer, white or black?

W I _____ white _____.

M Let me check. [Pause] Sorry, but we have only black ones now.
　　　　　　　　　　　　　　　　　　　　　　　　　　= sneakers

W Then I'll take the black ones.

05 시각

대화를 듣고, 두 사람이 만나기로 한 시각을 고르시오.
① 5:30 p.m.　　② 6:00 p.m.
③ 6:30 p.m.　　④ 7:00 p.m.
⑤ 7:30 p.m.

여 Jay의 콘서트가 내일이야. 정말 기대돼!
남 나도. 콘서트가 몇 시에 시작하지?
여 그건 오후 7시 30분에 시작해.
남 그럼 콘서트장에서 7시에 만나자.
여 글쎄, 나는 우리가 그곳에 더 일찍 가야한다고 생각해.
　 수천 명의 팬들이 콘서트를 보러 올 거고, 무척 붐빌
　 거야.
남 네 말이 맞아. 그럼 6시나 6시 30분은 어때?
여 더 일찍이 낫겠지.
남 알았어. 콘서트장 앞에서 만나자.

W Jay's concert is tomorrow. _____ _____ _____!

M Me neither. What time does it start?

W It starts at 7:30 p.m.
　 함정 주의 남자가 7시에 만날 것을 제안했지만 여자가 더 일찍 만나자고 함

M Then let's meet at 7:00 at the concert hall.

W Well, I think we should get there _____. Thousands of fans are going to come to the concert, and it _____ _____ really _____.
　 정답 근거

M You're right. Then, how about 6 or 6:30?

W Earlier would be _____.

M Okay. Let's meet then in front of the concert hall.
　 ~ 앞에

⊙ Solution Tip 남자가 6시나 6시 30분에 만날 것을 제안했고, 여자는 둘 중 더 이른 시각에 만나는 것이 좋겠다고 했다.

06 부탁한 일

대화를 듣고, 여자가 남자에게 부탁한 일로 가장 적절한 것을 고르시오.
① 숙제 제출하기
② 책 반납하기
③ 수학 공부 도와주기
④ 교과서 빌려주기
⑤ 학교에 교과서 가져오기

여 안녕, Ben. 부탁 좀 해도 될까?
남 물론이지. 뭔데?
여 내가 수학 교과서 가져오는 것을 깜빡했거든. 지금 네
　 것을 빌릴 수 있을까?
남 응. 잠깐만 기다려. [잠시 후] 여기 있어.
여 고마워. 너 오늘 수학 수업 있지, 그렇지 않니?
남 응. 나는 6교시에 수학 수업이 있으니까 그 전에 책을
　 내게 돌려 줘.
여 걱정하지 마. 수학 수업이 끝나자마자 네게 돌려줄게.
남 알겠어.

W Hi, Ben. Can I _____ _____ _____ _____?

M Sure. What is it?

W I forgot to bring my math textbook. Can I _____ _____ now?
　 forget+to부정사: ~할 것을 잊다

M Yeah. Wait a second. [Pause] Here you are.

W Thanks. You have a math class today, don't you?
　 부가 의문문에 대한 응답은 대답하는 내용이 긍정이면 Yes, 부정이면 No로 함

M Yes. I have a math class in the 6th period, so _____ it back to me before that.
　 = the 6th period

W Don't worry. _____ _____ _____ my math class is over, I'll return it to you.

M All right.

07 어색한 대화 ☐☐

다음을 듣고, 두 사람의 대화가 <u>어색한</u> 것을 고르시오.

①   ②   ③   ④   ⑤

① 남 너 내 가방 봤니?
   여 응. 그것은 TV와 꽃병 사이에 있어.
② 남 여기서 기차역까지는 얼마나 멉니까?
   여 저는 오랫동안 그것을 못 봤어요.
③ 남 나는 다음 달에 결혼해.
   여 축하해! 정확한 날짜가 언제니?
④ 남 내게 그 파일을 다시 보내 줄 수 있는지 궁금해.
   여 물론이지. 가능한 한 빨리 보내 줄게.
⑤ 남 오늘 저녁에 나와 함께 저녁 먹을래?
   여 좋아.

① M Have you seen my bag?
현재완료 의문문(경험)
  W Yes. It's _____ the TV and the vase.
정답 근거
② M _____ _____ is the train station from here?
  W I haven't seen it for a long time.
오랫동안
③ M I'm getting married next month.
  W Congratulations! What's the _____ _____?
④ M I'm wondering if you could send me the file again.
if(~인지)가 이끄는 명사절(동사의 목적어)
  W Sure. I'll send it _____ _____ _____ _____.
⑤ M Would you have dinner with me this evening?
  W Sounds good.

08 언급되지 않은 것 ☐☐

대화를 듣고, 가족 신문에 실을 내용으로 언급되지 <u>않은</u> 것을 고르시오.
① 신문 이름   ② 신문 발행일
③ 가족 소개   ④ 가훈
⑤ 여행 사진

남 엄마, 저는 숙제가 걱정 돼요. 가족 신문을 만들어야 해요.
여 너무 걱정하지 말렴. 내가 도와줄게.
남 저는 무엇에 관해 써야 할지 모르겠어요.
여 어디 보자. 우선, 신문의 이름을 정해야 해.
남 네. 'Jennings Post' 어때요?
여 좋아. 그 다음에 너는 주요 기사를 써야 해. 우리 가족 구성원들을 소개해 보지 그러니?
남 좋은 생각이네요. 우리 가훈도 소개할 수 있을 것 같아요.
여 여행에서 찍은 사진도 몇 장 실어 보렴.
남 네. 그렇게 할게요.

M Mom, I'm worried about my homework. I have to make a family newspaper.
be worried about: ~을 걱정하다
W Don't _____ so _____. I'll help you.
M I don't know what I should write about.
W Let me see. First, you should _____ _____ the title of the newspaper.
정답 근거   ~해야 한다
M Okay. How about "Jennings Post"?
① 신문 이름
W Good. Next, you have to write the main article. _____ _____ _____ introduce our family members?
③ 가족 소개
M Sounds great. I think I can introduce our _____ _____, too.
④ 가훈
W You can also _____ some photos from a trip.
⑤ 여행 사진
M Okay. I will.

09 담화 주제

다음을 듣고, 무엇에 관한 안내 방송인지 고르시오.

① 공연 시간
② 공연 내용
③ 공연장 시설
④ 공연 관람 예절
⑤ 공연장 안전 수칙

W Good evening, ladies and gentlemen. _____ _____ the concert of the Royal Philharmonic Orchestra. Before the concert begins, we'd like to _____ _____ that the use of any recording device is not allowed during the performance. So, please _____ _____ your cellphones and cameras. Also, food and drinks _____ _____ _____ inside the concert hall. We hope you'll enjoy the concert tonight. Thank you.

교향악단

be allowed: 허용되다

정답 근거

여 안녕하세요, 신사 숙녀 여러분. Royal 교향악단의 공연에 오신 것을 환영합니다. 공연을 시작하기에 앞서, 저희는 공연 중에는 어떤 녹음 기기의 사용도 허용되지 않는다는 것을 다시 한 번 알려드리고 싶습니다. 따라서 여러분의 휴대 전화와 카메라의 전원을 꺼 주십시오. 또한 음식이나 음료는 공연장 내부에서 허용되지 않습니다. 오늘밤 공연을 즐기시길 바랍니다. 감사합니다.

10 금액

대화를 듣고, 여자가 지불할 금액을 고르시오.

① $30   ② $70   ③ $85
④ $90   ⑤ $100

M Good afternoon. May I help you?

W Yes. I'm looking for a blouse.

M Okay. How about this yellow one? A flower pattern would _____ _____ _____ more lovely.

= blouse

W Oh, I like it. How much is it?

정답 근거

M It's 70 dollars.

W I see. And I think this scarf would _____ _____ _____ the blouse. How much is it?

M Good choice. It's 30 dollars. If you buy it with the blouse, you can get the scarf _____ _____ _____.

= the scarf

W Sounds great. Then I'll take them all.

남 안녕하세요. 도와드릴까요?
여 네. 저는 블라우스를 찾고 있어요.
남 알겠습니다. 이 노란 것은 어떠세요? 꽃무늬가 손님을 더 멋져 보이도록 해 줄 거예요.
여 오, 마음에 들어요. 얼마인가요?
남 70달러입니다.
여 그렇군요. 그리고 이 스카프가 그 블라우스와 잘 어울리는 것 같아요. 얼마인가요?
남 좋은 선택이세요. 그것은 30달러입니다. 블라우스와 함께 구입하시면 스카프를 반값에 가져가실 수 있어요.
여 좋아요. 그럼 그것들 모두 살게요.

Solution Tip 스카프는 30달러인데 블라우스와 같이 구입하면 반값에 살 수 있다. 여자는 블라우스와 스카프를 둘 다 구입한다고 했으므로 스카프를 15달러에 살 수 있다. 따라서 여자는 블라우스의 가격 70달러와 스카프의 가격 15달러를 합친 총 금액 85달러를 지불해야 한다.

11 언급되지 않은 것

다음을 듣고, *Cowboy Steak House*에 관해 언급되지 않은 것을 고르시오.
① 위치 　　　　　 ② 영업시간
③ 개업 연도 　　　 ④ 회원 혜택
⑤ 회원 가입 방법

M Are you a steak lover? Then you should come over to
Cowboy Steak House. We're _____ on 3rd Avenue
and open every day from 11 a.m. to 10 p.m., _____
Mondays. _____ with a Cowboy Steak House
membership program can get a 10% discount for _____
_____ _____ _____. To join our membership
program, please download our app and _____ _____
the registration form.

정답 근거
~에 들르다
get a discount: 할인을 받다
to부정사의 부사적 용법(목적)
= application
신청서

남 스테이크를 좋아하시는 분인가요? 그러면 Cowboy Steak House에 오세요. 저희는 3번가에 위치해 있고, 월요일을 제외한 매일 오전 11시부터 오후 10시까지 문을 엽니다. Cowboy Steak House의 회원 프로그램에 등록된 고객께서는 주문하신 모든 식사에 10%의 할인을 받으실 수 있습니다. 회원 프로그램에 가입을 하려면 저희 앱을 다운로드 받고 신청서를 작성해 주세요.

12 그림 정보

다음 수족관 배치도를 보면서 대화를 듣고, 두 사람이 가장 먼저 방문할 구역을 고르시오.

① A	② B	Nursing Room	③ C
④ D	Touch Pool		← Entrance
⑤ E	Gift Shop	Restrooms	

W Wow! This aquarium is amazing! _____ _____ the
huge touch pool. Why don't we go there first?

함정 주의 뒤이어 남자가 터치풀은 덜 붐빌 때 가자고 함

M Well, look at all these people. I think we'd better go there
when it's _____ _____.

had better: ~하는 것이 낫다

W Okay, then what would you like to see first?

정답 근거

M How about whale sharks? This aquarium is one of the few
places in the world to see them.

one of+복수 명사: ~들 중 하나
= whale sharks

W Sounds good to me. Where _____ _____ _____?

M They're at the corner next to the gift shop.

~ 옆에

W All right. _____ _____ before it gets too crowded.

여 왜 이 수족관은 엄청나다! 거대한 터치풀 좀 봐. 저기를 먼저 가는 것은 어때?
남 글쎄, 이 모든 사람들을 봐. 덜 붐빌 때 가는 것이 나을 것 같아.
여 좋아, 그럼 너는 먼저 무엇을 보고 싶어?
남 고래상어는 어때? 이 수족관은 전 세계에서 고래상어를 볼 수 있는 몇 안되는 곳 중 하나야.
여 좋아. 어디로 가야 돼?
남 선물 가게 옆 모퉁이에 있어.
여 그래. 너무 붐비기 전에 서두르자.

Solution Tip 두 사람은 가장 먼저 고래상어를 보러 가기로 했다. 남자의 마지막 말에서 그것은 선물 가게 옆 모퉁이에 있다고 했으므로 E 구역으로 갈 것이다.

cf. touch pool(터치풀): 수족관 등에서 해양 생물을 직접 만져 볼 수 있는 수조

13 담화 화제

다음을 듣고, 무엇에 관한 설명인지 고르시오.
① oven
② refrigerator
③ dishwasher
④ washing machine
⑤ vending machine

W This is a machine that _____ _____ _____
　　　　　　　　　　　　　목적격 관계대명사
everywhere such as in subway stations, airports, hotels, or
　　　　　　　　　　~와 같은
on streets. It _____ some products like drinks, snacks,
books, and tickets to people. _____ _____ _____
🔑정답 근거
_____ is that there's no cashier around it. You can
buy the things by putting money into it and pressing the
　　　　　　　　　전치사 by의 목적어 ①　　　　　전치사 by의 목적어 ②
button.

여 이것은 지하철역, 공항, 호텔 또는 길거리 같은 어느 곳에서도 볼 수 있는 기계이다. 그것은 음료, 간식, 책, 그리고 표 등의 상품을 사람들에게 제공한다. 그것의 가장 중요한 특징은 주변에 계산하는 직원이 없는 것이다. 그것에 돈을 넣고 버튼을 누르면 물건을 살 수 있다.

① 오븐　　② 냉장고　　③ 식기 세척기
④ 세탁기　　⑤ 자동판매기

 Sound Tip it's vs. its

it is의 축약형인 it's와 it의 소유격인 its는 발음이 동일하므로 들은 것이 문법에 맞는지, 적절한 뜻을 나타내는지를 판단하며 듣도록 한다.

14 할 일

대화를 듣고, 여자가 이번 주 목요일에 할 일로 가장 적절한 것을 고르시오.
① 야구장 견학 가기
② 코치와 상담하기
③ 전문의에게 진찰 받기
④ 고강도 훈련하기
⑤ 야구 경기하기

W I might need to _____ _____ _____ from my
training.

M What's wrong with you? I thought you're crazy about
　　　　　　　　　　　　　　　　　be crazy about: ~에 푹 빠지다
baseball.

W That's true. I like playing baseball _____ _____
　　　　　　　　　like는 목적어로 동명사와 to부정사가 둘 다 올 수 있음
anything else in my life.

M Is the training hard?

W No. I just feel that my physical condition is _____
_____ _____ _____ before.

🔑정답 근거
M Did you go see a medical specialist?
　　　　　　　　　　전문의

W My coach asked me the same thing. I've made an
　　　　　　4형식: ask+간접목적어+직접목적어　　　　현재완료(완료)
appointment for this Thursday.

여 나는 훈련으로부터 휴식이 좀 필요한 걸지도 모르겠어.
남 너 무슨 일 있니? 나는 네가 야구에 푹 빠져 있다고 생각했어.
여 그건 맞아. 나는 내 인생에서 다른 어떤 것보다 야구가 좋아.
남 훈련이 힘드니?
여 아니. 그냥 몸 상태가 예전만큼 좋지 않다고 느껴져.
남 전문의한테 가서 진찰은 받아 보았니?
여 코치님도 같은 것을 물어보시던데. 이번 주 목요일에 예약을 해 뒀어.

15 장소

대화를 듣고, 두 사람이 대화하는 장소로 가장 적절한 곳을 고르시오.

① park
② library
③ restaurant
④ bookstore
⑤ flower shop

남 안녕하세요. 저는 엄마 생신 선물로 꽃을 사고 싶어요.
여 붉은 장미는 생일에 항상 인기 있는 선물이죠.
남 장미는 얼마인가요?
여 12송이에 20달러밖에 하지 않아요.
남 좋네요. 12송이 주세요.
여 알겠습니다. 다른 원하시는 것 있나요?
남 아뇨, 엄마께 장미와 카드만 드릴 거예요.
여 그녀는 선물을 받고 정말 기뻐하실 거라고 확신해요.

① 공원 ② 도서관 ③ 식당 ④ 서점 ⑤ 꽃집

M Hello. I'd like to _____ _____ _____ for my mom's birthday.

W Red roses are always popular gifts for birthdays.
빈도부사 always는 be동사 뒤에 씀

M How much do the roses cost?

W They're only 20 dollars _____ _____.

M That sounds nice. I'll take _____ _____.

W Okay. Would you like anything else?

M No, I'll just give her the roses and a card.

W I'm sure she'll _____ very _____ _____ your gift.

---

16 요일

대화를 듣고, 두 사람이 영화를 보기로 한 요일을 고르시오.

① 월요일
② 화요일
③ 수요일
④ 목요일
⑤ 금요일

여 Kevin, 학교 끝나고 영화 보자. 나한테 공짜 영화표가 두 장 있어.
남 그러고 싶은데, 안 돼. 나는 화요일과 목요일마다 피아노 수업이 있어. 내일은 어때?
여 미안. 나는 매주 수요일에 컴퓨터 수업이 있어.
남 오, 그렇구나. 그럼……
여 잠깐만. 매월 다섯 번째 수요일에는 컴퓨터 수업이 없다는 것을 완전히 잊어 버렸네.
남 그럼. 우리 내일 영화 볼 수 있는 거야?
여 응. 내일 학교 끝나고 정문에서 만나자.

W Kevin, let's see a movie after school. I have two free movie tickets.
방과 후에

M _____ _____ _____, but I can't. I take piano lessons on Tuesdays and Thursdays. How about tomorrow?
take a lesson: 수업을 듣다

W Sorry. I have computer classes _____ _____.

M Oh, I see. Then ....

W Wait. I totally forgot there are no computer classes _____ _____ _____ _____ of the month.

M Then, can we go to the movies tomorrow?

W Yeah. Let's meet at the main entrance after school.

Solution Tip 내일은 수요일이고, 여자는 매월 다섯 번째 수요일에는 컴퓨터 수업이 없으니 영화를 볼 수 있다고 말했다.

17 적절한 응답 ☐☐

대화를 듣고, 여자의 마지막 말에 대한 남자의 응답으로 가장 적절한 것을 고르시오.

Man: _____

① Sure. You'll be a great dancer.
② I didn't know you were so gifted in art.
③ All right. I'll give you a ride to the theater.
④ Little by little, that's just how great things get done.
⑤ You should have practiced dancing when you had time.

남 Bella, 몇 시니?
여 4시 30분이에요.
남 서두르지 않으면 댄스 수업에 늦을 거야.
여 어, 아빠. 오늘 수업은 빠져도 될까요?
남 왜? 너는 춤추는 것을 무척 즐기잖니.
여 같은 동작을 반복해서 연습하는 게 지겨워요.
남 나는 네가 댄서가 되고 싶어 한다고 생각했는데.
여 그건 맞아요. 그런데 저는 이렇게 많은 시간을 연습하는 데 써야 한다고 생각하지 않아요.
남 ④ 조금씩 조금씩, 그게 바로 위대한 일이 이루어지는 방식이란다.

M Bella, what time is it?

W It's 4:30.

M If you don't hurry, you'll be late for your dance lesson.
　　　　　　　　　　　　　　　　~에 늦다

W Uh, Dad. _____ _____ _____ today's lesson?

M Why? You really enjoy dancing.
　　　　　　　　　　enjoy는 목적어로 동명사가 옴

W _____ _____ _____ practicing the same moves over and over.
　🔑정답 근거) 반복해서

M I thought you want to be a dancer.

W That's true, but I don't think I need to _____ _____ _____ _____ practicing.

M ④ Little by little, that's just how great things get done.

① 물론이지. 너는 훌륭한 댄서가 될 거야.　　② 나는 네가 미술에 그렇게 재능이 있는지 몰랐어.
③ 좋아. 내가 너를 극장에 차로 태워다 주마.　　⑤ 시간이 있을 때 너는 춤추는 것을 연습했어야 했어.

18 적절한 응답 ☐☐

대화를 듣고, 남자의 마지막 말에 대한 여자의 응답으로 가장 적절한 것을 고르시오.

Woman: _____

① Take this medicine after meals.
② You should drink water often.
③ I got a suntan at the beach.
④ It's reasonable. I'll take it.
⑤ Three times a day.

여 안녕하세요, 도와드릴까요?
남 네. 목이 햇볕에 심하게 타서 화끈거려요.
여 햇볕에 탄 곳을 볼 수 있을까요?
남 네. 여기, 뒷목이요.
여 네. 심각하지는 않아요. 화상 부위가 가려워도 긁으시면 안 돼요.
남 알겠습니다.
여 이 크림을 화상에 바르세요.
남 얼마나 자주 그것을 사용해야 하나요?
여 ⑤ 하루에 3번이요.

W Hello, can I help you?

M Yes. I got a sunburn on my neck, and _____ _____.
　　　　　　　　get a sunburn: 햇볕에 심하게 타다

W Can I see _____ _____ _____ sunburned?

M Sure. Here, the back of my neck.

W Okay. It's not serious. _____ _____ even if your
　　　　　　　　　　　　　　　　　　　　　　　비록 ~일지라도
sunburn _____.

M I got it.
　🔑정답 근거)

W You can apply this cream to the sunburn.
　　　　　　apply cream to: ~에 크림을 바르다

M How often should I use it?
　횟수를 묻는 표현: 얼마나 자주

W ⑤ Three times a day.

① 식후에 이 약을 드세요.　　② 당신은 물을 자주 마셔야 해요.
③ 전 해변에서 피부를 그을렸어요.　　④ 가격이 적당하네요. 그것으로 할게요.

19 적절한 응답

대화를 듣고, 여자의 마지막 말에 대한 남자의 응답으로 가장 적절한 것을 고르시오.

Man: _____

① It sounds like a great idea!
② No way! That's not your fault.
③ Nothing happened to me today.
④ Don't worry. It was just a dream.
⑤ Let's watch a zombie movie today.

🇬🇧

M Melinda, you don't look well. Is something the matter?

W I couldn't sleep well last night _____ _____ the nightmares.

M Nightmares?

W Yeah. Zombies _____ _____ me, and I had to _____ _____.

M That must be scary!

W Yeah. I'm afraid something bad _____ _____ to me today.
   <small>-thing으로 끝나는 대명사는 형용사가 뒤에서 수식</small>
   🔑정답 근거

M ④ Don't worry. It was just a dream.

남 Melinda, 안 좋아 보여. 무슨 일 있어?
여 어젯밤에 악몽 때문에 잠을 잘 못 잤어.
남 악몽?
여 응. 좀비들이 나를 계속 쫓아왔고 나는 도망가야 했어.
남 정말 무서웠겠구나!
여 응. 오늘 나에게 나쁜 일이 생길 것 같아 걱정 돼.
남 ④ 걱정하지 마. 그것은 단지 꿈이었을 뿐이야.

① 좋은 아이디어인 것 같아요!   ② 말도 안 돼! 그것은 너의 잘못이 아니야.
③ 오늘 내게 아무 일도 일어나지 않았어.   ⑤ 오늘 좀비 영화를 보자.

---

20 상황에 맞는 말

다음 상황 설명을 듣고, Ms. Brown이 Eric에게 할 말로 가장 적절한 것을 고르시오.

Ms. Brown: Eric, _____

① our new menu is on sale.
② we start serving dinner at 6 on Friday.
③ is it okay for you to work on weekends?
④ for your hard work, I'll give you a raise next week.
⑤ after you clean the tables, please take out the trash.

M Ms. Brown _____ a fast food restaurant. She needs to _____ a part-time worker. One day, Eric comes to the restaurant and _____ _____ the part-time job. Ms.
🔑정답 근거
Brown wants to know if Eric is _____ and _____
   <small>~인지</small>
_____ work on weekends from time to time. In this
   <small>가끔(= sometimes)</small>
situation, what would Ms. Brown most likely say to Eric?

Ms. Brown Eric, ③ is it okay for you to work on weekends?

남 Brown 씨는 패스트푸드 식당을 운영한다. 그녀는 시간제 근무자를 고용해야 한다. 어느 날 Eric이 식당에 와서 시간제 일에 지원한다. Brown 씨는 Eric이 가끔 주말에 기꺼이 일할 수 있는지 알고 싶다. 이러한 상황에서 Brown 씨는 Eric에게 뭐라고 말할까?

Brown 씨 Eric, ② 당신은 주말에 일하는 것이 괜찮나요?

① 저희의 새로운 메뉴가 할인 중이에요.   ② 저희는 금요일 6시에 저녁을 제공하기 시작합니다.
④ 열심히 일한 대가로 다음 주에 당신의 급료를 올려 드릴게요.   ⑤ 탁자를 닦은 뒤에 쓰레기를 버려 주세요.

[VOCABULARY] 실전 모의고사 **07**회

어휘를 알아야 들린다

모의고사를 먼저 풀고 싶으면 106쪽으로 이동하세요.

🎧 다음 표현을 듣고 모르는 것에 표시하시오.

- 01 **moist** 촉촉한
- 02 **full of flavor** 풍미가 가득한
- 03 **exchange** 교환하다
- 04 **at one's convenience** 편한 시간에
- 05 **itchy** 가려운
- 06 **handle** 다루다, 처리하다
- 07 **housewarming** 집들이
- 08 **national holiday** 국경일
- 09 **further** 더 이상의, 추가의
- 10 **official** 공식적인
- 11 **pain** 통증
- 12 **wide** 완전히, 활짝
- 13 **mean to** ~하려는 의도이다
- 14 **offend** 기분을 상하게 하다
- 15 **long face** 울상, 시무룩한 얼굴
- 16 **quarrel** 다툼, 싸움
- 17 **slip out** (비밀이 입에서) 무심코 튀어나오다
- 18 **by mistake** 실수로
- 19 **comfortable** 편안한(↔ uncomfortable)
- 20 **be similar to** ~와 비슷하다
- 21 **helpful** 도움이 되는
- 22 **manage** 관리하다
- 23 **make the most of** ~을 최대한 이용하다
- 24 **exactly** 정확히

- 25 **environment** 환경
- 26 **cause** ~을 야기하다, 초래하다
- 27 **unless** ~하지 않으면
- 28 **beside** ~ 옆에(*cf.* besides 게다가)
- 29 **behavior** 행동
- 30 **traditional** 전통적인
- 31 **divide** 나누다
- 32 **throw** 던지다
- 33 **prevent *A* from *B*** A가 B하는 것을 막다
- 34 **turn out** (결과가) ~이 되다
- 35 **sign** 서명하다
- 36 **registration** 등록
- 37 **pass away** 돌아가시다
- 38 **depressed** 우울한
- 39 **be invited to** ~에 초대받다
- 40 **Come again?** 뭐라고 말씀하셨어요?
- 41 **foreigner** 외국인
- 42 **embarrassed** 당황스러운

📝 **알아두면 유용한 선택지 어휘**

- 43 **whether** ~인지
- 44 **Break a leg!** 행운을 빌어요!
- 45 **Go ahead.** 어서 하세요.

🎧 들으면서 표현을 완성한 다음, 뜻을 고르시오.

표현의 의미를 생각하며 다시 써 보기!

01 tradition　l 　☐ 전통적인　☐ 최신식의　➡ _____

02 of　end 　☐ 변명하다　☐ 기분을 상하게 하다　➡ _____

03 q　ar　el 　☐ 다툼, 싸움　☐ 토론　➡ _____

04 forei　ner 　☐ 고객　☐ 외국인　➡ _____

05 d　pressed 　☐ 우울한　☐ 화가 난　➡ _____

06 un　ess 　☐ ～라면　☐ ～하지 않으면　➡ _____

07 itch　 　☐ 가려운　☐ 따가운　➡ _____

08 m　ist 　☐ 촉촉한　☐ 건조한　➡ _____

09 offic　al 　☐ 사적인　☐ 공식적인　➡ _____

10 by mistak　 　☐ 실수로　☐ 우연히　➡ _____

11 d　vide 　☐ 대하다　☐ 나누다　➡ _____

12 si　n 　☐ 서명하다　☐ 게시하다　➡ _____

13 pass a　ay 　☐ 돌아가시다　☐ 쓰러지다　➡ _____

14 re　ist　ation 　☐ 예약　☐ 등록　➡ _____

15 ca　se 　☐ 유래하다　☐ ～을 야기하다　➡ _____

16 besid　 　☐ 게다가　☐ ～ 옆에　➡ _____

17 t　row 　☐ 막다　☐ 던지다　➡ _____

18 hand　e 　☐ 돌리다　☐ 다루다　➡ _____

19 behav　or 　☐ 행동　☐ 계획　➡ _____

20 furt　er 　☐ 조금의　☐ 더 이상의　➡ _____

실전 모의고사 [07]회

실전 모의고사 07회 ➔
┌ 모의고사 보통 속도
└ 모의고사 빠른 속도

✎ 들으면서 주요 표현 메모하기!

01 대화를 듣고, 여자가 구입할 케이크를 고르시오.

02 대화를 듣고, 남자가 여자에게 전화한 목적으로 가장 적절한 것을 고르시오.

① 책을 교환하려고　　　　　　　② 책을 환불받으려고
③ 책의 재고를 물어보려고　　　　④ 책 주문을 취소하려고
⑤ 책의 대출 기한을 알아보려고

03 다음 그림의 상황에 가장 적절한 대화를 고르시오.

①　　　　②　　　　③　　　　④　　　　⑤

고난도 | 메모하며 풀기

04 대화를 듣고, 여자가 집들이를 하는 요일을 고르시오.

① 월요일　　② 화요일　　③ 수요일　　④ 목요일　　⑤ 금요일

05 다음을 듣고, *National Library*에 관해 언급되지 <u>않은</u> 것을 고르시오.

① 개관 연도　　　　② 소장 도서의 양　　　　③ 위치
④ 이용 시간　　　　⑤ 등록 회원 혜택

06 대화를 듣고, 두 사람의 관계로 가장 적절한 것을 고르시오.

① 약사 — 손님
② 교사 — 학생
③ 치과 의사 — 환자
④ 감독 — 선수
⑤ 수의사 — 고객

 들으면서 주요 표현 메모하기!

07 다음을 듣고, 두 사람의 대화가 <u>어색한</u> 것을 고르시오.

①   ②   ③   ④   ⑤

08 대화를 듣고, 남자가 여자에게 부탁한 일로 가장 적절한 것을 고르시오.

① 음식 만들기
② 식당 예약하기
③ 장 보기
④ 설거지하기
⑤ 음식 배달시키기

09 대화를 듣고, 여자의 마지막 말에 담긴 의도로 가장 적절한 것을 고르시오.

① 충고   ② 요청   ③ 감사   ④ 후회   ⑤ 거절

고난도 메모하며 풀기

10 대화를 듣고, 남자가 지불할 금액을 고르시오.

① $20   ② $56   ③ $60   ④ $70   ⑤ $80

틀린 문제는 Dictation에서
완벽하게 이해하세요.

실전 모의고사 [07]회

✏ 들으면서 주요 표현 메모하기!

11 대화를 듣고, 여자가 할 일로 가장 적절한 것을 고르시오.

① 숙제하기　　　　② 서점 가기　　　　③ 학습 계획표 짜기
④ 시험공부하기　　⑤ 도서관 가기

12 다음 표를 보면서 대화를 듣고, 남자가 구입할 시계를 고르시오.

	Model	Price	Color	Shape
①	A	$150	Brown	Square
②	B	$110	Brown	Round
③	C	$90	Black	Square
④	D	$70	Brown	Square
⑤	E	$70	Black	Round

13 다음을 듣고, 방송의 목적으로 가장 적절한 것을 고르시오.

① 학생회장 선거 날짜를 공지하려고　　② 체육관 이전을 공지하려고
③ 자전거를 이용한 통학을 권장하려고　　④ 학생회 가입 절차를 설명하려고
⑤ 지정 구역에 자전거 주차를 요청하려고

고난도　메모하며 풀기
14 다음을 듣고, 무엇에 관한 설명인지 고르시오.

① 투호　　　② 럭비　　　③ 공기놀이　　　④ 폴로　　　⑤ 자치기

15 대화를 듣고, 남자의 직업으로 가장 적절한 것을 고르시오.

① actor　　　　② salesperson　　　③ librarian
④ hairdresser　　⑤ fashion designer

16 대화를 듣고, 행사가 끝나는 시각을 고르시오.

① 2 p.m.　　② 3 p.m.　　③ 4 p.m.　　④ 5 p.m.　　⑤ 6 p.m.

✎ 들으면서 주요 표현 메모하기!

고난도 │ 메모하며 풀기

17 대화를 듣고, 여자의 마지막 말에 대한 남자의 응답으로 가장 적절한 것을 고르시오.

Man: _____

① I just do what I can.
② No, I don't like sweets.
③ You're such a cute little boy.
④ No, I don't see him very often.
⑤ Besides, my cousins are really sweet.

18 대화를 듣고, 남자의 마지막 말에 대한 여자의 응답으로 가장 적절한 것을 고르시오.

Woman: _____

① You can get there in time.
② I'm not sure whether I can go.
③ We took the subway to get there.
④ Thank you for letting me stay here.
⑤ We can walk there. It takes only 10 minutes.

19 대화를 듣고, 여자의 마지막 말에 대한 남자의 응답으로 가장 적절한 것을 고르시오.

Man: _____

① Yes, I'll come.
② Let's go together.
③ I'll pick you up at Studio Green.
④ Why don't we meet at 5 o'clock?
⑤ I said, Room 309 at Studio Green.

20 다음 상황 설명을 듣고, 민지가 외국인에게 할 말로 가장 적절한 것을 고르시오.

Minji: _____

① Break a leg!
② Sure. Go ahead.
③ It's easy. You can't miss it.
④ You have to wait for a bus here.
⑤ Sorry, but I don't know the way, either.

틀린 문제는 Dictation에서
완벽하게 이해하세요.

01 그림 묘사
*들을 때마다 체크

대화를 듣고, 여자가 구입할 케이크를 고르시오.

①   ②   ③

④   ⑤

M Hello. How may I help you?

W Hi. I'm looking for a cake for my daughter's birthday.
look for: ~을 찾다, 구하다

M _____ you _____ our chocolate cakes? They're
= Chocolate cakes
moist and _____ _____.
함정 주의 딸은 초콜릿케이크를 안 좋아해서 다른 것을 원함

W I'm afraid my daughter doesn't like chocolate.

M Oh, I see. Then, how about this heart-shaped strawberry
= this heart-shaped strawberry cake
cake? _____ girls like it.
함정 주의 여자는 작년에 딸기케이크를 샀기 때문에 올해는 다른 것을 원함

W It looks nice, but I bought a strawberry cake last year.
I want something different this year.
정답 근거

M How about these cheesecakes? They're bestsellers.
bestseller: 잘 팔리는 상품

W Great. Then, I'll take the one with _____.

남 안녕하세요. 어떻게 도와드릴까요?
여 안녕하세요. 저는 딸의 생일 케이크를 찾고 있어요.
남 저희 초콜릿케이크 드셔 본 적이 있으세요? 촉촉하고 풍미가 가득해요.
여 제 딸은 초콜릿을 좋아하지 않아요.
남 오, 그렇군요. 그럼 이 하트 모양의 딸기케이크는 어떠세요? 대부분의 여자아이들은 그걸 좋아해요.
여 멋져 보이지만, 제가 작년에 딸기케이크를 샀어요. 올해는 다른 것을 원해요.
남 이 치즈케이크는 어떠세요? 잘 팔리는 상품입니다.
여 좋아요. 그럼 별들이 있는 것으로 살게요.

02 목적

대화를 듣고, 남자가 여자에게 전화한 목적으로 가장 적절한 것을 고르시오.
① 책을 교환하려고
② 책을 환불받으려고
③ 책의 재고를 물어보려고
④ 책 주문을 취소하려고
⑤ 책의 대출 기한을 알아보려고

📞 Telephone rings.

W Hello. Star Bookstore. What can I do for you?

M Hi. I bought a book there yesterday, but there is _____
~이 있다
_____ problem with it.

W What's the problem?

M Some of the pages _____ _____ _____.
함정 주의 여자는 교환을 원하는지 물었지만 환불해 달라는 남자의 말이 이어짐

W Oh, I'm sorry. Would you like to exchange it for another?
정답 근거

M No, actually I'd like to get a refund.
환불받다

W All right. Please visit our store _____ _____
_____.

M Okay. Thank you.

[전화벨이 울린다.]
여 여보세요. Star 서점입니다. 무엇을 도와드릴까요?
남 안녕하세요. 저는 어제 거기서 책을 한 권 샀는데, 책에 약간의 문제가 있네요.
여 무엇이 문제인가요?
남 몇몇 페이지가 인쇄되지 않았어요.
여 오, 죄송해요. 다른 것으로 교환하시겠어요?
남 아뇨, 실은 환불받고 싶어요.
여 알겠습니다. 편한 시간에 저희 가게에 방문해 주세요.
남 알겠습니다. 고맙습니다.

Dictation 07회 →
┌ 전체 듣기
└ 문항별 듣기

Dictation의 효과적인 활용법
STEP 1 들으면서 대본의 빈칸 채우기
STEP 2 축쇄 문제를 보며 다시 풀어 보기
STEP 3 해석을 보며 영어로 말하거나 영작해 보기

공부한 날   월   일

03 그림 상황

다음 그림의 상황에 가장 적절한 대화를 고르시오.

① ② ③ ④ ⑤

① W _____ _____ are these glasses?
  M They're on sale. Just 50 dollars.
     할인 중인
② W Where are you going?
  M I'm going to the hospital.
③ W _____ _____ _____ _____ my office today?
  M My eyes are red and itchy.
④ W How are you feeling today?
  M _____ _____. Thanks, Dr. White.
  🔑정답 근거
⑤ W Can you see this letter?
  M It looks like a letter P or D.
     look like+명사: ~처럼 보이다

① 여 이 안경은 얼마인가요?
   남 그건 할인 중이에요. 단돈 50달러입니다.
② 여 어디 가세요?
   남 병원에 가는 중이에요.
③ 여 오늘 무슨 일로 병원에 오셨나요?
   남 눈이 빨갛고 가려워요.
④ 여 오늘은 몸이 어떠세요?
   남 훨씬 나아요. 감사합니다, White 박사님.
⑤ 여 이 글자 보이세요?
   남 글자 P나 D처럼 보이네요.

07회

받아쓰기

04 요일

대화를 듣고, 여자가 집들이를 하는 요일을 고르시오.
① 월요일   ② 화요일   ③ 수요일
④ 목요일   ⑤ 금요일

M Hi, Lisa. I heard you're going to _____ _____ a new house this Tuesday.
W Yeah, that's right. So, I have a lot of work to do.
                                    to부정사의 형용사적 용법(앞의 work 수식)
M Is there anything I can _____ you _____?
W It's okay. I can _____ it. Anyway, do you have any plans for this Thursday?
  🔑정답 근거
M I'm thinking about going to the movies alone. Why?
W I'm _____ _____ have a housewarming party. Will you come?
                              집들이를 하다
  ⚠함정 주의 남자는 원래 목요일에 가려고 한 극장을 금요일에 가겠다고 함
M Of course, I will. **I can go to the movies on Friday.**
W Cool. Then I'll _____ you my new address.

남 안녕, Lisa. 네가 이번 주 화요일에 새집으로 이사를 한다고 들었어.
여 응, 맞아. 그래서 나는 할 일이 많아.
남 내가 도와줄 일이 있을까?
여 괜찮아. 내가 처리할 수 있어. 그나저나 너는 이번 주 목요일에 무슨 계획 있어?
남 나는 혼자 영화 보러 갈까 생각 중이야. 왜?
여 집들이를 할 계획인데. 올래?
남 당연히 가야지. 영화는 금요일에 보러 가도 돼.
여 좋아. 그럼 나의 새 주소를 너에게 문자로 보내 줄게.

05 언급되지 않은 것 □□

다음을 듣고, *National Library*에 관해 언급되지 않은 것을 고르시오.
① 개관 연도
② 소장 도서의 양
③ 위치
④ 이용 시간
⑤ 등록 회원 혜택

W Hello, listeners. Have you ever visited the National Library? The library ＿＿＿＿ ＿＿＿＿ in 1945 and it has over 10 million books. It ＿＿＿＿ ＿＿＿＿ on Main Street next to the express bus terminal. The library ＿＿＿＿ every day from 9 a.m. to 6 p.m. However, it ＿＿＿＿ ＿＿＿＿ on Sundays and national holidays. If you have any ＿＿＿＿ ＿＿＿＿, please visit the official website at www.nationallibrary.com.

정답 근거 · 현재완료 의문문(경험)
~이 넘는
from A to B: A부터 B까지
국경일

여 안녕하세요, 청취자 여러분. 국립 도서관에 방문해 보신 적이 있나요? 도서관은 1945년에 처음 문을 열었고, 천만 권이 넘는 도서를 소장하고 있습니다. 도서관은 고속버스 터미널 옆 Main 가에 위치해 있습니다. 도서관은 매일 오전 9시부터 오후 6시까지 문을 엽니다. 하지만 일요일과 국경일에는 문을 닫습니다. 다른 문의 사항이 더 있다면 공식 웹 사이트 www.nationallibrary.com을 방문해 주세요.

← **Solution Tip** 도서관의 개관 연도(in 1945), 소장 도서의 양(over 10 million books), 위치(on Main Street next to the express bus terminal), 이용 시간(from 9 a.m. to 6 p.m.)은 언급되었지만, 등록 회원 혜택은 언급되지 않았다.

06 두 사람의 관계 □□

대화를 듣고, 두 사람의 관계로 가장 적절한 것을 고르시오.
① 약사 — 손님
② 교사 — 학생
③ 치과 의사 — 환자
④ 감독 — 선수
⑤ 수의사 — 고객

M Good afternoon. Is there a ＿＿＿＿ ＿＿＿＿ for your visit?
정답 근거
W Yes. I have a terrible ＿＿＿＿.
M How long have you had this pain?
현재완료 의문문(계속)
W For about a week, but it's gotten worse in the last couple of days.
지난 며칠 동안
M Let's take a look inside. ＿＿＿＿ your mouth ＿＿＿＿. [*Pause*] You have a bad tooth.
충치
W Will it need to ＿＿＿＿ ＿＿＿＿?
M I think so, but we need to take X-rays first.
take an X-ray: 엑스레이를 찍다
W I see.

남 안녕하세요. 방문하신 특별한 이유가 있나요?
여 네. 치통이 심해요.
남 통증은 얼마나 오래됐나요?
여 일주일 정도요. 그런데 지난 며칠 동안 더 심해졌어요.
남 안을 살펴볼게요. 입을 크게 벌려 주세요. [잠시 후] 충치가 있네요.
여 그것을 빼야 할까요?
남 그래야 할 것 같은데요. 먼저 엑스레이를 찍어 봐야 해요.
여 알겠습니다.

← **Solution Tip** toothache, Open your mouth wide., take X-rays 등의 표현에서 치과 의사와 환자의 대화임을 추측할 수 있다.

07 어색한 대화

다음을 듣고, 두 사람의 대화가 <u>어색한</u> 것을 고르시오.

①   ②   ③   ④   ⑤

🎸정답 근거

① W   I'm looking for a gift for my cousin.

    M   This is for you. I hope you like it.

② W   I should have started it earlier.

    M   I told you so, but you _____ _____ _____ _____.

③ W   Don't you think it's amazing?

    M   Well, I don't think so.

④ W   _____ _____ _____ if I borrow your pen?

    M   Not at all. Go ahead.

⑤ W   I never _____ _____ offend you.

    M   It's okay. I understand.

① 여 나는 사촌에게 줄 선물을 찾고 있어.
   남 이거 네 거야. 마음에 들기를 바라.
② 여 나는 그것을 더 일찍 시작했어야 했어.
   남 내가 네게 그러라고 했는데, 네가 내 말을 전혀 듣지 않았어.
③ 여 이거 대단하지 않니?
   남 글쎄, 나는 그렇게 생각하지 않아.
④ 여 펜을 좀 빌려도 괜찮겠니?
   남 물론이야. 써렴.
⑤ 여 기분 상하게 하려는 의도는 아니었어.
   남 괜찮아. 이해해.

🔙 Solution Tip 사촌을 위한 선물을 찾고 있다는 말에 대한 응답으로 '이거 네 거야. 마음에 들기를 바라.'라고 답하는 것은 어색하다. Would you mind if ~?는 '~해도 괜찮을까요?'라는 뜻의 허락을 구하는 말로, 이에 대한 응답은 수락이면 No로, 거절이면 Yes로 한다.

08 부탁한 일

대화를 듣고, 남자가 여자에게 부탁한 일로 가장 적절한 것을 고르시오.
① 음식 만들기   ② 식당 예약하기
③ 장 보기   ④ 설거지하기
⑤ 음식 배달시키기

📞 Cellphone rings.

W   Hello.

M   It's me, honey. Are you _____ _____ _____ back home?

W   Yes, I'm in the subway. Where are you?

M   I'm _____ _____ _____. I'm making some fried rice for dinner.

W   Oh, really? I think I'll be there in 30 minutes.

M   Okay. 🎸정답 근거 _____ _____ _____, can you buy some eggs? We don't have any of them.
                                   = eggs

W   No problem. I'll buy some.
                 조금, 몇 개

M   Thanks. See you soon.

[휴대 전화벨이 울린다.]
여 여보세요.
남 저예요, 여보. 집에 오는 중인가요?
여 네, 저는 지하철이에요. 당신은 어디세요?
남 저는 이미 집에 왔어요. 저녁으로 볶음밥을 만들려고 해요.
여 오, 정말요? 저는 30분 후에 집에 도착할 것 같아요.
남 알겠어요. 그런데, 달걀 좀 사다 줄래요? 달걀이 없네요.
여 물론이죠. 조금 사 갈게요.
남 고마워요. 곧 봐요.

09 마지막 말의 의도

대화를 듣고, 여자의 마지막 말에 담긴 의도로 가장 적절한 것을 고르시오.

① 충고　　② 요청　　③ 감사
④ 후회　　⑤ 거절

남　왜 울상이니, Emily? 학교에서 무슨 일 있었어?
여　네. Olivia랑 싸웠어요.
남　왜? 너희 둘은 수년간 좋은 친구였잖아.
여　제가 그녀의 비밀을 Jessica에게 말해서 Olivia가 화가 났어요.
남　왜 그랬니?
여　실수로 그것을 발설했어요.
남　그건 너답지 않구나.
여　알아요. 그러지 말았어야 했어요.

M　_____ _____ _____ _____, Emily? Did something happen at school?

W　Yeah. I had a quarrel with Olivia.
　　　　　　have a quarrel with: ~와 싸우다

M　Why? The two of you have been good friends for years.
　　　　　　　　　　　　　　현재완료(계속)　　　　　　　　수년간

W　She was angry because I _____ _____ _____ to Jessica.

M　Why did you do that?

W　I let it _____ _____ by mistake.
　　　　　　= her secret　　　　실수로

M　That's not like you.

W　I know. I shouldn't have done that.
　　　　　　should not have + p.p.: ~하지 말았어야 했다 (과거 사실에 대한 후회)

10 금액

대화를 듣고, 남자가 지불할 금액을 고르시오.

① $20　　② $56　　③ $60
④ $70　　⑤ $80

여　안녕하세요. 어떻게 도와드릴까요?
남　저는 컴퓨터 키보드를 사고 싶어요. 하나 추천해 주시겠어요?
여　물론이죠. 이 키보드는 어떠세요? 타자 치기에 매우 편안하고, 키가 정말 조용해요.
남　좋아 보이네요. 얼마인가요?
여　80달러예요.
남　음, 저는 60달러밖에 없어서요.
여　알겠어요. 이것이 방금 전에 보신 것과 비슷한 거예요. 원래 70달러인데, 학생증이 있으면 20% 할인받으실 수 있어요.
남　좋네요! 그것으로 할게요. 여기 제 학생증입니다.

W　Hello. How can I help you?

M　I'd like to buy a keyboard for my computer. Can you _____ _____?

W　Sure. What about this keyboard? It's very _____ to type on, and the keys are very _____.

M　It looks nice. How much is it?

　　함정 주의 처음에 80달러짜리 키보드를 추천했지만 남자가 60달러밖에 없다고 하자 다른 것을 추천함

W　It's 80 dollars.

M　Well, I only have 60 dollars.

W　Okay. This one _____ _____ to what you've just
　　　　　　　　　　　　　　　　　현재완료(완료)
looked at. It's originally 70 dollars, but if you have a
　　　　　　　　　　관계대명사(= the thing that[which])
student ID card, you can get a _____% discount.

M　That's great! I'll take it. Here's my student ID.

Solution Tip 학생증이 있으면 70달러짜리 키보드를 20%, 즉 14달러 할인된 금액 56달러에 구입할 수 있다. 남자가 마지막에 학생증을 주며 그것을 사겠다고 말했으므로 남자가 지불할 금액은 56달러이다.

11 할 일

대화를 듣고, 여자가 할 일로 가장 적절한 것을 고르시오.

① 숙제하기
② 서점 가기
③ 학습 계획표 짜기
④ 시험공부하기
⑤ 도서관 가기

여 Brian, 뭐하고 있어?
남 나는 학습 계획을 세우고 있어.
여 나는 전에 한 번도 계획을 세워 본 적이 없어. 그게 도움이 되니?
남 응. 그것은 무엇을 공부해야 할지 명확하게 하는 데 도움이 돼. 그래서 각 과목마다 내 시간을 더 잘 관리할 수 있어.
여 오, 정말? 그럼 너는 시간을 최대한 이용할 수 있겠구나.
남 정확해. 그것은 숙제나 시험을 내게 상기시켜 주기도 해. 너도 너만의 학습 계획을 세워 보는 게 어떠니?
여 그래. 그렇게 해 볼게.

W Brian, what are you doing?

M I'm making my study plan.

W I've never made one before. Is it helpful?
현재완료(경험)

M Yeah. It helps make clear _____ _____ _____.
So, I can manage my time better for each subject.

W Oh, really? Then you can _____ _____ _____
_____ your time.

M Exactly. It also reminds me of homework or exams. Why
remind A of B: A에게 B를 상기시키다
don't you make your own study plan? 🔑정답 근거

W Okay. I'll do it.

12 표 정보

다음 표를 보면서 대화를 듣고, 남자가 구입할 시계를 고르시오.

	Model	Price	Color	Shape
①	A	$150	Brown	Square
②	B	$110	Brown	Round
③	C	$90	Black	Square
④	D	$70	Brown	Square
⑤	E	$70	Black	Round

여 Mike, 너는 무엇을 보고 있니?
남 시계 웹 사이트. 나는 시계를 잃어버려서 새것을 하나 사려고 생각 중이야.
여 어디 보자. 이건 어때?
남 그건 너무 비싼 것 같아. 나는 100달러 이상을 쓰고 싶지 않아.
여 그렇구나. 그럼 이 모델은 어때? 갈색은 인기 있는 색깔이야.
남 그런데 나는 검은색이 더 좋아. 검은색은 어떤 색깔의 옷과도 더 잘 어울릴 것 같아.
여 그래. 2가지 선택이 남아 있어. 너는 어느 것이 더 좋니?
남 나는 네모난 것을 사고 싶어.

W Mike, what are you looking at?

M A website for watches. I've lost my watch, so I'm thinking
현재완료(결과)
of _____ _____ _____ _____.

W Let me see. How about this one?

M I think it's too expensive. I don't want to spend more than
one hundred dollars. 🔑정답 근거

W I see. Then, what do you think of this model? **Brown is a
popular color.** 🔊함정 주의 바로 이어서 남자는 검은색이 더 좋다고 말함

M But I prefer black. I think it _____ _____ _____
any color of clothing.

W Okay. There are two options left. Which one do you like
과거분사가 뒤에서 명사(options) 수식
more?

M I want to buy the _____ _____.

13 목적

다음을 듣고, 방송의 목적으로 가장 적절한 것을 고르시오.

① 학생회장 선거 날짜를 공지하려고
② 체육관 이전을 공지하려고
③ 자전거를 이용한 통학을 권장하려고
④ 학생회 가입 절차를 설명하려고
⑤ 지정 구역에 자전거 주차를 요청하려고

남 안녕하세요, 여러분. 저는 학생회장인 John입니다. 요즘에 많은 학생들이 자전거로 통학하고 있습니다. 그것은 건강과 환경을 위해 좋습니다. 하지만, 여러분의 자전거가 제대로 주차되지 않으면 다른 사람들에게 불편함을 줄 수 있습니다. 학교 체육관 뒤에 학교에서 제공하는 장소에 자전거를 주차해 주세요. 벤치나 나무 옆에 자전거를 주차하지 마세요. 여러분의 행동이 다른 학생들을 불편하게 만들 수 있다는 것을 기억해 주세요. 감사합니다.

M Hello, everyone. This is John, your student council
소개할 때 쓰는 말: This is+사람
president. These days, many students ride their bikes to
school. That's _____ _____ _____ _____
and the environment. However, your bikes can cause an
inconvenience to others _____ _____ _____
정답 근거
_____ properly. Please park your bikes at the place
the school provides behind the school gym. Don't park
부정 명령문(Don't+동사원형 ~.): ~하지 마라.
them _____ benches or trees. Please remember your
_____ can make other students uncomfortable. Thank
5형식: make+목적어+목적격 보어(형용사)
you.

14 담화 화제

다음을 듣고, 무엇에 관한 설명인지 고르시오.

① 투호   ② 럭비   ③ 공기놀이
④ 폴로   ⑤ 자치기

여 이것은 한국의 전통 놀이이다. 사람들은 두 팀으로 나뉜다. 각 팀은 12개의 긴 막대기를 가지고, 멀리 있는 항아리에 그것들을 던져 넣는다. 사람들은 대개 항아리가 경기 중에 쓰러지는 것을 막기 위해 그것을 약간의 콩으로 채운다. 더 많은 막대기가 항아리 안에 들어갈수록 팀은 더 높은 점수를 얻는다. 그러나 경기가 끝날 때까지 막대기가 항아리 안에 하나도 안 들어가면 종종 얼굴을 먹물로 칠한다.

정답 근거
W This is a traditional Korean game. People are divided
be divided into: ~으로 나누어지다
into two teams. Each team _____ 12 long sticks and
_____ them into a pot which is far away. People usually
= sticks   주격 관계대명사
fill the pot with a few beans to _____ it _____
약간, 조금
_____ _____ during the game. The _____ sticks
that are thrown into the pot, the _____ the score the
주격 관계대명사
team gets. However, if no sticks are thrown into the pot
if가 이끄는 부사절(조건)
by the _____ _____ the game, their faces are often
~까지
painted with black ink.

15 직업

대화를 듣고, 남자의 직업으로 가장 적절한 것을 고르시오.

① actor   ② salesperson
③ librarian   ④ hairdresser
⑤ fashion designer

남 머리를 어떻게 손질해 드릴까요?
여 저는 파마를 하고 싶어요.
남 좋습니다. 스타일북을 보여 드릴게요. 마음에 드는 스타일을 골라 주세요.
여 한번 볼게요. 흠, 저는 이게 좋아요.
남 이 스타일을 하려면 머리를 조금 다듬어야 해요. 괜찮으시겠어요?
여 물론이죠. 예쁘게 되었으면 좋겠네요.
남 따라오세요. 우선 머리를 감겨 드릴게요.

① 배우   ② 영업 사원   ③ 도서관 사서
④ 미용사   ⑤ 패션 디자이너

🔖 정답 근거
M How would you like to get your hair done?
   ~은 어떻게 해 드릴까요?
W I want to _____ _____ _____.
M All right. Let me show you a stylebook. Choose the style you like, please.
W Let me see. Hmm, I like this one.
M For this one, you need to _____ your hair _____ a little bit. Are you okay with that?
W Sure. I hope it _____ _____ _____.
M Come with me. I'll wash your hair, first.

16 시각

대화를 듣고, 행사가 끝나는 시각을 고르시오.

① 2 p.m.   ② 3 p.m.
③ 4 p.m.   ④ 5 p.m.
⑤ 6 p.m.

[전화벨이 울린다.]
남 여보세요. Great 서점입니다. 어떻게 도와드릴까요?
여 안녕하세요. 저는 이번 주 토요일에 있는 책 사인 행사에 등록하고 싶어요.
남 죄송하지만 그 등록은 한 시간 전에 마감되었어요.
여 오, 이런! 제가 참여할 수 있는 다른 방법이 있을까요?
남 그날 줄을 서서 기다리시면 됩니다.
여 오, 정말요? 잘됐네요! 행사는 언제 시작하나요?
남 오후 3시부터 6시까지 열립니다.
여 알겠습니다. 감사합니다.

📞 Telephone rings.
M Hello. Great Bookstore. How can I help you?
W Hello. I'd like to _____ _____ the book signing event this Saturday.
M I'm afraid that the _____ closed an hour ago.
   (유감이지만) ~이다
W Oh, no! Is there _____ _____ _____ for me to attend?
M You can wait in line on that day.
   줄을 서서 기다리다
W Oh, really? Great! _____ will the event _____?
   🔖 정답 근거
M It'll be from 3 p.m. to 6 p.m.
W I see. Thank you.

17 적절한 응답

대화를 듣고, 여자의 마지막 말에 대한 남자의 응답으로 가장 적절한 것을 고르시오.

Man: _____

① I just do what I can.
② No, I don't like sweets.
③ You're such a cute little boy.
④ No, I don't see him very often.
⑤ Besides, my cousins are really sweet.

여 재호야, 우리 내일 영화 볼래?
남 그러고 싶은데, 못 봐.
여 왜? 특별한 계획이라도 있는 거야?
남 음, 늘 그렇듯이 할머니댁에 갈 거야.
여 늘 그렇듯이? 네 말은 토요일마다 할머니댁에 간다는 거니?
남 응. 작년에 할아버지께서 돌아가신 뒤로 할머니가 외로워하셔서. 난 할머니가 우울해하시는 걸 원치 않아.
여 오, 너 정말 다정하구나.
남 ① 나는 내가 할 수 있는 일을 할 뿐이야.

W Jaeho, why don't we see a movie tomorrow?
　　제안하는 표현(= let's ~)
M _____ _____ _____, but I can't.

W Why? Do you have a special plan?

M Well, I'll visit my grandma as usual.
　　　　　　　　　　　　　　늘 그렇듯이, 평상시처럼

W As usual? You mean you visit her every Saturday?
　　　　　　　　　　　　　　　　　　　　　　~ 이후로
M Yes. She's felt lonely since my grandpa _____
　　= has felt(현재완료(계속))
_____ last year. I don't want her _____ _____
_____.

W Oh, that's so sweet of you.

M ① I just do what I can.

② 아니야, 나는 단 것을 좋아하지 않아.　③ 너는 정말 귀여운 어린 소년이야.
④ 아니야, 나는 그를 그렇게 자주 보지 않아.　⑤ 게다가 내 사촌들이 정말 다정해.

18 적절한 응답

대화를 듣고, 남자의 마지막 말에 대한 여자의 응답으로 가장 적절한 것을 고르시오.

Woman: _____

① You can get there in time.
② I'm not sure whether I can go.
③ We took the subway to get there.
④ Thank you for letting me stay here.
⑤ We can walk there. It takes only 10 minutes.

남 잠깐 쉬자.
여 그래. 점심을 먹으러 나가는 게 어때?
남 점심? 겨우 11시야.
여 나도 알아. 근데 우리는 3시간 동안이나 공부했잖아. 나는 배가 고파.
남 어디로 가고 싶은데?
여 이 근처에 유명한 식당이 있어. 음식이 진짜 맛있어.
남 알았어. 거기에 어떻게 가?
여 ⑤ 걸어가면 돼. 10분밖에 안 걸려.

M Let's _____ _____ _____.

W Okay. Why don't we go out for lunch?

M Lunch? It's only 11 o'clock.

W I know. But we've studied for 3 hours. I _____
　　　　　　　　　　　　　현재완료(계속)
_____.

M Where do you want to go?

W There's a famous restaurant _____ _____. The food
　~이 있다
is really good.
　　　　　　　　정답 근거
M Okay. How can we get there?
　　　　　　이동 수단을 묻는 표현
W ⑤ We can walk there. It takes only 10 minutes.

① 너는 제시간에 거기에 도착할 수 있어.　② 내가 갈 수 있을지 잘 모르겠어.
③ 우리는 지하철을 타고 거기에 갔어.　④ 내가 여기 머물게 해 줘서 고마워.

19 적절한 응답

대화를 듣고, 여자의 마지막 말에 대한 남자의 응답으로 가장 적절한 것을 고르시오.

Man: _____

① Yes, I'll come.
② Let's go together.
③ I'll pick you up at Studio Green.
④ Why don't we meet at 5 o'clock?
⑤ I said, Room 309 at Studio Green.

[휴대 전화벨이 울린다.]
남 여보세요, Chloe. 나야, 하진이.
여 안녕, 하진아. 무슨 일이야?
남 너 Jessica의 환영 파티에 초대받았니?
여 응. 너는?
남 물론 받았지. 우리 같이 갈까?
여 좋아. 그런데 너 파티가 어디에서 열리는지 아니?
남 응. Studio Green 309호야.
여 미안해. 뭐라고?
남 ⑤ Studio Green 309호라고.

📞Cellphone rings.

M Hello, Chloe. It's me, Hajin.

W Hi, Hajin. What's up?

M _____ you _____ to Jessica's welcoming party?
　　　　　　　　　　　　　　　　　환영 파티

W Yeah. Are you?

M Of course I am. _____ _____ _____ go together?

W Sounds good. By the way, do you know where the party is
　　　　　　　　그런데(화제 전환)
going _____ _____?

M Yes. Room 309 at Studio Green.

W Sorry. Come again?
　　　　　　　　상대방이 한 말을 잘 못 알아들었을 때 되묻는 표현

M ⑤ I said, Room 309 at Studio Green.

① 응, 갈 거야.　　　　　　② 같이 가자.
③ 내가 Studio Green으로 너를 태우러 갈게.　　④ 우리 5시에 만나는 게 어떠니?

20 상황에 맞는 말

다음 상황 설명을 듣고, 민지가 외국인에게 할 말로 가장 적절한 것을 고르시오.

Minji: _____

① Break a leg!
② Sure. Go ahead.
③ It's easy. You can't miss it.
④ You have to wait for a bus here.
⑤ Sorry, but I don't know the way, either.

W Minji waits for a subway. There are some _____ on the
　　　　　　　　　　　　　　　　　　　　　　~이 있다
platform. They look at the subway map. Then one of them
　　　　　　　　　　　　　　　　　　　　　one of+복수 명사: ~들 중 하나
comes up to Minji and asks _____ _____ _____
come up to: ~에게 다가가다　　　　정답 근거
to Namdaemun Market. Minji _____ _____ because
　　　　　　　　　　　　　　　　　　　　　　　~ 때문에
she doesn't know the way. In this situation, what would
Minji most likely say to the foreigner?

Minji ⑤ Sorry, but I don't know the way, either.

여 민지는 지하철을 기다린다. 승강장에는 외국인들이 몇 명 있다. 그들은 지하철 노선도를 본다. 그러다가 그들 중 한 명이 민지에게 다가가서 남대문 시장에 가는 방법을 묻는다. 민지는 그 길을 알지 못해서 당황한다. 이러한 상황에서 민지는 외국인에게 뭐라고 말할까?
민지 ⑤ 죄송하지만 저도 길을 몰라요.

① 행운을 빌어요!　　　　　　② 물론이죠. 어서 하세요.
③ 쉬워요. 그곳을 놓치지 않으실 거예요.[그곳을 쉽게 찾으실 거예요.]　　④ 당신은 여기서 버스를 기다려야 해요.

모의고사를 먼저 풀고 싶으면 122쪽으로 이동하세요.

🎧 다음 표현을 듣고 모르는 것에 표시하시오.

- [ ] 01 **be about to** 막 ~하려는 참이다
- [ ] 02 **delete** 삭제하다
- [ ] 03 **open an account** 계좌를 개설하다
- [ ] 04 **operate** 작동시키다
- [ ] 05 **out of order** 고장 난
- [ ] 06 **professor** 교수
- [ ] 07 **funeral** 장례식
- [ ] 08 **annual** 매년의
- [ ] 09 **auditorium** 강당
- [ ] 10 **donate** 기부하다
- [ ] 11 **stop in** 들르다
- [ ] 12 **brilliant** 뛰어난, 우수한
- [ ] 13 **someday** 언젠가
- [ ] 14 **whichever** 어느 ~이든
- [ ] 15 **plenty of** 많은
- [ ] 16 **celebrate** 축하하다
- [ ] 17 **envy** 부러워하다
- [ ] 18 **used to** 예전에는 ~였다
- [ ] 19 **fully** 완전히
- [ ] 20 **charge** 충전하다
- [ ] 21 **brochure** 안내 책자
- [ ] 22 **drill** 훈련
- [ ] 23 **fire alarm** 화재경보
- [ ] 24 **break out** 발생하다

- [ ] 25 **stay calm** 진정하다
- [ ] 26 **notify** 알리다, 통지하다
- [ ] 27 **opposing** 서로 겨루는, 상대편의
- [ ] 28 **interval** 중간 휴식 시간
- [ ] 29 **honor** 영광
- [ ] 30 **impressive** 인상적인
- [ ] 31 **release** (대중에게) 공개하다, 발표하다
- [ ] 32 **fall off** ~에서 떨어지다
- [ ] 33 **hurt** 다치게 하다
- [ ] 34 **bend** 휘다
- [ ] 35 **splash** (물·진흙 등을) 튀기다, 끼얹다
- [ ] 36 **unlucky** 운이 나쁜
- [ ] 37 **attitude** 태도
- [ ] 38 **fail** 낙제하다

✎ 알아두면 유용한 선택지 **어휘**

- [ ] 39 **length** 길이, 기간
- [ ] 40 **bored** 지루한
- [ ] 41 **pleased** 기쁜
- [ ] 42 **appreciate** 고마워하다
- [ ] 43 **What a shame!** 안됐군요!
- [ ] 44 **be proud of** ~을 자랑스러워하다
- [ ] 45 **be ashamed of** ~을 부끄러워하다

🎧 들으면서 표현을 완성한 다음, 뜻을 고르시오.

표현의 의미를 생각하며 다시 써 보기!

01 rele　se 　　☐ 공개하다　☐ 보호하다 　➡ _____

02 no　ify 　　　☐ 경고하다　☐ 알리다 　➡ _____

03 l　ngth 　　　☐ 길이　　　☐ 높이 　➡ _____

04 op　osing 　　☐ 공존하는　☐ 서로 겨루는 　➡ _____

05 operat　 　　　☐ 작동시키다　☐ 떨어지다 　➡ _____

06 im　res　ive 　☐ 부당한　　☐ 인상적인 　➡ _____

07 profess　r 　　☐ 교수　　　☐ 전문가 　➡ _____

08 inter　al 　　　☐ 영업시간　☐ 중간 휴식 시간 　➡ _____

09 a　dito　ium 　☐ 복도　　　☐ 강당 　➡ _____

10 ben　 　　　　☐ 휘다　　　☐ 펴다 　➡ _____

11 celeb　ate 　　☐ 존경하다　☐ 축하하다 　➡ _____

12 at　itude 　　　☐ 태도　　　☐ 고도 　➡ _____

13 env　 　　　　☐ 부러워하다　☐ 존중하다 　➡ _____

14 broc　ure 　　☐ 입장권　　☐ 안내 책자 　➡ _____

15 a　pr　ciate 　☐ 사과하다　☐ 고마워하다 　➡ _____

16 f　neral 　　　☐ 장례식　　☐ 행사 　➡ _____

17 an　ual 　　　☐ 월례의　　☐ 매년의 　➡ _____

18 dril　 　　　　☐ 기계　　　☐ 훈련 　➡ _____

19 whic　ever 　　☐ 어느 ~이든　☐ 언제 ~이든 　➡ _____

20 plea　ed 　　　☐ 안도하는　☐ 기쁜 　➡ _____

실전 모의고사 [08]회

실전 모의고사 08회 →
┌ 모의고사 보통 속도
└ 모의고사 빠른 속도

✎ 들으면서 주요 표현 메모하기!

01 대화를 듣고, 두 사람이 만들 카드를 고르시오.

①   ②   ③   ④   ⑤

02 대화를 듣고, 여자가 남자에게 전화한 목적으로 가장 적절한 것을 고르시오.

① 부서 이동을 공지하려고
② 컴퓨터 수리를 요청하려고
③ 변경된 이메일 주소를 알려 주려고
④ 컴퓨터 바이러스를 경고해 주려고
⑤ 컴퓨터 바이러스 백신을 소개하려고

03 다음 그림의 상황에 가장 적절한 대화를 고르시오.

①   ②   ③   ④   ⑤

04 대화를 듣고, 남자가 과제를 제출할 요일을 고르시오.

① Monday   ② Tuesday   ③ Wednesday   ④ Thursday   ⑤ Friday

고난도 | 메모하며 풀기

05 다음을 듣고, 공연에 관해 언급되지 <u>않은</u> 것을 고르시오.

① 제목   ② 장소   ③ 시간   ④ 기간   ⑤ 입장료

06 대화를 듣고, 두 사람의 관계로 가장 적절한 것을 고르시오.

① 의사 — 환자   ② 교사 — 학생   ③ 호텔 직원 — 투숙객
④ 승무원 — 탑승객   ⑤ 여행사 직원 — 고객

✎ 들으면서 주요 표현 메모하기!

07 다음을 듣고, 두 사람의 대화가 어색한 것을 고르시오.

①   ②   ③   ④   ⑤

08회 리스닝

08 대화를 듣고, 여자가 남자에게 부탁한 일로 가장 적절한 것을 고르시오.

① 음식 만들기   ② 선물 사 오기   ③ 거실 청소하기
④ 친구 초대하기   ⑤ 택배 찾아오기

09 대화를 듣고, 남자의 마지막 말에 담긴 의도로 가장 적절한 것을 고르시오.

① 충고   ② 감사   ③ 동의   ④ 거절   ⑤ 칭찬

고난도 메모하며 풀기

10 대화를 듣고, 여자가 받을 거스름돈이 얼마인지 고르시오.

① $9   ② $18   ③ $30   ④ $50   ⑤ $70

틀린 문제는 Dictation에서
완벽하게 이해하세요.

실전 모의고사 [08]회

11 대화를 듣고, 남자가 할 일로 가장 적절한 것을 고르시오.

① 새 휴대 전화 사기 ② 휴대 전화 충전하기 ③ 휴대 전화 재설정하기
④ 무선 인터넷 연결하기 ⑤ 서비스 센터 가기

12 다음 표를 보면서 대화를 듣고, 두 사람이 선택할 투어를 고르시오.

	Tour	Length (hours)	Day	Price (per person)
①	A	2	Thursday	$20
②	B	3	Thursday	$30
③	C	2	Friday	$30
④	D	3	Friday	$40
⑤	E	3	Saturday	$50

고난도 | 메모하며 풀기

13 다음을 듣고, 무엇에 관한 안내 방송인지 고르시오.

① 건물 보수 공사 ② 비상 대피 훈련 ③ 엘리베이터 고장
④ 화재 발생 ⑤ 출입문 폐쇄

14 다음을 듣고, 무엇에 관한 설명인지 고르시오.

① soccer ② baseball ③ basketball ④ rugby ⑤ hockey

15 대화를 듣고, 여자의 직업으로 가장 적절한 것을 고르시오.

① actor ② editor ③ novelist
④ scientist ⑤ movie director

16 대화를 듣고, 두 사람이 구입할 물건을 고르시오.

① a toy car   ② a robot   ③ a book
④ a teddy bear   ⑤ building blocks

◥ 들으면서 주요 표현 메모하기!

17 대화를 듣고, 남자의 심정으로 가장 적절한 것을 고르시오.

① sad   ② bored   ③ worried   ④ pleased   ⑤ regretful

18 대화를 듣고, 남자의 마지막 말에 대한 여자의 응답으로 가장 적절한 것을 고르시오.

Woman: _____

① You can walk there.
② Here's your change.
③ Probably around 5,000 won.
④ Go straight to the next block.
⑤ I think you'd better take a bus.

고난도   메모하며 풀기

19 대화를 듣고, 여자의 마지막 말에 대한 남자의 응답으로 가장 적절한 것을 고르시오.

Man: _____

① You should appreciate it.
② You must have been worried.
③ It's very nice of him to do so.
④ Why don't you talk to him first?
⑤ What a shame! You'd better forget about the bad luck.

20 다음 상황 설명을 듣고, Jenny가 Dan에게 할 말로 가장 적절한 것을 고르시오.

Jenny: Dan, _____

① come with me.
② I'm so proud of you.
③ what's your favorite subject?
④ you should be ashamed of yourself.
⑤ cheer up. You'll do better next time.

틀린 문제는 Dictation에서
완벽하게 이해하세요.

01 그림 묘사

*들을 때마다 체크

대화를 듣고, 두 사람이 만들 카드를 고르시오.

남 어머니의 날이 다가오고 있어. 엄마를 위해 카드를 만들자.
여 좋은 생각이야. 우리 가족사진이 들어간 카드를 만드는 게 어떨까?
남 글쎄, 작년에 비슷한 것을 만들었잖아. 카드에 카네이션을 그리고, 메시지를 쓰는 게 어떨까?
여 나는 그림을 잘 못 그려. 카네이션을 그릴 수 있니?
남 물론이지, 그건 걱정하지 마. 카드에 뭐라고 써야 할까?
여 이건 어때? '당신은 최고의 엄마입니다.'
남 좋아. 엄마가 좋아하시면 좋겠다.

M Mother's Day _____ _____. Let's make a card for Mom.

W That's a good idea. How about making a card with our family photo? ●함정 주의 가족사진을 넣자는 말에 남자는 작년에 만든 것과 비슷하다고 응답함

M Well, we made a similar one last year. 정답 근거 Why don't we draw a carnation and _____ _____ _____ on the card?
제안하는 표현

W I'm not good at _____. Can you draw it?
be good at: ~을 잘하다 = a carnation

M Sure, don't worry about it. What should we _____ _____ the card?
= drawing a carnation

W How about this? "You're the best mom."

M That's good. I hope she likes it.

02 목적

대화를 듣고, 여자가 남자에게 전화한 목적으로 가장 적절한 것을 고르시오.

① 부서 이동을 공지하려고
② 컴퓨터 수리를 요청하려고
③ 변경된 이메일 주소를 알려 주려고
④ 컴퓨터 바이러스를 경고해 주려고
⑤ 컴퓨터 바이러스 백신을 소개하려고

[전화벨이 울린다.]
남 여보세요.
여 여보세요. Black 씨와 통화할 수 있을까요?
남 전데요. 누구신가요?
여 저는 마케팅부의 Jessica Parker입니다. 오늘 이메일을 확인하셨나요?
남 아뇨, 전 컴퓨터의 전원을 막 켜려던 참이었어요. 왜요?
여 어제 제 컴퓨터가 바이러스에 감염되었는데, 주소록에 있는 모든 사람들에게 이메일이 발송되었어요. 그러니 제 이메일은 열지 말고 그냥 삭제해 주세요.
남 알겠습니다. 알려 주셔서 감사합니다.

📞 Telephone rings.

M Hello.

W Hello. _____ _____ _____ _____ Mr. Black?

M Speaking. Who's calling?
(전화 받을 때) 접니다.

W This is Jessica Parker in the marketing department. Have you checked your email today?

M No, I _____ _____ _____ turn my computer on. Why?
turn on: (전원을) 켜다
정답 근거

W Yesterday my computer had a virus and sent emails to everyone in my address book. So don't open my email, and just delete it, please.
주소록

M I see. Thanks for _____ _____ _____.

Dictation 08회 →
전체 듣기
문항별 듣기

Dictation의 효과적인 활용법
STEP 1 들으면서 대본의 빈칸 채우기
STEP 2 축쇄 문제를 보며 다시 풀어 보기
STEP 3 해석을 보며 영어로 말하거나 영작해 보기

공부한 날   월   일

03 그림 상황

다음 그림의 상황에 가장 적절한 대화를 고르시오.

① ② ③ ④ ⑤

① 남 안녕하세요. 어떻게 도와드릴까요?
여 안녕하세요, 저는 계좌를 개설하고 싶어요.
② 남 몇 층을 원하세요?
여 8층 부탁드릴게요. 고맙습니다.
③ 남 이 재킷은 저에게 어때 보여요?
여 셔츠와 잘 어울려요.
④ 남 이 카메라를 어떻게 작동시킬 수 있나요?
여 먼저 전원 버튼을 누르세요.
⑤ 남 이 에스컬레이터는 얼마나 오랫동안 고장 나 있었나요?
여 지난 수요일부터요.

① M Hello. How may I help you?

W Hi, I'd like to _____ _____ _____.
　🔑정답 근거

② M What floor do you need?

W Eighth, please. Thank you.

③ M _____ _____ _____ _____ in this jacket?

W It goes well with your shirt.
　　go well with: ~와 잘 어울리다

④ M How can I _____ this camera?

W First, press the power button.

⑤ M How long has this escalator been _____ _____
　　얼마나 오래　　현재완료(계속)
_____?

W Since last Wednesday.

04 요일

대화를 듣고, 남자가 과제를 제출할 요일을 고르시오.

① Monday　　② Tuesday
③ Wednesday　④ Thursday
⑤ Friday

남 Miller 교수님, 잠깐 시간 있으세요?
여 네. 무슨 일인가요?
남 죄송하지만 제가 5월 16일, 월요일까지 과제물을 제출하지 못할 것 같습니다.
여 왜 못한다는 건가요?
남 저의 할머니께서 지난밤에 돌아가셨거든요. 저는 장례식에 참석해야 해요.
여 오, 그 이야기를 듣게 돼서 정말로 유감이에요. 과제물은 걱정하지 마세요.
남 이해해 주셔서 감사합니다. 그래서 제게 시간을 좀 더 주시겠어요?
여 물론이죠. 언제 과제물을 제출할 수 있겠어요?
남 5월 20일 금요일에 제출할게요.

M Professor Miller, do you _____ _____ _____?

W Yes. What's the matter?

M _____ _____ that I can't hand in my essay by
　　　　　　　　　　　　　～을 제출하다　　～까지
Monday, May 16th.

W Why not?

M My grandmother passed away last night. I have to
　　　　　　　　　　pass away: 돌아가시다
_____ _____ _____.

W Oh, I'm so sorry to hear that. Don't worry about your
　　　　　　　　유감을 나타내는 말
essay.

M Thank you for understanding. So, can I have _____
_____?
　🔑정답 근거

W Sure. When can you hand in your essay?

M I'll do it on Friday, May 20th.

05 언급되지 않은 것

다음을 듣고, 공연에 관해 언급되지 <u>않은</u> 것을 고르시오.

① 제목　　② 장소　　③ 시간
④ 기간　　⑤ 입장료

W Hello, students. This is Judy Brown, your drama teacher. I'm _____ _____ _____ you to our annual
정답 근거
school play. This year we're presenting *Hamlet* written by
*Hamlet*을 수식하는 과거분사구
William Shakespeare. The play will _____ _____
in the auditorium for two days on March 15th and 16th.
Tickets are 3 dollars _____ _____. The money will
be donated to children _____ _____. You can buy
tickets in the drama club room. Thank you.

여 안녕하세요, 학생 여러분. 저는 연극부 선생님인 Judy Brown입니다. 저는 연례 학교 연극 공연에 여러분을 초대하게 되어 기쁩니다. 올해에는 윌리엄 셰익스피어가 쓴 햄릿을 공연합니다. 연극은 3월 15일과 16일, 이틀 동안 강당에서 열립니다. 입장권은 인당 3달러입니다. 돈은 어려움에 처한 아이들에게 기부될 것입니다. 입장권은 연극부실에서 구입하실 수 있습니다. 감사합니다.

> 🔄 Solution Tip 공연의 제목(*Hamlet*), 장소(in the auditorium), 기간(for two days on March 15th and 16th), 입장료(3 dollars per person)는 언급되었지만, 공연 시간은 언급되지 않았다.

06 두 사람의 관계

대화를 듣고, 두 사람의 관계로 가장 적절한 것을 고르시오.

① 의사 — 환자
② 교사 — 학생
③ 호텔 직원 — 투숙객
④ 승무원 — 탑승객
⑤ 여행사 직원 — 고객

W Hi, Mr. Taylor. I just _____ _____ to say goodbye.

M Really? Are you leaving?

W Yes. I'm going back to Seoul. I have a flight this Friday.

정답 근거
M It's been nice knowing you. You're _____ _____
가주어 It ~ 진주어 knowing you(= Knowing you has been nice.)
_____ _____ _____ students I've ever taught.
현재완료(경험)

W Thank you. I've learned a lot from you.
현재완료(경험)

M I hope you'll _____ _____ _____ to study more
to부정사의 부사적 용법(목적)
someday. Take care!
몸조심하세요!(헤어질 때 하는 인사말)

W I hope so, too. I'll email you often.

여 안녕하세요, Taylor 선생님. 작별 인사를 드리려고 들렀어요.
남 정말? 떠나는 거니?
여 네. 저는 서울로 돌아가요. 이번 금요일 비행기예요.
남 너를 알게 되어 좋았어. 너는 내가 가르친 가장 우수한 학생들 중 한 명이란다.
여 고맙습니다. 선생님께 많이 배웠어요.
남 네가 언젠가 공부를 더 하러 이곳에 돌아오길 바라. 몸조심해라!
여 저도 그렇게 되길 바라요. 자주 이메일 보내겠습니다.

> 🔄 Solution Tip 남자가 여자에게 가장 우수한 학생들 중 한 사람이었다고 했고, 여자는 남자에게 많이 배웠다고 했으므로 두 사람이 사제 관계임을 알 수 있다.

07 어색한 대화

다음을 듣고, 두 사람의 대화가 <u>어색한</u> 것을 고르시오.

①   ②   ③   ④   ⑤

① W   What would you like to drink?

M   _____ _____ _____ green tea, please.
🎵정답 근거   녹차

② W   What do you think of this book?

M   Okay. Let's go to the library.

③ W   How do you go to school?

M   I go to school _____ _____.

④ W   Do you know _____ he'll come _____ _____?

M   No. He didn't tell me.

⑤ W   Whichever way you go, it'll take more than 30 minutes.
       어느 ~이든(= No matter which)

M   Okay. I have _____ _____ time.

① 여 너는 뭘 마시고 싶니?
　남 녹차 한 잔 부탁할게.
② 여 이 책에 관해 어떻게 생각하니?
　남 그래. 도서관에 가자.
③ 여 너는 학교에 어떻게 가니?
　남 나는 버스를 타고 학교에 가.
④ 여 너는 그가 올지 안 올지 알고 있니?
　남 아니. 그는 내게 말해 주지 않았어.
⑤ 여 네가 어느 길로 가든 30분 이상 걸릴 거야.
　남 알았어. 나는 시간이 많아.

🔙 Solution Tip   What do you think of ~?는 '~에 관해 어떻게 생각하나요?'라는 뜻으로 상대방의 의견을 묻는 표현이다. 책에 관한 의견을 물었는데 도서관에 가자고 답하는 것은 어색하다.

08 부탁한 일

대화를 듣고, 여자가 남자에게 부탁한 일로 가장 적절한 것을 고르시오.

① 음식 만들기   ② 선물 사 오기
③ 거실 청소하기   ④ 친구 초대하기
⑤ 택배 찾아오기

W   Mike, we're having a surprise party this evening.
                 have a party: 파티를 열다

M   A surprise party? Is it a special day today?

W   Yes. Your sister _____ _____ _____ at a dance contest, so we're going to celebrate.

M   Wow, _____ _____ _____!

W   Yeah. I'm thinking of making steak and seafood pasta for dinner.

M   Cool! I also want to help.
🎵정답 근거

W   Then, can you _____ the living room? I invited a couple of her friends.
    a couple of: 몇 사람의

M   Sure. I'll do it.

여 Mike, 오늘 저녁에 깜짝 파티를 할 거야.
남 깜짝 파티요? 오늘 특별한 날이에요?
여 응. 네 누나가 춤 경연 대회에서 1등상을 받아서, 우리가 축하해 줄 거야.
남 와, 잘됐네요!
여 응. 저녁으로 스테이크와 해산물 파스타를 할 생각이 란다.
남 좋아요! 저도 돕고 싶어요.
여 그럼, 거실 청소를 해 줄래? 누나 친구들을 몇 명 초대 했거든.
남 물론이죠. 그럴게요.

09 마지막 말의 의도

대화를 듣고, 남자의 마지막 말에 담긴 의도로 가장 적절한 것을 고르시오.

① 충고　　② 감사　　③ 동의
④ 거절　　⑤ 칭찬

M   Hi, Kate. What are you doing?

W   Hi, Jason. I'm _____ _____ for tickets to the musical, *Les Miserables*.

M   I heard it is _____ _____. When are you planning to go?

W   Next Saturday.

M   Oh, I envy you. I _____ I _____ _____, too.
　　　　　　　　　　정답 근거

W   Really? We can go together if you want.
　　　　　　　　　　　　　조건의 부사절을 이끄는 접속사: (만약) ~라면

M   I'd like to, but I have an appointment.

남 안녕, Kate. 뭐 하고 있니?
여 안녕, Jason. 나는 뮤지컬 '레미제라블' 표를 온라인으로 찾는 중이야.
남 그거 정말 좋다고 들었어. 언제 갈 계획이니?
여 다음 주 토요일에.
남 오, 네가 부럽다. 나도 가면 좋을텐데.
여 정말? 네가 원하면 같이 갈 수 있어.
남 그러고 싶은데. 약속이 있어.

10 금액

대화를 듣고, 여자가 받을 거스름돈이 얼마인지 고르시오.

① $9　　　② $18　　　③ $30
④ $50　　⑤ $70

W   Excuse me. Are these books on sale?
　　　　　　　　　　　　할인 중인

M   Yes. They _____ _____ _____ 9 dollars each, but now they are 50% off.

W   Oh, yeah? That's good. I want to buy a few of them.
　　　　　　　　　　　　　　　　　　　~ 중 몇 개[권]

M   _____ _____ _____ will you buy?
　　정답 근거

W   I want these nine books.

M   Then you _____ _____ only 10 dollars for three.

W   Good. But I just have a hundred dollar bill. Is it okay with you?

M   Sure.

여 실례합니다. 이 책들은 할인 중인가요?
남 네. 그것들은 권당 9달러였는데, 지금은 50% 할인 중이에요.
여 오, 그래요? 좋네요. 제가 몇 권 사고 싶어요.
남 몇 권 사실 건데요?
여 이렇게 9권을 원해요.
남 그러면 3권에 10달러만 내셔도 됩니다.
여 좋아요. 그런데 제게 100달러짜리 지폐밖에 없어서요. 괜찮으신가요?
남 물론이죠.

> **Solution Tip** 여자는 3권에 10달러인 책을 9권 구입했으므로 30달러를 지불해야 한다. 여자가 100달러짜리 지폐밖에 없다고 했으므로, 거슬러 받아야 할 금액은 70달러이다.

11 할 일

대화를 듣고, 남자가 할 일로 가장 적절한 것을 고르시오.

① 새 휴대 전화 사기
② 휴대 전화 충전하기
③ 휴대 전화 재설정하기
④ 무선 인터넷 연결하기
⑤ 서비스 센터 가기

M Minji, are you busy now?

W Not really. Why are you asking?

M My cellphone _____ _____. I don't know what's wrong.
목적어로 쓰인 명사절(간접의문문)

W Did you turn it off and on again?
turn off: (전원을) 끄다 / turn on: (전원을) 켜다

M Yes. And the battery _____ fully _____.

W Hmm, did you reset the phone?

M Yeah. I did _____ _____ _____.
🔑정답 근거

W Then I think you'd better go to the service center.
had better: ~하는 것이 낫다

M Yeah. I think so, too.

남 민지야, 지금 바쁘니?
여 별로 안 바빠. 왜 물어보는 거야?
남 내 휴대 전화가 작동을 멈췄거든. 나는 뭐가 문제인지 모르겠어.
여 전원을 껐다가 다시 켜 봤니?
남 응. 그리고 배터리도 완전히 충전되어 있어.
여 흠, 전화기를 재설정해 봤니?
남 응. 난 내가 할 수 있는 건 다 해 봤어.
여 그러면 서비스 센터에 가 보는 게 좋을 것 같아.
남 응. 나도 그렇게 생각해.

12 표 정보

다음 표를 보면서 대화를 듣고, 두 사람이 선택할 투어를 고르시오.

	Tour	Length (hours)	Day	Price (per person)
①	A	2	Thursday	$20
②	B	3	Thursday	$30
③	C	2	Friday	$30
④	D	3	Friday	$40
⑤	E	3	Saturday	$50

남 Olivia, 우리 이곳 서울에서 무엇을 할까?
여 시내 도보 투어는 어때? 호텔 로비에서 안내 책자를 받았어.
남 좋아. 어디 보자. 2시간이나 3시간짜리 옵션이 있어.
여 3시간은 이 뜨거운 여름날에 우리에게 힘들 것 같아.
남 네 말이 맞아. 그럼 우리는 목요일 아니면 금요일을 선택할 수 있어.
여 금요일이 목요일보다 더 비싸.
남 난 더 저렴한 것이 나을 것 같아.
여 동의해. 이것으로 선택하자.

M Olivia, what are we going to do here in Seoul?

W _____ _____ a City Walking Tour? I got a brochure from the hotel lobby.

M Sounds good. Let me see. There are 2 or 3 hour options.
🔑정답 근거   ~이 있다

W I think 3 hours will be hard for us on this hot summer day.

M You're right. Then we can choose _____ Thursday _____ Friday.

W Friday is _____ _____ _____ Thursday.

M I think the cheaper one is better.
cheap(값이 싼)의 비교급

W I agree. Let's choose this one.

Solution Tip 더운 날씨 때문에 2시간짜리 투어를 선택한 후, 목요일과 금요일 중 가격이 더 저렴한 것이 좋겠다는 남자의 말에 여자가 동의하고 있으므로 두 사람은 목요일 투어를 선택할 것이다.

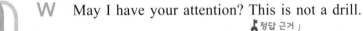

13 담화 주제 ☐☐

다음을 듣고, 무엇에 관한 안내 방송인지 고르시오.

① 건물 보수 공사
② 비상 대피 훈련
③ 엘리베이터 고장
④ 화재 발생
⑤ 출입문 폐쇄

W May I have your attention? This is not a drill. _____
_____, this is not a drill. There has been a fire alarm
reported in the building. The fire broke out on the 3rd
과거분사가 a fire alarm 수식   break out: 발생하다
floor. Please _____ _____, follow the fire exit signs,
and leave the building through the _____ _____.
~을 통해
DO NOT USE THE ELEVATORS! After you leave
부정 명령문(Do not+동사원형 ~): ~하지 마라
the building, please _____ _____ _____ the
exits. You will be notified when it is safe to re-enter the
미래 시제 수동태: will be+p.p.
building.

여 주목해 주시겠습니까? 이것은 훈련이 아닙니다. 반복합니다. 이것은 훈련이 아닙니다. 건물에서 화재경보가 보고되었습니다. 화재는 3층에서 발생했습니다. 침착하게 화재 비상구 표시를 따라 가장 가까이에 있는 비상구를 통해 건물에서 나가세요. **엘리베이터는 이용하지 마세요!** 건물을 나간 뒤에 출구로부터 멀리 떨어져 계세요. 건물에 다시 들어와도 안전할 때 알려 드리겠습니다.

🔊 **Sound Tip** 묵음 l

철자 l은 a, o, u 뒤에서 소리가 나지 않는 경우가 있다. 예를 들어, calm은 /캄/, palm은 /팜/, half는 /해프/, almond는 /아먼드/, folk는 /포크/, could는 /쿠드/로 발음한다.

14 담화 화제 ☐☐

다음을 듣고, 무엇에 관한 설명인지 고르시오.

① soccer   ② baseball
③ basketball   ④ rugby
⑤ hockey

🎵 정답 근거

M This is a sport played between two teams of eleven
a sport를 수식하는 과거분사구
players with a round ball. All the players _____ the
goal keepers must move the ball with their feet and head
~해야 한다
_____ _____ _____ _____. To score goals,
to부정사의 부사적 용법(목적)
players move the ball to an opposing team's end and
put the ball in the goalpost. The game lasts 90 minutes,
_____ _____ _____ of 15 minutes after 45
minutes. The team that scores more goals wins.
주격 관계대명사 that이 이끄는 절이 주어 The team을 수식

남 이것은 열한 명의 선수로 이루어진 두 팀이 동그란 공을 가지고 하는 운동이다. 골키퍼를 제외한 모든 선수들은 손이 아니라 발과 머리로 공을 움직여야 한다. 득점을 하기 위해서 선수들은 상대 팀 끝까지 공을 가지고 가서 골대 안에 넣어야 한다. 경기는 45분 뒤에 15분의 중간 휴식 시간이 있고 90분 동안 계속된다. 더 많은 득점을 하는 팀이 이긴다.

① 축구   ② 야구   ③ 농구
④ 럭비   ⑤ 하키

15 직업

대화를 듣고, 여자의 직업으로 가장 적절한 것을 고르시오.

① actor ② editor
③ novelist ④ scientist
⑤ movie director

M Excuse me, but _____ _____ Sophia Cruise?

W Yes, I am.

M Oh, I can't believe this! It's my _____ _____ _____ you.

W I'm also happy to meet you.
   <u>to부정사의 부사적 용법(감정의 원인)</u>

M I'm _____ _____ _____ _____ _____ yours. I've watched all of your movies.

W Thank you so much.

M 🎵정답 근거
   Your acting was very impressive in *The Planet of Hope*.

W My new movie is going to _____ _____ next month. I hope you'll love it.

남 실례합니다만, Sophia Cruise 씨 아닌가요?
여 네, 맞아요.
남 오, 믿을 수가 없네요! 당신을 만나 뵙게 되어 영광입니다.
여 저도 만나서 기뻐요.
남 저는 당신의 열렬한 팬이에요. 저는 당신의 모든 영화를 보았답니다.
여 정말 감사합니다.
남 '희망의 행성'에서 당신의 연기가 무척 인상적이었어요.
여 저의 새 영화가 다음 달에 개봉될 거예요. 그 영화도 마음에 드시길 바라요.

① 배우   ② 편집자   ③ 소설가
④ 과학자   ⑤ 영화감독

16 구입할 물건

대화를 듣고, 두 사람이 구입할 물건을 고르시오.

① a toy car ② a robot
③ a book ④ a teddy bear
⑤ building blocks

W Mike, _____ _____ _____ to the department store?

M Oh, yeah. This Friday is Alice's birthday, isn't it?
   <u>부가 의문문</u>

W Yes, it is. Do you _____ anything _____ _____ for her present?

M How about toys like building blocks or cars? Kids like toys.
   <u>장난감 블록</u>

W Well, she's _____ _____ _____ _____ with them. How about a teddy bear?
   🎵정답 근거   <u>곰 인형</u>

M Sounds good. She will like it.
   = a teddy bear

W Okay. Let's get going.

여 Mike, 우리 백화점에 갈까요?
남 오, 네. 이번 주 금요일이 Alice의 생일이죠, 그렇지 않나요?
여 맞아요. 그녀의 선물로 생각해 둔 것이 있나요?
남 블록이나 자동차 같은 장난감은 어때요? 아이들은 장난감을 좋아하잖아요.
여 글쎄요. 그녀는 너무 어려서 그것들을 가지고 놀 수 없어요. 곰 인형은 어때요?
남 그거 좋네요. 그녀는 좋아할 거예요.
여 그래요. 나가 봐요.

① 장난감 자동차   ② 로봇   ③ 책
④ 곰 인형   ⑤ 장난감 블록

17 심정

대화를 듣고, 남자의 심정으로 가장 적절한 것을 고르시오.

① sad   ② bored   ③ worried
④ pleased   ⑤ regretful

[휴대 전화벨이 울린다.]
여 아빠? 저예요.
남 Emma, 무슨 일이니?
여 제가 자전거에서 떨어졌어요.
남 뭐라고? 괜찮니?
여 오른쪽 다리를 약간 다쳤는데, 아주 심각한 것 같지는 않아요.
남 자전거 타고 집에 올 수 있겠니?
여 아뇨, 자전거가 망가졌어요. 앞바퀴가 휘었어요. 저를 지금 차로 태우러 와 주실 수 있으세요?
남 알겠다. 내가 가서 차에 태워 줄게. 네가 어디에 있는지 문자를 보내 주렴.

① 슬픈   ② 지루한   ③ 걱정하는
④ 기쁜   ⑤ 후회하는

☎ Cellphone rings.

W   Dad? It's me.

M   Emma, what's up?

W   ♪정답 근거
    I've _____ _____ my bike.

M   What? Are you okay?

W   I've _____ _____ _____ _____ a little, but I think it's not very serious.

M   Can you ride home?

W   No. I've _____ my bike. The front wheel _____ _____. Can you pick me up now?

M   Okay. I'll come and get you in the car. Just text me <u>where you are</u>.
    간접의문문: 의문사＋주어＋동사

18 적절한 응답

대화를 듣고, 남자의 마지막 말에 대한 여자의 응답으로 가장 적절한 것을 고르시오.

Woman: _____

① You can walk there.
② Here's your change.
③ Probably around 5,000 won.
④ Go straight to the next block.
⑤ I think you'd better take a bus.

여 관광 안내소에 오신 것을 환영합니다. 어떻게 도와드릴까요?
남 안녕하세요. 저는 도시의 지도를 한 장 받고 싶어요.
여 네, 여기 있습니다. 다른 필요하신 게 있으신가요?
남 저는 광화문에 가고 싶어요. 거기에 어떻게 가나요?
여 여기에서 그다지 멀지 않아요. 택시를 타시면 됩니다.
남 택시로는 그곳까지 얼마나 걸릴까요?
여 이 시간대에는 10분 정도 걸릴 거예요.
남 요금은 얼마나 나오나요?
여 ③ 아마 5천원 정도요.

W   Welcome to the <u>tourist information office</u>. How may I help you?
    관광 안내소

M   Hi. I'd like to get a map of the city.

W   Okay. _____ _____ _____. Is there anything you need?

M   I want to go to Gwanghwamun. How can I get there?

W   It's not so _____ _____ _____. You can take a taxi.

M   How long will it take to get there _____ _____?
    얼마나 오래

W   At this time of day, it'll take about 10 minutes.

M   ♪정답 근거
    How much will it cost?
    비용을 묻는 표현

W   ③ Probably around 5,000 won.

① 그곳에 걸어가실 수 있어요.   ② 거스름돈 여기 있습니다.
④ 다음 블록까지 직진하세요.   ⑤ 버스를 타시는 게 나을 것 같아요.

19 적절한 응답

대화를 듣고, 여자의 마지막 말에 대한 남자의 응답으로 가장 적절한 것을 고르시오.

Man: _____

① You should appreciate it.
② You must have been worried.
③ It's very nice of him to do so.
④ Why don't you talk to him first?
⑤ What a shame! You'd better forget about the bad luck.

남 무슨 일이야? 온통 진흙을 뒤집어 썼구나.
여 넌 오늘 아침에 내게 일어난 일을 못 믿을 거야.
남 말해 봐. 무슨 일이 있었니?
여 나는 아침에 버스를 기다리고 있었어. 그때 트럭이 내 옷에 진흙을 튀기고 가 버렸어.
남 오, 너 정말 운이 안 좋았구나.
여 나를 정말 화나게 만든 건 그 트럭 운전사의 태도였어.
남 그가 뭘 했는데?
여 아무것도 안했어. 그는 내게 사과도 하지 않고 그냥 가 버렸거든.
남 ⑤ 안됐다! 불운한 일은 잊어버리는 편이 나아.

M What's the matter? You're _____ all over mud.

W You can't believe what happened to me this morning.
　　　　　　　　　목적어로 쓰인 명사절

M Tell me. What happened?

W I was waiting for a bus in the morning. 🎵정답 근거 Then a truck
　　과거 진행: ~하는 중이었다　　　　　　　　　　
　　_____ _____ _____ splashing mud on my
　　　　　　　　　　　분사 구문(부대 상황)
clothes.

M Oh, you were so unlucky.

W _____ _____ _____ so mad was the attitude of
the truck driver.

M What did he do?

W Nothing. He never _____ to me and drove away.
　　　　　　　　　　　　　　　drive away: (차를 몰고) 떠나다

M ⑤ What a shame! You'd better forget about the bad luck.

① 너는 그것을 감사히 여겨야 해.　　　② 너는 분명 걱정이 됐겠구나.
③ 그렇게 행동하다니 그는 참 친절해.　　④ 그에게 먼저 말을 해 보는 게 어때?

---

20 상황에 맞는 말

다음 상황 설명을 듣고, Jenny가 Dan에게 할 말로 가장 적절한 것을 고르시오.

Jenny: Dan, _____

① come with me.
② I'm so proud of you.
③ what's your favorite subject?
④ you should be ashamed of yourself.
⑤ cheer up. You'll do better next time.

여 Dan은 수학을 그다지 잘하지는 못하지만, 이번에는 수학 시험을 준비하기 위해 정말 열심히 공부했다. 그러나 그는 선생님께 시험에서 또 낙제했다는 소식을 듣게 되었다. 그는 하루 종일 우울해 했다. Dan의 가장 친한 친구들 중 한 명인 Jenny는 그의 기분이 나아지게 하고 싶다. 이러한 상황에서 Jenny는 Dan에게 뭐라고 말할까?
Jenny Dan, ⑤ 기운 내. 다음에는 더 잘할 거야.

W Dan _____ not so _____ _____ math, but this
time, he did study hard _____ _____ for the math
　　　　　　　동사 study 강조
test. However, he heard from his teacher that he failed
　　　　　그러나 (반대되는 내용을 이어 주는 부사)　　　🎵정답 근거
the test again. He has been depressed all day long. Jenny,
　　　　　　　　　　　　　　　　　　하루 종일
one of Dan's closest friends, wants to make him _____
one of+최상급+복수 명사: 가장 ~한 …들 중 하나
_____. In this situation, what would Jenny most likely
say to Dan?

Jenny Dan, ⑤ cheer up. You'll do better next time.

① 나와 함께 가자.　　　　　　　② 나는 네가 정말 자랑스러워.
③ 네가 가장 좋아하는 과목이 뭐니?　　④ 너는 네 자신을 부끄러워해야 해.

[VOCABULARY] 실전 모의고사 09회

어휘를 알아야 들린다

모의고사를 먼저 풀고 싶으면 138쪽으로 이동하세요.

🎧 다음 표현을 듣고 모르는 것에 표시하시오.

- ☐ 01 **hang** 걸다
- ☐ 02 **several** (몇)몇의
- ☐ 03 **tricky** 까다로운, 힘든
- ☐ 04 **excuse** 변명
- ☐ 05 **have a cast** 깁스를 하다
- ☐ 06 **be booked up** 예약이 끝나다
- ☐ 07 **allowance** 용돈
- ☐ 08 **compare** 비교하다
- ☐ 09 **expense** 비용
- ☐ 10 **figure out** ~을 알아내다
- ☐ 11 **unexpectedly** 뜻밖에
- ☐ 12 **run out of** ~이 떨어지다, ~을 다 쓰다
- ☐ 13 **grocery** 식료품
- ☐ 14 **at the most** 많아야, 기껏해야
- ☐ 15 **biography** 전기
- ☐ 16 **passion** 열정
- ☐ 17 **claw** 발톱
- ☐ 18 **put one's foot in one's mouth** 말실수하다
- ☐ 19 **character** (책·영화 등의) 등장인물
- ☐ 20 **crash** 고장 나다
- ☐ 21 **suddenly** 갑자기
- ☐ 22 **disappear** 사라지다
- ☐ 23 **neighborhood** 동네, 근처
- ☐ 24 **describe** 묘사하다, 설명하다

- ☐ 25 **set up** ~을 세우다
- ☐ 26 **facilities** 시설
- ☐ 27 **carry** 나르다
- ☐ 28 **musical instrument** 악기
- ☐ 29 **protective** 보호하는
- ☐ 30 **wooden** 나무로 된
- ☐ 31 **surround** 둘러싸다
- ☐ 32 **soundboard** 울림판, 공명판
- ☐ 33 **metal** 금속
- ☐ 34 **string** (악기의) 현, 줄
- ☐ 35 **to make matters worse** 설상가상으로
- ☐ 36 **non-refundable** 환불이 안 되는
- ☐ 37 **luggage** 짐
- ☐ 38 **Help yourself.** 마음껏 드세요.
- ☐ 39 **recipe** 조리법
- ☐ 40 **speed** 속도 위반을 하다
- ☐ 41 **speed limit** 제한 속도
- ☐ 42 **let ~ off the hook** ~의 처벌을 면하게 해 주다

📒 알아두면 유용한 선택지 **어휘**

- ☐ 43 **frightened** 무서워하는
- ☐ 44 **tailor's shop** 양복점
- ☐ 45 **Look on the bright side.** 긍정적으로 생각하세요.

🎧 들으면서 표현을 완성한 다음, 뜻을 고르시오.

표현의 의미를 생각하며 다시 써 보기!

01 l　ggage　　　☐ 짐　　　☐ 소포　　　→ _____

02 trick　　　　☐ 혼잡한　　☐ 까다로운　→ _____

03 fa　iliti　s　☐ 시설　　　☐ 자원　　　→ _____

04 e　pense　　☐ 수입　　　☐ 비용　　　→ _____

05 r　cipe　　　☐ 조리법　　☐ 영수증　　→ _____

06 disappe　r　☐ 나타나다　☐ 사라지다　→ _____

07 pass　on　　☐ 열정　　　☐ 연민　　　→ _____

08 strin　　　　☐ (악기의) 현　☐ 망치　　→ _____

09 describ　　　☐ 상의하다　☐ 묘사하다　→ _____

10 nei　hbor　ood　☐ 동네, 근처　☐ 동료　→ _____

11 biograp　y　☐ 자서전　　☐ 전기　　　→ _____

12 comp　re　　☐ 비교하다　☐ 확인하다　→ _____

13 allo　ance　☐ 용돈　　　☐ 지출　　　→ _____

14 ex　use　　　☐ 실수　　　☐ 변명　　　→ _____

15 unexpect　dly　☐ 유난히　☐ 뜻밖에　　→ _____

16 fright　ned　☐ 무서워하는　☐ 화가 난　→ _____

17 n　n-refun　able　☐ 감당이 안 되는　☐ 환불이 안 되는　→ _____

18 prote　tive　☐ 감추는　　☐ 보호하는　→ _____

19 sur　ound　☐ 둘러싸다　☐ 포기하다　→ _____

20 met　l　　　☐ 목재　　　☐ 금속　　　→ _____

실전 모의고사 [09]회

✎ 들으면서 주요 표현 메모하기!

01 대화를 듣고, 남자가 구입할 그림을 고르시오.

①   ②   ③   ④   ⑤

02 대화를 듣고, 여자가 남자에게 전화한 목적으로 가장 적절한 것을 고르시오.

① 숙제가 무엇인지 물어보려고   ② 수학 공부 같이할 것을 제안하려고
③ 수업 준비물을 알려 주려고   ④ 수학 시험 범위를 확인하려고
⑤ 수학 교과서를 빌리려고

03 다음 그림의 상황에 가장 적절한 대화를 고르시오.

①   ②   ③   ④   ⑤

04 대화를 듣고, 남자가 병원을 예약한 요일을 고르시오.

① 월요일   ② 화요일   ③ 수요일   ④ 목요일   ⑤ 금요일

고난도   메모하며 풀기

05 다음을 듣고, 용돈을 아끼는 방법으로 언급되지 <u>않은</u> 것을 고르시오.

① 쇼핑 목록 만들기   ② 물건 가격 비교하기   ③ 용돈 기입장 쓰기
④ 공돈 저축하기   ⑤ 은행 자주 방문하기

06 대화를 듣고, 두 사람의 관계로 가장 적절한 것을 고르시오.

① 식당 직원 — 손님   ② 여행 가이드 — 관광객
③ 매표소 직원 — 방문객   ④ 지하철 역무원 — 승객
⑤ 동물원 사육사 — 관람객

07 다음을 듣고, 두 사람의 대화가 <u>어색한</u> 것을 고르시오.

①   ②   ③   ④   ⑤

08 대화를 듣고, 여자가 남자에게 부탁한 일로 가장 적절한 것을 고르시오.

① 미술 과제 도와주기   ② 전시회 함께 가기   ③ 전시회 표 사기
④ 책 빌려주기   ⑤ 책 반납하기

09 대화를 듣고, 여자의 마지막 말에 담긴 의도로 가장 적절한 것을 고르시오.

① 사과   ② 칭찬   ③ 후회   ④ 위로   ⑤ 조언

고난도 메모하며 풀기

10 대화를 듣고, 남자가 지불할 금액을 고르시오.

① $10   ② $15   ③ $65   ④ $72   ⑤ $80

✎ 들으면서 주요 표현 메모하기!

틀린 문제는 Dictation에서
완벽하게 이해하세요.

🖊 들으면서 주요 표현 메모하기!

11 대화를 듣고, 남자가 할 일로 가장 적절한 것을 고르시오.

① 보고서 쓰기   ② 인터넷 연결하기   ③ 컴퓨터 점검하기
④ 프로그램 설치하기   ⑤ 프로그램 삭제하기

12 대화를 듣고, 여자가 포스터에 포함할 정보로 언급되지 <u>않은</u> 것을 고르시오.

① 개 사진   ② 개를 잃어버린 장소   ③ 개 나이
④ 개가 입은 옷   ⑤ 사례금

13 다음 해변 지도를 보면서 대화를 듣고, 두 사람이 선택한 구역을 고르시오.

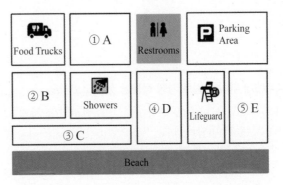

고난도   메모하며 풀기

14 다음을 듣고, 무엇에 관한 설명인지 고르시오.

① 바이올린   ② 피아노   ③ 드럼   ④ 플루트   ⑤ 아코디언

15 대화를 듣고, 여자의 심정으로 가장 적절한 것을 고르시오.

① bored   ② pleased   ③ nervous
④ disappointed   ⑤ frightened

16 대화를 듣고, 두 사람이 대화하는 장소로 가장 적절한 곳을 고르시오.

① airport   ② hotel   ③ laundry
④ tailor's shop   ⑤ bookstore

✎ 들으면서 주요 표현 메모하기!

17 대화를 듣고, 남자의 마지막 말에 대한 여자의 응답으로 가장 적절한 것을 고르시오.

Woman: _____

① Sure. Can I have the recipe?
② Where did you learn to cook?
③ I'll write it out for you later.
④ Delicious food doesn't come easy.
⑤ Yeah, it took me hours to prepare.

고난도   메모하며 풀기
18 대화를 듣고, 여자의 마지막 말에 대한 남자의 응답으로 가장 적절한 것을 고르시오.

Man: _____

① Where are you from?
② No, I'm afraid I can't.
③ No. What about the weather?
④ Yes, I'm very good at driving.
⑤ Really? I'd love to go there sometime.

19 대화를 듣고, 남자의 마지막 말에 대한 여자의 응답으로 가장 적절한 것을 고르시오.

Woman: _____

① Okay. Here's ten dollars.
② I wish I had a lot of money.
③ No way. Look on the bright side.
④ Is it okay if I check out this book?
⑤ All right. How much do you need?

20 다음 상황 설명을 듣고, John이 Alex에게 할 말로 가장 적절한 것을 고르시오.

John: Alex, _____

① good idea. Let's go right now.
② I'm on my way to a baseball game.
③ sorry, but I have to study for the test.
④ you should have listened to your teacher.
⑤ don't worry. You'll have lots of time to study.

틀린 문제는 Dictation에서
완벽하게 이해하세요.

01 그림 묘사

*들을 때마다 체크

대화를 듣고, 남자가 구입할 그림을 고르시오.

① ② ③
④ ⑤

W Hello. How can I help you?

M Hi. I'm looking for a picture to _____ _____ _____ _____ in my room. Do you have pictures of the sea?

> 함정 주의 새보다 배를 선호한다는 남자의 말이 이어짐

W Yes. How about this one with a bird?

> 정답 근거

M Well, I prefer boats to birds.
  prefer A to B: B보다 A를 선호하다

W Then look over there.

M Oh, I love that one. That's _____ _____ _____ _____.

W You mean the picture with a boat on the sea or on the beach?
  아니면

M On the beach. I'll take that one.

여 안녕하세요. 어떻게 도와드릴까요?
남 안녕하세요. 제 방의 벽에 걸 그림을 찾고 있어요. 바다 그림이 있나요?
여 네. 새가 있는 이것은 어떠세요?
남 글쎄요. 저는 새보다 배를 선호해요.
여 그러면 저쪽을 보시죠.
남 오, 저는 저것이 무척 마음에 들어요. 저게 제가 찾던 거예요.
여 배가 바다 위에 있는 그림 말씀이신가요, 아니면 해변에 있는 그림 말씀이신가요?
남 해변에 있는 거요. 저것으로 할게요.

02 목적

대화를 듣고, 여자가 남자에게 전화한 목적으로 가장 적절한 것을 고르시오.
① 숙제가 무엇인지 물어보려고
② 수학 공부 같이할 것을 제안하려고
③ 수업 준비물을 알려 주려고
④ 수학 시험 범위를 확인하려고
⑤ 수학 교과서를 빌리려고

📞 Cellphone rings.

M Hello.

W Oh, Brian. This is Lisa.

M Hi. What's up?

> 정답 근거

W We have homework for tomorrow, _____ _____?

M You mean the math homework?

W Yes, I _____ all about it. Can you tell me what pages we have to do?

M Sure. Wait a second. [Pause] It's from page 45 to 48.
  from A to B: A부터 B까지
  You'd better start right now because there are several
  ~ 때문에
  _____ _____ _____ _____.

W Okay. Thanks, Brian.

[휴대 전화벨이 울린다.]
남 여보세요.
여 오, Brian. 나 Lisa야.
남 안녕. 무슨 일이니?
여 우리 내일 숙제 있지, 그렇지 않니?
남 수학 숙제 말하는 거야?
여 응, 내가 그걸 까맣게 잊어버렸지 뭐야. 몇 쪽을 해야 하는지 말해 줄래?
남 물론이지. 잠깐 기다려. [잠시 후] 45쪽부터 48쪽까지야. 너는 지금 바로 시작하는 것이 좋을 거야. 풀기에 까다로운 문제가 몇 개 있거든.
여 알았어. 고마워, Brian.

▶ **Solution Tip** 여자는 남자에게 내일 숙제가 있는지를 묻고 몇 쪽을 해야 하는지 말해 달라고 했으므로, 전화한 목적은 숙제가 무엇인지를 물어보기 위해서이다.

Dictation 09회 →
┌ 전체 듣기
└ 문항별 듣기

Dictation의 효과적인 활용법
STEP 1 들으면서 대본의 빈칸 채우기
STEP 2 축쇄 문제를 보며 다시 풀어 보기
STEP 3 해석을 보며 영어로 말하거나 영작해 보기

공부한 날   월   일

03 그림 상황

다음 그림의 상황에 가장 적절한 대화를 고르시오.

①   ②   ③   ④   ⑤

① 여 늦어서 미안해. 오는 길에 버스가 고장 났어.
　 남 나는 더 이상 네 변명을 듣지 않을 거야.
② 여 잠깐 자전거를 탈까?
　 남 그러고 싶은데, 너무 피곤해.
③ 여 쿠키가 맛있어 보인다. 하나 먹어도 될까?
　 남 그럼. 어서 먹어.
④ 여 이것은 정말 멋진 그림이야. 네가 그렸어?
　 남 아니, 내 친구 중 한 명이 그렸어.
⑤ 여 왜 팔에 깁스를 하고 있니?
　 남 축구 시합을 하다가 부러졌어.

① W　Sorry for _____ _____. My bus broke down on
　　　the way.
　　　on the way: ~하는 중에(= on one's way)　　break down: 고장 나다

　 M　I won't listen to your excuses anymore.

② W　How about riding our bicycles for a while?
　　　　　　　　　　　　　　　　잠시 동안, 잠깐
　 M　I'd love to, but I'm _____ _____.

③ W　The cookies look great. Do you mind if I have one?
　　　　　　　　　　　　　　　제가 ~해도 될까요?　　= a cookie
　 M　_____ _____ _____. Please go ahead.

④ W　This is a really good painting. Did you paint it?

　 M　No, one of my friends did.
　　　🔑정답 근거

⑤ W　Why do you have a cast on your arm?
　　　　　　　　　　　깁스를 하다
　 M　I _____ _____ in a soccer game.

04 요일

대화를 듣고, 남자가 병원을 예약한 요일을 고르시오.
① 월요일　　② 화요일　　③ 수요일
④ 목요일　　⑤ 금요일

[전화벨이 울린다.]
여 Martin 박사님 진료실입니다. 어떻게 도와드릴까요?
남 여보세요. 저는 Daniel Raymond라고 합니다. 이번
　주 목요일에 예약할 수 있을까요?
여 죄송합니다만 Raymond 씨, 목요일에는 예약이 다 찼
　네요.
남 그러면 그 다음 날은 어떤가요?
여 확인해 보겠습니다. [잠시 후] 금요일 오후에 오실 수
　있나요?
남 네. 오후에는 언제라도 가능해요.
여 알겠습니다. 금요일 오후 2시 어떠세요?
남 좋습니다. 감사합니다.

📞Telephone rings.

W　Dr. Martin's office. How can I help you?
　　　　　　　　　　　🔑함정 주의 목요일은 예약이 끝났다는 여자의 말이 이어짐
M　Hello. This is Daniel Raymond. Can I make an
　　appointment this Thursday?
　　　　　　　　　　　　예약하다

W　Sorry, Mr. Raymond, but _____ all _____ _____
　　on Thursday.

M　Then how about the next day?

W　Let me check. [Pause] _____ _____ _____
　　_____ on Friday afternoon?

M　Yes. I'm available any time in the afternoon.
　　🔑정답 근거

W　Okay. How about 2 p.m. on Friday?

M　Perfect. Thank you.

05 언급되지 않은 것

다음을 듣고, 용돈을 아끼는 방법으로 언급되지 **않은** 것을 고르시오.

① 쇼핑 목록 만들기
② 물건 가격 비교하기
③ 용돈 기입장 쓰기
④ 공동 저축하기
⑤ 은행 자주 방문하기

남 안녕하세요, 학생 여러분. 저는 Town 은행의 관리자인 John Taylor입니다. 오늘 저는 용돈을 아끼는 방법에 관한 몇 가지 조언을 여러분께 말씀드리려고 합니다. 가장 먼저, 쇼핑을 하기 전에는 쇼핑 목록을 만드세요. 목록을 만들 때는 무언가가 필요한 것인지 아니면 단지 그것을 원하는 것인지 생각해 보세요. 두 번째로는, 무언가를 사기 전에 가격을 비교하세요. 다음으로는 여러분이 얼마나 쓰는지 알아보기 위해 비용을 기록하세요. 한 가지가 더 있습니다. 예기치 않게 돈이 생기면 그것을 은행이나 저금통에 넣어 두세요.

M Good morning, students. I'm John Taylor, the manager at Town Bank. Today, I'm going to tell you a few tips on
be going to: ~할 것이다
_____ _____ _____ your allowance. First of
🎵정답 근거   *다른 무엇보다 먼저*
all, make a shopping list before shopping. When you make the list, think about whether you really _____
whether A or B: A인지 (아니면) B인지
something or just _____ it. Secondly, compare the
두 번째로
prices before you buy something. Next, record your
그 다음에
expenses to figure out _____ _____ _____
~을 알아내다
_____. There's one more thing. When you unexpectedly
= There is
get some money, put it in the bank or a money box.
저금통

06 두 사람의 관계

대화를 듣고, 두 사람의 관계로 가장 적절한 것을 고르시오.

① 식당 직원 — 손님
② 여행 가이드 — 관광객
③ 매표소 직원 — 방문객
④ 지하철 역무원 — 승객
⑤ 동물원 사육사 — 관람객

남 안녕하세요. 어떻게 도와드릴까요?
여 안녕하세요. 저는 이 동물원의 나이트 사파리 투어를 예약했어요. 표를 찾아가고 싶어요.
남 예약 번호를 알려 주시겠어요?
여 네. NS3250입니다.
남 [타자 치는 소리] Aria Smith 씨, 맞으시죠?
여 네, 성인 2명과 어린이 2명을 예약했어요.
남 알겠습니다. 여기 표 있습니다. 투어를 즐기시길 바랍니다.
여 감사합니다.

M Hello. How may I help you?
🎵정답 근거
W Hi. I booked the Night Safari tour at this zoo. I'd like to
= would like to
_____ _____ the tickets.
M Can I have your reservation number?
W Sure. It's NS3250.
M [*Typing sound*] You're Aria Smith, right?
앞서 말한 내용을 확인하기 위해 되묻는 말
W Yes, I _____ _____ _____ for two adults and two
children.
M All right. Here are your tickets. _____ _____
Here가 형식상 주어처럼 문장의 맨 앞에 오면 주어와 동사의 위치가 바뀜
_____.
W Thank you.

🔊 **Solution Tip** 여자는 예약한 표를 찾아가고 싶다고 했고, 남자는 여자에게 표를 줬다. 따라서 남자는 매표소 직원이고, 여자는 방문객이다.

07 어색한 대화

다음을 듣고, 두 사람의 대화가 <u>어색한</u> 것을 고르시오.

① ② ③ ④ ⑤

① 남 주문하시겠어요?
　여 포장해 주세요.
② 남 채소가 다 떨어졌어요.
　여 식료품을 사러 지금 바로 가요.
③ 남 실례합니다. 5번 플랫폼이 어디인지 말씀해 주시겠어요?
　여 그건 저쪽에 있어요. 저와 같이 가세요.
④ 남 제 컴퓨터에 문제가 있어요.
　여 걱정하지 마세요. 제가 그걸 고쳐 드릴게요.
⑤ 남 한 달에 영화를 몇 편 보세요?
　여 많아야 한두 편이요.

🎸 정답 근거

① M May I take your order?

　W To go, please.
　　　To go.: 포장해 주세요.　*cf.* For here.: 이곳에서 먹을게요.

② M We _____ _____ _____ vegetables.

　W Let's go grocery shopping right now.

③ M Excuse me. Can you tell me where platform 5 is?
　　　　　　　　　　위치를 묻는 표현

　W It's over there. Come with me.

④ M _____ _____ _____ with my computer.

　W Don't worry. I'll fix it.

⑤ M _____ _____ _____ do you watch a month?
　　　　　　　　　　　　　　　　~에, 당(= per)

　W One or two at the most.
　　　　　　　　많아야, 기껏해야

08 부탁한 일

대화를 듣고, 여자가 남자에게 부탁한 일로 가장 적절한 것을 고르시오.

① 미술 과제 도와주기
② 전시회 함께 가기
③ 전시회 표 사기
④ 책 빌려주기
⑤ 책 반납하기

남 안녕, Emily. 뭐 하고 있니?
여 살바도르 달리에 관한 책을 읽고 있어.
남 달리? 그는 유명한 스페인 화가 아니니?
여 맞아. 내가 지난주에 달리의 전시회에 다녀왔는데 그에 관해 더 알고 싶어졌어.
남 그렇구나. 그래서 그의 전기를 읽고 있는 거야?
여 아니, 그의 일기야. 그의 일상과 예술을 향한 열정에 관해 읽는 것은 흥미로워.
남 나도 그걸 읽고 싶다. 네가 다 읽고 나면 내가 빌릴 수 있을까?
여 물론이지. 그리고 이번 주 금요일까지 도서관에 책을 반납해 줘.
남 알았어, 그렇게 할게.

🇬🇧

M Hi, Emily. What are you doing?

W I'm reading a book about Salvador Dali.

M Dali? _____ _____ a famous Spanish artist?

W Yes. I _____ to a Dali exhibition last week and _____ to know more about him.
　　　　　　　　　　　to부정사의 명사적 용법(wanted의 목적어)

M I see. So, are you reading his biography?

W No, it's his diary. It's _____ _____ _____ about his daily life and passion for art.

　　　　　　　⚠ 함정 주의 책을 빌려달라고 요청한 것은 남자임

M I want to read it, too. **Can I borrow the book after you finish it?**

🎸 정답 근거

W Sure. And please _____ the book to the library by this Friday.

M Okay, I will.

09 마지막 말의 의도

대화를 듣고, 여자의 마지막 말에 담긴 의도로 가장 적절한 것을 고르시오.

① 사과   ② 칭찬   ③ 후회
④ 위로   ⑤ 조언

M   Hey, Jenny. Do you know why Joe is so upset?
목적어로 쓰인 명사절(간접의문문)

W   It's _____ _____ me.

M   What happened?

W   I said that his new haircut looks _____ _____ it had been done by a bear's claws.

M   What? Oh, you _____ _____ _____ in your mouth.

W   Yeah, I know.

M   Did you apologize to him?

W   I've tried to _____ _____ to him several times, but
정답 근거
he wouldn't even look at me. I shouldn't have talked like
should not have+p.p.: ~하지 말았어야 했다
that.

남 이봐, Jenny. 너 Joe가 왜 그렇게 화가 났는지 아니?
여 나 때문이야.
남 무슨 일 있었어?
여 내가 그의 새로 한 머리 모양이 곰 발톱으로 해 놓은 것 같다고 말했거든.
남 뭐라고? 오, 너 말실수했구나.
여 그래, 나도 알아.
남 그에게 사과는 했니?
여 몇 번이나 그에게 사과하려 했는데, 그가 나를 쳐다보지도 않더라고. 나는 그렇게 말하지 말았어야 했어.

10 금액

대화를 듣고, 남자가 지불할 금액을 고르시오.

① $10   ② $15   ③ $65
④ $72   ⑤ $80

W   Hello. Can I help you?

M   Yes. I'm looking for a school bag for my _____.

W   How old is he?

M   He's _____ elementary school next month.

W   Why don't you _____ this bag with a superhero
제안하는 표현   정답 근거
character on it? It's popular among kids. It's 65 dollars.
~ 사이에

M   Looks nice. He loves this character. Do you also have a shoe bag that _____ _____ _____ character on
주격 관계대명사
it?

W   Of course. It's 15 dollars. If you buy both of them, I can give you a 10% discount _____ _____ _____.
give a discount: 할인해 주다

M   Sounds good. I'll take both.

여 안녕하세요. 도와드릴까요?
남 네. 저는 조카에게 줄 책가방을 찾고 있어요.
여 조카가 몇 살인가요?
남 그는 다음 달에 초등학교에 들어가요.
여 슈퍼히어로 캐릭터가 있는 이 가방을 사는 것은 어떠세요? 그건 아이들 사이에서 인기가 많거든요. 65달러예요.
남 멋지네요. 그는 이 캐릭터를 아주 좋아해요. 똑같은 캐릭터가 들어간 신발 가방도 있나요?
여 물론이죠. 15달러입니다. 만약 두 개를 모두 구입하시면 총 금액에서 10%를 할인해 드릴 수 있어요.
남 좋아요. 둘 다 살게요.

> **Solution Tip** 책가방은 65달러이고, 신발 가방은 15달러이므로 총 80달러이다. 그런데 둘 다 사면 총 금액의 10%를 할인해 준다고 했으므로 남자는 80달러에서 8달러를 할인받은 72달러를 지불해야 한다.

11 할 일

대화를 듣고, 남자가 할 일로 가장 적절한 것을 고르시오.

① 보고서 쓰기
② 인터넷 연결하기
③ 컴퓨터 점검하기
④ 프로그램 설치하기
⑤ 프로그램 삭제하기

여 너 지금 바쁘니? 나한테 큰 문제가 생겼어.
남 무슨 일인데?
여 내 컴퓨터가 고장 난 것 같아.
남 오, 그래?
여 내가 보고서를 쓰고 있었는데 갑자기 문서 작성 프로그램이 사라졌어. 지금은 인터넷도 안 돼.
남 흠. 컴퓨터가 바이러스에 감염된 것 같아. 내가 한번 살펴볼게.
여 정말로 고마워.
남 별 말씀을.

W Are you busy now? I'm in big trouble.
   be in trouble: 곤경에 처하다
M What's the matter?
W I think my computer _____ _____.
M Oh, really?
W I was writing a report, and suddenly, the word processing
                                            문서 작성 프로그램
   program _____. The Internet isn't even working now.
            ♪정답 근거
M Hmm. I think the computer _____ _____ _____.
   I'll take a look at it.
         ~을 살펴보다
W Thank you very much.
M Don't mention it.
   감사에 답하는 말(= You're welcome., My pleasure. 등)

12 언급되지 않은 것

대화를 듣고, 여자가 포스터에 포함할 정보로 언급되지 않은 것을 고르시오.

① 개 사진   ② 개를 잃어버린 장소
③ 개 나이   ④ 개가 입은 옷
⑤ 사례금

남 걱정스러워 보이는구나. 무슨 일이니?
여 내 개가 없어졌어. 개를 찾을 수가 없어.
남 오, 그 말을 듣게 되어 정말 유감이야. 포스터를 만들어서 동네에 붙이면 어때?
여 좋은 생각이다! 개의 사진과 내 전화번호를 넣어야겠어.
남 네가 개를 어디에서 잃어버렸는지도 설명해야 할 것 같아.
여 네 말이 맞아. 다른 추가할 것은?
남 개가 몇 살인지와 무엇을 입고 있는지에 관한 정보도 추가하렴.
여 알겠어. 내게 큰 도움이야. 고마워.

M You look worried. What's wrong?
W My dog is _____. I can't find him.
M Oh, I'm so sorry to hear that. How about making posters
   and putting them up in the neighborhood?
               = posters   ♪정답 근거
W That's a great idea! I'll put a photo of my dog and my
   phone number.
M I think you should also _____ _____ _____
                 ~해야 한다
   _____ him.
W You're right. Anything else to add?
                            to부정사의 형용사적 용법(앞의 Anything 수식)
M Add some information about how old he is and _____
                              전치사의 목적어로 쓰인 명사절
   _____ _____ _____.
W Okay. You're a big help to me. Thank you.

13 그림 정보

다음 해변 지도를 보면서 대화를 듣고, 두 사람이 선택한 구역을 고르시오.

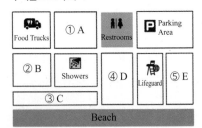

남 해변을 봐. 수영하러 가고 싶다.
여 나도 그래. 그런데 우리는 먼저 비치파라솔을 세워야 해.
남 네 말이 맞아. 어디에 파라솔을 세울까?
여 화장실 바로 옆은 피하자. 냄새가 염려 돼.
남 동의해. B나 C 구역은 어때? 둘 다 푸드 트럭과 샤워 시설이 가까워.
여 주차 구역에서 너무 먼 것 같아. 우리는 나를 물건이 너무 많아.
남 그럼 옵션이 딱 하나 남았네.

M Look at the beach. I want to go swimming.

W _____ _____ _____. But we need to set up the
~을 세우다
beach umbrella first.
비치파라솔

M You're right. Where shall we set up the umbrella?
🎵정답 근거

W Let's avoid the area right next to the restrooms. I'm
~ 옆의
_____ _____ _____ _____.

M I agree. What about section B or C? Both are close to the
둘 다(= section B and C)
food trucks and shower facilities.
샤워 시설

W I think they're too far from the parking area. We have so
~에서 먼
much _____ _____ _____.

M Then, we have only one option left.

14 담화 화제

다음을 듣고, 무엇에 관한 설명인지 고르시오.
① 바이올린   ② 피아노   ③ 드럼
④ 플루트   ⑤ 아코디언

여 이것은 건반에 있는 키를 눌러서 연주하는 악기이다. 그것은 대개 울림판과 금속 현을 감싸는 보호용 나무 통을 가지고 있다. 또한 그것에는 88개의 흑백 건반이 일렬로 있다. 건반을 누르면 악기 안의 금속 현을 작은 망치가 치면서 소리가 난다. 바닥에는 소리를 달라지게 하기 위해 사용되는 2개 또는 3개의 페달이 있다.

🎵정답 근거
W This is a _____ _____ that you play by pressing
목적격 관계대명사
keys on a keyboard. It usually has a protective wooden
나무로 된
case _____ the soundboard and metal strings. It also
has a row of 88 black and white keys. When you press the
keys, the sound is produced by small hammers _____
수동태: be동사+p.p.
the metal strings inside the instrument. At the bottom,
바닥에
there are two or three pedals that _____ _____
주격 관계대명사
_____ _____ the sound.

15 심정

대화를 듣고, 여자의 심정으로 가장 적절한 것을 고르시오.

① bored   ② pleased
③ nervous   ④ disappointed
⑤ frightened

남 이번 주말에 가는 여행 준비는 했어?
여 불행히도, 나는 여행을 취소했어.
남 정말? 왜 취소했어?
여 주말에 출근을 해야 해서.
남 오, 정말 안타깝네.
여 설상가상으로 나는 비행기표를 환불받을 수 없어. 표가 환불이 안 되는 거야.
남 너 정말 실망했겠구나. 표가 아마 비쌌을 텐데.
여 맞아. 그런데 어쩔 수 없지.

① 지루한   ② 기쁜   ③ 불안해하는
④ 실망한   ⑤ 무서워하는

M Are you ready for your trip this weekend?
   be ready for: ~할 준비가 되다

W Unfortunately, I _____ _____ _____.

M Really? Why did you cancel it?

W I have to go to work over the weekend.
   출근하다

M Oh, I'm so sorry to hear that.

W _____ _____ _____ _____, I can't get a
   refund on my plane tickets. They're non-refundable.   환불받다
   정답 근거   환불이 안 되는

M You must be disappointed. They were probably expensive.

W Yeah. But _____ _____ I can do about it.

---

16 장소

대화를 듣고, 두 사람이 대화하는 장소로 가장 적절한 곳을 고르시오.

① airport   ② hotel
③ laundry   ④ tailor's shop
⑤ bookstore

여 안녕하세요. 도와드릴까요, 손님?
남 네, 지금 숙박 수속을 할 수 있는지 궁금합니다.
여 예약을 하셨나요?
남 네, 했어요. 제 이름은 Jason Miller입니다.
여 확인해 볼게요. [타자 치는 소리] 1인실로 3일을 예약하셨네요.
남 네, 맞아요.
여 여기 열쇠 있습니다. 벨보이에게 손님의 짐을 방까지 옮기도록 하겠습니다.
남 감사합니다. 그런데, 세탁 서비스가 지금 가능한가요?
여 죄송합니다, 손님. 세탁물 수거는 오전 8시에서 오후 5시까지만 가능해요.

① 공항   ② 호텔   ③ 세탁소
④ 양복점   ⑤ 서점

W Good evening. May I help you, sir?

M Yes. I'm wondering if I can _____ _____ now.
   나는 ~인지 궁금하다

W Do you have a reservation?
   예약해 두다

M Yes, I do. My name is Jason Miller.

W Let me see. [Typing sound] You booked a _____ for   정답 근거
   three nights.

M Yeah. That's right.

W Here's your key. I'll have the bellboy _____ _____
   벨보이(호텔에서 손님들의 짐을 운반하는 사람)
   _____ to your room.

M Thanks. By the way, is laundry service _____ now?
   그런데(화제 전환)

W Sorry, sir. Laundry pickup is only available _____ 8
   세탁물 수거
   a.m. _____ 5 p.m.

▶ **Solution Tip** check in, booked a single for three nights, bellboy, laundry service 등의 표현으로 두 사람이 호텔에서 대화하고 있음을 알 수 있다.

17 적절한 응답

대화를 듣고, 남자의 마지막 말에 대한 여자의 응답으로 가장 적절한 것을 고르시오.

Woman: _____

① Sure. Can I have the recipe?
② Where did you learn to cook?
③ I'll write it out for you later.
④ Delicious food doesn't come easy.
⑤ Yeah, it took me hours to prepare.

W   Mr. Smith, _____ _____ _____ some more pie?

M   Oh, yes, thanks. It's really delicious.

W   Thanks. Help yourself.

M   I think it _____ _____ _____ hours to make.

W   Not really. Actually, it's quite easy to make.
　　　　　　　　　　　　　　　　 꽤, 상당히

M   Really? You're a good cook.

W   I'm so glad _____ _____ _____.
　　 🎵정답 근거

M   If you don't mind, I'd love to have the recipe.

W   ③ I'll write it out for you later.

여   Smith 씨, 파이 조금 더 드실래요?
남   오, 네, 고마워요. 이건 정말 맛있네요.
여   고마워요. 마음껏 드세요.
남   만드는 데 분명 시간이 많이 걸렸을 것 같아요.
여   별로요. 사실, 이건 정말 만들기 쉬워요.
남   그래요? 요리를 잘하시는군요.
여   당신이 그것을 좋아하니 기쁘네요.
남   괜찮다면 조리법을 알고 싶어요.
여   ③ 나중에 적어드릴게요.

① 물론이죠. 제가 조리법을 알 수 있을까요?　　② 요리를 어디에서 배웠어요?
④ 맛있는 음식은 쉽게 생기는 게 아니죠.　　⑤ 네, 준비하는 데 몇 시간이나 걸렸어요.

18 적절한 응답

대화를 듣고, 여자의 마지막 말에 대한 남자의 응답으로 가장 적절한 것을 고르시오.

Man: _____

① Where are you from?
② No, I'm afraid I can't.
③ No. What about the weather?
④ Yes, I'm very good at driving.
⑤ Really? I'd love to go there sometime.

M   Excuse me. You _____ _____.

W   Was I?
　　　　 🎵정답 근거

M   Yes. The speed limit is 30 km/h, but you _____ 40 km/h.
　　　　　 제한 속도

W   I didn't see the speed limit sign, so I _____ _____

　　 I was speeding.

M   Can I have your driver's license, please?
　　　　　　　　　　　　 운전 면허증

W   Oh, I'm so sorry. Would you _____ _____ _____

　　 the hook?

M   ② No, I'm afraid I can't.

남   실례합니다. 속도를 위반하고 계셨어요.
여   제가 그랬나요?
남   네, 제한 속도가 시속 30킬로미터인데, 40킬로미터로
　　 운전하셨어요.
여   저는 제한 속도 표지판을 못 봐서 속도를 위반하는지
　　 몰랐어요.
남   운전 면허증을 보여 주시겠습니까?
여   오, 정말로 최송합니다. 봐주시면 안 될까요?
남   ② 아뇨, 유감스럽지만 그렇게 할 수 없습니다.

① 어디 출신이세요?　　　　　　　③ 아뇨, 날씨는 어떤가요?
④ 네, 저는 운전을 정말 잘해요.　　⑤ 정말요? 저도 언젠가는 그곳에 가 보고 싶어요.

19 적절한 응답 □□

대화를 듣고, 남자의 마지막 말에 대한 여자의 응답으로 가장 적절한 것을 고르시오.

Woman: _____

① Okay. Here's ten dollars.
② I wish I had a lot of money.
③ No way. Look on the bright side.
④ Is it okay if I check out this book?
⑤ All right. How much do you need?

남 Jessica, 돈 좀 빌려줄 수 있니?
여 물론이지. 그런데 무엇 때문에 그러니?
남 음, 책을 한 권 사야 하는데 지갑을 내 방에 두고 왔어.
여 10달러면 충분하니?
남 그래, 충분해. 정말로 고마워.
여 천만에. 친구 좋다는 게 뭐니?
남 내가 내일 갚을게.
여 ① 알았어. 여기 10달러야.

M Jessica, can you _____ _____ _____ _____?

W Sure. But what for?

M Well, I need to buy a book, but I left my wallet in my room.
   🎵정답 근거

W Is ten dollars _____?

M Yes, it's enough. I'd really appreciate it.

W Not at all. _____ are _____ _____?
   감사에 답하는 말(= Don't mention it. 등)

M I'll pay you back tomorrow.
   pay back: (빌린 돈을) 갚다

W ① Okay. Here's ten dollars.

② 내가 돈이 많으면 좋을 텐데.   ③ 절대 안 돼. 긍정적으로 생각해.
④ 제가 이 책을 대출할 수 있을까요?   ⑤ 알았어. 얼마나 필요해?

20 상황에 맞는 말 □□

다음 상황 설명을 듣고, John이 Alex에게 할 말로 가장 적절한 것을 고르시오.

John: Alex, _____

① good idea. Let's go right now.
② I'm on my way to a baseball game.
③ sorry, but I have to study for the test.
④ you should have listened to your teacher.
⑤ don't worry. You'll have lots of time to study.

남 John은 집에 가는 길에 Alex를 만난다. Alex는 야구 경기에 가는 중이라며 John에게 같이 가자고 한다. John은 야구를 아주 많이 좋아하지만 다음 날 영어 시험이 있다. 그는 좋은 점수를 받고 싶다. John은 야구장에 가는 대신 시험공부를 하기로 결심한다. 이러한 상황에서 John은 Alex에게 뭐라고 말할까?
John Alex, ③ 미안하지만 나는 시험공부를 해야 해.

M John meets Alex _____ _____ _____ _____.
   Alex says that he's going to a baseball game and asks John to join him. John likes baseball very much, but he has an English test the next day. He wants to get a good score.
   🎵정답 근거   그 다음 날
   John _____ _____ _____ for the test instead of
                                              ~ 대신에
   going to the ballpark. In this situation, what would John most likely say to Alex?

John Alex, ③ sorry, but I have to study for the test.

① 좋은 생각이야. 지금 바로 가자.   ② 나는 야구 경기에 가는 길이야.
④ 너는 선생님 말씀을 들었어야 했어.   ⑤ 걱정하지 마. 너에게는 공부할 시간이 많을 거야.

모의고사를 먼저 풀고 싶으면 154쪽으로 이동하세요.

🎧 다음 표현을 듣고 모르는 것에 표시하시오.

- [ ] 01 **dot** 점
- [ ] 02 **last** 가장 최근에, 마지막으로
- [ ] 03 **from now on** 지금부터
- [ ] 04 **stuck** 갇힌, 빠져나갈 수가 없는
- [ ] 05 **accident** 사고
- [ ] 06 **competition** 대회
- [ ] 07 **deserve** ~할[받을] 만하다
- [ ] 08 **luck** 행운
- [ ] 09 **as good** 똑같이 잘
- [ ] 10 **perhaps** 아마, 어쩌면
- [ ] 11 **appear** (방송에) 나오다
- [ ] 12 **regarding** ~에 관하여
- [ ] 13 **make oneself at home** 느긋하게[편히] 쉬다
- [ ] 14 **cost an arm and a leg** 큰돈이 들다
- [ ] 15 **share** 공유하다, 나누다
- [ ] 16 **public** 대중
- [ ] 17 **suggestion** 제안
- [ ] 18 **feature** 특징, 특성
- [ ] 19 **automatic** 자동의
- [ ] 20 **waterproof** 방수의
- [ ] 21 **complete** 완전한
- [ ] 22 **work on** (해결하기 위해) ~에 애쓰다
- [ ] 23 **expect** 예상하다
- [ ] 24 **briefly** 잠시

- [ ] 25 **ahead of** ~ 앞에
- [ ] 26 **neighbor** 이웃
- [ ] 27 **donation** 기증(품), 기부(금)
- [ ] 28 **collect** 모으다
- [ ] 29 **discuss** 상의하다
- [ ] 30 **oversleep** 늦잠을 자다
- [ ] 31 **reason** 이유
- [ ] 32 **advice** 조언
- [ ] 33 **confident** 자신감 있는
- [ ] 34 **to the best of one's ability** 최선을 다해서
- [ ] 35 **impression** 인상, 느낌
- [ ] 36 **blushing** 얼굴이 빨개진
- [ ] 37 **get nowhere** 진전이 없다
- [ ] 38 **work** 효과가 있다
- [ ] 39 **pick out** ~을 고르다
- [ ] 40 **salesclerk** 점원

✏️ 알아두면 유용한 선택지 어휘

- [ ] 41 **delighted** 기쁜
- [ ] 42 **disappointed** 낙담한
- [ ] 43 **do one's best** 최선을 다하다
- [ ] 44 **work out** 운동하다
- [ ] 45 **regularly** 규칙적으로

🎧 들으면서 표현을 완성한 다음, 뜻을 고르시오.

표현의 의미를 생각하며 다시 써 보기!

01 impressi◻n ☐ 인상 ☐ 증거 → _____

02 dis◻uss ☐ 해결하다 ☐ 상의하다 → _____

03 col◻ect ☐ 모으다 ☐ 나누다 → _____

04 overslee◻ ☐ 면하다 ☐ 늦잠을 자다 → _____

05 re◻son ☐ 이유 ☐ 결과 → _____

06 don◻tion ☐ 봉사 ☐ 기증(품) → _____

07 ac◻ident ☐ 사고 ☐ 상황 → _____

08 per◻aps ☐ 아마 ☐ 특히 → _____

09 w◻rk ☐ 운동하다 ☐ 효과가 있다 → _____

10 a◻to◻atic ☐ 자동의 ☐ 전자의 → _____

11 re◻arding ☐ ~에 상관없이 ☐ ~에 관하여 → _____

12 sug◻estion ☐ 제안 ☐ 숙고 → _____

13 water◻roof ☐ 방수의 ☐ 수중의 → _____

14 bri◻fly ☐ 확실하게 ☐ 잠시 → _____

15 appe◻r ☐ 사라지다 ☐ (방송에) 나오다 → _____

16 blus◻ing ☐ 얼굴이 빨개진 ☐ 낯빛이 어두운 → _____

17 di◻ap◻ointed ☐ 태연한 ☐ 낙담한 → _____

18 advi◻e ☐ 사과 ☐ 조언 → _____

19 f◻ature ☐ 특징, 특성 ☐ 취향 → _____

20 deli◻hted ☐ 압도된 ☐ 기쁜 → _____

실전 모의고사 [10]회

실전 모의고사 10회 →
┌ 모의고사 보통 속도
└ 모의고사 빠른 속도

✎ 들으면서 주요 표현 메모하기!

01 대화를 듣고, 남자가 구입할 컵을 고르시오.

① 　② 　③ 　④ 　⑤

02 대화를 듣고, 남자가 여자에게 전화한 목적으로 가장 적절한 것을 고르시오.

① 상담 예약 문의　　② 카드 습득 신고　　③ 카드 분실 신고
④ 카드 재발급 신청　　⑤ 은행 계좌 개설

03 다음 그림의 상황에 가장 적절한 대화를 고르시오.

①　　　　②　　　　③　　　　④　　　　⑤

고난도　메모하며 풀기

04 대화를 듣고, 두 사람이 만나기로 한 장소를 고르시오.

① 집　　② 극장　　③ 식당　　④ 지하철역　　⑤ 버스 정류장

05 대화를 듣고, 남자의 심정으로 가장 적절한 것을 고르시오.

① angry　　　　② scared　　　　③ disappointed
④ delighted　　　⑤ embarrassed

06 대화를 듣고, 두 사람의 관계로 가장 적절한 것을 고르시오.

① 교사 — 학부모   ② 의사 — 환자   ③ 교수 — 학생

④ 감독 — 운동선수   ⑤ 사진작가 — 모델

✎ 들으면서 주요 표현 메모하기!

07 다음을 듣고, 두 사람의 대화가 <u>어색한</u> 것을 고르시오.

①   ②   ③   ④   ⑤

08 대화를 듣고, 여자가 남자에게 부탁한 일로 가장 적절한 것을 고르시오.

① 동영상 촬영하기   ② 기타 연주 들려주기

③ 기타 연주법 가르쳐 주기   ④ 인터넷에 동영상 올리기

⑤ 인터넷에 동영상 올리는 법 알려 주기

09 대화를 듣고, 남자의 마지막 말에 담긴 의도로 가장 적절한 것을 고르시오.

① 요청   ② 칭찬   ③ 감사   ④ 충고   ⑤ 거절

고난도 | 메모하며 풀기

10 대화를 듣고, 여자가 지불할 금액을 고르시오.

① $5.05   ② $5.50   ③ $5.55   ④ $10.05   ⑤ $10.55

틀린 문제는 **Dictation**에서 완벽하게 이해하세요.

🖊 들으면서 주요 표현 메모하기!

11 대화를 듣고, 카메라에 관해 언급되지 않은 것을 고르시오.

① 제조사　　　② 모델명　　　③ 특징　　　④ 정가　　　⑤ 할인가

12 다음 표를 보면서 대화를 듣고, 남자가 예약한 내용을 고르시오.

	Date	Time	Court	Number of Players
①	June 3rd	2 p.m.	No. 10	2
②	June 13th	2 p.m.	No. 10	4
③	June 13th	4 p.m.	No. 4	2
④	June 23rd	2 p.m.	No. 10	4
⑤	June 23rd	4 p.m.	No. 4	4

고난도　메모하며 풀기

13 다음을 듣고, 무엇에 관한 안내 방송인지 고르시오.

① 열차 운행 시간　　　② 긴급 정차 이유　　　③ 열차 화재 발생
④ 긴급 대피 요령　　　⑤ 열차 도착 시각

14 다음을 듣고, *Spirit of Giving*에 관해 언급되지 않은 것을 고르시오.

① 행사 목적　　　② 행사 장소　　　③ 행사 기간
④ 기부 가능한 품목　　　⑤ 행사 문의처

15 대화를 듣고, 두 사람이 만나기로 한 요일과 시각을 고르시오.

① Tuesday, 10:30 a.m.　　　② Thursday, 10:00 a.m.
③ Thursday, 10:30 a.m.　　　④ Friday, 10:00 a.m.
⑤ Friday, 10:30 a.m.

16 대화를 듣고, 남자가 대화 직후에 할 일로 가장 적절한 것을 고르시오.

① 전화하기　　② 회의 미루기　　③ 회의 취소하기
④ 이메일 보내기　　⑤ 동아리 가입하기

들으면서 주요 표현 메모하기!

고난도 ｜ 메모하며 풀기

17 대화를 듣고, 여자의 마지막 말에 대한 남자의 응답으로 가장 적절한 것을 고르시오.

Man: _____

① I'm sure you'll have fun.
② Congratulations! You got the job.
③ I won't take your advice anymore.
④ Okay. I'll keep that in mind. Thanks.
⑤ I was impressed by your presentation.

18 대화를 듣고, 남자의 마지막 말에 대한 여자의 응답으로 가장 적절한 것을 고르시오.

Woman: _____

① I'll step on the gas.
② Calm down. I'll do my best.
③ Why don't you check the car?
④ There is a car repair shop near my house.
⑤ Great! Let's ask him if he can come help us.

19 대화를 듣고, 여자의 마지막 말에 대한 남자의 응답으로 가장 적절한 것을 고르시오.

Man: _____

① He seems happy.
② I wish I were you.
③ I never heard him laugh.
④ Believe me. It'll work.
⑤ You should work out regularly.

20 다음 상황 설명을 듣고, Jeff가 점원에게 할 말로 가장 적절한 것을 고르시오.

Jeff: _____

① May I try these on?
② How much are they?
③ You must be very upset.
④ Do you have another one?
⑤ You have the wrong number.

틀린 문제는 Dictation에서 완벽하게 이해하세요.

01 그림 묘사

*들을 때마다 체크

대화를 듣고, 남자가 구입할 컵을 고르시오.

① ② ③
④ ⑤

여 도와드릴까요?
남 네. 저 컵은 얼마인가요?
여 20달러입니다.
남 마음에 들지만 저한테는 너무 비싸네요.
여 그럼 이것은 어떠세요? 아름다운 장미가 그려져 있고 훨씬 더 저렴해요.
남 음…… 그것은 손잡이가 없네요. 사실, 저는 손잡이가 달린 컵을 원해요.
여 글쎄요, 장미가 그려져 있으면서 손잡이가 달린 컵은 없어요. 점무늬가 있는 이것은 어떠세요? 인기도 있고 10달러밖에 하지 않아요.
남 그것도 좋아 보이네요. 그것으로 할게요.

W Can I help you?

M Yes. How much is that cup?

W It's 20 dollars.

M I like it, but it's _____ _____ for me.

W Then how about this one? It's painted with a beautiful rose and is _____ _____.

M Hmm ... it doesn't have a handle. Actually, I want a cup _____ _____ _____.
*정답 근거

W Well, we don't have handled cups with a rose on them. How about this one with dots? It's also popular and only 10 dollars.
손잡이가 달린

M That looks nice, too. I'll take it.

02 목적

대화를 듣고, 남자가 여자에게 전화한 목적으로 가장 적절한 것을 고르시오.
① 상담 예약 문의
② 카드 습득 신고
③ 카드 분실 신고
④ 카드 재발급 신청
⑤ 은행 계좌 개설

[전화벨이 울린다.]
여 여보세요. PB 카드 고객 서비스 센터입니다. 어떻게 도와드릴까요?
남 여보세요. 제가 신용 카드를 분실했어요.
여 알겠습니다. 성함을 말씀해 주시겠습니까?
남 Steve Lee입니다.
여 잠시만 기다려 주세요. [타자 치는 소리] 2장의 카드를 가지고 계시네요. 분실한 카드 번호를 말씀해 주시겠어요?
남 네. 1234–5678–0000–1234입니다.
여 그것을 언제 분실하셨어요?
남 정확히는 모르겠어요. 하지만 오늘 정오에 마지막으로 사용했어요.
여 알겠습니다. 지금 카드가 정지되었습니다. 제가 더 도와드릴 것이 있나요?
남 아뇨, 고맙습니다.

 Telephone rings.

W Hello. This is PB Card Customer Service Center. How can I help you?

M Hello. I've _____ my credit card.
*정답 근거

W Okay. Can I have your name, please?

M Steve Lee.

W Just a moment, please. [*Typing sound*] You have two cards. _____ _____ _____ _____ the lost card number?
= Just a second[minute], please.

M Sure. It's 1234–5678–0000–1234.

W When did you lose it?

M I don't know exactly. But I last used it _____ _____ today.

W All right. Now, your card _____ _____. Anything else I can help you with?

M No, thank you.

Dictation 10회 →
┌ 전체 듣기
└ 문항별 듣기

Dictation의 효과적인 활용법
STEP 1 들으면서 대본의 빈칸 채우기
STEP 2 축쇄 문제를 보며 다시 풀어 보기
STEP 3 해석을 보며 영어로 말하거나 영작해 보기

공부한 날   월   일

03 그림 상황

다음 그림의 상황에 가장 적절한 대화를 고르시오.

① ② ③ ④ ⑤

① 여 너 유리창을 또 깨뜨렸구나!
  남 죄송해요. 다음번에는 운동장에서 할게요.
② 여 오늘 내가 홈런을 쳤어!
  남 정말 잘했어.
③ 여 우리 야구하지 않을래?
  남 미안하지만 나는 농구가 하고 싶어.
④ 여 TV에서 한국과 쿠바 간의 야구 경기가 나와.
  남 정말? 경기를 보자.
⑤ 여 유리창을 닦을 때는 조심하는 게 좋겠어.
  남 죄송해요. 지금부터는 더 조심할게요.

① W 🎸정답 근거 You _____ _____ _____ again!

M I'm sorry. I'll play on the playground next time.

② W I hit a homerun today!
홈런을 쳤다(여기서의 hit은 과거형 / hit-hit-hit)

M You did a great job.

③ W Why don't we play baseball?
제안하는 표현(= Let's ～)

M Sorry, but I _____ _____ play basketball.

④ W There's a baseball game between Korea and Cuba on
TV.
on TV: TV에서

M Really? Let's watch the game.

⑤ W You'd better be careful when you clean the window.

M Sorry. I'll be more careful _____ _____ _____.
-ful로 끝나는 3음절 이상의 형용사의 비교급은 앞에 more를 씀

Sound Tip hit a homerun
영어는 개별 단어보다는 구 단위로 발음하고 듣는 연습을 하는 것이 중요하다. hit a homerun은 hit과 바로 뒤에 모음 a가 연결되어 /힛 어 홈런/로 발음하지 않고 /히더 홈런/로 발음한다.

04 장소

대화를 듣고, 두 사람이 만나기로 한 장소를 고르시오.
① 집   ② 극장   ③ 식당
④ 지하철역   ⑤ 버스 정류장

[휴대 전화벨이 울린다.]
남 여보세요.
여 Dave, 너 지금 어디니? 나는 집에서 널 기다리고 있어!
남 정말 미안해. 차가 막혀서 옴짝달싹 할 수가 없어. 차
  사고가 있었거든.
여 얼마나 걸리겠니?
남 30분 정도 걸릴 것 같아.
여 그러면 식당으로 곧장 가. 거기에서 만나자.
남 너는 어떻게 식당에 갈 건데?
여 걱정하지 마. 나는 지하철을 타면 돼.
남 알겠어. 거기서 보자.

📞Cellphone rings.

M Hello.

W Dave, where are you now? I'm _____ _____ you
_____ _____!

M I'm so sorry. I got stuck in traffic. There was a car
accident.

W _____ _____ will it take?

M I think it will take about 30 minutes.
🎸정답 근거   약, 쯤

W Then go straight to the restaurant. I'll see you there.

M How will you get to the restaurant?

W Don't worry. I can _____ _____ _____.

M Okay. See you there.

[Dictation]실전 모의고사 10회

05 심정

대화를 듣고, 남자의 심정으로 가장 적절한 것을 고르시오.

① angry
② scared
③ disappointed
④ delighted
⑤ embarrassed

여 너 즐거워 보인다! 무슨 일이야?
남 내가 웅변 대회에서 1등상을 받았어.
여 왜 축하해! 나는 네가 그 상을 받을 만하다고 생각해. 연습을 많이 했잖아.
남 운도 좀 따랐어. 다른 모든 학생들도 똑같이 잘했거든.
여 아마도 그랬겠지.
남 더 놀라운 것은 내가 연설에 관해 이야기하기 위해 전국적인 TV 쇼에 나온다는 거야.
여 정말? 대단하다!
남 그것을 빨리 보고 싶어!

① 화난   ② 무서운   ③ 낙담한
④ 기쁜   ⑤ 당황한

W You look happy! What's up?
M I _____ _____ _____ in a speech competition.
W Wow! Congratulations! I think you deserve it. You practiced a lot.
M I had a little luck as well. All of the other students were just _____ _____.
W Perhaps.
M More surprising, I'll _____ on a national TV show to talk about my speech.
W Really? That's amazing!
M I _____ _____ _____ it!

06 두 사람의 관계

대화를 듣고, 두 사람의 관계로 가장 적절한 것을 고르시오.

① 교사 — 학부모
② 의사 — 환자
③ 교수 — 학생
④ 감독 — 운동선수
⑤ 사진작가 — 모델

[전화벨이 울린다.]
여 여보세요. Lisa Jones입니다.
남 여보세요. 저는 Emma의 아버지인 Mark Wilson입니다.
여 오, Wilson 씨. 무슨 일로 전화하셨나요?
남 Emma가 내일 학교를 못 갈 것 같아요.
여 왜요? 그녀에게 무슨 일이 있나요?
남 네. 독감에 걸렸어요. 의사 선생님이 일주일 정도 집에 있어야 한다고 말씀하셨어요.
여 오, 그렇군요. 정말 안됐네요. 그녀가 빨리 낫기를 바라요.
남 감사합니다.

Telephone rings.
W Hello. This is Lisa Jones.
M Hello. This is Mark Wilson, Emma's father.
W Oh, Mr. Wilson. What is your call regarding?
M I think Emma _____ _____ _____ go to school tomorrow.
W Why? Is something wrong with her?
M Yes. She has the flu. The doctor said that she _____ _____ _____ for about a week.
W Oh, I see. I'm so sorry to hear that. I hope she will get better soon.
M Thank you.

07 어색한 대화

다음을 듣고, 두 사람의 대화가 어색한 것을 고르시오.
① ② ③ ④ ⑤

① 여 마음 편하게 지내세요.
　남 고맙습니다.
② 여 집 청소하는 것을 도와줄래요?
　남 물론이죠. 제가 뭐부터 하면 될까요?
③ 여 너의 집에 어떻게 가면 되니?
　남 지하철을 타면 돼. 시청역에서 멀지 않아.
④ 여 몸조심하세요.
　남 이보다 더 좋을 수는 없어요.
⑤ 여 왜 네 가방 비싸 보인다!
　남 응, 정말 비쌌어.

① W _____ _____ at home.
　M Thank you.
② W Can you _____ _____ _____ the house?
　M Of course. What should I do first?
③ W How can I _____ _____ your house?
　M You can take the subway. It's not far from City Hall Station.
　정답 근거
④ W Take care of yourself.
　헤어질 때 하는 인사말
　M It couldn't be better.
⑤ W Wow! Your bag _____ _____!
　M Yeah, it cost an arm and a leg.
　큰돈이 들다 / 여기서의 cost는 과거형(cost-cost-cost)

Solution Tip 헤어질 때 하는 인사말에 '이보다 더 좋을 수 없다'고 답하는 것은 어색하다.

08 부탁한 일

대화를 듣고, 여자가 남자에게 부탁한 일로 가장 적절한 것을 고르시오.
① 동영상 촬영하기
② 기타 연주 들려주기
③ 기타 연주법 가르쳐 주기
④ 인터넷에 동영상 올리기
⑤ 인터넷에 동영상 올리는 법 알려 주기

남 Grace, 방금 전에 기타를 연주했던 사람이 너니?
여 응, 내가 연습하고 있었어.
남 멋지다. 나는 네가 그렇게 기타를 잘 치는지 몰랐어.
여 고마워.
남 동영상을 만들어서 인터넷에 올려 보지 그러니?
여 농담하는 거지? 사람들과 내 기타 연주를 공유하기에는 내가 너무 부끄러움을 많이 타.
남 농담하는 거 아냐. 나는 모두가 아주 좋아할 거라 확신해.
여 정말 그렇게 생각해? 그러면 내게 인터넷에 동영상 올리는 법을 알려 주겠니?
남 그래.

M Grace, was it you _____ _____ the guitar just now?
　방금 전에
W Yes, I was practicing.
M You're great. I didn't know you were _____ a great guitar player.
W Thank you.
M Why don't you make a video and upload it to the Internet?
　~하는 게 어때?(제안하는 표현)
W Are you kidding? I'm _____ _____ _____ _____ my guitar playing with the public.
M I'm not kidding. I'm sure everyone will love it.
　정답 근거
W Do you really think so? Then, can you tell me _____ _____ _____ a video onto the Internet?
M Of course.

Dictation **161**

[Dictation]실전 모의고사 10회

09 마지막 말의 의도

대화를 듣고, 남자의 마지막 말에 담긴 의도로 가장 적절한 것을 고르시오.

① 요청　　② 칭찬　　③ 감사
④ 충고　　⑤ 거절

[전화벨이 울린다.]
여　Jake, 지금 뭐 하고 있니?
남　너를 위해 저녁을 준비하고 있어.
여　오, 정말? 너 무척 친절하구나. 뭘 만들고 있어?
남　토마토 스파게티를 만들고 있어. 네가 가장 좋아하는 것이잖아.
여　왜! 그것을 빨리 먹고 싶다.
남　이런. 양파가 없다는 것을 방금 깨달았어.
여　내가 시장에 들러서 좀 사갈까?
남　그렇게 해 줄 수 있겠니?

📞Telephone rings.

W　Jake, what are you doing now?

M　I'm _____ dinner for you.

W　Oh, really? That's so _____ _____ _____. What are you making?

M　I'm making tomato spaghetti, which is your favorite.
　　계속적 용법의 주격 관계대명사(= and it ~)

W　Wow! _____ _____ _____ to eat it.

M　Uh-oh. I just realized I don't have any onions.

W　Do you want me to stop by the market and buy some?
　　~에 들르다

M　Would you _____ _____ that?

10 금액

대화를 듣고, 여자가 지불할 금액을 고르시오.

① $5.05　　② $5.50　　③ $5.55
④ $10.05　　⑤ $10.55

남　도와드릴까요?
여　네. 50센트짜리 우표 10장 주시겠어요?
남　여기 있습니다. 다른 것은요?
여　프랑스로 엽서를 보내는 데 얼마가 드나요?
남　55센트가 듭니다.
여　알겠습니다. 이 엽서를 프랑스로 보내고 싶어요.
남　50센트짜리 우표 10장과 엽서 1장. 이게 전부인가요?
여　네.

M　May I help you?

W　Yes. Can I have ten 50-cent stamps, please?

M　Here you are. Anything else?

W　_____ _____ _____ _____ _____ to send a postcard to France?

M　It costs 55 cents.

W　Okay. I'd like to send this postcard to France.
　　would like to: ~하고 싶다

M　Ten 50-cent stamps and a postcard. Will that _____ _____?

W　Yes, please.

Solution Tip 100센트는 1달러이므로, 50센트짜리 우표 열 장은 5달러이다. 여기에 프랑스로 엽서를 보내는 비용 55센트를 합하면 5달러 55센트이다. ten 50-cent stamps에 주의하여 듣는다.

11 언급되지 않은 것

대화를 듣고, 카메라에 관해 언급되지 <u>않은</u> 것을 고르시오.

① 제조사　② 모델명　③ 특징
④ 정가　⑤ 할인가

남　안녕하세요. 도와드릴까요, 손님?
여　네. 저는 새 카메라를 구입하고 싶어요. 제안해 주실 것이 있나요?
남　음, DGA사에서 나온 좋은 카메라가 있어요.
여　그것의 특징이 뭔가요?
남　꽤 작고 얇습니다. 자동 초점 기능이 있고요. 그리고 방수가 됩니다.
여　그것을 한번 볼 수 있을까요?
남　물론이죠. [잠시 후] 여기 있습니다.
여　흠…… 마음에 드네요. 얼마인가요?
남　정가는 350달러인데 할인해서 300달러입니다.

M　Hello. Can I help you, ma'am?

W　Yes. I want to buy a new camera. Do you have _____ _____?
<small>to부정사의 명사적 용법(동사 want의 목적어)</small>
🎸정답 근거

M　Well, we have a nice camera from DGA.

W　What are _____ _____ of it?

M　It's quite small and thin. It has automatic focus. It's also waterproof.

W　Can I _____ _____ _____ _____ it?

M　Sure. [*Pause*] Here you are.

W　Hmm ... I like it. How much is it?

M　The _____ _____ is 350 dollars, but it's on sale for
<small>할인 중인</small>
300 dollars.

▶ **Solution Tip** 카메라의 제조사(from DGA), 특징(small and thin, automatic focus, waterproof), 정가(350 dollars), 할인가(300 dollars)는 언급되었지만, 모델명은 언급되지 않았다.

12 표 정보

다음 표를 보면서 대화를 듣고, 남자가 예약한 내용을 고르시오.

	Date	Time	Court	Number of Players
①	June 3rd	2 p.m.	No. 10	2
②	June 13th	2 p.m.	No. 10	4
③	June 13th	4 p.m.	No. 4	2
④	June 23rd	2 p.m.	No. 10	4
⑤	June 23rd	4 p.m.	No. 4	4

[전화벨이 울린다.]
여　Green 테니스장입니다. 무엇을 도와드릴까요?
남　여보세요. 이번 주 토요일, 6월 23일에 예약을 하고 싶습니다.
여　알겠습니다. 그날은 오후 2시와 4시에 코트가 하나씩 있어요. 몇 시를 원하세요?
남　저는 오후 2시가 좋을 것 같아요.
여　알겠습니다. 성함을 말씀해 주시겠어요?
남　James Martin이고요, 4명이 갈 예정입니다.
여　6월 23일 오후 2시에 10번 코트를 사용하시면 됩니다.
남　감사합니다.

📞Telephone rings.

W　Green Tennis Club. What can I do for you?

M　Hello. I'd like to make a reservation for this Saturday,
<small>예약하다</small>
<small>would like to: ~하고 싶다</small>
June 23rd.

W　Okay. We have a court at 2 p.m. and 4 p.m. on that day. _____ _____ _____ you _____?

M　I think 2 p.m. would be great.

W　All right. _____ _____ _____ _____ _____, please?
🎸정답 근거

M　I'm James Martin, and there'll be four players.

W　You can use court No. 10 at 2 p.m. on June 23rd.

M　Thank you.

13 담화 주제 □□

다음을 듣고, 무엇에 관한 안내 방송인지 고르시오.
① 열차 운행 시간
② 긴급 정차 이유
③ 열차 화재 발생
④ 긴급 대피 요령
⑤ 열차 도착 시각

W Good afternoon, passengers. We're slowing down to
_____ _____ _____. We were told that a train
has broken down in front of us. But they're working on it
right now. I expect we won't be here _____ _____
_____. I'm very sorry for the _____. Once again,
we're stopping briefly because a train ahead of us has
broken down. Please stay calm until we get the green
light. Thank you.

여 안녕하세요, 승객 여러분. 저희는 속도를 줄여 완전히 정차할 예정입니다. 우리 앞에 가던 열차가 고장이 났다는 연락을 받았습니다. 하지만 문제를 해결하려고 지금 노력하고 있습니다. 이곳에 그리 오래 정차하지 않을 것이라고 예상합니다. 지연이 되어 대단히 죄송합니다. 다시 한 번 말씀드립니다. 우리 앞에 가던 열차가 고장이 나서 잠시 정차 중입니다. 다시 운행할 수 있을 때까지 차분하게 기다려 주세요. 고맙습니다.

Sound Tip too vs. to
부사 too와 전치사 to, to부정사의 to는 발음이 유사하므로 문맥을 통해 의미를 파악해야 한다. 대개 to는 자음 앞에서는 /tə/로, 모음 앞에서는 /tu/로 발음한다.

14 언급되지 않은 것 □□

다음을 듣고, *Spirit of Giving*에 관해 언급되지 않은 것을 고르시오.
① 행사 목적
② 행사 장소
③ 행사 기간
④ 기부 가능한 품목
⑤ 행사 문의처

M Good morning, students of Park East Middle School.
I'm here to tell you about Spirit of Giving. We hold this
event every year _____ _____ _____ _____
in need. This year, the event will be held in the school
gym from December 15th to 28th. _____ _____
_____ to the gym. Remember we'll collect your items
there between 9 a.m. and 4 p.m. We're collecting clothing,
shoes, and bags. We will not collect blankets or rugs.
We're _____ _____ _____ your participation.
Thank you.

남 안녕하세요, Park East 중학교 학생 여러분. 저는 여러분에게 Spirit of Giving에 관해 말하고자 합니다. 우리는 도움이 필요한 우리의 이웃들을 돕고자 매년 이 행사를 개최합니다. 올해 행사는 12월 15일부터 28일까지 학교 체육관에서 개최될 것입니다. 기증품을 체육관으로 가져와 주세요. 우리가 오전 9시와 오후 4시 사이에 그곳에서 물건을 모은다는 것을 기억해 주세요. 우리는 옷, 신발, 그리고 가방을 모을 것입니다. 담요와 깔개는 모으지 않을 것입니다. 여러분의 참여를 고대하고 있습니다. 감사합니다.

 Solution Tip 행사 목적(to help our neighbors in need), 행사 장소(in the school gym), 행사 기간(from December 15th to 28th), 기부 가능한 품목(clothing, shoes, and bags)은 언급되었지만, 행사 문의처는 언급되지 않았다.

15 요일, 시각

대화를 듣고, 두 사람이 만나기로 한 요일과 시각을 고르시오.

① Tuesday, 10:30 a.m.
② Thursday, 10:00 a.m.
③ Thursday, 10:30 a.m.
④ Friday, 10:00 a.m.
⑤ Friday, 10:30 a.m.

[휴대 전화벨이 울린다.]
남 여보세요.
여 여보세요, Harris 선생님이시죠? 저는 Dorothy Crow 입니다. 선생님의 역사 수업을 듣고 있어요.
남 안녕, Dorothy. 무슨 일이니?
여 선생님과 상의하고 싶은 것이 있어서요. 이번 주에 시간 있으세요?
남 그래. 나는 목요일이나 금요일 오전 10시에 한가하단다. 너는 언제가 오기 편하니?
여 저는 금요일이 더 나을 것 같아요. 10시 30분에 봬도 될까요? 제가 10시까지 과학 수업이 있어요.
남 물론이지. 그럼 금요일 10시 30분에 내 사무실에서 보자.
여 고맙습니다. 그때 봬게요.

📞 Cellphone rings.

M Hello.

W Hello, Mr. Harris? This is Dorothy Crow. I'm taking your history class.

M Hi, Dorothy. What's up?

W I have something to discuss with you. _____ _____
to부정사의 형용사적 용법(앞에 something 수식)
_____ _____ this week?

M Yes. I'm _____ at 10 a.m. on Thursday or Friday. Which one is _____ for you to come?

W Friday will be better for me. _____ _____ _____
at 10:30? I have a science class until 10.

M 🎵정답 근거
Sure. Then I'll see you at my office at 10:30 on Friday.

W Thank you. See you then.

16 할 일

대화를 듣고, 남자가 대화 직후에 할 일로 가장 적절한 것을 고르시오.

① 전화하기
② 회의 미루기
③ 회의 취소하기
④ 이메일 보내기
⑤ 동아리 가입하기

🇬🇧

M Oh, no! I _____!

W Is there any reason for you to _____ _____ _____? It's Sunday.

M I have an important meeting with my club members at 9 a.m.

W Well, I guess you _____ _____ _____ by then.
It's 10 to 9, now.
9시 되기 10분 전

M I know. What should I do?

W 🎵정답 근거
Why don't you call to say you'll be late first?
~하는 게 어때?(제안하는 표현)

M I think I should. I have to _____.
~해야 한다

남 오, 이런! 늦잠을 잤어요!
여 일찍 일어나야 하는 이유라도 있니? 일요일이잖아.
남 오전 9시에 동아리 회원들과 중요한 회의가 있어요.
여 음, 그때까지 너는 못 갈 것 같은데. 지금 9시 되기 10분 전이야.
남 알아요. 어떻게 해야 하죠?
여 일단 전화해서 늦는다고 말하지 그러니?
남 그래야 할 것 같네요. 서둘러야겠어요.

17 적절한 응답

대화를 듣고, 여자의 마지막 말에 대한 남자의 응답으로 가장 적절한 것을 고르시오.

Man: _____

① I'm sure you'll have fun.
② Congratulations! You got the job.
③ I won't take your advice anymore.
④ Okay. I'll keep that in mind. Thanks.
⑤ I was impressed by your presentation.

여 David, 너 긴장한 것 같아. 무슨 일이야?
남 사실 나는 오늘 오후에 구직 면접이 있어.
여 오, 그렇구나. 너무 많이 걱정하지 마. 넌 잘할 거야.
남 고마워. 나에게 조언을 좀 해 줄래?
여 음, 가장 중요한 것은 자신감을 가지고 최선을 다해서 질문에 답하는 거야.
남 그게 쉽지는 않겠지만 노력해 볼게.
여 그리고 좋은 첫인상을 주기 위해 면접관에게 예의 바르게 인사하렴.
남 ④ 알았어. 그것을 명심할게. 고마워.

W David, you _____ _____. What's up?

M Actually, I have a job interview this afternoon.

W Oh, I see. Don't worry _____ _____. You'll do great.
　　　　🎵정답 근거
M Thanks. Can you give me some advice?
　　　　　　　　4형식: 수여동사+간접목적어+직접목적어
W Well, the most important thing is to _____ _____
　　　　　최상급: 가장 중요한 것
and answer the questions to the best of your ability.
　　　　　　　　　　to the best of one's ability: 최선을 다해서
M It won't be easy, but I'll try.

W And greet the interviewer politely _____ _____ a good first impression.
　　　　　　　　　　첫인상
M ④ Okay. I'll keep that in mind. Thanks.

① 네가 재미있는 시간을 보낼 거라 확신해.　　② 축하해! 너는 그 직장에 합격했어.
③ 나는 더 이상 너의 조언을 듣지 않을 거야.　　⑤ 나는 너의 발표에 감명을 받았어.

18 적절한 응답

대화를 듣고, 남자의 마지막 말에 대한 여자의 응답으로 가장 적절한 것을 고르시오.

Woman: _____

① I'll step on the gas.
② Calm down. I'll do my best.
③ Why don't you check the car?
④ There is a car repair shop near my house.
⑤ Great! Let's ask him if he can come help us.

남 오, 이런! 우리 문제가 생겼어.
여 무슨 문제야?
남 차의 시동이 안 걸려.
여 또? 지난주에도 같은 일이 있었잖아.
남 지금 자동차 정비소에 전화해서 점검을 받아야 할 것 같아.
여 그런데 일요일이야. 오늘 문을 여는 정비소는 있을 것 같지 않아.
남 잠깐만! Mark는 자동차에 관해 많이 알아. 그는 문제가 무엇인지 알아낼 수 있을지도 몰라.
여 ⑤ 잘됐다! 그에게 와서 우리를 도와줄 수 있는지 물어보자.

M Oh, no! We've got a problem.

W What's the matter?
　　🎵정답 근거
M The car _____ _____.

W Again? The same thing happened last week.
　　　　　차의 시동이 안 걸리는 것
M I think we need to call a car repair shop and _____
_____ _____ now.

W But it's Sunday. I don't think there's a shop that is open
　　　　　　　　　　　　　　　　　　　　주격 관계대명사
today.

M Wait! Mark knows a lot about cars. He _____ _____
_____ _____ find out what the problem is.
　　　　　　　　　　　　　목적어로 쓰인 명사절
W ⑤ Great! Let's ask him if he can come help us.

① 속도를 낼 거야.　　　　② 진정해. 최선을 다할게.
③ 차를 점검해 보는 게 어때?　　④ 우리 집 근처에 자동차 정비소가 있어.

19 적절한 응답

대화를 듣고, 여자의 마지막 말에 대한 남자의 응답으로 가장 적절한 것을 고르시오.

Man: _____

① He seems happy.
② I wish I were you.
③ I never heard him laugh.
④ Believe me. It'll work.
⑤ You should work out regularly.

남 Amy, 너 무슨 생각하고 있니? 얼굴이 빨개졌어.
여 그게, 과학 수업에 들어오는 남자애한테 내가 반한 것 같아.
남 오, 정말? 이름이 뭔데?
여 모르겠어.
남 그런 식으로는 진전이 없을 걸.
여 나도 알아. 어떻게 해야 할까?
남 그에게 인사하고 말을 걸어 봐. 얼굴에 미소 짓는 거 잊지 말고.
여 그게 효과가 없으면 어쩌지?
남 ④ 날 믿어. 효과가 있을 거야.

M Amy, what are you thinking? You're blushing.
　🔑정답 근거　　　　　　　　　얼굴이 빨개진
W Well, I think I'm _____ _____ _____ a boy in my science class.

M Oh, really? What's his name?

W I have no idea.

M You'll _____ _____ that way.

W I know. What should I do?

M You should say hello and talk to him. Don't forget to have
　　　　　　　　　　　　　　　　부정 명령문: ~하는 것을 잊지 마라
a smile on your face.

W _____ _____ it doesn't work?

M ④ Believe me. It'll work.

① 그는 행복한 것 같다.　　　　　② 내가 너라면 좋겠다.
③ 나는 그가 웃는 소리를 들은 적이 없어.　⑤ 너는 규칙적으로 운동을 해야 해.

20 상황에 맞는 말

다음 상황 설명을 듣고, Jeff가 점원에게 할 말로 가장 적절한 것을 고르시오.

Jeff: _____

① May I try these on?
② How much are they?
③ You must be very upset.
④ Do you have another one?
⑤ You have the wrong number.

여 Jeff는 새 재킷을 사러 엄마와 함께 가게에 간다. Jeff는 무엇을 살지 결정하지 못하고, 그래서 그의 엄마가 그를 위해 재킷 몇 벌을 골라 준다. 그는 그것들을 입어 볼 수 있는지 점원에게 묻고 싶다. 이러한 상황에서 Jeff는 점원에게 뭐라고 말할까?
Jeff ① 제가 이것들을 입어 봐도 될까요?

W Jeff goes to the store to buy a new jacket with his mom.
Jeff can't _____ _____ _____ _____, so his
　　　　　　　　　　　　　🔑정답 근거
mom picks out some jackets for him. He wants to ask the
　　　pick out: ~을 고르다
salesclerk whether he could _____ _____ _____.
　　　　　　　　　　~인지
In this situation, what would Jeff most likely say to the
salesclerk?

Jeff ① May I try these on?

② 그것들은 얼마인가요?　　　③ 당신은 틀림없이 무척 속상하실 거예요.
④ 다른 것이 있나요?　　　　⑤ 전화 잘못 거셨어요.

모의고사를 먼저 풀고 싶으면 170쪽으로 이동하세요.

🎧 다음 표현을 듣고 모르는 것에 표시하시오.

- 01 unique 독특한
- 02 knit 뜨개질하다
- 03 switch 바꾸다
- 04 function 기능
- 05 out of stock 품절된
- 06 dizzy 어지러운
- 07 lately 최근에, 요즘
- 08 fit 맞다
- 09 need 요구, 필요한 것
- 10 drop by 들르다
- 11 pharmacy 약국
- 12 tablet 알약
- 13 serious 심각한
- 14 see to it that (반드시) ~하도록 조처하다
- 15 rob 강탈하다, 훔치다
- 16 contact 연락하다
- 17 marble 대리석
- 18 select 엄선된
- 19 produce 농산물
- 20 section 코너, 구획
- 21 seafood 해산물
- 22 deal 거래
- 23 be equipped with ~을 갖추고 있다
- 24 breathe 호흡하다

- 25 surface 수면
- 26 downwards 아래쪽으로
- 27 efficiently 효율적으로
- 28 equipment 장비
- 29 observe 관찰하다
- 30 natural 자연의
- 31 underwater 수중의
- 32 garage 차고
- 33 resolution 결심
- 34 stick to (어려움을 참고) ~을 계속하다
- 35 to be honest 솔직히 말하자면
- 36 match 시합
- 37 figure out ~을 알아내다
- 38 suggestion 제안
- 39 recently 최근에
- 40 route 길, 경로
- 41 sweat 땀을 흘리다
- 42 exhausted 기진맥진한, 탈진한

📖 **알아두면 유용한 선택지 어휘**

- 43 Take it easy. 마음 편히 가져.
- 44 steady 꾸준한
- 45 be ready to ~할 준비가 되다

🎧 들으면서 표현을 완성한 다음, 뜻을 고르시오.

표현의 의미를 생각하며 다시 써 보기!

01 ob erve   ☐ 관찰하다   ☐ 강화하다   →

02 s itch   ☐ 계속하다   ☐ 바꾸다   →

03 re olu ion   ☐ 결심   ☐ 불화   →

04 ste dy   ☐ 포근한   ☐ 꾸준한   →

05 rout   ☐ 길, 경로   ☐ 표지판   →

06 p armacy   ☐ 약사   ☐ 약국   →

07 fun tion   ☐ 기능   ☐ 선택권   →

08 sele t   ☐ 엄선된   ☐ 탈락된   →

09 e uip ent   ☐ 조절   ☐ 장비   →

10 uniq e   ☐ 독특한   ☐ 조잡한   →

11 dizz   ☐ 피곤한   ☐ 어지러운   →

12 under ater   ☐ 수중의   ☐ 육지의   →

13 ex aus ed   ☐ 기진맥진한   ☐ 진절머리나는   →

14 breat e   ☐ 재채기하다   ☐ 호흡하다   →

15 s rface   ☐ 화면   ☐ 수면   →

16 down ards   ☐ 아래쪽으로   ☐ 시내로   →

17 f t   ☐ 수리하다   ☐ 맞다   →

18 sw at   ☐ 긴장하다   ☐ 땀을 흘리다   →

19 gara e   ☐ 차고   ☐ 공장   →

20   nit   ☐ 다림질하다   ☐ 뜨개질하다   →

실전 모의고사 [11]회

실전 모의고사 11회 →
모의고사 보통 속도
모의고사 빠른 속도

✎ 들으면서 주요 표현 메모하기!

01 대화를 듣고, 남자가 가장 좋아하는 모자를 고르시오.

①   ②   ③   ④   ⑤

02 대화를 듣고, 남자가 여자에게 전화한 목적으로 가장 적절한 것을 고르시오.

① 환불을 요청하려고　　　　　② 주문을 변경하려고
③ 수리를 신청하려고　　　　　④ 배송 지연을 항의하려고
⑤ 제품 사용법을 문의하려고

03 다음 그림의 상황에 가장 적절한 대화를 고르시오.

① 　　　 ② 　　　 ③ 　　　 ④ 　　　 ⑤

고난도 | 메모하며 풀기

04 대화를 듣고, 여자가 병원에 방문할 요일과 시각을 고르시오.

① Wed., 9 a.m.　　　② Wed., 6 p.m.　　　③ Thur., 6 p.m.
④ Thur., 9 p.m.　　　⑤ Fri., 6 p.m.

05 대화를 듣고, 남자의 심정으로 가장 적절한 것을 고르시오.

① upset　　② bored　　③ happy　　④ excited　　⑤ surprised

06 대화를 듣고, 두 사람의 관계로 가장 적절한 것을 고르시오.

① 여행 가이드 — 관광객   ② 교사 — 학생
③ 호텔 직원 — 투숙객   ④ 부동산 중개인 — 손님
⑤ 버스 운전사 — 승객

✎ 들으면서 주요 표현 메모하기!

07 다음을 듣고, 두 사람의 대화가 <u>어색한</u> 것을 고르시오.

①   ②   ③   ④   ⑤

08 대화를 듣고, 남자가 여자에게 부탁한 일로 가장 적절한 것을 고르시오.

① 영화표 예매하기   ② 영화표 바꾸기   ③ 간식 사 오기
④ 좌석 바꾸기   ⑤ 약 사 오기

09 대화를 듣고, 여자의 마지막 말에 담긴 의도로 가장 적절한 것을 고르시오.

① 승낙   ② 충고   ③ 요청   ④ 사과   ⑤ 축하

고난도 메모하며 풀기

10 대화를 듣고, 남자가 받을 거스름돈이 얼마인지 고르시오.

① $10   ② $15   ③ $24   ④ $26   ⑤ $30

틀린 문제는 Dictation에서
완벽하게 이해하세요.

실전 모의고사 [11]회

11 대화를 듣고, 두 사람이 대화하는 장소로 가장 적절한 곳을 고르시오.

① hospital   ② airport   ③ theater
④ post office   ⑤ police station

12 다음 표를 보면서 대화를 듣고, 두 사람이 구입할 식탁을 고르시오.

	Model	Material	Seater	Price
①	A	Wood	4	$200
②	B	Wood	6	$250
③	C	Wood	6	$300
④	D	Marble	4	$250
⑤	E	Marble	6	$300

13 다음을 듣고, 무엇에 관한 안내 방송인지 고르시오.

① 휴무일   ② 영업시간   ③ 할인 행사
④ 고객 안전 수칙   ⑤ 문화 센터 등록

고난도   메모하며 풀기

14 다음을 듣고, 무엇에 관한 설명인지 고르시오.

① 스키   ② 수상스키   ③ 래프팅
④ 서핑   ⑤ 스노클링

15 대화를 듣고, 남자가 대화 직후에 할 일로 가장 적절한 것을 고르시오.

① 사진 찍어 주기   ② 카메라 구입하기   ③ 관광지 안내하기
④ 방문객 센터 방문하기   ⑤ 방문객 센터에 전화하기

16 대화를 듣고, 두 사람이 구입할 물건을 고르시오.

① 모자   ② 건전지   ③ 비옷
④ 손전등   ⑤ 침낭

✎ 들으면서 주요 표현 메모하기!

고난도 | 메모하며 풀기

17 대화를 듣고, 남자의 마지막 말에 대한 여자의 응답으로 가장 적절한 것을 고르시오.

Woman: _____

① I think you did it.
② You have to believe me.
③ I'll start to write it right away.
④ Take it easy. Slow and steady wins the race.
⑤ What you do is more important than what you say.

18 대화를 듣고, 여자의 마지막 말에 대한 남자의 응답으로 가장 적절한 것을 고르시오.

Man: _____

① I'm pleased to hear that.
② I hope you get better soon.
③ When did you play the game?
④ Cheer up! You'll do better next time.
⑤ To me, nothing is more important than sports.

19 대화를 듣고, 남자의 마지막 말에 대한 여자의 응답으로 가장 적절한 것을 고르시오.

Woman: _____

① Don't tell me anymore about it.
② No, I have no plans for this vacation.
③ I didn't know you could dance so well.
④ It took me a long time to figure it out.
⑤ I'd love to, but I don't know anything about dancing.

20 다음 상황 설명을 듣고, Oliver가 Chloe에게 할 말로 가장 적절한 것을 고르시오.

Oliver: Chloe, _____

① how far is it to the top?
② are you ready to go up?
③ is it okay if I go up alone?
④ why don't we get some rest?
⑤ could you tell me where it is?

틀린 문제는 Dictation에서
완벽하게 이해하세요.

01 그림 묘사
*들을 때마다 체크

대화를 듣고, 남자가 가장 좋아하는 모자를 고르시오.

① ② ③ ④ ⑤

여 왜! 많은 다양한 종류의 모자가 있구나.
남 나는 오랫동안 그것들을 모았어.
여 그래? 오, 이 비니들은 정말 멋있고 독특하다.
남 그것들은 형이 줬어. 그의 취미는 뜨개질인데, 나를 위해 그것들을 떠 줬어.
여 정말 멋진 형이다! 저 마법사 모자는 어디서 구했어? 재미있게 생겼다.
남 놀이공원에서 샀어. 내가 가장 좋아하는 것은 이 카우보이 모자야. 할아버지가 주셨어.
여 멋지다. 내가 한번 써 봐도 되니?
남 물론이지. 어서 써 봐.

W Wow! There are so _____ _____ _____ _____ hats.

M I've collected them for a long time.
└ = hats

W Really? Oh, these beanies are so nice and unique.
함정 주의 비니는 여자가 멋있다고 한 것임

M They were from my older brother. His hobby is _____, and he knitted them for me.
= beanies

W _____ _____ _____ brother! Where did you get that wizard hat? It looks funny.

정답 근거

M I bought it at an amusement park. What I like the most is this cowboy hat. It's from my grandpa.
= that wizard hat   = The thing that[which]
└ = this cowboy hat

W That's great. Is it okay if I try it on?
허락을 구하는 표현: ~해도 될까요?

M Sure. Go ahead.

🔑 **Sound Tip** 묵음 k
n 앞에 오는 k는 묵음이 되므로 knit는 /니트/, know는 /노우/, knife는 /나이프/, knight는 /나이트/로 발음한다.

02 목적

대화를 듣고, 남자가 여자에게 전화한 목적으로 가장 적절한 것을 고르시오.
① 환불을 요청하려고
② 주문을 변경하려고
③ 수리를 신청하려고
④ 배송 지연을 항의하려고
⑤ 제품 사용법을 문의하려고

[전화벨이 울린다.]
여 여보세요, Best Camera입니다. 어떻게 도와드릴까요?
남 여보세요. 오늘 아침에 카메라를 주문했는데요, 그걸 다른 것으로 바꾸고 싶어요.
여 알겠습니다. 성함이 어떻게 되세요, 손님?
남 Tony Brown입니다. 카메라 CA120을 주문했는데, CA125가 같은 가격에 기능이 더 많아요.
여 알겠습니다. [타자 치는 소리] 오, CA125는 지금 재고가 없어요.
남 그럼 제가 어떻게 해야 하나요?
여 일주일 정도 기다리셔야 할 것 같아요. 괜찮으신가요?
남 물론이죠. 기다릴 수 있어요.

📞Telephone rings.

W Hello, Best Camera. How can I help you?

정답 근거

M Hello. I ordered a camera this morning, but I'd like to _____ it _____ another one.
= camera

W Okay. May I have your name, sir?

M Tony Brown. I ordered a camera, the CA120, but the CA125 has more functions _____ _____ _____ _____.

W I see. [*Typing sound*] Oh, I'm afraid the CA125 is out of stock now.
품절된

M Then, what should I do?

W I think you should _____ _____ it for about a week. Is that okay with you?
= the CA125

M Sure. I can wait.

Dictation 11회 →
[전체 듣기
  문항별 듣기

Dictation의 효과적인 활용법
STEP 1 들으면서 대본의 빈칸 채우기
STEP 2 축쇄 문제를 보며 다시 풀어 보기
STEP 3 해석을 보며 영어로 말하거나 영작해 보기

공부한 날   월   일

03 그림 상황

다음 그림의 상황에 가장 적절한 대화를 고르시오.

① ② ③ ④ ⑤

① 여 보드게임을 해본 적 있니?
  남 아니, 없어.
② 여 왜! 너는 온갖 종류의 비디오 게임을 가지고 있구나.
  남 네가 원하는 만큼 게임해도 돼.
③ 여 너는 지금 당장 게임하는 것을 멈춰야 해.
  남 죄송해요, 엄마. 막 자려던 참이에요.
④ 여 실례합니다. 컴퓨터 가게를 어디에서 찾을 수 있나요?
  남 5층에 하나 있어요.
⑤ 여 내 숙제를 도와줄 수 있어?
  남 미안하지만 그럴 수 없어.

① W _____ you played a board game?

  M No, I haven't.

② W Wow! You have all kinds of video games.

  M You can play games _____ _____ _____ you want.
  ▌정답 근거

③ W You'd better stop playing games right now.
  stop은 목적어로 동명사를 씀

  M Sorry, Mom. I'm about to _____ _____ _____.
  be about to: 막 ~하려는 참이다

④ W Excuse me. Where can I find a computer shop?

  M There's one on the 5th floor.
  = a computer shop

⑤ W Can you _____ me _____ my homework?

  M I'm sorry, I can't.

04 요일, 시각

대화를 듣고, 여자가 병원에 방문할 요일과 시각을 고르시오.

① Wed., 9 a.m.   ② Wed., 6 p.m.
③ Thur., 6 p.m.   ④ Thur., 9 p.m.
⑤ Fri., 6 p.m.

[전화벨이 울린다.]
남 안녕하세요. Jefferson 박사님 진료실입니다.
여 여보세요. 예약을 하고 싶은데요.
남 성함을 말씀해 주시겠어요?
여 Victoria Smith입니다.
남 알겠습니다. 어디가 불편하세요?
여 요즘에 어지러워서요.
남 그렇군요. 언제 방문하기를 원하세요?
여 이번 주 수요일 오후 6시 가능한가요?
남 죄송하지만 저희가 수요일에는 6시에 문을 닫는데요. 목요일에는 오후 9시까지 열어요.
여 잘됐네요. 그럼 그날 6시에 거기에 갈게요.

📞Telephone rings.

M Good morning. Dr. Jefferson's office.

W Hello. I'd like to _____ _____ _____.

M Can I have your name, please?

W This is Victoria Smith.

M Okay. What's your problem?

W _____ _____ _____ lately.

M I see. When would you like to visit us?
  ⚠함정 주의 수요일에는 6시에 문을 닫는다는 남자의 말이 이어짐

W Is it possible this Wednesday, at 6 p.m.?
  ▌정답 근거

M I'm afraid we _____ at 6 on Wednesday, but we're _____ until 9 p.m. on Thursday.
  ~까지

W That's great. Then I'll be there at 6 on that day.

05 심정

대화를 듣고, 남자의 심정으로 가장 적절한 것을 고르시오.

① upset ② bored
③ happy ④ excited
⑤ surprised

여 안녕, Jacob. 생일 축하해!
남 기억해 줘서 고마워.
여 음…… 생일날 왜 그렇게 시무룩한 얼굴이야?
남 그녀는 오늘 아침에 아내가 내게 아무 말도 안 하더라고. 아내가 내 생일을 완전히 잊어버린 모양이야.
여 그녀는 깜짝 파티나 그런 비슷한 걸 계획하고 있을지도 몰라.
남 모르겠어. 작년에도 그녀는 내 생일을 잊어버렸어.
여 글쎄, 두고 보자. 그녀는 어쩌면 너를 놀라게 해 줄지도 몰라.

① 속상한 ② 지루한 ③ 행복한
④ 신이 난 ⑤ 놀란

W Hi, Jacob. Happy birthday!

M Thank you for remembering.
　　　　　　전치사의 목적어로 쓰인 동명사

W Um … why _____ _____ _____ _____ on your birthday?

M My wife said nothing to me this morning. I guess she forgot all about my birthday.
　　　　　　　　　　　　　　　　　　　　　　정답 근거

W She _____ _____ _____ a surprise party or something.

M I don't know. She forgot my birthday last year.

W Well, let's wait and see. She still might surprise you.

Solution Tip 아내가 자신의 생일을 잊어버린 것 같아 시무룩한 얼굴을 하고 있는 남자의 심정으로는 upset(속상한)이 가장 적절하다.

06 두 사람의 관계

대화를 듣고, 두 사람의 관계로 가장 적절한 것을 고르시오.

① 여행 가이드 — 관광객
② 교사 — 학생
③ 호텔 직원 — 투숙객
④ 부동산 중개인 — 손님
⑤ 버스 운전사 — 승객

여 안녕하세요. 무엇을 도와드릴까요?
남 안녕하세요. 저는 살 집을 찾고 있어요.
여 알겠습니다. 침실과 욕실은 몇 개가 필요하세요?
남 저는 최소한 3개의 침실과 2개의 욕실이 있는 집이 필요해요.
여 전망이 좋은 집을 원하세요?
남 그건 상관없어요. 버스 정류장이나 지하철역 가까이에 위치하면 좋을 것 같아요.
여 알겠습니다. 손님의 요구에 맞는 집이 2개가 있어요. 오늘 그것들을 보고 싶으세요?
남 네. 그러고 싶어요.

W Good afternoon. What can I do for you?
　　　　　　　　　　정답 근거

M Hello. I'm looking for a house to _____ _____.

W Okay. How many bedrooms and bathrooms do you need?
　　　　How many+셀 수 있는 명사 ~?: 얼마나 많은 ~?

M I need a house with at least 3 bedrooms and 2 bathrooms.
　　　　　　　　　　　　최소한

W Would you like a house _____ _____ _____?

M It doesn't matter. It'd be great if it's located near bus stops or subway stations.
　　　　　= It would　　　조건의 부사절을 이끄는 접속사: (만약) ~라면

W I see. We have two houses that _____ _____
　　　　　　　　　　　　　　　주격 관계대명사
_____. Would you like to see them today?
　　　　　　　　　　　　　= two houses

M Yes. I'd like to.

07 어색한 대화 🔲🔲

다음을 듣고, 두 사람의 대화가 <u>어색한</u> 것을 고르시오.

①   ②   ③   ④   ⑤

① 여 강 위에 있는 저 오리들을 봐!
  남 와! 정말 귀엽다!
② 여 이것들 얼마예요?
  남 그것들은 각각 15달러입니다.
③ 여 내가 같이해도 될까?
  남 물론이지. 도움이 많이 될 거야.
④ 여 왜 파티에 안 왔니?
  남 미안해. 아버지가 편찮으셔서 완전히 잊어버렸어.
⑤ 여 너 수영할 수 있니?
  남 전적으로 동의해.

🇦🇺

① W   Look at those ducks on the river!
      <u>~을 보다</u>
   M   Wow! _____ _____ they are!

② W   How much are these?
   M   They're 15 dollars _____.

③ W   Can I join you?
   M   Why not? It'll be a great help.

④ W   _____ _____ _____ come to the party?
   M   Sorry. My father was sick, so I forgot all about it.
      🔑정답 근거

⑤ W   Can you swim?
   M   I couldn't agree more.

> 🔊 **Solution Tip** 수영할 수 있는지 묻는 말에 동의를 나타내는 말인 I couldn't agree more.로 답하는 것은 어색하다.

 08 부탁한 일 🔲🔲

대화를 듣고, 남자가 여자에게 부탁한 일로 가장 적절한 것을 고르시오.
① 영화표 예매하기
② 영화표 바꾸기
③ 간식 사 오기
④ 좌석 바꾸기
⑤ 약 사 오기

[휴대 전화벨이 울린다.]
여 여보세요, Mark.
남 안녕, Mia. 어디야? 극장에 오는 중이야?
여 응, 지하철이야. 너는?
남 나는 방금 도착했어. 매표소 앞이야.
여 오, 정말? 나는 15분 후면 거기 도착해.
남 알았어. 그런데 약국에 들러서 두통약을 사다 주겠니? 두통이 약간 있어.
여 괜찮아? 영화는 나중에 봐도 돼.
남 고마워, 그런데 그렇게 심하지 않아.
여 알았어. 가능한 한 빨리 거기에 갈게.

📞Cellphone rings.

W   Hello, Mark.

M   Hi, Mia. Where are you? Are you _____ _____
    _____ _____ the theater?

W   Yes, I'm on the subway. How about you?

M   I just arrived. I'm <u>in front of</u> the box office.
            ~ 앞에

W   Oh, really? I'll be there in 15 minutes.
                  🔑정답 근거

M   Okay. <u>By the way</u>, can you _____ _____ the
       그런데(화제 전환)
    pharmacy to buy some headache tablets? I have <u>a little</u>
                                 조금, 약간
    headache.

W   Are you okay? We can watch the movie <u>some other time</u>.
                                     다른 날에, 나중에

M   Thanks, but it's <u>not that serious</u>.
              (부사) 그렇게

W   All right. I'll be there _____ _____ _____
    _____.

09 마지막 말의 의도

대화를 듣고, 여자의 마지막 말에 담긴 의도로 가장 적절한 것을 고르시오.

① 승낙　　② 충고　　③ 요청
④ 사과　　⑤ 축하

[전화벨이 울린다.]
여 안녕하세요. Daily 신문 가정배달 서비스입니다.
남 안녕하세요. 오늘 신문을 아직 못 받아서 전화드렸습니다.
여 성함과 주소를 말씀해 주시겠습니까?
남 Paul Johnson이고요, Penn가 711번지입니다.
여 확인해 보겠습니다. [잠시 후] 정말 죄송합니다. 배송 트럭에 문제가 있어서요.
남 오, 무슨 일인가요?
여 실은 교통사고가 있었거든요. 신문은 한 시간 내로 받으실 수 있게 조처하겠습니다.
남 알겠습니다. 고맙습니다.
여 불편을 드려 죄송합니다.

☎ Telephone rings.

W　Good morning. Daily News home delivery service.

M　Hi. I'm calling _____ I haven't received today's paper
　　현재완료(완료)
_____.

W　Can you tell me your name and address, please?

M　This is Paul Johnson, 711 Penn Street.

W　Let me check. [*Pause*] I'm so sorry. We've been having
　　현재완료 진행: 계속 ~해 오고 있다
_____ _____ the delivery truck.

M　Oh, what's the matter?

W　Actually, there was a car accident. I'll see to it that you
　　(반드시) ~하도록 조처하다
have the paper _____ an hour.

M　Okay. Thanks.
　　🎵정답 근거
W　We _____ _____ your inconvenience.

10 금액

대화를 듣고, 남자가 받을 거스름돈이 얼마인지 고르시오.

① $10　　② $15　　③ $24
④ $26　　⑤ $30

여 어떻게 도와드릴까요?
남 열 살 남동생을 위한 티셔츠를 찾고 있어요. 25달러 내외로 뭔가 있나요?
여 물론이죠. 이것들은 어떠세요? 15달러밖에 안 해요.
남 오, 예쁘네요. 2장을 사고 싶어요. 할인을 해 주실 수 있나요?
여 2장을 사면 총액에서 20%를 할인해 드릴 수 있어요.
남 좋아요! 그것들을 살게요. 여기 50달러짜리 지폐입니다.
여 알겠습니다. 여기 잔돈입니다. 포장해 드릴까요?
남 그러면 좋죠. 고맙습니다.

W　How may I help you?

M　I'm looking for T-shirts for my 10-year-old brother. Do
you have _____ _____ 25 dollars?
　　　　　　　　　　　　🎵정답 근거
W　Of course. How about these ones? They're just 15 dollars.

M　Oh, they are lovely. I'd like to buy _____ _____
_____. Can you give me a discount?
　　4형식: give+간접목적어+직접목적어 / give a discount: 할인해 주다
W　I can give you 20% _____ the _____ _____ if
　　　　　　　　　　　조건의 부사절을 이끄는 접속사: (만약) ~라면
you buy two.

M　Sounds great! I'll take them. Here's a 50 dollar _____.

W　Okay. Here's your change. Will you have these wrapped?
　　　　　　　　　　　　　　　　5형식: have+목적어+목적격 보어(과거분사)
M　That'll be great. Thanks.

→ Solution Tip 15달러짜리 티셔츠 2장을 사면 총액에서 20%를 할인해 준다고 했으므로 남자가 내야 할 금액은 30달러에서 20%를 뺀 24달러이다. 남자는 50달러짜리 지폐를 한 장 냈으므로 26달러를 거슬러 받을 것이다.

11 장소

대화를 듣고, 두 사람이 대화하는 장소로 가장 적절한
곳을 고르시오.

① hospital　　② airport
③ theater　　④ post office
⑤ police station

여 안녕하세요, 선생님. 어떻게 도와드릴까요?
남 제가 강도를 당했어요. 도와주세요.
여 유감입니다. 언제 그리고 어디에서 당하셨나요?
남 오늘 오후 3시 30분쯤에 Royal 극장 앞에서요.
여 무엇을 빼앗기셨나요?
남 제 지갑과 휴대 전화요.
여 이 서류를 작성해 주시면 저희가 무언가 알아내는대로
　 바로 연락드리겠습니다.
남 정말 감사합니다.

① 병원　　② 공항　　③ 극장
④ 우체국　　⑤ 경찰서

W　Good afternoon, sir. How may I help you?

🎵정답 근거

M　I got _____. Please help me.

W　I'm sorry to hear that. When and where did this happen?

M　It _____ at around 3:30 this afternoon in front of Royal
　　　　　　　　　　　　　　　　　　　　　　　　　　　~ 앞에
Theater.

W　What _____ _____?

M　My wallet and cellphone.

W　Please fill out this form, and we'll contact you _____
　　　　　～을 작성하다
_____ _____ we find out something.
　　　　　　　　　　～을 알아내다

M　Thank you very much.

12 표 정보

다음 표를 보면서 대화를 듣고, 두 사람이 구입할 식탁을
고르시오.

	Model	Material	Seater	Price
①	A	Wood	4	$200
②	B	Wood	6	$250
③	C	Wood	6	$300
④	D	Marble	4	$250
⑤	E	Marble	6	$300

여 Kevin, 우리는 새 식탁을 사야 해.
남 좋아. 그럼 가게를 좀 둘러보자.
여 응. 이 4인용 나무 식탁은 어때? 나는 대리석보다 나
　 무가 더 좋아.
남 나도 마음에 들지만, 저녁 식사에 친구들을 초대할 수
　 있으려면 더 큰 것을 사야 할 것 같아.
여 네 말이 맞아. 그럼 이 2개가 가장 좋은 선택이야. 어느
　 것이 더 좋아?
남 음…… 나는 이게 더 좋아. 더 비싸지만 디자인이 더
　 멋져.
여 좋아, 그러면 그것을 사자.

🇬🇧

W　Kevin, we need to buy a new _____ table.

M　All right. Then let's take a look around the store.

　　　　　🎵정답 근거

W　Sure. How about this _____ table for four people?

I prefer wood to marble.
prefer A to B: B보다 A를 선호하다

M　I like it, but I think we should buy a bigger one _____
_____ _____ _____ _____ our friends for
dinner.

W　You're right. Then these two are our best options. Which
one do you like better?

M　Um ... I prefer this one. It's more expensive, but _____
　　　　　　　　　　　　　　　　　　　　　　비교급
_____ is nicer.
　　비교급

W　Okay, then let's buy it.

[Dictation] 실전 모의고사 11회

13 담화 주제

다음을 듣고, 무엇에 관한 안내 방송인지 고르시오.
① 휴무일
② 영업시간
③ 할인 행사
④ 고객 안전 수칙
⑤ 문화 센터 등록

W Good afternoon, shoppers. We'd like to let you know (= We would) about a _____ _____ _____ select fresh food _____. In the produce section, all vegetables are 20% off the regular price (정가). There is also a special sale in the seafood section. All salmon and tuna are on special for (특가로) _____-_____ off the regular price. This sale is for today only, so get the _____ now. Thank you.

여 안녕하십니까, 고객 여러분. 고객 여러분께 엄선된 신선 식품 품목의 대대적인 할인을 알려드리고자 합니다. 농산물 코너에서는 모든 채소가 정가에서 20% 할인됩니다. 해산물 코너에서도 특별 할인이 있습니다. 모든 연어와 참치가 정가에서 1/3 할인된 가격으로 특가 판매 중입니다. 이 할인 행사는 오늘만 진행되므로, 지금 바로 구입하세요. 감사합니다.

Solution Tip 농산물, 해산물과 같은 신선 식품 품목의 할인을 안내하는 방송이다.

14 담화 화제

다음을 듣고, 무엇에 관한 설명인지 고르시오.
① 스키
② 수상스키
③ 래프팅
④ 서핑
⑤ 스노클링

M This is a kind of water sport. It is swimming while (~하는 동안) _____ _____ a diving mask, a snorkel, and usually swimfins (오리발). A snorkel is a device _____ _____ _____ air from above the surface when the wearer's head is facing downwards in the water. And swimfins _____ the wearer _____ through water more efficiently. Use of this equipment allows you to observe (allow+목적어+목적격 보어(to부정사): 목적어가 ~하게 허용하다) natural underwater life.

남 이것은 수상 스포츠의 한 종류이다. 그것은 잠수 마스크, 스노클, 그리고 대개 오리발을 갖추고 수영을 하는 것이다. 스노클은 착용자의 머리가 수면 아래를 향할 때 수면 위에 있는 공기를 호흡하는 데 사용되는 장비이다. 그리고 오리발은 착용자가 물에서 보다 효율적으로 움직이는 것을 돕는다. 이런 장비의 사용은 여러분이 자연 수중 생물을 관찰하게 해 준다.

Solution Tip 머리가 물속을 향하게 한 채로 수면 위를 수영하면서 바다 속을 보는 수상 스포츠는 스노클링이다.

15 할 일

대화를 듣고, 남자가 대화 직후에 할 일로 가장 적절한 것을 고르시오.

① 사진 찍어 주기
② 카메라 구입하기
③ 관광지 안내하기
④ 방문객 센터 방문하기
⑤ 방문객 센터에 전화하기

남 이 장소가 마음에 드세요?
여 마음에 들어요! 이런 아름다운 관광지를 보도록 데리고 와 줘서 고마워요.
남 천만에요. 제 일인데요. 가족들과 함께 사진을 찍으시겠어요?
여 네. [잠시 후] 오, 이런! 카메라를 잃어버린 것 같아요.
남 정말요? 그것을 언제 마지막으로 사용했나요?
여 자유의 여신상 앞에서 사진을 찍었어요.
남 거기서 잃어버리신 것 같군요. 제가 자유의 여신상 방문객 센터에 전화해 볼게요.
여 감사합니다.

M Do you like this place?

W I love it! Thank you for _____ us to see these beautiful sights.

M My pleasure. It's part of my job. **Would you like to take pictures with your family?**
고맙다는 말에 대한 정중한 인사(= Don't mention it., You're welcome. 등)
〔함정 주의〕

W Sure. [*Pause*] Oh, no! I think I lost my camera.

M Really? When was the _____ _____ _____ _____ it?

W I took pictures in front of the Statue of Liberty.
~ 앞에   ┌ 자유의 여신상

M Maybe you _____ _____ there. I'll call the visitor center for the Statue of Liberty.
〔정답 근거〕

W Thank you.

16 구입할 물건

대화를 듣고, 두 사람이 구입할 물건을 고르시오.

① 모자　② 건전지　③ 비옷
④ 손전등　⑤ 침낭

남 Kate, 학교 캠핑 여행 준비물을 다 썼니?
여 지금 하고 있는데 손전등이랑 침낭을 못 찾겠어요.
남 그것들은 차고 선반 위에 있어.
여 알겠어요. 가서 가져올게요. [잠시 후] 아빠, 이 손전등은 작동하지 않아요, 그렇죠?
남 그래? 지난번에는 잘 됐는데. 건전지를 교체해 볼래?
여 여분의 건전지가 없어요.
남 그럼 나가서 사 오자.
여 좋아요.

M Kate, _____ _____ _____ everything for your school camping trip?

W I'm on it, but I can't find the flashlight and the sleeping bag.
~하는 중(진행·경과)

M They're on the shelf in the garage.

W Okay. I'll go and get them. [*Pause*] Dad, this flashlight _____ _____, _____ _____?

M Really? It worked well last time. Why don't you change the batteries?
〔정답 근거〕 제안하는 표현

W We don't have _____ _____.

M Then let's go out and buy them.

W Okay.

11회 받아쓰기

17 적절한 응답

대화를 듣고, 남자의 마지막 말에 대한 여자의 응답으로 가장 적절한 것을 고르시오.

Woman: _____

① I think you did it.
② You have to believe me.
③ I'll start to write it right away.
④ Take it easy. Slow and steady wins the race.
⑤ What you do is more important than what you say.

W Dave, have you made any New Year's resolutions?
새해 결심

M Of course. I made so _____ _____ _____.

W How many?

M Don't _____ _____. I've made 35 resolutions!

W 35? Are you sure you can _____ _____ all of them?
┌ 솔직히 말하자면

M To be honest, I'm not sure.
🎵정답 근거

W Making resolutions _____ isn't important.
동명사구 주어(단수 취급)

M Then what is important, Mom?

W ⑤ What you do is more important than what you say.

여 Dave, 너 새해를 맞이한 결심은 했니?
남 네. 저는 정말 많은 결심을 했어요.
여 얼마나 많이 했는데?
남 놀라지 마세요. 저는 35가지의 결심을 했어요!
여 35가지라고? 정말 그것들 모두를 확실히 지킬 수 있니?
남 솔직히 말씀드리면 잘 모르겠어요.
여 결심하는 것 자체가 중요한 것은 아니야.
남 그러면 뭐가 중요해요, 엄마?
여 ⑤ 실천하는 것이 말하는 것보다 더 중요해.

🔊 Solution Tip 새해 결심을 너무 많이 한 아들에게 결심하는 것보다 실천하는 것이 더 중요하다고 조언하는 것이 자연스럽다.

① 나는 네가 그것을 한 것 같아. ② 너는 나를 믿어야 해.
③ 당장 그것을 쓰기 시작할게. ④ 마음 편히 가져. 천천히 그리고 꾸준히 하면 경주에서 이겨.

18 적절한 응답

대화를 듣고, 여자의 마지막 말에 대한 남자의 응답으로 가장 적절한 것을 고르시오.

Man: _____

① I'm pleased to hear that.
② I hope you get better soon.
③ When did you play the game?
④ Cheer up! You'll do better next time.
⑤ To me, nothing is more important than sports.

M Hey, Julia. You _____ _____. What's the matter?

W I don't want to talk right now.
to부정사의 명사적 용법(want의 목적어)

M Come on. What are friends for? Just tell me.
친구 좋다는 게 뭐야?

W We had a soccer match with Class 5 this afternoon.

M And ... you lost?

W Yes, and it was because of me. I _____ _____
~ 때문에
_____ _____.

M What mistake?
🎵정답 근거

W We had a chance to win, but I _____ a penalty kick.
to부정사의 형용사적 용법(앞의 a chance 수식)

M ④ Cheer up! You'll do better next time.

남 안녕, Julia. 너 속상해 보인다. 무슨 문제 있니?
여 지금은 말하고 싶지 않아.
남 이봐, 친구 좋다는 게 뭐야? 그냥 내게 말해 봐.
여 우리는 오늘 오후에 5반하고 축구 시합을 했어.
남 그리고…… 졌구나?
여 응, 그리고 그건 나 때문이야. 내가 큰 실수를 했어.
남 무슨 실수?
여 이길 기회가 있었는데 내가 페널티 킥을 실축했거든.
남 ④ 기운 내! 다음번에는 더 잘할 거야.

① 그것을 듣게 되어 기뻐. ② 네가 곧 나아지길 바라.
③ 언제 게임을 했는데? ⑤ 나에게는 운동보다 더 중요한 것은 없어.

19 적절한 응답

대화를 듣고, 남자의 마지막 말에 대한 여자의 응답으로 가장 적절한 것을 고르시오.

Woman: _____

① Don't tell me anymore about it.
② No, I have no plans for this vacation.
③ I didn't know you could dance so well.
④ It took me a long time to figure it out.
⑤ I'd love to, but I don't know anything about dancing.

M　What are you going to do this vacation?

W　No plans. I can't figure out what to do.
　　　　　　　　　　　　　what+to부정사: 무엇을 ~할지

M　Then how about doing something you've _____
　　　　　　제안하는 표현
　　_____ _____?

W　Sounds good. Any suggestions?
　　🎸정답 근거

M　I recently joined a dance club and _____ _____ how
　　　　　　　　　　　　　　　　　　　how+to부정사: ~하는 방법
　　to dance. It's really fun.

W　That sounds exciting.

M　Why don't you _____ _____ _____?
　　제안하는 표현

W　⑤ I'd love to, but I don't know anything about dancing.

남　너는 이번 방학에 무엇을 할 거니?
여　아무 계획 없어. 나는 무엇을 할지 모르겠어.
남　그럼 네가 예전에 안 해 봤던 무언가를 해 보는 게 어때?
여　좋아. 제안할 게 있어?
남　나는 최근에 춤 동아리에 가입해서 춤추는 법을 배우기 시작했어. 정말 재미있어.
여　재미있겠다.
남　나랑 같이 가 볼래?
여　⑤ 그러고 싶지만, 나는 춤추는 것에 관해 아무것도 몰라.

① 그것에 관해 나에게 더 이상 말하지 마.
② 아니, 나는 이번 방학에 계획이 없어.
③ 나는 네가 그렇게 춤을 잘 추는지 몰랐어.
④ 나는 그것을 알아내는 데 시간이 오래 걸렸어.

20 상황에 맞는 말

다음 상황 설명을 듣고, Oliver가 Chloe에게 할 말로 가장 적절한 것을 고르시오.

Oliver: Chloe, _____

① how far is it to the top?
② are you ready to go up?
③ is it okay if I go up alone?
④ why don't we get some rest?
⑤ could you tell me where it is?

W　Oliver and his sister Chloe go hiking in the mountains.
　　　　　　　　　　　　　　　　　　　　산행하다
　　They take an _____ _____ because it's Chloe's
　　first time. However, _____ _____ for about two
　　hours, Chloe sweats a lot and _____ very _____.
　　🎸정답 근거
　　Oliver thinks they should get some rest for a while. In this
　　　　　　　　　　　　　~해야 한다　　　　　　　잠시 동안
　　situation, what would Oliver most likely say to Chloe?

Oliver　Chloe, ④ why don't we get some rest?

여　Oliver와 그의 여동생 Chloe는 산행을 한다. Chloe의 첫 산행이라 그들은 쉬운 길을 택한다. 그러나 두 시간 정도를 걷고 난 뒤 Chloe는 땀을 많이 흘리고 무척 지쳐 보인다. Oliver는 그들이 잠시 쉬어야 한다고 생각한다. 이러한 상황에서 Oliver는 Chloe에게 뭐라고 말할까?
Oliver　Chloe, ④ 우리 좀 쉬는 게 어때?

① 정상까지 얼마나 머니?
② 올라갈 준비됐니?
③ 나 혼자 올라가도 괜찮니?
⑤ 그것이 어디에 있는지 내게 말해 줄 수 있니?

모의고사를 먼저 풀고 싶으면 186쪽으로 이동하세요.

🎧 다음 표현을 듣고 모르는 것에 표시하시오.

- [ ] 01 **haircut** 이발
- [ ] 02 **be on duty** 근무하다
- [ ] 03 **photography** 사진(촬영 기법)
- [ ] 04 **attract** 끌어 모으다
- [ ] 05 **leaflet** (낱장 광고) 전단
- [ ] 06 **graduate** 졸업하다
- [ ] 07 **fee** 요금
- [ ] 08 **report** 신고하다
- [ ] 09 **steal** 훔치다(-stole-stolen)
- [ ] 10 **lock** (자물쇠로) 잠그다
- [ ] 11 **mind** 꺼리다, 싫어하다
- [ ] 12 **recycle** 재활용하다
- [ ] 13 **short-sleeved** 반팔의
- [ ] 14 **laptop** 노트북 컴퓨터
- [ ] 15 **break** 고장 나다
- [ ] 16 **bracelet** 팔찌
- [ ] 17 **for free** 공짜로, 무료로
- [ ] 18 **be honored to** ~해서 영광이다
- [ ] 19 **reduce** 줄이다
- [ ] 20 **violence** 폭력
- [ ] 21 **student council** 학생회
- [ ] 22 **support** 지원하다
- [ ] 23 **various** 여러 가지의
- [ ] 24 **show off** ~을 자랑하다

- [ ] 25 **talent** 재주, 재능
- [ ] 26 **unforgettable** 잊을 수 없는
- [ ] 27 **symptom** 증상
- [ ] 28 **have a cough** 기침하다
- [ ] 29 **prescribe** 처방하다
- [ ] 30 **a spoonful of** 한 스푼의
- [ ] 31 **electronic** 전자의, 컴퓨터의
- [ ] 32 **cursor** (컴퓨터 화면) 커서
- [ ] 33 **flat** 평평한
- [ ] 34 **scroll** (컴퓨터 화면) 스크롤, 화면 이동
- [ ] 35 **abroad** 해외로
- [ ] 36 **thrilled** 흥분한, 감격한
- [ ] 37 **Absolutely.** (대답으로) 정말 그래.
- [ ] 38 **scared** 무서워하는
- [ ] 39 **powder** 가루
- [ ] 40 **crab** 게
- [ ] 41 **be allergic to** ~에 알레르기가 있다
- [ ] 42 **indoor** 실내의

📝 알아두면 유용한 선택지 **어휘**

- [ ] 43 **engineer** 기술자
- [ ] 44 **photographer** 사진작가
- [ ] 45 **cartoonist** 만화가
- [ ] 46 **patient** 환자

🎧 들으면서 표현을 완성한 다음, 뜻을 고르시오.

표현의 의미를 생각하며 다시 써 보기!

01 sym　tom　　☐ 증상　　☐ 약효　　➡ _____

02 indoo　　　☐ 야외의　　☐ 실내의　　➡ _____

03 un　orget　able　　☐ 잊을 수 없는　　☐ 쉽게 잊혀질　　➡ _____

04 prescrib　　☐ 예방하다　　☐ 처방하다　　➡ _____

05 at　ract　　☐ 끌어 모으다　　☐ 담그다　　➡ _____

06 elect　onic　　☐ 자동의　　☐ 전자의　　➡ _____

07 st　al　　☐ 훔치다　　☐ 신고하다　　➡ _____

08 rec　cle　　☐ 재활용하다　　☐ 내버리다　　➡ _____

09 brac　let　　☐ 목걸이　　☐ 팔찌　　➡ _____

10 gra　uate　　☐ 졸업하다　　☐ 완성하다　　➡ _____

11 lea　let　　☐ 게시 글　　☐ (낱장 광고) 전단　　➡ _____

12 p　otograp　y　　☐ 사진작가　　☐ 사진 (촬영 기법)　　➡ _____

13 　iolence　　☐ 폭력　　☐ 재능　　➡ _____

14 vario　s　　☐ 유별난　　☐ 여러 가지의　　➡ _____

15 hairc　t　　☐ 미용 가위　　☐ 이발　　➡ _____

16 engin　er　　☐ 기술자　　☐ 근로자　　➡ _____

17 carto　nist　　☐ 소설가　　☐ 만화가　　➡ _____

18 t　rilled　　☐ 긴장한　　☐ 흥분한　　➡ _____

19 short-slee　ed　　☐ 반팔의　　☐ 반바지의　　➡ _____

20 m　nd　　☐ 멀어지다　　☐ 꺼리다　　➡ _____

실전 모의고사 [12]회

실전 모의고사 12회 →
┌ 모의고사 보통 속도
└ 모의고사 빠른 속도

✎ 들으면서 주요 표현 메모하기!

01 대화를 듣고, 남자가 구입할 의자를 고르시오.

① 　② 　③ 　④ 　⑤

02 대화를 듣고, 남자가 여자에게 전화한 목적으로 가장 적절한 것을 고르시오.

① 예약을 하려고　　　② 사람을 찾으려고　　　③ 일자리를 알아보려고
④ 예약을 취소하려고　　⑤ 예약 시간을 변경하려고

03 다음 그림의 상황에 가장 적절한 대화를 고르시오.

①　　　②　　　③　　　　④　　　　⑤

고난도 메모하며 풀기

04 대화를 듣고, 여자가 할 일로 가장 적절한 것을 고르시오.

① 사진 찍기　　　　　　② 동아리 포스터 만들기
③ 사진 동아리 가입하기　④ 동아리 회원 모집 게시 글 쓰기
⑤ 블로그에 사진 올리기

05 대화를 듣고, 탁구 대회에 관해 언급되지 <u>않은</u> 것을 고르시오.

① 개최일　　② 참가비　　③ 개최 장소　　④ 신청 방법　　⑤ 신청 기한

06 대화를 듣고, 남자의 직업으로 가장 적절한 것을 고르시오.

✎ 들으면서 주요 표현 메모하기!

① engineer   ② photographer   ③ cartoonist
④ flight attendant   ⑤ police officer

07 다음을 듣고, 두 사람의 대화가 <u>어색한</u> 것을 고르시오.

①   ②   ③   ④   ⑤

고난도 메모하며 풀기

08 대화를 듣고, 여자가 남자에게 부탁한 일로 가장 적절한 것을 고르시오.

① 티셔츠 환불하기   ② 티셔츠 빌려주기
③ 티셔츠 수선하기   ④ 티셔츠를 집으로 배송하기
⑤ 티셔츠를 다른 옷으로 교환하기

09 대화를 듣고, 여자의 마지막 말에 담긴 의도로 가장 적절한 것을 고르시오.

① 거절   ② 제안   ③ 충고   ④ 사과   ⑤ 후회

10 대화를 듣고, 여자가 받을 거스름돈이 얼마인지 고르시오.

① $15   ② $16   ③ $17   ④ $33   ⑤ $34

틀린 문제는 Dictation에서
완벽하게 이해하세요.

실전 모의고사 [12]회

🖊 들으면서 주요 표현 메모하기!

11 대화를 듣고, 두 사람이 대화하는 장소로 가장 적절한 곳을 고르시오.
① 극장　　　② 항구　　　③ 기차역　　　④ 공항　　　⑤ 버스 정류장

고난도 | 메모하며 풀기

12 다음을 듣고, 선거 공약으로 언급되지 <u>않은</u> 것을 고르시오.
① 학교 폭력 줄이기　　② 자판기 설치　　③ 깨끗한 화장실
④ 동아리 활동 지원　　⑤ 학교 축제 개최

---

13 다음 진료 카드를 보면서 대화를 듣고, 대화의 내용과 일치하지 <u>않는</u> 것을 고르시오.

· **Patient:**	Dora Simpson
· **Date:**	Wednesday, May 20th
· **Symptoms:**	① have a fever and a runny nose, cough a lot
· **Prescription:**	② take by mouth
	③ 2 tablets and 1 spoonful of syrup
	④ 3 times a day after meals
	⑤ for 5 days

고난도 | 메모하며 풀기

14 다음을 듣고, 무엇에 관한 설명인지 고르시오.
① 키보드　　　② 마우스　　　③ 프린터　　　④ 모니터　　　⑤ 복사기

---

15 대화를 듣고, 두 사람이 내일 할 일로 가장 적절한 것을 고르시오.
① 영화 관람하기　　② 축제 참가하기　　③ 맛집 찾아가기
④ 컴퓨터 게임하기　　⑤ 게임 대회 보러 가기

188 실전 모의고사 12회

16 대화를 듣고, 남자가 집에서 출발할 시각을 고르시오.

① 7:00 a.m.　② 7:30 a.m.　③ 8:30 a.m.　④ 9:30 a.m.　⑤ 10:30 a.m.

✎ 들으면서 주요 표현 메모하기!!

17 대화를 듣고, 여자의 마지막 말에 대한 남자의 응답으로 가장 적절한 것을 고르시오.

Man: _____

① I know how it works.
② I'm sorry to hear that.
③ Oh, I forgot all about it.
④ Okay. I think it'll be fun.
⑤ Cheer up! You can do it.

18 대화를 듣고, 남자의 마지막 말에 대한 여자의 응답으로 가장 적절한 것을 고르시오.

Woman: _____

① I'm sure you'll like it.
② Do you like crabs, too?
③ No, thanks. I've had enough.
④ Then should I order it for you?
⑤ Anything without crabs will be okay.

19 대화를 듣고, 여자의 마지막 말에 대한 남자의 응답으로 가장 적절한 것을 고르시오.

Man: _____

① No problem. Thanks for calling.
② Right. We need to go swimming first.
③ You can buy a swimsuit on the first floor.
④ Oh, really? I'm afraid I can't book it, then.
⑤ I don't know when the repairs will be finished.

20 다음 상황 설명을 듣고, Dustin이 그의 아버지에게 할 말로 가장 적절한 것을 고르시오.

Dustin: Dad, _____

① it's very delicious.
② give me a present, please.
③ I want to be a chef.
④ what a nice surprise! I'm so happy!
⑤ we're hungry. Could you hurry a little, please?

틀린 문제는 **Dictation**에서
완벽하게 이해하세요.

01 그림 묘사
*들을 때마다 체크

대화를 듣고, 남자가 구입할 의자를 고르시오.

여 안녕하세요. 무엇을 도와드릴까요?
남 저는 딸이 쓸 의자를 찾고 있어요.
여 바퀴가 네 개 달린 이것 어떠세요? 그건 학생들 사이에 무척 인기 있어요.
남 오, 제 딸은 겨우 다섯 살이에요. 저는 이것이 마음에 드네요.
여 그렇지만 그건 등받이가 없어서 다섯 살짜리에게는 위험할지도 몰라요. 이 네모난 것은 어떠세요?
남 좋네요. 왕관 모양의 등받이가 독특해 보이는군요. 얼마인가요?
여 50달러예요.
남 알겠습니다. 그것으로 할게요.

W Hello. What can I do for you?

M I'm looking for a chair for my daughter.
　　look for: ~을 찾다

W How about this one with four _____? It's very popular
　　　　　　　　　= chair
_____ _____.

M Oh, my daughter is only five years old. I like this one.

W But it might be _____ for five-year-olds because it
　　may보다 불확실한 추측　　정답 근거
doesn't have a back. How about this _____ one?

M Good. The crown-shaped back _____ _____. How
　　　　　　왕관 모양의
much is it?

W It's 50 dollars.

M Okay. I'll take it.

02 목적

대화를 듣고, 남자가 여자에게 전화한 목적으로 가장 적절한 것을 고르시오.
① 예약을 하려고
② 사람을 찾으려고
③ 일자리를 알아보려고
④ 예약을 취소하려고
⑤ 예약 시간을 변경하려고

[전화벨이 울린다.]
여 안녕하세요. Bella 미용실입니다.
남 안녕하세요. 이발 예약을 하고 싶은데요.
여 원하시는 특정 미용사나 요일이 있으신가요?
남 금요일에 Liz 씨 괜찮은가요?
여 그날 그녀는 근무합니다. 몇 시가 편하세요?
남 오후 2시요.
여 2시 괜찮아요. 성함과 전화번호를 알려 주시겠어요?
남 네, 저는 John Smith이고, 제 번호는 232-145-7580 입니다.
여 네, 예약되었습니다. 금요일에 뵙겠습니다.

📞Telephone rings.

W Good morning. Bella Beauty Salon.
　　　정답 근거　　　　　　미용실

M Hello. I'd like to make an appointment for a haircut.
　　　　　　　　만날 약속을 하다, 예약하다

W For any particular hairdresser and day?
　　　　　　　　　　미용사

M How would it be if I _____ Liz on Friday?
　~하면 어떨까요?

W She's _____ _____ on that day. What time is
_____ _____ you?

M 2 p.m.

W 2 p.m. is fine. Can I have your name and phone number,
please?

M Sure. I'm John Smith, and my number is 232-145-7580.

W Okay. _____ _____. See you on Friday.

Dictation 12회 →
전체 듣기
문항별 듣기

Dictation의 효과적인 활용법
STEP 1 들으면서 대본의 빈칸 채우기
STEP 2 축쇄 문제를 보며 다시 풀어 보기
STEP 3 해석을 보며 영어로 말하거나 영작해 보기

공부한 날   월   일

03 그림 상황

다음 그림의 상황에 가장 적절한 대화를 고르시오.

① ② ③ ④ ⑤

① 남 당신은 어디에서 근무하십니까?
   여 저는 은행에서 일해요.
② 남 제가 만약 늦으면 어떻게 되나요?
   여 오랫동안 기다리셔야 할 거예요.
③ 남 L.A.로 가는 표를 예매하고 싶어요.
   여 네. 언제 떠나실 건가요, 손님?
④ 남 한 번에 책을 몇 권 대출할 수 있나요?
   여 5권까지요.
⑤ 남 몇 시에 가게 문을 닫나요?
   여 오후 8시에 닫습니다.

① M Where do you work?

   W I _____ _____ a bank.

② M What happens if I'm late?

   W You'll have to wait for a long time.
                              오랫동안

③ M I'd like to _____ _____ _____ to L.A.

   W Okay. When are you leaving, sir?

   정답 근거
④ M How many books can I _____ _____ at a time?
       얼마나 많은   한 번에

   W Up to 5 books.
       ~까지

⑤ M What time does your shop close?

   W It closes at 8 p.m.

Solution Tip book이 다의어로 '예약하다'와 '책'이라는 의미를 나타낸다는 것에 유의하며 듣는다.

04 할 일

대화를 듣고, 여자가 할 일로 가장 적절한 것을 고르시오.

① 사진 찍기
② 동아리 포스터 만들기
③ 사진 동아리 가입하기
④ 동아리 회원 모집 게시 글 쓰기
⑤ 블로그에 사진 올리기

남 안녕, Mia. 뭘 보고 있니?
여 학교 동아리 포스터.
남 가입하고 싶은 동아리가 있니?
여 나는 사진 찍는 것에 관심이 있는데 사진부가 없어.
남 안됐구나. 네가 직접 새 동아리를 만들면 어때?
여 하지만 동아리를 시작하려면 최소한 다섯 명이 필요해.
남 소셜 미디어를 이용하면 어때? 사람들을 끌어 모으는
   쉬운 방법이잖아.
여 네 말이 맞아. 그것에 관한 게시 글을 작성해 볼게.

M Hi, Mia. What are you looking at?

W School club posters.

M Is there any club you want to join?
                      you 앞에 목적격 관계대명사 that 생략(= club that you want to join)

W I'm _____ _____ _____ photos, but there's no
   photography club.

M That's too bad. Why don't you make a new club yourself?

W But I need at least five people to start a club.
                                        to부정사의 부사적 용법(목적)
   정답 근거
M How about using social media? It's an easy _____
                      소셜 미디어(SNS)
   _____ _____ _____.   = 사진 동아리를 시작하기 위해
                                             회원 모집하는 것

W You're right. I'll write a post about that.
                      (블로그 등에 올리는) 게시 글

05 언급되지 않은 것

대화를 듣고, 탁구 대회에 관해 언급되지 <u>않은</u> 것을 고르시오.

① 개최일　　② 참가비
③ 개최 장소　④ 신청 방법
⑤ 신청 기한

남　Kelly, 너 이 탁구 대회 전단지 봤어?
여　아니, 아직. 어디 보자. 대회는 9월 21일 오전 10시에 있구나.
남　우리 한 팀으로 대회에 신청해 보면 어때?
여　신나겠다. 졸업하기 전에 굉장한 일이 될 것 같아.
남　물론이지! 참가비는 8달러밖에 하지 않아.
여　비싸지 않네. 대회 신청은 어떻게 할 수 있어?
남　9월 1일까지 온라인으로 신청할 수 있대. 지금 같이 하자.
여　좋아. 정말 기대된다.

M　Kelly, did you see this table tennis competition leaflet?

W　No, not yet. Let me see. **정답 근거** The competition is on September 21st, at 10 a.m.

M　Why don't we ＿＿＿＿ ＿＿＿＿ ＿＿＿＿ the competition as a team?
　　~로(서)

W　Sounds exciting. It would be an amazing event ＿＿＿＿ ＿＿＿＿.

M　You bet! The participation fee is only 8 dollars.
　　물론이지!(= Certainly!)

W　That's reasonable. How can we apply for the competition?
　　　　　　　　　　　　　　　　　~에 지원하다

M　It says we can sign up online by September 1st. Let's do it together now.

W　Okay. I'm really ＿＿＿＿ ＿＿＿＿ ＿＿＿＿ it.

> **Solution Tip** 개최일(September 21st), 참가비(8 dollars), 신청 방법(sign up online), 신청 기한 (September 1st)은 언급되었지만, 개최 장소는 언급되지 않았다.

06 직업

대화를 듣고, 남자의 직업으로 가장 적절한 것을 고르시오.

① engineer
② photographer
③ cartoonist
④ flight attendant
⑤ police officer

남　무엇을 도와드릴까요, 선생님?
여　도난당한 자전거를 신고하려고요.
남　네. 성함을 말씀해 주시겠습니까?
여　Cecilia White입니다.
남　자전거를 어디에서 도난당하셨나요?
여　아파트 건물 앞에서요. 어젯밤에 자전거를 세워 둘 때 제가 자물쇠 채우는 걸 깜빡했어요.
남　어떤 종류의 자전거인가요?
여　오래된 파란색 산악자전거예요.

① 기술자　　② 사진작가
③ 만화가　　④ 비행기 승무원
⑤ 경찰관

M　What can I do for you, ma'am?

W　**정답 근거** I'd like to ＿＿＿＿ ＿＿＿＿ ＿＿＿＿ bike.

M　Okay. May I have your name, please?

W　Cecilia White.

M　Where was the bike stolen from?

W　In front of my apartment building. When I ＿＿＿＿ my
　　~ 앞에
　　bike last night, I ＿＿＿＿ ＿＿＿＿ ＿＿＿＿ it.
　　　　　　　　　　　　　　　　　　　　= my bike

M　What kind of bike is it?

W　It's an old blue mountain bike.

> **Sound Tip** apartment
> 미국식 영어에서는 part가 단어의 중간에 있는 경우 part의 t를 거의 발음하지 않아서 /팔/ 정도로만 들린다. 따라서 apartment는 /어팔먼ㅌ/로, department는 /디팔먼ㅌ/로 들린다.

07 어색한 대화

다음을 듣고, 두 사람의 대화가 <u>어색한</u> 것을 고르시오.

①   ②   ③   ④   ⑤

① 여 창문 좀 닫아도 괜찮을까요?
   남 물론이죠.
② 여 스테이크를 어떻게 익혀드릴까요?
   남 저는 그것을 어떻게 요리하는지 몰라요.
③ 여 흡연에 대해 어떻게 생각하니?
   남 나는 그게 건강에 나쁘다고 생각해.
④ 여 우리는 지구를 살리기 위해 사용한 종이와 병들을 재활용해야 해.
   남 전적으로 동의해.
⑤ 여 너는 오토바이를 타니?
   남 절대로 안 타. 그건 너무 위험해.

🇬🇧

① W _____ _____ _____ _____ I close the window?

M Not at all.
🎵정답 근거

② W <u>How do you like your steak?</u>
~은 어떻게 해 드릴까요?

M I don't know _____ _____ _____ it.

③ W What do you think of smoking?

M I think it's bad for health.

④ W We <u>must</u> recycle <u>used</u> paper and bottles to save the
~해야 한다   use(사용하다)의 과거분사가 뒤의 paper and bottles 수식
earth.

M <u>You can say that again.</u>
상대방의 의견에 동의하는 말

⑤ W Do you ride a motorcycle?

M Never. It's _____ _____.

🔙 **Solution Tip**   How do you like your steak?는 스테이크의 굽기를 어떻게 하는 것이 좋은지를 묻는 말로, Well-done.(완전히 익혀 주세요.), Medium.(중간 정도로 익혀 주세요.), Rare.(살짝만 익혀 주세요.) 등으로 답한다.

08 부탁한 일

대화를 듣고, 여자가 남자에게 부탁한 일로 가장 적절한 것을 고르시오.
① 티셔츠 환불하기
② 티셔츠 빌려주기
③ 티셔츠 수선하기
④ 티셔츠를 집으로 배송하기
⑤ 티셔츠를 다른 옷으로 교환하기

여 실례합니다. 저는 반팔 티셔츠를 찾고 있어요.
남 그것들은 오른편에 있습니다. 마음 편히 입어 보세요.
여 고맙습니다. [잠시 후] 저는 이것이 마음에 드네요. 이것으로 5 사이즈가 있나요?
남 죄송합니다. 지금 5 사이즈는 남아 있는 것이 없어요. 하지만 원하시면 그것을 주문하실 수 있어요.
여 잘됐네요! 그러면 그것을 제 집으로 보내 주시겠어요?
남 물론이죠. 주소와 전화번호를 남겨 주세요.
여 네, 그리고 여기 제 신용 카드입니다.

W Excuse me. I'm looking for a short-sleeved T-shirt.

M They're on your right. <u>Feel free to</u> _____ them _____.
마음 편히 ~하다

W Thanks. [*Pause*] I like this one. Do you have it in size 5?

M Sorry. We don't have any size 5 ones left <u>at the moment</u>.
지금
But you can order it _____ _____ _____.
🎵정답 근거

W That's great! Then, can you send it to my house?

M No problem. Please _____ _____ _____ and the phone number.

W Okay, and here is my credit card.

09 마지막 말의 의도

대화를 듣고, 여자의 마지막 말에 담긴 의도로 가장 적절한 것을 고르시오.

① 거절　　② 제안　　③ 충고
④ 사과　　⑤ 후회

여　Brian, 과학 프로젝트는 다 끝냈니?
남　아니 아직. 실은 문제가 생겼어.
여　뭔데?
남　어제 내 노트북이 망가졌거든. 그건 지금 수리점에 있어.
여　안됐구나.
남　그래서 말인데 부탁 좀 들어주겠니?
여　물론이지. 말해 봐.
남　내가 네 노트북을 빌려도 괜찮을까?
여　오, 미안하지만 내가 써야 해서. 나도 내 것을 끝내지 못했거든.

W　Brian, _____ you _____ your science project?

M　Not yet. Actually, I have a problem.

W　What is it?

M　My laptop _____ yesterday. It's in the repair shop now.

W　That's too bad.

M　So, can you _____ me _____ _____?

W　Sure. Just tell me.

M　┌ 제가 ~해도 될까요?
　　Do you mind if I borrow your laptop?
　　정답 근거

W　Oh, I'm sorry, but I need to use it. I haven't finished _____, _____.

Solution Tip　남자는 마지막 대사에서 노트북을 빌릴 수 있는지 물었으나, 여자는 자신도 노트북을 써야 한다며 남자의 요청을 거절했다.

10 금액

대화를 듣고, 여자가 받을 거스름돈이 얼마인지 고르시오.

① $15　　② $16　　③ $17
④ $33　　⑤ $34

여　실례합니다. 저 좀 도와주시겠어요?
남　물론이죠. 무엇이 필요하신가요?
여　저는 저 팔찌를 사고 싶어요. 얼마인가요?
남　17달러입니다. 손님께서 2개를 구입하시면 1개를 더 공짜로 가져가실 수 있어요.
여　좋네요. 그러면 2개 살게요.
남　네. 무슨 색으로 원하시나요?
여　저는 검은 것과 빨간 것, 그리고 파란 것을 원해요. 여기 50달러짜리 지폐입니다.
남　고맙습니다. 거스름돈 여기 있어요.

W　Excuse me. Can you help me with something?

M　Sure. What do you _____?

W　I'd like to buy that bracelet. How much is it?
　　정답 근거

M　It's 17 dollars. If you buy two, you can get _____ _____ _____ _____.

W　That sounds good. I'll buy two, then.

M　Okay. _____ _____ would you like?

W　I want a black one, a red one, and a blue one, please.
　　　　　　　　　 = bracelet
　　Here's a 50 dollar bill.

M　Thank you. Here's your change.

Solution Tip　팔찌 2개를 구입하면 1개는 무료로 준다는 말에 여자는 2개를 산다고 했으므로 34달러를 지불하면 된다. 여자는 50달러짜리 지폐를 냈으므로 16달러를 거슬러 받아야 한다.

11 장소

대화를 듣고, 두 사람이 대화하는 장소로 가장 적절한 곳을 고르시오.

① 극장   ② 항구   ③ 기차역
④ 공항   ⑤ 버스 정류장

남 시드니행 편도 표를 주시겠어요?
여 출발 시각은 어떻게 해 드릴까요?
남 오후 3시 30분이요. 어른 2명과 어린이 1명 표를 주세요.
여 알겠습니다. [잠시 후] 총 가격은 67달러입니다. 어떻게 지불하고 싶으신가요?
남 현금으로 지불하고 싶어요. 여기 70달러입니다.
여 표와 거스름돈입니다.
남 고맙습니다. 기차는 어디에서 타나요?
여 3번 플랫폼에서 출발합니다.
남 알겠습니다. 고맙습니다.

M Can I have one-way tickets to Sydney, please?
　　편도의　cf. round-trip: 왕복의
W What _____ time?
M At 3:30 p.m. I'll take two adult tickets and one child ticket.
W Okay. [*Pause*] The total price is 67 dollars. _____ _____ _____ _____ to pay?
M I'd like to pay with cash. Here's 70 dollars.
　　현금으로 지불하다
W Here are your tickets and the _____.
　　🎵정답 근거
M Thanks. Where do I get on the train?
　　　　　　　～에 타다, 승차하다　cf. get off: ～에서 내리다
W It _____ _____ platform 3.
M Okay. Thank you.

12 언급되지 않은 것

다음을 듣고, 선거 공약으로 언급되지 <u>않은</u> 것을 고르시오.

① 학교 폭력 줄이기
② 자판기 설치
③ 깨끗한 화장실
④ 동아리 활동 지원
⑤ 학교 축제 개최

여 안녕하세요, 여러분. 여러분의 앞에 서게 되어 무척 영광입니다. 만약 저를 학생회장으로 뽑아 주신다면 우선 저는 우리 학교에서 폭력을 줄이기 위해 최선을 다하겠습니다. 두 번째로 화장실을 깨끗하게 만들겠습니다. 또한 저희 학생회가 다양한 동아리 활동을 지원하겠다고 약속드리겠습니다. 마지막으로 많은 학생들이 자신의 재능을 뽐내고 잊을 수 없는 기억을 만들 수 있는 학교 축제를 열겠습니다. 감사합니다.

W Hello, everyone. I'm very _____ to stand in front of you. If you vote for me _____ a student leader, first,
　　🎵정답 근거　～에게 표를 던지다
I'll do my best to _____ any violence in our school.
　　do one's best: 최선을 다하다
Second, I'll make the restrooms clean. Also, I promise our student council will _____ various club activities.
　　학생회
Last but not least, I'll hold a school festival where lots of
마지막으로 (그렇지만 앞의 것들과 마찬가지로 중요한)　　　관계부사
students can _____ _____ their talents and make unforgettable memories. Thank you.

13 표 정보

다음 진료 카드를 보면서 대화를 듣고, 대화의 내용과 일치하지 <u>않는</u> 것을 고르시오.

· Patient:	Dora Simpson
· Date:	Wednesday, May 20th
· Symptoms:	① have a fever and a runny nose, cough a lot
· Prescription:	② take by mouth
	③ 2 tablets and 1 spoonful of syrup
	④ 3 times a day after meals
	⑤ for 5 days

남 안녕하세요. 무엇이 문제인가요?
여 심한 감기에 걸린 것 같아요.
남 증상이 어떤가요?
여 열이 있고 콧물이 나요. 기침도 심하게 해요.
남 한번 봅시다. [잠시 후] 독감에 걸리셨네요. 약을 좀 처방해 드릴게요.
여 알겠습니다.
남 알약 두 개와 시럽 한 스푼을 하루에 3번 식후에 드세요. 4일 동안 드셔야 합니다. 그리고 충분히 쉬려고 노력하세요.
여 네, 그렇게 할게요.

M Hello. What's wrong with you?

W I think I have a bad cold.

M What are your _____?

W I have a fever and a runny nose. I also have a _____
열이 나다   have a runny nose: 콧물이 나다
_____.

M Let me see. [*Pause*] You have the flu. I'll prescribe you
독감에 걸리다
some medicine.

W Okay.

M Take two tablets and a spoonful of syrup _____
한 스푼의   정답 근거
_____ _____ _____ after meals. You should take
식후에
them for four days. And try to get enough rest.
= two tablets and a spoonful of syrup

W Yes, I will.

14 담화 화제

다음을 듣고, 무엇에 관한 설명인지 고르시오.
① 키보드　　② 마우스
③ 프린터　　④ 모니터
⑤ 복사기

남 이것은 대개 컴퓨터에 선으로 연결된 작은 전자 장치이다. 하지만 때때로 그것은 선이 없어서 컴퓨터와 연결하는 USB를 가지고 있다. 당신은 그것을 매트나 평평한 표면을 가로질러 움직임으로써 키보드를 사용하지 않고 컴퓨터 화면 위에 있는 커서를 조종하거나 일을 할 수 있다. 그것은 대개 두 개의 버튼과 가운데에 스크롤 휠 한 개를 가지고 있다.

M This is a small electronic device that _____ usually
주격 관계대명사
_____ to a computer through a _____. However,
sometimes this thing doesn't have a cord, so it has a USB
정답 근거
to connect to your computer. You can _____ the cursor
to부정사의 형용사적 용법(앞의 USB 수식)
on your computer screen and do things _____ _____
the keyboard _____ _____ it across a mat or
_____ _____. It usually has two buttons and a scroll
wheel in the center.

> **Solution Tip** 키보드를 사용하지 않고 컴퓨터 화면의 커서를 조종하기 위해 매트나 평평한 표면 위에서 사용하는 전자 장치는 마우스이다.

15 할 일

대화를 듣고, 두 사람이 내일 할 일로 가장 적절한 것을
고르시오.

① 영화 관람하기
② 축제 참가하기
③ 맛집 찾아가기
④ 컴퓨터 게임하기
⑤ 게임 대회 보러 가기

남 Emma, 내일 컴퓨터 게임하는 것 어때?
여 주말에 컴퓨터 게임이라고? 별로야. 음식 축제에 가
　　보는 건 어때?
남 축제에 할 만한 재미있는 일이라도 있어?
여 응. 빨리 먹기 대회가 있대.
남 그게 뭔데?
여 누구든지 가장 많은 음식을 가장 빨리 먹는 사람이 대
　　회에서 이기는 거야.
남 재미있겠는걸.
여 그러면 가서 한번 해 볼까?
남 못할 것도 없지.

함정 주의 여자가 주말에 컴퓨터 게임하는 것은 싫다고 함

M Emma, **how about playing computer games** tomorrow?

W Computer games on the weekend? No. **정답 근거** Why don't we go
to the food festival?

M Are there any _____ _____ _____ _____ at
the festival?

W Yes. There's a speed eating contest.

M What's that?

W Whoever eats the most food fastest wins the contest.
복합관계대명사(= Anyone who)

M That _____ _____ _____.

W Then should we go give it a try?
시도하다, 한번 해 보다

M Why not?

16 시각

대화를 듣고, 남자가 집에서 출발할 시각을 고르시오.

① 7:00 a.m.　　② 7:30 a.m.
③ 8:30 a.m.　　④ 9:30 a.m.
⑤ 10:30 a.m.

남 Jessica, 나 다음 주 월요일에 런던에 가.
여 오, 정말? 이번에 런던에 처음 방문하는 거니?
남 응. 사실 이번에 처음으로 해외여행을 가는 거야. 무척
　　신이 나.
여 잘됐다. 정말 설레겠구나.
남 정말 그래. 그런데 비행기가 오전 10시 30분에 출발해.
　　9시 30분쯤이면 공항에 충분히 일찍 가 있는 거겠지?
여 아냐. 너는 적어도 출발 시각 2시간 전에는 거기에 가
　　있어야 해.
남 그렇구나. 그러면 나는 7시에는 집을 떠나야겠다.
여 그렇게 하는 걸 추천해. 여행 잘 다녀오고.
남 알았어. 정말 고마워.

M Jessica, I'm going to London next Monday.

W Oh, really? Is this your first time to _____ London?

M Yeah. Actually, this is my first time to _____ _____.
I'm so excited.

W That's great. You must be _____.
~임에 틀림없다(강한 추측)

M Absolutely. By the way, the flight departs at 10:30 a.m. Is
it early enough to be at the airport at around 9:30 a.m.?
형용사[부사]+enough+to부정사: ~하기에 충분히 …한[하게]

W No. _____ _____ _____ be there at least 2 hours
적어도, 최소한
before the departure time.

정답 근거
M I see. Then I'll have to leave home at 7:00.
조동사 have to의 미래 시제

W I recommend you _____ _____. Enjoy your trip.

M Okay. Thanks a lot.

[Dictation] 실전 모의고사 **12**회

17 적절한 응답

대화를 듣고, 여자의 마지막 말에 대한 남자의 응답으로 가장 적절한 것을 고르시오.

Man: _____

① I know how it works.
② I'm sorry to hear that.
③ Oh, I forgot all about it.
④ Okay. I think it'll be fun.
⑤ Cheer up! You can do it.

여 이번 캠핑 프로그램에 관해 어떻게 생각하니?
남 굉장한 것 같아! 재미있는 활동들이 아주 많아.
여 나도 동의해.
남 너는 내일 어떤 활동에 참여할 거니?
여 글쎄, 나는 번지 점프하러 가고 싶어.
남 번지 점프라고? 너는 안 무섭니?
여 별로. 나는 그걸 오랫동안 해보고 싶었어. 너도 같이 할래?
남 ④ 그래. 재미있을 것 같아.

W What do you think of this camping program?
　　～에 관해 어떻게 생각합니까?
M I think it's great! _____ _____ so many interesting activities.
W I agree.
M Which activity are you going to _____ _____ tomorrow?
W Well, I want to go bungee jumping.
　　　　　　　　　　번지 점프하러 가다
M Bungee jumping? Aren't you _____?
　　　　　　　　　　　　　부정 의문문
W Not really. I've wanted to try it for a long time. Do you
　　　　　　　　　　현재완료(계속)
　　want to _____ _____? 🔑정답 근거
M ④ Okay. I think it'll be fun.

① 나는 그게 어떻게 작동하는지 알아.　② 그 소식을 듣게 되어 유감이야.
③ 오, 나는 그것을 완전히 잊어버렸어.　⑤ 힘내! 너는 할 수 있을 거야.

18 적절한 응답

대화를 듣고, 남자의 마지막 말에 대한 여자의 응답으로 가장 적절한 것을 고르시오.

Woman: _____

① I'm sure you'll like it.
② Do you like crabs, too?
③ No, thanks. I've had enough.
④ Then should I order it for you?
⑤ Anything without crabs will be okay.

남 이번에는 태국 음식을 먹어 보자. 너는 이전에 태국 음식을 먹어 본 적이 있니?
여 아니, 안 먹어 봤어.
남 이것 봐. 맛있어 보인다. 먹어 볼래?
여 안에 뭐가 들었대?
남 카레 가루, 우유, 달걀, 그리고 게라고 쓰여 있네.
여 게라고? 고맙지만 됐어. 사실 나는 게에 알레르기가 있거든.
남 정말? 그건 몰랐어. 그러면 네가 먹고 싶은 것이 있니?
여 ⑤ 게가 안 들어간 어떤 것이라도 괜찮아.

M Let's have some Thai food this time. _____ you _____ _____ it before?
　　　　　　　　　　　　　　　　　= Thai food
W No, I haven't.
M Look at this. It _____ _____. Would you like to try it?
W What's inside?
M It says curry powder, milk, eggs, and crabs.
W Crabs? No, thanks. Actually, I'm _____ _____ 🔑정답 근거
　　crabs.
M Really? I didn't know that. Is there anything you'd like, then?
W ⑤ Anything without crabs will be okay.

① 나는 네가 그것을 좋아할 거라 확신해.　② 너도 게를 좋아하니?
③ 고맙지만 됐어. 나는 충분히 먹었어.　④ 그러면 내가 널 위해 그것을 주문해 줄까?

19 적절한 응답

대화를 듣고, 여자의 마지막 말에 대한 남자의 응답으로 가장 적절한 것을 고르시오.

Man: _____

① No problem. Thanks for calling.
② Right. We need to go swimming first.
③ You can buy a swimsuit on the first floor.
④ Oh, really? I'm afraid I can't book it, then.
⑤ I don't know when the repairs will be finished.

[전화벨이 울린다.]
여 Rainbow 리조트입니다. 도와드릴까요?
남 네. 4월 1일에 예약하고 싶습니다.
여 네, 그런데 그날은 1인용 침대가 2개인 방 하나만 있습니다.
남 괜찮습니다. 얼마인가요?
여 150달러입니다.
남 좋습니다. 실내 수영장이 있나요?
여 네, 하지만 수영장은 수리 때문에 5월 1일까지는 문을 닫습니다.
남 ④ 오, 정말요? 그러면 유감스럽지만 예약을 못할 것 같아요.

📞Telephone rings.

W Rainbow Resort. May I help you?

M Yes. I'd like to make a reservation for April 1st.

W Okay, but we _____ _____ _____ _____ with two single beds that day.
　　single bed: 1인용 침대

M That's okay. How much is it?

W It's 150 dollars.
　　🎵정답 근거

M Good. Is there an indoor swimming pool?
　　　　　　　　　실내 수영장

W Yes, but the pool _____ _____ _____ _____ until May 1st.

M ④ Oh, really? I'm afraid I can't book it, then.

① 괜찮습니다. 전화해 주셔서 감사합니다.　② 맞아요. 우리는 먼저 수영을 하러 가야 해요.
③ 당신은 1층에서 수영복을 살 수 있어요.　⑤ 수리가 언제 끝날지 모르겠습니다.

20 상황에 맞는 말

다음 상황 설명을 듣고, Dustin이 그의 아버지에게 할 말로 가장 적절한 것을 고르시오.

Dustin: Dad, _____

① it's very delicious.
② give me a present, please.
③ I want to be a chef.
④ what a nice surprise! I'm so happy!
⑤ we're hungry. Could you hurry a little, please?

여 Dustin의 아버지는 Dustin의 생일을 기념해서 맛있는 음식을 많이 준비하고 있다. 그는 요리를 잘하지만 너무 느리다. 벌써 저녁 8시이고, Dustin과 나머지 가족들은 여전히 그들의 특별한 저녁을 기다리고 있다. 요리를 마치는 데에는 1시간, 또는 그 이상이 걸릴 것처럼 보인다. 이러한 상황에서 Dustin은 그의 아버지에게 뭐라고 말할까?
Dustin 아빠, ⑤ 저희는 배가 고파요. 조금만 서둘러 주시겠어요?

W Dustin's father _____ _____ lots of delicious food for Dustin's birthday. He's a good cook, but too slow.
　🎵정답 근거
It's already 8 p.m., but Dustin and the rest of his family members _____ _____ _____ for their special dinner. It seems that it'll take one or more hours _____
　　　　　　　　～인 것 같다
_____ _____. In this situation, what would Dustin most likely say to his father?

Dustin Dad, ⑤ we're hungry. Could you hurry a little, please?

① 그것은 정말 맛있어요.　② 제게 선물을 주세요.
③ 저는 요리사가 되고 싶어요.　④ 깜짝 놀랐어요! 저는 정말 행복해요!

모의고사를 먼저 풀고 싶으면 202쪽으로 이동하세요.

🎧 다음 표현을 듣고 모르는 것에 표시하시오.

01	backache 요통	25	pure 순수한
02	stretch 펴다, 늘이다	26	carbon 탄소
03	bend (몸이나 머리를) 굽히다, 숙이다	27	crystal clear 아주 명백한
04	movement 움직임	28	natural material 천연 물질
05	repairperson 수리공	29	unbreakable 깨뜨릴 수 없는
06	make an arrangement 준비하다, 협의하다	30	thanks to ~ 덕분에[때문에]
07	lead by (경주·경쟁에서) ~로 앞서다	31	hardness 단단함
08	invitation 초대(장)	32	grind 갈다
09	in fact 사실은	33	particularly 특히
10	step on it 속력을 내다	34	jewelry 보석류
11	stay healthy 건강을 유지하다	35	nut 견과
12	affect 영향을 미치다	36	mess 엉망진창인 상태
13	lose one's health 건강을 잃다	37	dish 요리
14	admission 입장(료)	38	spinach 시금치
15	heavily 아주 많이, 심하게	39	withdraw (돈을) 인출하다
16	real 진짜의	40	run out of ~을 다 써 버리다, ~이 다 떨어지다
17	response 반응		
18	season 계절		

🔖 **알아두면 유용한 선택지 어휘**

19	indoors 실내에(서)	41	lawyer 변호사
20	workout 운동	42	judge 판사
21	boost 증강시키다	43	anxious 불안해하는, 염려하는
22	status 상태, 상황	44	pearl 진주
23	airline 항공사	45	definitely 분명히
24	precious 귀중한, 값비싼	46	be poor at ~을 못하다

🎧 들으면서 표현을 완성한 다음, 뜻을 고르시오.

표현의 의미를 생각하며 다시 써 보기!

01 carb n   ☐ 탄소   ☐ 산소   ➡

02 ju ge   ☐ 검사   ☐ 판사   ➡

03 mo ement   ☐ 움직임   ☐ 차분함   ➡

04 gr nd   ☐ 자르다   ☐ 갈다   ➡

05 invit tio   ☐ 초대(장)   ☐ 광고물   ➡

06   ffect   ☐ 여유가 되다   ☐ 영향을 미치다   ➡

07 resp nse   ☐ 반응   ☐ 자극   ➡

08 bo st   ☐ 증강시키다   ☐ 감소시키다   ➡

09 prec ous   ☐ 유일한   ☐ 귀중한   ➡

10 defin tely   ☐ 분명히   ☐ 무기한으로   ➡

11 hardn ss   ☐ 관대함   ☐ 단단함   ➡

12 with raw   ☐ (돈을) 인출하다   ☐ (돈을) 입금하다   ➡

13 pear   ☐ 진주   ☐ 갯벌   ➡

14 un reak ble   ☐ 쉽게 깨지는   ☐ 깨뜨릴 수 없는   ➡

15 stret h   ☐ 구부리다   ☐ 펴다   ➡

16 backa he   ☐ 요통   ☐ 복통   ➡

17 jewe ry   ☐ 화폐   ☐ 보석류   ➡

18 admis ion   ☐ 휴식 시간   ☐ 입장(료)   ➡

19 parti ularly   ☐ 특히   ☐ 다르게   ➡

20 be poo at   ☐ ~을 싫어하다   ☐ ~을 못하다   ➡

실전 모의고사 [13]회

실전 모의고사 13회 →
┌ 모의고사 보통 속도
└ 모의고사 빠른 속도

✎ 들으면서 주요 표현 메모하기!

01 대화를 듣고, 남자가 하고 있는 동작을 고르시오.

① ② ③ ④ ⑤

고난도 | 메모하며 풀기

02 대화를 듣고, 여자가 남자에게 전화한 목적으로 가장 적절한 것을 고르시오.

① 새 프린터를 구입하려고　　　　② 상점 위치를 알아보려고
③ 아이 돌볼 사람을 구하려고　　　④ 프린터 사용 방법을 문의하려고
⑤ 프린터 수리를 요청하려고

03 다음 그림의 상황에 가장 적절한 대화를 고르시오.

①　　　　　②　　　　　③　　　　　④　　　　　⑤

04 대화를 듣고, 두 사람이 만나기로 한 장소로 가장 적절한 곳을 고르시오.

① 학교　　② 도서관　　③ 과학실　　④ 공원　　⑤ 버스 정류장

05 대화를 듣고, 여자의 직업으로 가장 적절한 것을 고르시오.

① nurse　　② doctor　　③ lawyer　　④ judge　　⑤ teacher

06 대화를 듣고, 남자의 심정으로 가장 적절한 것을 고르시오.

① bored   ② lonely   ③ relieved   ④ anxious   ⑤ satisfied

✎ 들으면서 주요 표현 메모하기!

07 다음을 듣고, 두 사람의 대화가 <u>어색한</u> 것을 고르시오.

①   ②   ③   ④   ⑤

08 대화를 듣고, 여자가 남자에게 부탁한 일로 가장 적절한 것을 고르시오.

① 사진 찍어 주기   ② 자리맡아 놓기   ③ 아이 돌보기
④ 의자 함께 나르기   ⑤ 자리 이동하기

09 대화를 듣고, 여자의 마지막 말에 담긴 의도로 가장 적절한 것을 고르시오.

① 감사   ② 위로   ③ 요청   ④ 사과   ⑤ 충고

고난도 메모하며 풀기

10 대화를 듣고, 남자가 영화를 관람할 날짜와 지불할 금액이 바르게 연결된 것을 고르시오.

① 13일 — $10   ② 14일 — $14   ③ 14일 — $18
④ 15일 — $14   ⑤ 15일 — $18

틀린 문제는 Dictation에서
완벽하게 이해하세요.

실전 모의고사 [13]회

✎ **들으면서 주요 표현 메모하기!**

11 대화를 듣고, 두 사람이 대화하는 장소로 가장 적절한 곳을 고르시오.

① 현관　　　　② 부엌　　　　③ 침실　　　　④ 차고　　　　⑤ 정원

12 다음을 듣고, 춘곤증의 극복 방법으로 언급되지 <u>않은</u> 것을 고르시오.

① 신선한 공기 쐬기　　　　　　② 더운물로 목욕하기
③ 물 자주 마시기　　　　　　　④ 비타민 C 충분히 섭취하기
⑤ 운동하기

13 다음 표를 보면서 대화를 듣고, 두 사람이 기다리는 항공편을 고르시오.

	Airline	Flight	From	Status
①	Belta	BT601	New York	Arrived
②	Belta	BT740	Chicago	Delayed
③	Newjet	NJ902	New York	Arrived
④	Newjet	NJ531	Chicago	Arrived
⑤	Newjet	NJ153	New York	Delayed

고난도　메모하며 풀기

14 다음을 듣고, 무엇에 관한 설명인지 고르시오.

① crystal　　② gold　　③ silver　　④ pearl　　⑤ diamond

15 대화를 듣고, 두 사람이 대화 직후에 할 일로 가장 적절한 것을 고르시오.

① 청소하기　　　　② 쇼핑 가기　　　　③ 초대장 보내기
④ 쇼핑 목록 만들기　　⑤ 음식 주문하기

16 대화를 듣고, 여자가 구입할 물건을 고르시오.

① meat　　　　② carrots　　　　③ eggs
④ spinach　　　⑤ mushrooms

고난도 메모하며 풀기

17 대화를 듣고, 여자의 마지막 말에 대한 남자의 응답으로 가장 적절한 것을 고르시오.

Man: _____

① It looks great.
② Well-done, please.
③ I'll go to the bank by bus.
④ I think money is important.
⑤ Five 20s and two 10s, please.

18 대화를 듣고, 남자의 마지막 말에 대한 여자의 응답으로 가장 적절한 것을 고르시오.

Woman: _____

① I'll definitely take the class.
② Well, I'm poor at computers.
③ I'm sure you'll like the class.
④ Good! I'll see you in the classroom.
⑤ I love it. I've learned a lot about computers.

19 대화를 듣고, 여자의 마지막 말에 대한 남자의 응답으로 가장 적절한 것을 고르시오.

Man: _____

① Of course. I bet it'll work for you, too.
② I think I have to keep a spending diary.
③ I hope you can find a part-time job soon.
④ I wish I could spend more money shopping.
⑤ You shouldn't have spent so much money shopping.

20 다음 상황 설명을 듣고, Brian이 Olivia에게 할 말로 가장 적절한 것을 고르시오.

Brian: Olivia, _____

① will you help me write the paper?
② how long will it take to go there?
③ will you give me a ride to school?
④ let's have a bicycle race to the park.
⑤ can I borrow your bicycle for a while?

틀린 문제는 Dictation에서
완벽하게 이해하세요. 🔔

[Dictation] 실전 모의고사 13회

손으로 써야 내 것이 된다

01 그림 묘사

*들을 때마다 체크

대화를 듣고, 남자가 하고 있는 동작을 고르시오.

①   ②   ③
④   ⑤

여 Jack, 무슨 일이니? 괜찮은 거야?
남 아니, 허리가 아파. 어제 무거운 상자들을 좀 날라서 그런가봐.
여 그렇구나. 야, 내가 좀 나아지게 해 주는 운동을 보여 줄게.
남 운동? 어떤 건데?
여 그냥 내가 하는 대로 따라와 봐. 먼저, 앉아서 다리를 쭉 펴 봐. 발은 모아 놓아야 해.
남 그런 다음엔?
여 그 다음엔 몸을 앞으로 숙이고 손이 발가락에 닿게 해. 10까지 세 보렴.
남 알겠어. 나 어떻게 하고 있니?
여 잘하고 있어.

W Jack, what's the matter? Are you all right?

M No, I _____ _____ _____. I think it's because
   I carried some heavy boxes yesterday.
   ~때문이다

W I see. Hey, I can show you an exercise to feel better.

M Exercise? What kind?

W Just follow _____ _____ _____. First, sit down
   and stretch your legs. You should put your feet together.
   ~해야 한다

M And then?

W Next, bend forward and touch your toes with your hands.
   허리를 굽히다
   _____ _____ 10.

M Okay. How am I doing?

W Good.

02 목적

대화를 듣고, 여자가 남자에게 전화한 목적으로 가장 적절한 것을 고르시오.

① 새 프린터를 구입하려고
② 상점 위치를 알아보려고
③ 아이 돌볼 사람을 구하려고
④ 프린터 사용 방법을 문의하려고
⑤ 프린터 수리를 요청하려고

[전화벨이 울린다.]
남 여보세요. Best Computer Ever입니다. 어떻게 도와 드릴까요?
여 안녕하세요. 제가 2주 전에 프린터를 샀는데, 그것이 오늘 아침에 작동을 멈췄어요.
남 전원을 껐다가 켜 보셨나요?
여 물론이죠. 그런데 아무런 움직임이 없었어요.
남 정말 죄송합니다. 저희가 그것을 점검할 수 있도록 저희 가게로 가지고 오시겠어요?
여 이곳에 수리공을 보내주실 수 있는지 모르겠네요. 아들을 돌보면서 하루 종일 집에 있어야 하거든요.
남 알겠습니다. 준비해 놓겠습니다.
여 감사합니다.

 Telephone rings.

M Hello. Best Computer Ever. How may I help you?

W Hi. I bought a printer two weeks ago, and it _____
   _____ this morning.

M Have you turned it off and on?
   이어동사의 목적어가 대명사일 때: 동사+목적어+부사

W Of course, I have. But there was no _____.

M I'm so sorry about that. Would you bring it to our store
   _____ _____ we may check it?

W I'm wondering if you can send a repairperson here. I have
   명사절을 이끄는 접속사: ~인지
   to stay home all day babysitting my son.

M Alright. We'll _____ _____ _____.

W Thank you.

Dictation 13회 →
┌ 전체 듣기
└ 문항별 듣기

Dictation의 효과적인 활용법
STEP 1 들으면서 대본의 빈칸 채우기
STEP 2 축쇄 문제를 보며 다시 풀어 보기
STEP 3 해석을 보며 영어로 말하거나 영작해 보기

공부한 날   월   일

03 그림 상황

다음 그림의 상황에 가장 적절한 대화를 고르시오.

① ② ③ ④ ⑤

① 남 너 지금 어디 가니?
　여 나는 축구장에 가는 중이야.
② 남 TV를 켜 줄래?
　여 지금 작동을 안 해.
③ 남 경기가 어떻게 되어 가고 있니?
　여 우리 팀이 두 골을 앞서고 있어.
④ 남 나를 위해 저 상자를 날라 줄 수 있니?
　여 물론이지. 저걸 어디에 놓아야 해?
⑤ 남 파티를 즐기고 있니?
　여 응, 여기서 즐거운 시간을 보내고 있어. 초대해 줘서
　　고마워.

① M Where are you going right now?

　W I'm going to the soccer field.

② M Can you _____ _____ the TV?
　　함정 주의 그림에서 여자는 TV로 축구 경기를 보고 있다.

　W It isn't working now.
　　정답 근거

③ M How's the game going?

　W Our team is _____ _____ two goals.

④ M Could you carry that box for me?

　W Sure. Where should I put it?
　　　　　　　　　　= that box

⑤ M _____ _____ _____ the party?

　W Yes, I'm having a great time here. Thank you for the
　　have a great time: 즐거운 시간을 보내다
　　invitation.

04 장소

대화를 듣고, 두 사람이 만나기로 한 장소로 가장 적절한 곳을 고르시오.

① 학교　　　　　　② 도서관
③ 과학실　　　　　④ 공원
⑤ 버스 정류장

여 Andy, 너 내일 방과 후에 한가해?
남 음, 나는 오후 3시에 반 친구들과 도서관에 가야 해.
　우리는 과학 보고서를 끝내야 하거든. 왜 물어보는 거니?
여 Hyde 공원에서 힙합 축제가 있어. 너 힙합 무척 좋아
　하지, 그렇지 않니?
남 응, 나는 정말 좋아해. 그거 몇 시에 시작하니?
여 오후 6시에 시작해. 나랑 함께 갈 수 있어?
남 물론이지. 보고서는 5시까지 끝낼 수 있을 것 같아.
　5시 40분에 공원에서 만나는 것 어때?
여 공원은 너무 붐빌 것 같아. 도서관에서 5시에 만나자.
남 좋은 생각이야. 그때 보자.

W Andy, _____ _____ _____ tomorrow after
　school?

M Well, I'm supposed to go to the library with my classmates
　　　　be supposed to: ~하기로 되어 있다
　at 3 p.m. We have to finish our science report. Why are
　you asking?

W There's a hip-hop festival at Hyde Park. You love hip-hop,
　= There is
　_____ _____?

M Yeah, I really do. What time does it begin?
　　　　　　　　　　　　　　　= the hip-hop festival

W It begins at 6 p.m. Can you _____ _____ _____?

M Of course. I think I can finish the report by 5. Why don't
　　　　　　　　　　　　　　　　　　　　= Let's ~
　we meet at the park at 5:40?

W I think the park will _____ so _____. Let's meet at
　　　　　　　　　　　　　　　　　　정답 근거
　the library at 5.

M Sounds good to me. See you then.

13회 받아쓰기

05 직업

대화를 듣고, 여자의 직업으로 가장 적절한 것을 고르시오.

① nurse
② doctor
③ lawyer
④ judge
⑤ teacher

[휴대 전화벨이 울린다.]
여 여보세요, Jane Hamilton입니다.
남 여보세요, Mark Collins입니다. 저는 Ava의 아빠예요.
여 안녕하세요, Collins 씨.
남 Ava가 오늘 아침에 배가 조금 아팠는데, 아픈 상태로 학교에 갔어요. 아이가 어떤가요?
여 음, 제가 수업 시간에 아이를 봤을 때는 괜찮은 것처럼 보였어요.
남 다행이네요. 사실, 아이가 최근에 복통이 있어서 병원을 예약해 두었어요. 오후 2시쯤에 아이가 조퇴를 해도 될까요?
여 그럼요.

① 간호사 ② 의사 ③ 변호사
④ 판사 ⑤ 교사

📞Cellphone rings.

W Hello, this is Jane Hamilton.

M Hello, this is Mark Collins. I'm Ava's father.

W Hi, Mr. Collins.

M Ava had a light stomachache this morning and _____ _____ _____ _____. How's she doing?

정답 근거
W Well, when I saw her in my class, she <u>seemed</u> okay.
seem: ~인 것처럼 보이다

M _____ _____ _____. In fact, she's <u>had</u> stomachaches
has had
lately, so I <u>made an appointment</u> at the hospital for her.
make an appointment: (진료·상담 등을) 예약하다
Can she leave school early around 2 p.m.?

W No problem.

06 심정

대화를 듣고, 남자의 심정으로 가장 적절한 것을 고르시오.

① bored
② lonely
③ relieved
④ anxious
⑤ satisfied

여 안녕하세요. 어디로 가시나요, 손님?
남 Central 역으로 가 주세요.
여 알겠습니다. 안전벨트를 매 주세요.
남 네. 그리고 조금만 속력을 내 주시겠어요? 제가 급해서요.
여 그렇군요. 가능한 한 빨리 가겠습니다.
남 부탁드려요. 기차가 7시 정각에 출발해서 적어도 6시 45분까지는 거기 가 있어야 해요.
여 6시 45분까지요? 이렇게 혼잡한 시간에는 어디든 차가 막힌다는 건 알고 계시는 거죠?
남 알고 있는데, 저는 그 기차를 꼭 타야 해요.

① 지루해하는 ② 외로운 ③ 안도한
④ 불안해하는 ⑤ 만족한

W Good evening. Where to, sir?

M Central Station, please.

W Okay. Please _____ your seat belt.

정답 근거
M Of course. And could you <u>step on it</u> a little bit? I'm
- 속력을 내다
_____ _____ _____.

W I see. I'll go _____ _____ _____ I can.

M Please. My train is leaving at 7 o'clock, so I <u>have to</u> be
~해야 한다
there at least by 6:45.

W By 6:45? You know the traffic is so heavy everywhere
during <u>rush hour</u>?
(출·퇴근 시의) 혼잡한 시간, 러시아워
M I know, but I have to _____ the train.

🎵 **Sound Tip** 묵음 t
-sten, -stle로 끝나는 단어의 t는 대개 발음하지 않는다. 따라서 fasten은 /패슨/, listen은 /리슨/, castle은 /캐슬/, whistle은 /위슬/로 발음한다.

07 어색한 대화

다음을 듣고, 두 사람의 대화가 <u>어색한</u> 것을 고르시오.

①   ②   ③   ④   ⑤

① 남 제가 당신의 펜을 써도 괜찮을까요?
   여 안 돼요. 어서 쓰세요.
② 남 저녁 식사가 정말 근사했어요.
   여 마음에 드셨다니 기뻐요.
③ 남 오늘 밤에 저녁 먹으러 나갈까요?
   여 그러고 싶지만 안 되겠어요.
④ 남 저를 초대해 주셔서 감사합니다.
   여 천만에요.
⑤ 남 당신은 Tom을 만나 본 적이 있나요?
   여 아뇨, 없습니다.

① M **정답 근거** Do you mind _____ _____ your pen?

W Yes, I do. Go ahead.

② M Dinner was really great.

W I'm glad you liked it.

③ M Would you like to _____ _____ _____ _____ tonight?

W I'd love to, but I can't.

④ M Thank you for inviting me.

W It's my pleasure.
고맙다는 말에 답하는 표현

⑤ M _____ you ever _____ Tom?

W No, I haven't.

> **Solution Tip** Do you mind ~?에서 mind가 '꺼리다'라는 의미를 나타내므로, 이에 대한 응답으로 거절할 때는 Yes로, 승낙할 때는 No로 한다. ①에서 거절의 응답 뒤에 Go ahead.(어서 쓰세요.)가 이어지는 것은 어색하다.

08 부탁한 일

대화를 듣고, 여자가 남자에게 부탁한 일로 가장 적절한 것을 고르시오.

① 사진 찍어 주기
② 자리맡아 놓기
③ 아이 돌보기
④ 의자 함께 나르기
⑤ 자리 이동하기

여 실례합니다. 이 자리에 주인이 있나요?
남 아니에요. 앉으셔도 돼요.
여 잘됐네요! 그러면 부탁 하나만 들어주시겠어요?
남 물론이죠. 무엇인가요?
여 제가 아이와 함께 앉을 수 있도록 한 자리만 이동해 주실 수 있나요?
남 그럼요, 왜 안 되겠어요?
여 정말로 고맙습니다.
남 괜찮아요!

W Excuse me. _____ _____ _____ _____?

M No, you can take it.

W Great! Then can you do me a favor?

M Sure. What is it?

W **정답 근거** Could you please <u>move over</u> one seat <u>so that</u> my child and
└ (다른 사람에게 공간을 만들어 주기 위해) 몸을 움직이다
I <u>can</u> _____ _____?
so that ~ can[may]: ~하기 위하여(목적)

M Of course. Why not?

W Thank you very much.

M No worries!
고맙다는 말에 답하는 표현

09 마지막 말의 의도

대화를 듣고, 여자의 마지막 말에 담긴 의도로 가장 적절한 것을 고르시오.

① 감사   ② 위로   ③ 요청
④ 사과   ⑤ 충고

W Derek, I think you drink soda almost every day.

M Yeah, I do. Drinking soda _____ me _____ good.
동명사구 주어는 단수 취급

W You know what? Soda has too much sugar and it's bad for your body.

M I know. Actually, I've tried many times to _____
현재완료(경험)
_____ _____, but always end up going back. So, I
end up+동사원형-ing: 결국 ~을 하게 되다
exercise every day to stay healthy.

W You may not realize _____ _____ _____ you now, but you might lose your health.
lose one's health: 건강을 잃다

M I'll cross that bridge when I come to it.
그건 그때 가서 생각하겠다.
정답 근거
W They say "As the boy, so the man." You'd better stop your
had better: ~하는 것이 낫다
bad habits right now.

여 Derek, 너는 탄산음료를 거의 매일 마시는 것 같아.
남 응, 그래. 탄산음료를 마시는 것은 기분을 좋게 해.
여 너 그거 아니? 탄산음료는 설탕이 너무 많아서 네 몸에 나빠.
남 알아. 사실 그만 마시려고 여러 번 노력해 봤는데, 항상 다시 마시게 돼. 그래서 나는 건강을 유지하려고 매일 운동을 해.
여 지금은 그것이 너에게 어떻게 영향을 미치는지 깨닫지 못할 수도 있지만, 건강을 잃을지도 몰라.
남 그건 그때 가서 생각할래.
여 '세살 버릇이 여든까지 간다.'고 하잖아. 나쁜 습관은 지금 바로 그만두는 게 나아.

10 날짜, 금액

대화를 듣고, 남자가 영화를 관람할 날짜와 지불할 금액이 바르게 연결된 것을 고르시오.

① 13일 — $10   ② 14일 — $14
③ 14일 — $18   ④ 15일 — $14
⑤ 15일 — $18

M Hello. I'd like three movie tickets for *The Three Bears* on
would like
the 13th, please.

W Sorry, sir. The tickets for the 13th are all sold out.
매진된
M Then what do you have _____?

W We have tickets for the 14th and the 15th.
정답 근거
M The 15th _____ _____. Two adults and one child, please. How much are they?

W 7 dollars for an adult and 4 dollars for a child. By the way,
그런데(화제 전환)
_____ _____ is your child?

M My son is 9.

W Oh, _____ _____ _____ _____ 10 is free.

M That's great. Here's 20 dollars.

남 안녕하세요. 13일자 '곰 세 마리' 영화표 3장 주세요.
여 죄송합니다, 손님. 13일 표는 모두 매진되었습니다.
남 그러면 가능한 날짜가 언제인가요?
여 14일과 15일 표가 남아 있습니다.
남 15일이 괜찮겠네요. 성인 표 2장과 어린이 표 1장 부탁드려요. 얼마인가요?
여 성인 표는 7달러, 어린이 표는 4달러입니다. 그런데 아이가 몇 살인가요?
남 제 아들은 9살입니다.
여 오, 10살 미만의 아이들은 무료입장입니다.
남 그거 잘됐네요. 여기 20달러입니다.

Solution Tip 13일 표는 매진되었다며 14일과 15일 표가 남아 있다고 하자, 남자는 15일이 괜찮겠다고 했다. 또한 성인 표는 7달러, 어린이 표는 4달러인데, 10세 미만의 어린이는 무료입장이라고 했다. 남자의 아들은 9살이므로 남자는 성인 표 2장의 값 14달러만 지불할 것이다.

11 장소

대화를 듣고, 두 사람이 대화하는 장소로 가장 적절한 곳을 고르시오.

① 현관   ② 부엌   ③ 침실
④ 차고   ⑤ 정원

여 John! 일어나!
남 오, 제발. 새벽 4시야. 무슨 일이야?
여 창밖을 봐!
남 싫어. 나 너무 졸려. 나는 다시 잘 거야.
여 눈이 오고 있어! 정원이 예뻐 보여!
남 너 농담하는 거지. 10월이라고!
여 내가 하고 있는 말이 바로 그거야. 겨우 10월에 눈이 아주 많이 오고 있어. 침대에서 나와서 눈 내리는 것 좀 봐.
남 알겠어. [잠시 후] 믿을 수가 없네! 정말이잖아!

🇬🇧

W John! _____ _____!

M Oh, please. It's 4 a.m. What's the matter?

W Look out the window!

M No. I'm so sleepy. I'm going back to sleep.

W It's snowing! The garden looks beautiful!

M You're kidding. It's October!

W That's exactly _____ _____ _____. It's
   snowing heavily just in October. Get out of bed and look
   『정답 근거』 ~에서 나오다
   at the snow coming down.

M Okay. [*Pause*] I can't believe this! It's _____!
   놀람을 나타내는 표현

12 언급되지 않은 것

다음을 듣고, 춘곤증의 극복 방법으로 언급되지 <u>않은</u> 것을 고르시오.

① 신선한 공기 쐬기
② 더운물로 목욕하기
③ 물 자주 마시기
④ 비타민 C 충분히 섭취하기
⑤ 운동하기

남 안녕하세요, 청취자 여러분. 저는 시립 병원의 Williams 박사입니다. 봄에 쉽게 피곤해지시나요? 그 것은 바뀌는 계절에 대한 신체의 자연스러운 반응입 니다. 그렇다면 우리는 그것을 극복하기 위해 무엇을 해야 할까요? 첫째로 항상 실내에 계시지 마세요. 대 신에 신선한 공기를 쐬어 주세요. 단, 몸을 따뜻하게 해 주는 것을 잊지 마세요. 운동 역시 기운을 증강시키 는 데 도움이 됩니다. 또한 충분한 양의 비타민 C를 드 시고, 물을 자주 드세요.

M Hello, listeners. This is Dr. Williams from City Hospital.
   Do you _____ _____ easily in spring? It's the
   봄에
   body's natural response to the _____ _____. Then
   ┌ ~을 극복하다
   what should we do to get over it? First, you shouldn't stay
   『정답 근거』
   indoors all the time. Instead, get some fresh air. _____
   항상, 늘
   _____ _____ keep your body warm, though.

   Workout helps boost your energy, too. Also, take enough
   = helps to boost
   vitamin C and drink water often.

13 표 정보

다음 표를 보면서 대화를 듣고, 두 사람이 기다리는 항공편을 고르시오.

	Airline	Flight	From	Status
①	Belta	BT601	New York	Arrived
②	Belta	BT740	Chicago	Delayed
③	Newjet	NJ902	New York	Arrived
④	Newjet	NJ531	Chicago	Arrived
⑤	Newjet	NJ153	New York	Delayed

남 엄마, 저쪽에 항공기 현황판을 보세요.
여 오, 뉴욕에서 오는 항공편이 3개가 있구나.
남 할머니께서는 Belta 항공으로 오시죠, 그렇지 않나요?
여 아니. 할머니께서는 Newjet 항공으로 바꾸셨어.
남 여전히 2개의 항공편이 남아 있어요. 비행기 편명을 아세요?
여 할머니께서 어제 편명을 내게 문자로 보내셨어. 잠깐만 기다리렴. [잠시 후] NJ153 편이야.
남 NJ153 편은 지연됐어요. 항공사 창구에 가서 그것이 언제 도착하는지 물어봐요.
여 그러자.

M Mom, _____ _____ the flight status board over
저쪽에
there.

W Oh, there are three flights from New York.
~이 있다

M Grandma is coming in on Belta, _____ _____?

W No. She changed it to Newjet.

M There are still two flights left. Do you know the flight number?

W She _____ me the number yesterday. Wait a minute.
🎵정답 근거
[*Pause*] It's NJ153.

M NJ153 _____ _____ _____ _____. Let's go to the airline counter and ask when it arrives.
목적어로 쓰인 명사절(간접의문문)

W Okay.

14 담화 화제

다음을 듣고, 무엇에 관한 설명인지 고르시오.

① crystal   ② gold   ③ silver
④ pearl   ⑤ diamond

여 이것은 순수한 탄소로 이루어진 값비싼 돌이다. 이 돌이 인간에게 알려진 가장 단단한 천연 물질이라는 것은 아주 명백하다. 그래서 그것의 이름은 '깨뜨릴 수 없는'을 의미한다. 그것의 단단함 때문에, 그것은 다른 물질들을 자르고, 갈고, 구멍을 뚫는 데 사용할 때 매우 유용하다. 특히 그것은 반지나 목걸이 같은 보석류로 사용하는 것으로도 알려져 있다. 그것의 대부분은 색이 없지만 적은 비율로 갈색, 노란색, 빨간색, 파란색 등의 색일 수 있다.

① 수정   ② 금   ③ 은
④ 진주   ⑤ 다이아몬드

W This is a precious stone of pure carbon. It is crystal clear
🎵정답 근거
아주 명백한
that this stone is the _____ _____ _____ known
과거분사
to man. That's why its name means "unbreakable." Thanks
~ 덕분에[때문에]
to its hardness, it is very useful when used to _____,
_____, or _____ other materials. It is also known
particularly for its _____ _____ _____, such
as rings or necklaces. Most of them are without color
although a small percentage can be brown, yellow, red,
(비록) ~이긴 하지만
blue, and so on.
~ 등, 기타 등등

◀ Solution Tip 지구상에서 가장 단단한 천연 물질이면서 보석으로도 사용되는 투명하고 값비싼 돌은 다이아몬드이다.

15 할 일

대화를 듣고, 두 사람이 대화 직후에 할 일로 가장 적절한 것을 고르시오.

① 청소하기   ② 쇼핑 가기
③ 초대장 보내기   ④ 쇼핑 목록 만들기
⑤ 음식 주문하기

남 내일 파티를 위해 뭘 해야 하지?
여 초대장은 보냈니?
남 물론 보냈지.
여 좋아. 파티를 위해 구입할 물건들의 목록을 만들자. 몇 명이 와?
남 10명 정도. 우리는 음식이랑 음료가 많이 필요할 거야.
여 맞아. 과일이랑 주스를 좀 살까?
남 좋아. 흠…… 쿠키랑 견과도 없어. 내가 식료품점에서 좀 사 올게.
여 잠깐만. 쇼핑하기 전에 우리는 집을 치워야 해. 너무 엉망이야!
남 그래. 지금 당장 하자.

M What should we do for tomorrow's party?

W Did you _____ _____ the invitations?

M Sure, I did.

W Okay. Let's make a list of things to buy for the party.
_____ _____ _____ are coming?

M About 10. We'll need lots of food and drink.

W You're right. How about buying some fruits and juices?

M Sounds good. Hmm ... we don't have any cookies and nuts. I'll get some at the grocery store.

W Wait. Before shopping, we _____ _____ _____ the house. What a mess!

M All right. Let's do it right now.

16 구입할 물건

대화를 듣고, 여자가 구입할 물건을 고르시오.

① meat   ② carrots
③ eggs   ④ spinach
⑤ mushrooms

여 여보, 저 집에 왔어요. 고기로 뭐 하고 있어요?
남 인기 있는 한국 요리인 비빔밥을 만들려고 생각하고 있어요.
여 정말요? 저는 그것을 정말 좋아해요. 그것을 한 번 먹어 봤는데 맛있었어요. 그런데 그것을 만드는 법을 알아요?
남 네, 한국인 친구 중 한 명이 조리법을 보내 주었어요. 인터넷에서 동영상도 봤고요.
여 좋아요! 제가 도울 수 있는 일이 있어요?
남 그럼 이 당근이랑 시금치, 그리고 버섯을 씻어 줄래요?
여 물론이죠. 오, 달걀은 샀어요? 달걀이 다 떨어졌어요.
남 아뇨, 안 샀어요. 가서 좀 사 올 수 있어요? 제가 채소를 씻을게요.
여 알겠어요.

W Honey, I'm home. What are you doing with the _____?

M I was thinking of making *bibimbap*, a popular Korean _____.

W Really? I love it. I've tried it once, and it was delicious. By the way, do you know _____ _____ _____ it?

M Yeah, one of my Korean friends sent me her _____. I also watched a video clip on the Internet.

W Great! Is there _____ I can _____ you _____?

M Then can you wash these carrots, spinach, and mushrooms?

W Sure. Oh, did you buy eggs? We're out of eggs.

M No, I didn't. Can you _____ _____ _____? I'll wash the vegetables.

W Okay.

17 적절한 응답 ☐☐

대화를 듣고, 여자의 마지막 말에 대한 남자의 응답으로 가장 적절한 것을 고르시오.

Man: _____

① It looks great.
② Well-done, please.
③ I'll go to the bank by bus.
④ I think money is important.
⑤ Five 20s and two 10s, please.

W Good afternoon, sir. How can I help you?

M Hello. I'd like to _____ some _____ from my account, please.

W Could you _____ _____ this form, please?

M Okay. [*Pause*] Here you are.
　　　상대방에게 무언가를 주면서 하는 말(= There you are., Here it is. 등)

W And may I have your ID card?

M Sure. _____ 🎸정답 근거 _____ _____.

W Thank you. How would you like your money?
　　　　　　　　　~을 어떻게 해 드릴까요?

M ⑤ Five 20s and two 10s, please.

여 안녕하세요, 고객님. 어떻게 도와드릴까요?
남 안녕하세요. 제 계좌에서 돈을 좀 인출하고 싶은데요.
여 이 양식을 작성해 주시겠습니까?
남 알겠습니다. [잠시 후] 여기 있습니다.
여 그리고 신분증을 주시겠어요?
남 네. 여기 있습니다.
여 고맙습니다. 돈은 어떻게 드릴까요?
남 ⑤ 20달러짜리 지폐 5장과 10달러짜리 지폐 2장으로 주세요.

① 아주 멋져 보이네요.　　　　② 완전히 익혀 주세요.
③ 저는 버스를 타고 은행에 갈게요.　④ 저는 돈이 중요하다고 생각해요.

18 적절한 응답 ☐☐

대화를 듣고, 남자의 마지막 말에 대한 여자의 응답으로 가장 적절한 것을 고르시오.

Woman: _____

① I'll definitely take the class.
② Well, I'm poor at computers.
③ I'm sure you'll like the class.
④ Good! I'll see you in the classroom.
⑤ I love it. I've learned a lot about computers.

M _____ _____ in Mr. White's computer class?

W Yes, that's right.

M Hi, I'm Andrew. I'm in his class, too.

W Oh, hi, Andrew. I'm Lisa. But I don't think I've seen you
　　　　　　　　　　　　　　　　　　현재완료(경험)
in class.

M Well, I always _____ _____ _____ _____ of
　　　　빈도부사는 일반동사 앞에 씀
the classroom.

W I see.

M 🎸정답 근거
So, what do you think of the class?
　　　~에 관해 어떻게 생각합니까?(상대방의 의견을 묻는 말)

W ⑤ I love it. I've learned a lot about computers.

남 너는 White 선생님의 컴퓨터 수업을 듣지 않니?
여 그래, 맞아.
남 안녕, 난 Andrew라고 해. 나도 그 분의 수업을 듣고 있어.
여 오, 안녕, Andrew. 나는 Lisa야. 그런데 나는 수업 시간에 너를 못 본 것 같아.
남 글쎄, 나는 항상 교실 뒤쪽에 앉거든.
여 그렇구나.
남 그래서 그 수업에 관해서 어떻게 생각하니?
여 ⑤ 아주 좋아. 컴퓨터에 관해 많이 배우고 있어.

① 나는 반드시 그 수업을 들을 거야.　　② 글쎄, 나는 컴퓨터를 잘 못해.
③ 나는 네가 그 수업을 좋아할 거라고 확신해.　④ 좋아! 교실에서 보자.

19 적절한 응답

대화를 듣고, 여자의 마지막 말에 대한 남자의 응답으로 가장 적절한 것을 고르시오.

Man: _____

① Of course. I bet it'll work for you, too.
② I think I have to keep a spending diary.
③ I hope you can find a part-time job soon.
④ I wish I could spend more money shopping.
⑤ You shouldn't have spent so much money shopping.

남 너 우울해 보인다. 무슨 일이야?
여 또 돈이 다 떨어져 가고 있어.
남 아르바이트한 급여를 아직 못 받았어?
여 받았는데, 쇼핑하는 데 벌써 돈의 대부분을 써 버렸어.
남 정말? 너 용돈기입장을 쓰는 것은 어때?
여 용돈기입장?
남 응. 나는 항상 내가 쓰는 모든 것을 적어 놔. 그것은 내가 돈을 쓰기 전에 두 번 생각하는 데 도움이 돼.
여 좋겠다. 나도 그것을 습관으로 만들면 돈을 절약할 수 있을까?
남 ① 물론이지. 너에게도 효과가 있을 거라고 확신해.

🇬🇧

M You look depressed. What's wrong?

W I'm _____ _____ _____ money again.

M Haven't you gotten paid for your part-time job yet?
   현재완료 부정 의문문(완료)

W I have, but I already _____ most of the money shopping.

M Really? How about keeping a spending diary?
   keep a spending diary: 용돈기입장을 쓰다

W A spending diary?

M Yeah. I always write down everything I spend. It _____
   everything (that) I spend
   _____ _____ before I spend money.
   🔑정답 근거

W Good for you. Can I save money if I make it a habit, too?
   = keeping a spending diary

M ① Of course. I bet it'll work for you, too.

② 나는 용돈기입장을 써야 할 것 같아.   ③ 네가 곧 아르바이트를 찾을 수 있기를 바랄게.
④ 내가 쇼핑에 더 많은 돈을 쓸 수 있으면 좋을 텐데.   ⑤ 너는 쇼핑에 너무 많은 돈을 쓰지 말았어야 했어.

20 상황에 맞는 말

다음 상황 설명을 듣고, Brian이 Olivia에게 할 말로 가장 적절한 것을 고르시오.

Brian: Olivia, _____

① will you help me write the paper?
② how long will it take to go there?
③ will you give me a ride to school?
④ let's have a bicycle race to the park.
⑤ can I borrow your bicycle for a while?

남 학교 가는 길에 Brian은 자전거를 타고 있는 반 친구 중 한 명인 Olivia를 만난다. Olivia는 Brian에게 그가 리포트를 끝냈는지를 묻는다. 그 순간 Brian은 자신이 리포트를 집에 두고 왔다는 것을 깨닫지만, 그것을 가지러 집에 걸어가기에는 너무 늦었다. 그는 Olivia의 자전거를 잠시 사용하고 싶어 한다. 이러한 상황에서 Brian은 Olivia에게 뭐라고 말할까?
Brian Olivia, ⑤ 내가 잠시 네 자전거를 빌려도 될까?

M On the way to school, Brian meets one of his classmates, Olivia, _____ her bicycle. Olivia asks Brian if he has
   명사절을 이끄는 접속사: ~인지
   finished his paper. _____ _____ _____, Brian realizes that he left his paper at home, but it is _____
   명사절을 이끄는 접속사(생략 가능)   🔑정답 근거
   _____ _____ home to get it. He wants to
   = his paper
   use Olivia's bicycle for a while. In this situation, what would Brian most likely say to Olivia?

Brian Olivia, ⑤ can I borrow your bicycle for a while?

① 내가 리포트 쓰는 것을 도와주겠니?   ② 거기까지 가는 데 시간이 얼마나 걸릴까?
③ 학교까지 나 좀 태워 줄래?   ④ 공원까지 자전거 경주를 하자.

[VOCABULARY] 실전 모의고사 14회

어휘를 알아야 들린다

모의고사를 먼저 풀고 싶으면 218쪽으로 이동하세요.

🎧 다음 표현을 듣고 모르는 것에 표시하시오.

- [ ] 01 **teenage** 십 대의 *cf.* teenager 십 대
- [ ] 02 **stylish** 유행을 따른, 멋진
- [ ] 03 **stick out** 눈에 띄다
- [ ] 04 **collect** ~을 가지러 가다
- [ ] 05 **luggage** 짐, 수화물
- [ ] 06 **come over** 들르다
- [ ] 07 **notice** 알아차리다
- [ ] 08 **bother** 신경 쓰이게 하다
- [ ] 09 **somewhere** 어디에선가
- [ ] 10 **emergency** 비상 (사태)
- [ ] 11 **ambulance** 구급차
- [ ] 12 **confidence** 자신감
- [ ] 13 **depend** ~에 달려있다
- [ ] 14 **go off** (알람 시계 등이) 울리다
- [ ] 15 **ruin** 망치다
- [ ] 16 **wheat** 밀
- [ ] 17 **a loaf of** 한 덩어리의 ~
- [ ] 18 **advertisement** 광고
- [ ] 19 **business day** 영업일
- [ ] 20 **delivery** 배송
- [ ] 21 **fair** 박람회
- [ ] 22 **opportunity** 기회
- [ ] 23 **joy** 즐거움
- [ ] 24 **display** 전시하다

- [ ] 25 **a wide variety of** 매우 다양한
- [ ] 26 **degree** (각도·온도 등의 단위) 도
- [ ] 27 **effectively** 효과적으로
- [ ] 28 **nation** 국가
- [ ] 29 **major** 주요한
- [ ] 30 **damage** 손상시키다
- [ ] 31 **place an order** 주문하다
- [ ] 32 **custom** 풍습, 관습
- [ ] 33 **greet** 인사하다
- [ ] 34 **politely** 예의 바르게
- [ ] 35 **palm** 손바닥
- [ ] 36 **bow** 절하다, 머리를 숙이다
- [ ] 37 **slightly** 약간, 조금
- [ ] 38 **fancy** 고급의, 일류의

✍ 알아두면 유용한 선택지 **어휘**

- [ ] 39 **postal** 우편의
- [ ] 40 **receipt** 영수증
- [ ] 41 **guaranteed** 확실한, 보장된
- [ ] 42 **compass** 나침반
- [ ] 43 **globe** 지구본
- [ ] 44 **Never mind.** 괜찮아.
- [ ] 45 **put it another way** 바꿔 말하다

🎧 들으면서 표현을 완성한 다음, 뜻을 고르시오.

표현의 의미를 생각하며 다시 써 보기!

01 cust　　m 　☐ 풍습, 관습 　☐ 예절 　➜

02 dama　　e 　☐ 복구하다 　☐ 손상시키다 　➜

03 e　　er　　ency 　☐ 비상 (사태) 　☐ 구급차 　➜

04 w　　eat 　☐ 보리 　☐ 밀 　➜

05 pa　　m 　☐ 손바닥 　☐ 손목 　➜

06 slig　　tly 　☐ 경쾌하게 　☐ 약간 　➜

07 g　　arante　　d 　☐ 보장된 　☐ 구입된 　➜

08 post　　l 　☐ 우편의 　☐ 급행의 　➜

09 stylis　　 　☐ 입맛에 맞는 　☐ 유행을 따른 　➜

10 r　　in 　☐ 망치다 　☐ 세우다 　➜

11 adverti　　e　　ent 　☐ 상업 　☐ 광고 　➜

12 de　　end 　☐ ~에 달려있다 　☐ 요구하다 　➜

13 pol　　tely 　☐ 예의 바르게 　☐ 까다롭게 　➜

14 glo　　e 　☐ 장갑 　☐ 지구본 　➜

15 n　　tice 　☐ 연습하다 　☐ 알아차리다 　➜

16 ma　　or 　☐ 주요한 　☐ 작은 　➜

17 n　　tion 　☐ 지방 　☐ 국가 　➜

18 com　　ass 　☐ 망원경 　☐ 나침반 　➜

19 de　　ree 　☐ 도 　☐ 방향 　➜

20 fanc　　 　☐ 적당한 　☐ 고급의 　➜

실전 모의고사 [14]회

실전 모의고사 14회 →
　모의고사 보통 속도
　모의고사 빠른 속도

✎ 들으면서 주요 표현 메모하기!

고난도 | 메모하며 풀기

01 대화를 듣고, 여자가 구입할 여행 가방을 고르시오.

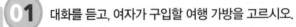

① 　② 　③ 　④ 　⑤

02 대화를 듣고, 남자가 여자에게 전화한 목적으로 가장 적절한 것을 고르시오.

① 약속 시간을 확인하려고　　　② 저녁식사에 초대하려고
③ 친구 전화번호를 물어보려고　④ 같이 테니스를 칠 것을 제안하려고
⑤ 극장에 데려다 줄 것을 부탁하려고

03 다음 그림의 상황에 가장 적절한 대화를 고르시오.

①　　　②　　　③　　　④　　　⑤

04 대화를 듣고, 두 사람이 만나기로 한 요일을 고르시오.

① 수요일　② 목요일　③ 금요일　④ 토요일　⑤ 일요일

05 대화를 듣고, 여자의 직업으로 가장 적절한 것을 고르시오.

① teacher　　　② librarian　　　③ taxi driver
④ firefighter　　⑤ police officer

06 대화를 듣고, 남자의 심정으로 가장 적절한 것을 고르시오.

① annoyed　　　② proud　　　③ pleased
④ worried　　　⑤ embarrassed

✎ 들으면서 주요 표현 메모하기!

07 다음을 듣고, 두 사람의 대화가 어색한 것을 고르시오.

①　　　②　　　③　　　④　　　⑤

08 대화를 듣고, 여자가 남자에게 부탁한 일로 가장 적절한 것을 고르시오.

① 전화 걸기　　　② 용돈 올려 주기　　　③ 돈 빌려주기
④ 은행에서 돈 찾기　　　⑤ 새 휴대 전화 사 주기

09 대화를 듣고, 여자의 마지막 말에 담긴 의도로 가장 적절한 것을 고르시오.

① 사과　　　② 경고　　　③ 부탁　　　④ 동의　　　⑤ 칭찬

고난도 | 메모하며 풀기

10 대화를 듣고, 남자가 받을 거스름돈이 얼마인지 고르시오.

① $3　　　② $4　　　③ $8　　　④ $10　　　⑤ $12

틀린 문제는 Dictation에서
완벽하게 이해하세요.

실전 모의고사 [14]회

✎ 들으면서 주요 표현 메모하기!

11 대화를 듣고, 두 사람이 대화하고 있는 장소로 가장 적절한 곳을 고르시오.

① home   ② library   ③ theater   ④ bank   ⑤ restaurant

고난도 메모하며 풀기

12 다음 영수증을 보면서 대화를 듣고, 대화의 내용과 일치하지 <u>않는</u> 것을 고르시오.

Postal Service	**RECEIPT**
① **Service Type**	International Economy
② **Item**	letter
③ **Sent to**	Hong Kong
④ **Total Price**	$35.00
⑤ **Guaranteed Delivery Date**	within 3 days

13 다음을 듣고, *Children's Book Fair*에 관해 언급되지 <u>않은</u> 것을 고르시오.

① 행사 기간   ② 행사 장소   ③ 전시 물품   ④ 입장료   ⑤ 사은품

14 다음을 듣고, 무엇에 관한 설명인지 고르시오.

① mirror   ② balloon   ③ compass   ④ flashlight   ⑤ globe

15 대화를 듣고, 남자가 대화 직후에 할 일로 가장 적절한 것을 고르시오.

① 옷 수선하기   ② 택배 보내기   ③ 상점 방문하기
④ 물건 주문하기   ⑤ 고객 센터에 전화하기

16 대화를 듣고, 여자가 구입할 물건을 고르시오.

✎ 들으면서 주요 표현 메모하기!

① camera ② laptop ③ earphones
④ cellphone ⑤ memory card

17 대화를 듣고, 여자의 마지막 말에 대한 남자의 응답으로 가장 적절한 것을 고르시오.

Man: _____

① Okay. I'll keep that in mind.
② I wish I could meet you there.
③ Did you enjoy your trip to Thailand?
④ Never mind. I can take care of myself.
⑤ It's difficult to master Thai in such a short time.

18 대화를 듣고, 남자의 마지막 말에 대한 여자의 응답으로 가장 적절한 것을 고르시오.

Woman: _____

① My family often eats out.
② Well, let me put it another way.
③ What time shall we meet at the restaurant?
④ That's a good idea. Let's go there someday.
⑤ Great! Especially the chicken was delicious.

고난도 메모하며 풀기

19 대화를 듣고, 여자의 마지막 말에 대한 남자의 응답으로 가장 적절한 것을 고르시오.

Man: _____

① Cheer up. I'm sure you can do it.
② Have you ever been to Australia?
③ I'm glad you're having a good time.
④ Are you planning to go to Australia?
⑤ Shall we go to Australia during the break?

20 다음 상황 설명을 듣고, Tom이 Emily에게 할 말로 가장 적절한 것을 고르시오.

Tom: Emily, _____

① I'd love to. What time?
② is it okay if I go to a movie?
③ I'm not sure if I can go home early.
④ I was late because of the heavy traffic.
⑤ I'd love to, but I'm too tired to go out tonight.

틀린 문제는 Dictation에서
완벽하게 이해하세요.

01 그림 묘사
*들을 때마다 체크

대화를 듣고, 여자가 구입할 여행 가방을 고르시오.

①   ②   ③

④   ⑤

남 안녕하세요, 손님. 도와드릴까요?
여 네, 저는 검은색 여행 가방을 찾고 있어요. 십 대 딸이 쓸 거예요.
남 죄송하지만, 검은색 여행 가방은 모두 품절되었습니다. 검은 줄무늬가 있는 이 흰색 가방은 어떠세요?
여 글쎄요, 멋지긴 한데 그녀의 취향은 아니에요.
남 그렇군요. 그러면 저는 검은색의 작은 점무늬가 있는 이 민트색 가방을 추천해 드리고 싶어요. 그건 십 대들 사이에서 아주 인기가 많거든요.
여 멋져 보이네요. 그런데 쉽게 더러워지죠, 그렇지 않나요?
남 여행 가방과 같은 색의 여행 가방 커버를 선물로 드릴게요. 그것은 컨베이어 벨트에서 짐을 가지러 갔을 때 눈에 띌 거예요.
여 좋네요! 그것으로 할게요.

M Hello, ma'am. May I help you?

함정 주의 검은색 여행 가방은 품절되었다는 남자의 말이 이어짐

W Yes, I'm looking for a black suitcase. It's for my teenage daughter.
look for: ~을 찾다

M Sorry, but all the black suitcases are _____ _____.
함정 주의 검은색 줄무늬의 흰색 가방은 딸의 취향이 아님
How do you like this white one with black stripes?

W Well, it _____ _____, but it's not her style.

정답 근거
M Okay. Then I'd like to recommend this mint one with
= would like to   = suitcase
small black _____. It's very popular among teenagers.

W It looks nice. But it _____ _____ easily, doesn't it?
부가 의문문

M I'll give you a suitcase cover that has the same color as the suitcase as a gift. It'll _____ _____ when you collect your luggage from the conveyor belt.

W Sounds great! Then I'll take it.

02 목적

대화를 듣고, 남자가 여자에게 전화한 목적으로 가장 적절한 것을 고르시오.
① 약속 시간을 확인하려고
② 저녁식사에 초대하려고
③ 친구 전화번호를 물어보려고
④ 같이 테니스를 칠 것을 제안하려고
⑤ 극장에 데려다 줄 것을 부탁하려고

[전화벨이 울린다.]
여 여보세요?
남 안녕, Sue. 나 Mike야. 오늘 오후에 들러도 될까?
여 무슨 일인데?
남 너랑 테니스를 함께 치자고 할 생각이었어.
여 미안하지만 나는 Kate와 선약이 있어. 우린 영화 보러 갈 거야. 너도 같이 갈래?
남 글쎄, 나는 영화 보러 시내까지 갈 생각은 없어.
여 알겠어. 테니스는 나중에 치자.
남 그래. 즐거운 시간 보내렴.
여 고마워. 안녕.

📞Telephone rings.

W Hello?

M Hello, Sue. This is Mike. Can I _____ _____ this afternoon?

W For what?
정답 근거
M I was thinking I'd ask you to play tennis together.

W Sorry, but I already  with Kate. We'll go to the movies. Will you join us?
make[have] a date with: ~와 만나기로 약속하다

M Well, I'm not _____ _____ _____ to go
시내에 가다
downtown for a movie.

W Okay. Let's make it _____ _____ _____.

M All right. Have fun.
즐거운 시간을 보내다
W Thanks. Bye.

Dictation 14회 →
┌ 전체 듣기
└ 문항별 듣기

Dictation의 효과적인 활용법
STEP 1 들으면서 대본의 빈칸 채우기
STEP 2 축쇄 문제를 보며 다시 풀어 보기
STEP 3 해석을 보며 영어로 말하거나 영작해 보기

공부한 날   월   일

03 그림 상황

다음 그림의 상황에 가장 적절한 대화를 고르시오.

① ② ③ ④ ⑤

① 여 그 셔츠를 벗으실 건가요?
　 남 아뇨, 실은 입고 있는 중이에요.
② 여 휴대 전화를 꺼 주시겠어요?
　 남 죄송합니다. 그것 때문에 불편하신 줄 몰랐어요.
③ 여 그것은 얼마인가요?
　 남 1달러 밖에 안 해요. 하나 드릴까요?
④ 여 왜 저를 그렇게 쳐다보고 계신 거죠?
　 남 죄송해요. 전에 어디에선가 뵌 적이 있는 것 같아서요.
⑤ 여 그곳에서 몇 사람을 만나셨어요?
　 남 예상했던 것만큼 많이는 아니었어요.

① W Are you going to _____ the shirt _____?

　M No, actually, I'm putting it on.
　　정답 근거　　　　　　　　= the shirt

② W Could you _____ _____ your cellphone?

　M I'm sorry. I didn't notice it was bothering you.
　　　　　　　　　　　　　　　　과거 진행

③ W How much does it cost?

　M It's just one dollar. Would you like one?

④ W Why are you looking at me like that?

　M Sorry. I _____ _____ I've seen you somewhere
　　　　　　　　　현재완료(경험)
　before.

⑤ W How many people did you meet there?
　　How many + 셀 수 있는 명사: 얼마나 많은 ~

　M Not _____ _____ _____ I expected.

14회
받아쓰기

04 요일

대화를 듣고, 두 사람이 만나기로 한 요일을 고르시오.

① 수요일　② 목요일　③ 금요일
④ 토요일　⑤ 일요일

남 Judy, 이번 주에 Thomas 서점에서 할인 판매를 한대.
여 정말? 우리 거기에 가 볼까?
남 좋지. 넌 언제 시간이 되니?
여 음, 나는 토요일 오후 5시 이후에 시간이 돼.
남 미안한데 나는 토요일에 조부모님을 찾아뵐 계획이야.
　 일요일은 어떠니?
여 흠…… 나는 일요일 아침에 방 청소를 해야 해. 오후에
　 갈 수 있니?
남 물론이지. 영업시간이 어떻게 되지?
여 오전 10시부터 오후 9시까지 문을 연대. 오후 3시에
　 만나자.

M Judy, there's a _____ at Thomas Bookstore this week.
　　　　　　= there is

W Really? Why don't we go there?
　　　　　　제안하는 표현

M Sounds good. When are you free?

W Well, I'm free on Saturday after 5 p.m.

M Sorry, but _____ _____ _____ _____ my
　　　　　　　　　　정답 근거
　grandparents on Saturday. How about Sunday?

W Hmm ... I have to clean my room on Sunday morning.
　　　　　　　　~해야 한다
　Can you _____ _____ in the afternoon?

M Sure. What are the opening hours?
　　　　　　　　　영업시간

W They're open from 10 a.m. to 9 p.m. Let's meet at 3 p.m.
　　　　　　from A to B: A부터 B까지

[Dictation] 실전 모의고사 14회

05 직업

대화를 듣고, 여자의 직업으로 가장 적절한 것을 고르시오.

① teacher ② librarian
③ taxi driver ④ firefighter
⑤ police officer

[전화벨이 울린다.]
여 911입니다. 어떤 위급 상황이죠?
남 제 친구가 다쳤어요! 저희는 구급차가 필요해요!
여 정확히 무슨 일이 있었는지 설명해 줄 수 있나요?
남 네. 그녀가 오토바이에 치었어요! 그녀의 다리가 부러진 것 같아요.
여 구급차를 보내겠습니다. 어디에 계신가요?
남 저희는 Spence가 12번지에 있어요. 우주 박물관 바로 밖에 있어요.
여 알겠습니다. 누군가가 곧 도착할 거예요. 전화를 끊지 마시고 기다리세요.

① 교사 ② 사서 ③ 택시 운전사
④ 소방관 ⑤ 경찰관

📞 Telephone rings. 🎙정답 근거

W This is 911. What's your emergency?

M My friend is _____! We need an ambulance!

W Can you explain exactly _____ _____?

M Yes. She was hit by a motorcycle! I think her leg is
   과거 시제 수동태: was[were]+p.p.
   _____.

W I'll send an ambulance. Where are you?

M We're at 12 Spence Street. We're right outside of the
   ~의 바로 밖에
   Space Museum.

W Okay. Someone will come soon. _____ _____
   _____ _____, please.

06 심정

대화를 듣고, 남자의 심정으로 가장 적절한 것을 고르시오.

① annoyed ② proud
③ pleased ④ worried
⑤ embarrassed

여 축하해, Chris! 나는 네가 교내 수학 경시대회에서 1등상을 받았다고 들었어.
남 고마워, Angie. 그런데 나는 국제 대회에 나가게 되어서 공부를 더 열심히 해야 해.
여 정말? 나는 네가 아주 자랑스럽다.
남 근데 있잖아. 내가 잘할 수 있을지 모르겠어.
여 왜? 무슨 일이 있니?
남 나는 요즘에 잘하고 있지 못하거든. 이제 나는 자신감을 잃어 가고 있어.
여 야, 너는 최고의 학생이잖아. 걱정하지 마!
남 글쎄, 나는 실수하지 않기를 바라.

① 짜증이 난 ② 자랑스러워하는 ③ 기쁜
④ 걱정하는 ⑤ 당황하는

🏴󠁧󠁢󠁥󠁮󠁧󠁿
W Congratulations, Chris! I heard you won first prize at the
   win first prize: 1등상을 타다
   school math contest.

M Thanks, Angie. But I have to study harder because I'm
   🎙정답 근거
   be going to: ~할 것이다
   going to join the international contest.

W Really? I'm so _____ _____ you.

M You know what? I'm not so sure I can do it well.

W Why? What's the matter?

M I'm not doing well these days. Now I'm _____
   _____ _____.

W Come on, you're the best student of all. Don't worry!
   최상급+of+복수 명사: ~들 중에서 가장 …한

M Well, I hope I won't _____ _____.

07 어색한 대화

다음을 듣고, 두 사람의 대화가 <u>어색한</u> 것을 고르시오.

①   ②   ③   ④   ⑤

① 남 실례합니다. 버스 터미널에 가는 길을 알려 주시겠어요?
   여 죄송합니다. 저도 이곳이 처음이에요.
② 남 음식 나르는 것을 제가 도와드리길 원하시나요?
   여 네, 부탁드릴게요. 정말 친절하시군요.
③ 남 나는 네 컴퓨터가 마음에 들어. 그건 빨라.
   여 맞아. 그건 내 예전 것보다 훨씬 더 빨라.
④ 남 너는 하루에 물을 몇 잔 마시니?
   여 그것은 건강에 좋아.
⑤ 남 케이크 좀 더 드릴까요?
   여 네, 하지만 너무 많이는 말고요.

① **M**   Excuse me. Can you tell me the way to the bus terminal?
길을 묻는 표현

   W   I'm sorry. I'm a _____ here myself.

② **M**   Would you like me to help you carry the dishes?
= help you to carry

   W   Yes, please. It's very _____ _____ _____.

③ **M**   I like your computer. It's fast.

   W   It is. It's _____ _____ _____ my old one.
정답 근거   = computer

④ **M**   How many glasses of water do you drink a day?
How many + 셀 수 있는 명사: 얼마나 많은 ~

   W   It's good for my health.
be good for: ~에 좋다

⑤ **M**   Would you care for more cake?
~하시겠어요?

   W   Yes, but not too much.

➡ **Solution Tip** ④ 하루에 물을 몇 잔 마시는지 묻는 질문에 그것이 건강에 좋다고 답하는 것은 어색하다.

14회

영어 듣기

08 부탁한 일

대화를 듣고, 여자가 남자에게 부탁한 일로 가장 적절한 것을 고르시오.

① 전화 걸기
② 용돈 올려 주기
③ 돈 빌려주기
④ 은행에서 돈 찾기
⑤ 새 휴대 전화 사 주기

여 Sam, 부탁 좀 들어주겠니?
남 무엇을 부탁하느냐에 따라 다르지. 뭔데?
여 저기, 내가 돈이 조금 부족해서, 좀 빌려줄 수 있어?
남 뭐? 우리 며칠 전에 용돈 받았잖아. 네 것을 벌써 다 썼어?
여 그건 아니야. 오늘 아침에 Brian의 휴대 전화 케이스를 망가뜨려서 그에게 새것을 하나 사 줘야 해.
남 오, 그렇구나. 얼마나 필요해?
여 20달러.
남 알겠어. 문제없어.
여 정말 고마워. 다음에 용돈 받으면 갚을게.

   W   Sam, can you do me a favor?

   M   It _____. What is it?
정답 근거

   W   Well, I'm a bit short of money. Can you lend me some?
be short of: ~이 부족하다

   M   What? We received our allowance _____ _____ _____ _____ _____. Did you spend all of yours?
= your allowance

   W   Not really. I _____ Brian's cellphone case this morning, so I have to buy a new one for him.
= cellphone case

   M   Oh, I see. How much do you need?

   W   20 dollars.

   M   Okay. No problem.

   W   Thanks a lot. I'll _____ _____ _____ when I get the next allowance.

09 마지막 말의 의도

대화를 듣고, 여자의 마지막 말에 담긴 의도로 가장 적절한 것을 고르시오.

① 사과 　② 경고 　③ 부탁
④ 동의 　⑤ 칭찬

여 너 또 늦은 거니? 이번 달에만 세 번째구나!
남 죄송합니다, Davis 선생님.
여 버스를 또 놓쳤니?
남 아뇨, 알람이 울리는 소리를 못 들었어요. 정말 죄송해요.
여 어젯밤에 뭐 했니? 컴퓨터 게임하느라 늦게까지 깨어 있었니?
남 음…… 네.
여 밤늦은 시간까지 컴퓨터 게임하는 것을 그만둬. 그렇지 않으면 너는 학교생활을 망치고 말 거야.

W You're _____ _____? That's the third time this month!

M I'm sorry, Ms. Davis.

W Did you _____ the bus again?

M No, I didn't _____ the alarm _____ _____. I'm so sorry.

W What did you do last night? Did you _____ _____ playing computer games?

M Umm ... yes.

🎵 정답 근거

W Stop playing computer games until late at night, or you'll
명령문, or …: ~해라, 그렇지 않으면…
ruin your school life.

10 금액

대화를 듣고, 남자가 받을 거스름돈이 얼마인지 고르시오.

① $3 　② $4 　③ $8
④ $10 　⑤ $12

여 도와드릴까요?
남 빵을 좀 사려고요.
여 통밀 빵이요, 아니면 흰 빵이요?
남 통밀 빵으로 주세요. 얼마인가요?
여 통밀 빵 한 덩어리는 4달러입니다.
남 네, 저는 세 덩어리가 필요해요. 그리고 딸기 잼 한 병도 필요합니다.
여 죄송하지만 다 떨어졌어요.
남 알겠습니다. 그럼 빵만 가져 갈게요. 여기 20달러예요.
여 고맙습니다. 거스름돈 여기 있습니다.

W May I help you?

M I'd like some bread.

W Whole wheat bread or white bread?
통밀 빵 　흰 빵

M Whole wheat, please. How much is it?

🎵 정답 근거

W _____ _____ _____ whole wheat bread costs 4 dollars.

함정 주의 딸기 잼을 사고 싶었지만 다 떨어진 상태임

M Okay, I need 3 loaves. I also need a jar of strawberry jam.
한 병의 ~

W Sorry, but _____ _____ _____ _____.

M All right. Then I'll just take the bread. Here's 20 dollars.

W Thank you. Here's _____ _____.

🔙 Solution Tip 한 덩어리에 4달러인 통밀 빵 세 덩어리를 구입했으므로, 총 12달러를 지불해야 한다. 남자가 20달러를 냈으므로, 8달러를 거슬러 받아야 한다.

11 장소

대화를 듣고, 두 사람이 대화하고 있는 장소로 가장 적절한 곳을 고르시오.

① home
② library
③ theater
④ bank
⑤ restaurant

남 Susan, 너는 무슨 영화를 보고 싶어?
여 나는 공포 영화 빼고 어떤 것이든 보고 싶어.
남 사실, 나는 이 만화 영화를 보고 싶은데, 10분 전에 시작했어.
여 10분? 지금 바로 들어가면 괜찮을 것 같은데. 영화가 시작하기 전에 10분에서 15분 정도의 광고가 있어.
남 음, 나는 저녁을 안 먹어서 무언가 먹고 싶어.
여 그래? 어쩌다?
남 숙제를 끝내야 했어. 다음 영화 상영을 기다려도 괜찮아?
여 물론이지. 그럼 기다리는 동안 뭐 좀 먹으러 가자.

① 집　② 도서관　③ 극장
④ 은행　⑤ 식당

🇬🇧

M Susan, what movie do you want to see?

W I want to see anything _____ a horror movie.
🎵정답 근거

M Actually, I want to see this animation, but it started 10 minutes _____.

W 10 minutes? I think it's okay if we go in right now. There
　~해도 괜찮다
are about 10 or 15 minutes of _____ before the movie starts.

M Well, I want to eat something because I didn't eat dinner.

W Really? How come?
　　　　= Why?

M I _____ _____ finish my homework. Is it okay with
　　　　　　　　　　　　　　　　　　　~해도 괜찮습니까?
you if we wait for the next showing?
　~을 기다리다

W Of course. Then let's _____ something to eat
　　　　　　　　　　　　to부정사의 형용사적 용법(앞의 something 수식)
_____ we wait.

12 표 정보

다음 영수증을 보면서 대화를 듣고, 대화의 내용과 일치하지 <u>않는</u> 것을 고르시오.

Postal Service	**RECEIPT**
① **Service Type**	International Economy
② **Item**	letter
③ **Sent to**	Hong Kong
④ **Total Price**	$35.00
⑤ **Guaranteed Delivery Date**	within 3 days

남 어떻게 도와드릴까요?
여 저는 이 편지를 홍콩으로 보내야 해요.
남 International Economy나 International First로 그것을 보내실 수 있어요. 어떻게 보내시겠어요?
여 둘 사이의 차이가 뭐가요?
남 International Economy는 35달러이고, 어디로 보내든 배송에 영업일 기준으로 5일에서 7일이 걸립니다. International First는 70달러이고 배송에 단 3일이 걸려요.
여 그러면 가격차가 2배네요.
남 네, 손님.
여 흠…… 그럼 저는 International Economy로 할게요.

M How can I help you?
🎵정답 근거

W I need to send this letter to Hong Kong.
　　　　　　　② 보내는 품목　③ 보내는 곳

M You can send it International Economy or International First. How would you like to send it?
　　　　　　　~은 어떻게 해 드릴까요?

W What's the _____ _____ _____?

M International Economy is 35 dollars and takes anywhere
　　　　　　　　　　　　　　　④ 가격
from 5 to 7 business days for delivery. International First
⑤ 배송 기간
is 70 dollars and just takes 3 days for delivery.

W So the _____ _____ is _____.

M Yes, ma'am.

W Hmm ... I'll choose International Economy, then.
　　　　　① 여자가 선택한 우편 서비스

🔄 **Solution Tip** 여자는 가격차가 2배인 것을 언급하며 International Economy로 보내겠다고 말했다.
International Economy는 배송에 영업일 기준으로 5일에서 7일이 걸린다.

13 언급되지 않은 것

다음을 듣고, *Children's Book Fair*에 관해 언급되지 않은 것을 고르시오.

① 행사 기간   ② 행사 장소
③ 전시 물품   ④ 입장료
⑤ 사은품

남 안녕하세요, 청취자 여러분. 오늘 여러분에게 말씀드릴 흥미로운 것이 있습니다. 저희는 5월 1일부터 5일까지 Clayton 도서관에서 어린이 도서전을 개최합니다. 그것은 아이들에게 독서의 즐거움을 느낄 수 있는 기회를 제공할 것입니다. 보드 북, 그림책, 그리고 만화책을 포함한 매우 다양한 어린이 책을 전시할 것입니다. 또한 여러분은 모든 책을 원래 가격에서 70% 할인된 가격에 구입할 수 있습니다. 전시회에 방문한 모든 어린이는 티셔츠를 선물로 받게 될 것입니다. 전시회를 즐기시길 바랍니다. 감사합니다.

M Good morning, listeners. I have _____ _____ to tell you today. We're holding a children's book fair from May 1st to the 5th, at Clayton Library. It'll _____ your children an _____ to feel the joy of reading books. We'll display _____ _____ _____ _____ children's books including board books, picture books, and comic books. You'll also be able to buy all books at 70% off their _____ prices. Every child _____ the fair will get a T-shirt as a gift. I hope you will enjoy the fair. Thank you.

to부정사의 형용사적 용법
board book: 보드 북(두껍고 빳빳한 종이로 만든 책)
will be able to: ~할 수 있을 것이다
every+단수 명사
~로서

> **Solution Tip** 행사 기간(from May 1st to the 5th), 행사 장소(at Clayton Library), 전시 물품 (a wide variety of children's books), 사은품(a T-shirt)은 언급되었지만, 입장료는 언급되지 않았다.

14 담화 화제

다음을 듣고, 무엇에 관한 설명인지 고르시오.

① mirror   ② balloon
③ compass   ④ flashlight
⑤ globe

여 이것은 공처럼 생긴 물체이다. 그것은 대개 세움대에 고정되어 있고, 여러분은 그것을 360도로 돌릴 수 있다. 그것의 표면 위에는 세계 지도가 있다. 그래서 그것은 전 세계에 관해 공부할 때 무척 효과적으로 사용될 수 있는데, 그것이 지구의 실제 모습이기 때문이다. 그것은 나라, 주요 도시, 그리고 오대양을 보여줄지도 모른다. 하지만 그것은 여러분의 도시나 주(州)의 세부 사항을 보여 주지는 못 한다.

① 거울   ② 풍선   ③ 나침반
④ 손전등   ⑤ 지구본

W This is an object _____ _____ a ball. It is usually fixed on a stand, and you can turn it 360 degrees. There's a map of the world on _____ _____. So, it can be used very effectively when you study the whole Earth because it is the real shape of the Earth. It might show _____, _____ _____, and the five _____. However, it cannot show you details of your city or your state.

= There is
조동사를 포함한 수동태: 조동사+be+p.p.
이유를 나타내는 접속사

> **Solution Tip** 공 모양이면서 표면에 세계 지도가 그려져 있어서 지구의 실제 모습처럼 생긴 것은 지구본(globe)이다.

15 할 일

대화를 듣고, 남자가 대화 직후에 할 일로 가장 적절한 것을 고르시오.

① 옷 수선하기
② 택배 보내기
③ 상점 방문하기
④ 물건 주문하기
⑤ 고객 센터에 전화하기

[전화벨이 울린다.]
여 여보세요, 고객 서비스입니다. 어떻게 도와드릴까요?
남 안녕하세요. 제가 주문했던 재킷을 반품할 수 있을까요?
여 물론이죠. 제품이 손상되었나요?
남 아니요, 하지만 저는 그것을 다른 사이즈로 교환하고 싶어요.
여 알겠습니다. 해야 할 가장 간단한 일은 그것을 반품하고 다른 것을 주문하는 거예요.
남 어떻게 하면 되나요?
여 그것을 다시 보내 주시기만 하면 저희가 환불해 드릴게요. 고객님은 원하시는 사이즈를 새로 주문하실 수 있어요.
남 오, 알겠습니다. 지금 바로 그것을 보낼게요. 감사합니다!

📞Telephone rings.

W Hello, Customer Service. How may I help you?

M Hi. Can I return a jacket I ordered?
정답 근거
a jacket (목적격 관계대명사 that[which] 생략) I ordered

W Of course. _____ it _____?

M No, but I'd like to exchange it for a different size.

W Okay. _____ _____ _____ _____ _____ is to return it and order a different one.
= jacket

M How does that work?

W Just send it back, and we'll refund your money. You can _____ a new _____ for the size you want.

M Oh, I see. I'll send it to you right away. Thanks!

16 구입할 물건

대화를 듣고, 여자가 구입할 물건을 고르시오.
① camera   ② laptop
③ earphones   ④ cellphone
⑤ memory card

남 제가 도와드릴 것이 있나요, 손님?
여 네. 이 카메라는 메모리 카드가 내장되어 있나요?
남 네. 그것은 10GB짜리 메모리 카드가 있어요.
여 좋네요. 얼마나 무거운가요? 저의 예전 것은 너무 무거워서 온종일 가지고 다닐 수가 없어요.
남 걱정하지 마세요. 제가 이 모델을 직접 사용하고 있는데요. 10살짜리 제 아들도 온종일 가지고 다닐 수 있을 만큼 충분히 가벼워요.
여 오, 정말요? 그것으로 할게요.
남 알겠습니다. 그게 최선책이에요.

① 카메라   ② 노트북   ③ 이어폰
④ 휴대 전화   ⑤ 메모리 카드

M Is there anything I can help you with, ma'am?

W Yes. Does this camera have a _____-_____ memory card?
정답 근거

M Yes. It has a 10 gigabyte(GB) memory card.

W That's great. How heavy is it? My old one is _____ heavy _____ carry all day.
얼마나 무거운

M Don't worry. I'm using this model myself. It's _____ _____ for my 10-year-old son _____ _____ all day.

W Oh, really? I'll take it.

M Okay. It's your best bet.
가장 좋은 방책, 최선책

🔊 **Sound Tip** too *vs.* to

too와 to는 발음이 비슷하므로 대화의 흐름을 파악하며 듣고, 들은 후에는 들은 내용이 문맥과 문법에 맞는지를 확인한다.

17 적절한 응답

대화를 듣고, 여자의 마지막 말에 대한 남자의 응답으로 가장 적절한 것을 고르시오.

Man: _____

① Okay. I'll keep that in mind.
② I wish I could meet you there.
③ Did you enjoy your trip to Thailand?
④ Never mind. I can take care of myself.
⑤ It's difficult to master Thai in such a short time.

남 Emma, 나 다음 주에 태국으로 출장을 가.
여 오, 정말?
남 나는 태국 관습에 관해 조언이 좀 필요해. 그곳에 가 본 적이 없거든.
여 글쎄, 태국에서는 예의 바르게 인사하는 것이 중요해.
남 알았어. 그들은 서로 어떻게 인사하니?
여 손바닥을 코 위에 모아 머리를 살짝 숙여야 해.
남 나는 그렇게 할 수 있어.
여 그리고 누군가의 집에 들어갈 때에는 신발을 벗어야 해.
남 ① 알았어. 명심할게.

M Emma, I'm going to Thailand next week on a business 〔출장〕 trip.

W Oh, really?
〔정답 근거〕

M I need some advice about Thai customs. I've never been 〔현재완료(경험)〕 there before.

W Well, it's important to _____ _____ in Thailand.

M Okay. How do they greet each other?

W You should _____ your _____ together over your 〔~해야 한다〕 nose and _____ your _____ slightly.

M I can do that.

W And you must _____ _____ your shoes when you 〔~해야 한다〕 enter someone's house.

M ① Okay. I'll keep that in mind.

② 내가 너를 거기서 만날 수 있다면 좋을 텐데. ③ 너는 태국 여행을 즐겼니?
④ 괜찮아. 내가 알아서 할 수 있어. ⑤ 이렇게 단시간에 태국어를 완전히 익히는 것은 어려워.

18 적절한 응답

대화를 듣고, 남자의 마지막 말에 대한 여자의 응답으로 가장 적절한 것을 고르시오.

Woman: _____

① My family often eats out.
② Well, let me put it another way.
③ What time shall we meet at the restaurant?
④ That's a good idea. Let's go there someday.
⑤ Great! Especially the chicken was delicious.

남 Lisa, 지난밤에 전화했는데 안 받더라.
여 어제 엄마 생신이었거든. 가족과 저녁 먹으러 Star 식 당에 갔었어.
남 오, 거긴 시내에서 가장 멋진 식당이잖아!
여 응, 정말 그래.
남 그래서 뭘 먹었니?
여 우리는 밥을 곁들인 구운 닭고기랑 감자를 곁들인 튀긴 생선, 그리고 스파게티를 먹었어.
남 음식은 어땠니?
여 ⑤ 좋았어! 특히 닭고기가 맛있었어.

M Lisa, I _____ _____ last night, but you didn't answer.

W Yesterday was Mom's birthday. I _____ _____ with my family to Star Restaurant for dinner.

M Oh, that's the fanciest restaurant in town.
〔가장 좋은(fancy의 최상급) / 최상급+in+장소: ~에서 가장 …한〕

W Yeah, it really is.

M So, _____ did you _____?

W We had _____ chicken with rice, _____ fish with potatoes, and spaghetti.
〔정답 근거〕

M How did you like the food?
〔음식이 어땠는지 묻는 표현〕

W ⑤ Great! Especially the chicken was delicious.

① 우리 가족은 종종 외식을 해. ② 자, 바꿔 말해 볼게.
③ 우리 식당에서 몇 시에 만날까? ④ 그거 좋은 생각이다. 언젠가 거기에 가자.

19 적절한 응답

대화를 듣고, 여자의 마지막 말에 대한 남자의 응답으로 가장 적절한 것을 고르시오.

Man: _____

① Cheer up. I'm sure you can do it.
② Have you ever been to Australia?
③ I'm glad you're having a good time.
④ Are you planning to go to Australia?
⑤ Shall we go to Australia during the break?

[전화벨이 울린다.]
남 여보세요?
여 여보세요, Larry. 나야 Amelia.
남 Amelia! 너 어디에 있니? 나는 네가 휴가 중이라고 생각했어.
여 맞아. 나 시드니에서 전화하는 거야.
남 오, 다 괜찮지?
여 물론. 호주는 정말 아름다운 나라야.
남 날씨는 어때?
여 환상적이야. 방문하기에 가장 좋은 계절이야.
남 ③ 네가 즐겁게 지낸다니 기뻐.

📞 Telephone rings.

M Hello?

W Hello, Larry. It's Amelia.

M Amelia! Where are you? I thought you were 🔑정답 근거 _____

_____ .

W I am. I'm calling you from Sydney.
현재 진행: ~하는 중이다

M Oh, is everything okay?

W Sure. Australia is a really beautiful country.

M How's the weather?
날씨를 묻는 말

W Fantastic. This is _____ _____ _____

_____ .

M ③ I'm glad you're having a good time.

① 기운 내. 나는 네가 할 수 있을 거라 확신해.　② 너는 호주에 가 본 적이 있니?
④ 너는 호주에 갈 계획이니?　⑤ 우리 휴가 동안에 호주에 갈까?

20 상황에 맞는 말

다음 상황 설명을 듣고, Tom이 Emily에게 할 말로 가장 적절한 것을 고르시오.

Tom: Emily, _____

① I'd love to. What time?
② is it okay if I go to a movie?
③ I'm not sure if I can go home early.
④ I was late because of the heavy traffic.
⑤ I'd love to, but I'm too tired to go out tonight.

남 금요일 밤이다. 집으로 가는 내내 차가 꽉 막히고 Tom은 졸리다. 그는 집에 빨리 가서 따끈한 물로 샤워를 하고, 쉬고 싶다. 마침내 그가 평소보다 40분 늦게 집에 도착했을 때, 그의 친구 Emily가 그에게 전화를 해서 영화를 보러 가자고 한다. 그는 너무 피곤해서 나갈 수가 없다. 이러한 상황에서 Tom은 Emily에게 뭐라고 말할까?

Tom Emily, ⑤ 나도 그러고 싶은데 너무 피곤해서 오늘 밤에는 못 나가겠어.

M It's Friday night. It's bumper-to-bumper traffic all the way
(교통이) 꽉 막힌
home, and Tom _____ _____ . He wants to go home
soon, take a hot shower, and _____ . When he finally
gets home 40 minutes _____ _____ _____ , his
friend Emily calls him and asks him to go out to a movie.
🔑정답 근거
He is too tired to go out. In this situation, what would Tom
too+형용사+to부정사: ~하기에 너무 …한
most likely say to Emily?

Tom Emily, ⑤ I'd love to, but I'm too tired to go out tonight.

① 좋아. 몇 시에?　② 내가 영화 보러 가도 괜찮겠니?
③ 내가 집에 일찍 갈 수 있을지 잘 모르겠어.　④ 나는 차가 막혀서 늦었어.

[VOCABULARY] 실전 모의고사 15회

어휘를 알아야 들린다

모의고사를 먼저 풀고 싶으면 234쪽으로 이동하세요.

🎧 다음 표현을 듣고 모르는 것에 표시하시오.

- [ ] 01 sunflower 해바라기
- [ ] 02 spread 퍼지다(-spread-spread)
- [ ] 03 sneeze 재채기하다
- [ ] 04 improve 향상시키다
- [ ] 05 skill 기량
- [ ] 06 extra 추가의
- [ ] 07 park 주차하다
- [ ] 08 miss 놓치다
- [ ] 09 oversleep 늦잠 자다
- [ ] 10 wild 야생의
- [ ] 11 hop 깡충깡충 뛰다
- [ ] 12 tail 꼬리
- [ ] 13 balance 균형을 유지하다
- [ ] 14 backwards 뒤로
- [ ] 15 cover (일정한 거리를) 가다
- [ ] 16 single 단 하나의, 단일의
- [ ] 17 fact 사실
- [ ] 18 pouch (캥거루 등의) 새끼 주머니
- [ ] 19 I'm in. 나도 낄게요.
- [ ] 20 be tied up 매우 바쁘다
- [ ] 21 hang out with ~와 시간을 보내다
- [ ] 22 field 분야
- [ ] 23 biology 생물학
- [ ] 24 scratch 긁다

- [ ] 25 spot 반점
- [ ] 26 examine 진찰하다
- [ ] 27 allergic 알레르기성의
- [ ] 28 discussion 토론
- [ ] 29 auditorium 강당
- [ ] 30 welcome 환영받는
- [ ] 31 stuff 물건
- [ ] 32 flea market 벼룩시장
- [ ] 33 weather forecast 일기 예보
- [ ] 34 good luck on ~에 행운을 빌다
- [ ] 35 tax 세금
- [ ] 36 add 추가하다
- [ ] 37 invite 초대하다
- [ ] 38 far into the night 밤늦도록
- [ ] 39 make a call 전화를 걸다
- [ ] 40 loose 헐렁한

✎ 알아두면 유용한 선택지 어휘

- [ ] 41 shy 부끄러워하는
- [ ] 42 I don't mind. 나는 상관 안 해.
- [ ] 43 honestly 솔직히
- [ ] 44 see a doctor 병원에 가다
- [ ] 45 eat out 외식하다

🎧 들으면서 표현을 완성한 다음, 뜻을 고르시오.

표현의 의미를 생각하며 다시 써 보기!

01 e▢amine　　☐ 진찰하다　　☐ 실험하다　　➡ _____

02 au▢itori▢m　　☐ 방송실　　☐ 강당　　➡ _____

03 o▢ersleep　　☐ 늦잠 자다　　☐ 늦게 자다　　➡ _____

04 back▢ards　　☐ 앞으로　　☐ 뒤로　　➡ _____

05 lo▢se　　☐ 헐렁한　　☐ 분실한　　➡ _____

06 po▢ch　　☐ 손수건　　☐ 새끼 주머니　　➡ _____

07 bala▢ce　　☐ 균형을 유지하다　　☐ 균형을 잃다　　➡ _____

08 ▢onestly　　☐ 솔직히　　☐ 정중히　　➡ _____

09 scra▢ch　　☐ 잡다　　☐ 긁다　　➡ _____

10 biolo▢y　　☐ 생물학　　☐ 물리학　　➡ _____

11 aller▢ic　　☐ 질병의　　☐ 알레르기성의　　➡ _____

12 s▢read　　☐ 퍼지다　　☐ 가속화하다　　➡ _____

13 ▢ild　　☐ 야생의　　☐ 인공의　　➡ _____

14 h▢p　　☐ 두드리다　　☐ 깡충깡충 뛰다　　➡ _____

15 dis▢us▢ion　　☐ 설득　　☐ 토론　　➡ _____

16 ta▢　　☐ 세금　　☐ 벌금　　➡ _____

17 w▢lcome　　☐ 인사받는　　☐ 환영받는　　➡ _____

18 fl▢a mar▢et　　☐ 재래시장　　☐ 벼룩시장　　➡ _____

19 ta▢l　　☐ 꼬리　　☐ 뿔　　➡ _____

20 singl▢　　☐ 단순한　　☐ 단 하나의　　➡ _____

실전 모의고사 15회 →
모의고사 보통 속도
모의고사 빠른 속도

✎ 들으면서 주요 표현 메모하기!

01 대화를 듣고, 남자가 만든 머리핀을 고르시오.

①   ②   ③   ④   ⑤

02 대화를 듣고, 여자가 남자에게 전화한 목적으로 가장 적절한 것을 고르시오.

① 전학 절차를 문의하려고
② 면담 일정을 조정하려고
③ 아들의 결석 사유를 알리려고
④ 체험 학습에 참가 신청하려고
⑤ 병의 증상을 확인하려고

03 다음 그림의 상황에 가장 적절한 대화를 고르시오.

①　　　　②　　　　③　　　　④　　　　⑤

04 대화를 듣고, 두 사람이 만나기로 한 시각을 고르시오.

① 5:30 p.m.　② 6:00 p.m.　③ 6:30 p.m.　④ 7:00 p.m.　⑤ 7:30 p.m.

05 대화를 듣고, 여자의 심정으로 가장 적절한 것을 고르시오.

① shy
② upset
③ proud
④ excited
⑤ disappointed

고난도 | 메모하며 풀기

06 대화를 듣고, 두 사람의 관계로 가장 적절한 것을 고르시오.

① 기자 — 영화배우   ② 항공사 직원 — 승객   ③ 사진작가 — 모델
④ 은행원 — 고객   ⑤ 세관원 — 여행객

✎ 들으면서 주요 표현 메모하기!

07 대화를 듣고, 남자가 지난밤에 한 일로 가장 적절한 것을 고르시오.

① 책 읽기   ② 도서관 가기   ③ 독후감 쓰기
④ 여행 사진 정리하기   ⑤ 여행 계획 세우기

고난도 | 메모하며 풀기

08 다음을 듣고, 무엇에 관한 설명인지 고르시오.

① koala   ② penguin   ③ zebra   ④ kangaroo   ⑤ giraffe

09 대화를 듣고, 두 사람이 만나기로 한 요일을 고르시오.

① 월요일   ② 수요일   ③ 금요일   ④ 토요일   ⑤ 일요일

10 다음을 듣고, 두 사람의 대화가 <u>어색한</u> 것을 고르시오.

①   ②   ③   ④   ⑤

틀린 문제는 Dictation에서
완벽하게 이해하세요.

실전 모의고사 [15]회

✎ 들으면서 주요 표현 메모하기!

11 대화를 듣고, 두 사람이 대화하는 장소로 가장 적절한 곳을 고르시오.
① 식당   ② 미용실   ③ 과학실
④ 화장품 가게   ⑤ 동물 병원

12 다음을 듣고, 방송의 목적으로 가장 적절한 것을 고르시오.
① 독서를 권장하려고   ② 신간 도서를 소개하려고
③ 바뀐 학교 규칙을 설명하려고   ④ 동아리의 신규 회원을 모집하려고
⑤ 도서관 휴관일을 공지하려고

고난도 메모하며 풀기

13 다음 표를 보면서 대화를 듣고, 대화의 내용과 일치하지 <u>않는</u> 것을 고르시오.

Guest Name	Lucas Adams
Room Type	① Double
Number of Guests	② Adults: 2
Number of Nights	③ 3
Breakfast	④ Included
Total Room Price	⑤ $450

14 대화를 듣고, 남자가 판매할 물건으로 언급되지 <u>않은</u> 것을 고르시오.
① 책   ② 음악 CD   ③ 옷   ④ 사진   ⑤ 자전거

15 대화를 듣고, 여자가 오늘 저녁에 할 일로 가장 적절한 것을 고르시오.
① 게임하기   ② 우산 가져오기   ③ 시험공부하기
④ 연극 보러 가기   ⑤ 일기예보 확인하기

16 대화를 듣고, 남자가 지불할 금액을 고르시오.

① $10   ② $40   ③ $44   ④ $50   ⑤ $55

✎ 들으면서 주요 표현 메모하기!

17 대화를 듣고, 남자의 마지막 말에 대한 여자의 응답으로 가장 적절한 것을 고르시오.

Woman: _____

① Would you come to my party?
② I don't mind. You can go there.
③ We'll have the party at my house.
④ Why don't we invite everyone from class?
⑤ Friday is a busy day for me. How about Saturday?

18 대화를 듣고, 여자의 마지막 말에 대한 남자의 응답으로 가장 적절한 것을 고르시오.

Man: _____

① No, I've never been there.
② I wish I could help them again.
③ I felt happy to see their smiling faces.
④ Honestly, yes. I'm worried about the work.
⑤ I feel sick. I think I need to see a doctor.

고난도 메모하며 풀기

19 대화를 듣고, 남자의 마지막 말에 대한 여자의 응답으로 가장 적절한 것을 고르시오.

Woman: _____

① I'm sure he'll pick you up.
② Sorry. I've already done that.
③ Don't worry. I'll do it for you.
④ Yes, you can. It'll be nice to eat out.
⑤ Yes. Would you pick up a sandwich for me?

20 다음 상황 설명을 듣고, Gary가 점원에게 할 말로 가장 적절한 것을 고르시오.

Gary: _____

① I'm just looking around.
② How much does it cost?
③ I like the design. I'll take it.
④ Could you come down a little?
⑤ Do you have this in a smaller size?

틀린 문제는 Dictation에서
완벽하게 이해하세요.

01 그림 묘사

*들을 때마다 체크

대화를 듣고, 남자가 만든 머리핀을 고르시오.

① ② ③ ④ ⑤

여 Daniel, 이번 토요일이 엄마 생신이야. 너는 엄마에게 드릴 선물을 준비했니?
남 응, 나는 머리핀을 만들었어. 내가 만든 것을 너에게 보여줄게.
여 와! 잘 만들었다! 머리핀에 예쁜 해바라기가 있네. 멋진 것 같아!
남 고마워. 나는 그것에 빨간 리본을 붙이고 싶었는데, 엄마는 해바라기를 정말 좋아하시잖아.
여 네 말이 맞아. 엄마는 해바라기를 정말 좋아하셔. 머리핀에 해바라기를 하나 더 붙이면 어때?
남 글쎄, 잘 모르겠는데. 하나면 충분한 것 같아.
여 그래. 엄마가 좋아하실 거라고 확신해.

W Daniel, this Saturday is Mom's birthday. Did you prepare a present for her?

M Yeah, I made a hairpin. Let me show you _____ _____ _____.

W **정답 근거**
Wow! Good job! There's a pretty sunflower on it. It looks nice!

M Thanks. I wanted to put a red ribbon on it, but she really _____ _____.

W You're right. She _____ them. Why don't you put one more sunflower on it?

M Well, I'm not sure about that. I think one is _____.
(해바라기) 한 송이

W Okay. I'm sure she'll like it.

02 목적

대화를 듣고, 여자가 남자에게 전화한 목적으로 가장 적절한 것을 고르시오.
① 전학 절차를 문의하려고
② 면담 일정을 조정하려고
③ 아들의 결석 사유를 알리려고
④ 체험 학습에 참가 신청하려고
⑤ 병의 증상을 확인하려고

[전화벨이 울린다.]
남 여보세요. Riverside 중학교의 Harry Stone입니다.
여 안녕하세요, Stone 선생님. 저는 Kevin Clark의 엄마 Angie Clark예요.
남 네, Clark 부인. 무엇을 도와드릴까요?
여 사실은 Kevin이 독감에 걸렸어요.
남 오, 그는 괜찮은가요?
여 괜찮은데 기침이나 재채기를 하면 공기 중으로 퍼질 수 있어서 의사 선생님이 일주일 정도 학교에 가지 말라고 했어요.
남 알겠습니다. 안됐네요. 곧 낫기를 바랄게요.
여 고맙습니다.

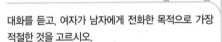

📞 Telephone rings.

M Hello. This is Harry Stone at Riverside Middle School.
(전화 통화에서) 저는 ~입니다

W Hello, Mr. Stone. This is Angie Clark, Kevin Clark's mom.

M Yes, Ms. Clark. What can I do for you?

W Actually, Kevin _____ _____ _____.

M Oh, is he okay?

W **정답 근거**
He's fine, but the doctor said he shouldn't go to school for about a week because it _____ _____ _____ through the air when he _____ or _____.

M I see. I'm sorry to hear that. I hope he'll get better soon.
(병·상황 따위가) 호전되다

W Thank you.

Dictation 15회 →
┌ 전체 듣기
└ 문항별 듣기

Dictation의 효과적인 활용법
STEP 1 들으면서 대본의 빈칸 채우기
STEP 2 축쇄 문제를 보며 다시 풀어 보기
STEP 3 해석을 보며 영어로 말하거나 영작해 보기

공부한 날   월   일

03 그림 상황

다음 그림의 상황에 가장 적절한 대화를 고르시오.

① ② ③ ④ ⑤

① 남 네가 읽고 있는 것은 스페인어 책이야?
　여 응, 나는 막 스페인어를 배우기 시작했어.
② 남 내가 수학 실력을 어떻게 향상시킬 수 있을까?
　여 추가로 온라인 수업을 좀 들어 보는 것은 어때?
③ 남 제가 길 건너는 것을 도와드려도 될까요?
　여 그럼요. 참 친절하시군요.
④ 남 이곳에 주차하시면 안 됩니다.
　여 죄송합니다. 몰랐습니다.
⑤ 남 화장실이 어디에 있는지 말씀해 주시겠어요?
　여 2층 치과 옆에 있어요.

① M　Is that a Spanish book you're reading?

　W　Yes, I just _____ _____ _____ Spanish.

② M　How can I improve my math skills?

　W　Why don't you take some extra online classes?
　　　정답 근거

③ M　Do you mind if I help you _____ the street?
　　　제가 ~해도 되겠습니까?

　W　Not at all. That's very nice of you.

④ M　You're not supposed to _____ _____.

　W　I'm sorry. I didn't know that.

⑤ M　Could you tell me where the restroom is?
　　　위치를 묻는 말

　W　It's on the second floor, _____ _____ the dentist office.

04 시각

대화를 듣고, 두 사람이 만나기로 한 시각을 고르시오.
① 5:30 p.m.　　② 6:00 p.m.
③ 6:30 p.m.　　④ 7:00 p.m.
⑤ 7:30 p.m.

[휴대 전화벨이 울린다.]
남 여보세요, 수지야. 나야, David. 너 마술에 관심 있니?
여 응, 관심 있어. 왜?
남 나에게 오늘 공연하는 마술 쇼 표가 두 장 있어. 나랑 같이 갈래?
여 그러고 싶은데, 방금 체육관에 왔어. 쇼가 몇 시에 시작하니?
남 Simon 홀에서 7시에 시작해. 올 수 있겠어?
여 응. 좀 더 일찍 만나서 쇼 전에 저녁 먹는 것은 어때?
남 좋아. 그럼 공연장 바로 맞은편에 있는 Kim's Restaurant에서 5시 30분에 만나자.
여 나는 좋아. 거기서 보자.

📞Cellphone rings.

M　Hello, Suji. It's me, David. _____ you _____ _____ magic?

W　Yes, I am. Why?

M　I have two tickets for a magic show today. Would you come with me?

W　I'd love to, but I just came to the gym. What time does it start?

M　It starts at 7 p.m. at Simon Hall. Can you make it?

W　Yeah. Why don't we _____ _____ and have dinner
　　제안하는 표현
　　before the show?
　　　정답 근거

M　Okay. Then let's meet at 5:30 at Kim's Restaurant _____ _____ the hall.

W　Sounds good to me. I'll see you there.

05 심정

대화를 듣고, 여자의 심정으로 가장 적절한 것을 고르시오.

① shy
② upset
③ proud
④ excited
⑤ disappointed

남 Judy, 이번 여름휴가 때 뭐 할 거야?
여 난 페루로 여행을 가려고 해. 가는 것이 정말 기대돼!
남 재미있겠다. 그런데 왜 거기야?
여 거기에 괜찮은 관광지가 많다고 들었거든. 나는 여행 준비를 두 달 동안 해 오고 있어. 너는 거기에 가 봤니?
남 아니, 안 가 봤어. 기회가 있으면 나도 언젠가 가 보고 싶다. 여행 잘 다녀와!
여 고마워.

① 부끄러워하는
② 속상한
③ 자랑스러워하는
④ 신이 난
⑤ 낙담한

M Judy, what are you going to do this summer break?

정답 근거

W I'm going on a trip to Peru. I _____

go on a trip: 여행을 가다

_____!

M That sounds fun. But why there?

W I heard there are lots of good _____ there. I've been

현재완료 진행(~해 오고 있다)

preparing for the trip for 2 months. Have you ever been

현재완료(경험)

there?

M No, I haven't. I hope to visit there someday if I _____

to부정사의 명사적 용법(동사 hope의 목적어)

_____ _____. Have a nice trip!

W Thanks.

Solution Tip 두 달간 준비해 온 페루로의 여행을 기대하고 있는 여자의 심정으로는 excited(신이 난)가 가장 적절하다.

06 두 사람의 관계

대화를 듣고, 두 사람의 관계로 가장 적절한 것을 고르시오.

① 기자 ― 영화배우
② 항공사 직원 ― 승객
③ 사진작가 ― 모델
④ 은행원 ― 고객
⑤ 세관원 ― 여행객

여 안녕하세요. 무엇을 도와드릴까요?
남 제 비행기가 늦는 바람에 연결 항공편을 놓쳤어요.
여 알겠습니다. 이용할 수 있는 것이 있는지 온라인으로 살펴볼게요.
남 그 연결 항공편이 오늘 이 항공사가 운행하는 유일한 것으로 기억해요.
여 흠…… 그러네요. 오늘은 연결 항공편이 더는 없어요.
남 그럼 제가 무엇을 해야 하죠?
여 다른 항공사에 빈 좌석이 있는지 확인해 볼게요. [타자 치는 소리] 오, North 항공에 좌석이 하나 남아 있는데, 3시간 30분을 기다리셔야 해요. 그것을 타시겠어요?
남 음, 선택의 여지가 없는 것 같네요.

W Good afternoon. What can I do for you?

정답 근거

M My flight was late, and I _____ my connecting flight.

연결 항공편(여행 중 중간 지점에서 갈아타는 비행기)

W Okay. I'll go online to see if there's something available.

to부정사의 부사적 용법(목적)

M I remember the connecting flight was _____ _____

_____ for today on this airline.

W Hmm … you're right. There are _____ _____

connecting flights for today.

M Then what should I do?

W Let me check whether another airline has some open

명사절을 이끄는 접속사(~인지)   open seat: 빈 좌석

seats. [Typing sound] Oh, North Airlines has one seat left,

but you have to wait for three and _____

_____. Would you like to take it?

M Well, I guess I have no choice.

선택의 여지가 없다

Solution Tip 여자가 연결 항공편을 놓쳐서 당황한 남자를 위해 다른 항공기 좌석을 알아봐 주었으므로, 두 사람은 항공사 직원과 승객의 관계임을 알 수 있다.

07 과거에 한 일

대화를 듣고, 남자가 지난밤에 한 일로 가장 적절한 것을 고르시오.

① 책 읽기
② 도서관 가기
③ 독후감 쓰기
④ 여행 사진 정리하기
⑤ 여행 계획 세우기

W Luke, why were you late for school today?

M I _____ because I _____ _____ until 4 a.m.

W What did you do until then?

🎵 정답 근거

M I read a novel about time travel. It was _____ interesting _____ I couldn't stop reading it.

$\underset{\text{stop+동명사: ~하는 것을 멈추다}}{}$

W Oh, really? I want to read it, too. Can I borrow it?

M Sure. I'll bring it to you tomorrow. Just _____ _____ to the school library by next Monday, _____ _____?

W No problem. Thanks.

여 Luke, 너 오늘 왜 지각했어?
남 오전 4시까지 안 자고 깨어 있어서 늦잠을 잤거든.
여 그때까지 뭐 했어?
남 시간 여행에 관한 소설을 읽었어. 그것은 너무 재미있어서 읽는 것을 멈출 수가 없더라.
여 오, 정말? 나도 그것을 읽고 싶다. 내가 빌릴 수 있어?
남 물론이지. 내일 너에게 가져다줄게. 다음 주 월요일까지 학교 도서관에 반납만 해 줘, 그래 줄래?
여 물론이지. 고마워.

🔊 **Sound Tip** 동사 read의 현재형과 과거형
동사 read는 현재형과 과거형의 철자가 동일하지만 발음은 각각 /뤼드/와 /뤠드/로 다르다. 따라서 문맥을 통해 현재형인지 과거형인지 구별하며 듣는다.

08 담화 화제

다음을 듣고, 무엇에 관한 설명인지 고르시오.

① koala
② penguin
③ zebra
④ kangaroo
⑤ giraffe

W This is a _____ animal, but you can also see it in a zoo.

🎵 정답 근거

It is mostly $\underset{\text{수동태}}{\underline{\text{found}}}$ in Australia. It has powerful legs and large feet for hopping, and a very strong long _____ _____ _____ _____ while hopping. It is the only large animal $\underset{\text{주격 관계대명사}}{\underline{\text{that}}}$ moves by hopping and it cannot _____ _____. It can cover 7 meters in a single hop. $\underline{\text{The most interesting}}$ fact about it is that it carries its

$\underset{\text{최상급}}{}$

babies in a pouch.

여 이것은 야생 동물이지만, 여러분은 동물원에서도 그것을 볼 수 있다. 그것은 주로 호주에서 발견된다. 그것은 깡충깡충 뛰기 위한 강한 다리와 큰 발을 가지고 있고, 깡충깡충 뛰는 동안 균형을 잡기 위해 사용되는 매우 튼튼하고 긴 꼬리를 가지고 있다. 그것은 깡충 뛰면서 이동하는 유일한 큰 동물이고 뒤로는 이동할 수 없다. 그것은 단 한 번의 깡충 뛰기로 7미터를 갈 수 있다. 그것에 관한 가장 흥미로운 사실은 그것이 자신의 새끼들을 새끼 주머니 안에 데리고 다닌다는 것이다.

① 코알라
② 펭귄
③ 얼룩말
④ 캥거루
⑤ 기린

[Dictation] 실전 모의고사 15회

09 요일

대화를 듣고, 두 사람이 만나기로 한 요일을 고르시오.
① 월요일　② 수요일　③ 금요일
④ 토요일　⑤ 일요일

여　Jake, 나는 지난 월요일에 주민 센터에서 자원봉사를 했는데 재미있더라. 나랑 같이 자원봉사를 하는 거 어때?
남　글쎄. 너는 거기서 무엇을 했는데?
여　나는 아이들이 숙제하는 것을 도와줬어.
남　좋은 일인 것 같아. 나도 할게. 나는 어린아이들을 아주 좋아해!
여　잘됐다. 금요일 오후에 가자.
남　오, 이런! 나는 이번 주 금요일엔 못 가. 그땐 매우 바빠.
여　그렇구나. 대신 토요일에 갈 수 있을 거야.
남　좋아. 그게 더 나은 것 같아. 그때 보자!

W　Jake, I _____ at the community center last Monday, and it was fun. How about volunteering with me?
M　Maybe. What did you do there?
W　I helped some kids with their homework.
M　That sounds great. _____ _____. I love little kids!
W　Awesome. Let's go on Friday afternoon.
M　Oh, no! I can't go this Friday. _____ _____ _____ then.
W　I see. We can go on Saturday _____.
M　Okay. That sounds better. See you then!

10 어색한 대화

다음을 듣고, 두 사람의 대화가 어색한 것을 고르시오.
①　②　③　④　⑤

① 여　너는 주말에 보통 뭐 하니?
　 남　나는 주로 친구들이랑 시간을 보내.
② 여　몇 시야?
　 남　5시 30분 다 되어 가.
③ 여　너는 얼마나 오래 기타를 쳤니?
　 남　와, 너는 그것을 분명 잘하겠구나!
④ 여　피아니스트가 되기 위해 내가 무엇을 해야 한다고 생각해?
　 남　연습을 더 열심히 해야 한다고 생각해.
⑤ 여　너는 어떤 분야에 관심이 있니?
　 남　나는 생물학에 관심이 있어.

① W　What do you usually do on weekends?
　 M　I usually _____ _____ _____ my friends.
② W　What time do you have?
　 M　It's almost 5:30.
③ W　How long have you played the guitar?
　 M　Wow, you must be _____ _____ it!
④ W　What do you think I should do to be a pianist?
　 M　I think you should _____ _____.
⑤ W　What field are you interested in?
　 M　I'm interested in _____.

Solution Tip How long(얼마나 오래)은 기간을 묻는 표현이므로 For two years.(2년 동안.), Since I was young.(내가 어렸을 때부터.) 등으로 답하는 것이 자연스럽다.

242 실전 모의고사 15회

11 장소

대화를 듣고, 두 사람이 대화하는 장소로 가장 적절한 곳을 고르시오.

① 식당　　　　② 미용실
③ 과학실　　　④ 화장품 가게
⑤ 동물 병원

남 강아지에게 무슨 문제가 있는 것 같나요?
여 음, 그는 많이 긁고 몇몇 빨간 반점이 있어요.
남 진찰해 볼게요. [잠시 후] 알레르기성 피부 질환인 것 같아요.
여 정말요? 심각한가요?
남 그렇게 심하지는 않아요. 그렇지만 무엇이 알레르기 반응을 일으키는지 확인하기 위해 그가 혈액 검사를 받는 것을 권해요.
여 알겠습니다.
남 밖에서 기다려 주세요. 끝나면 알려 드릴게요.
여 알겠습니다. 고맙습니다.

🎵정답 근거

M　What seems to be the problem with your puppy?

W　Well, he _____ _____ _____ and has several red spots.

M　Let me _____ him. [*Pause*] I think he has some allergic skin problems.

W　Really? Is that serious?

M　It's not so serious. But I recommend you get a blood test 혈액 검사 for him _____ _____ _____ _____ the allergic reaction.

W　I see.

M　Please wait outside. We'll let you know when it's done.

W　Okay. Thanks.

12 목적

다음을 듣고, 방송의 목적으로 가장 적절한 것을 고르시오.

① 독서를 권장하려고
② 신간 도서를 소개하려고
③ 바뀐 학교 규칙을 설명하려고
④ 동아리의 신규 회원을 모집하려고
⑤ 도서관 휴관일을 공지하려고

여 안녕하세요, 여러분. 저는 학교 독서 동아리의 회장인 Serena Jones입니다. 저희는 신규 회원을 찾고 있습니다. 저희는 한 달에 한 권씩 책을 읽고 학교 도서관에서 만나 토론과 재미있는 활동을 합니다. 관심이 있으시면 다음 주 수요일까지 신청서를 제출해 주세요. 학교 강당에서 다음 주 금요일에 면접이 있을 것입니다. 독서를 좋아하는 누구나 환영입니다. 감사합니다.

W　Good afternoon, everyone. I'm Serena Jones, president of the school book club. We're looking for new members. 🎵정답 근거 look for: ~을 찾다 We read a book a month and meet at the school library for ~ 마다(= per) discussion and fun projects. _____ _____ _____, please hand in an application form by next Wednesday. ~을 제출하다 신청서 There'll be an interview next Friday in the school auditorium. _____ _____ _____ _____ is welcome. Thank you.

13 표 정보

다음 표를 보면서 대화를 듣고, 대화의 내용과 일치하지 않는 것을 고르시오.

Guest Name	Lucas Adams
Room Type	① Double
Number of Guests	② Adults: 2
Number of Nights	③ 3
Breakfast	④ Included
Total Room Price	⑤ $450

여 Meriton 호텔에 오신 것을 환영합니다. 어떻게 도와드릴까요?
남 안녕하세요. 2인용 방을 하나 주세요.
여 네. 성함을 알려 주시겠어요?
남 제 이름은 Lucas Adams이고, 어린 아들과 함께 이곳에 왔습니다.
여 알겠습니다. 얼마나 숙박하실 건가요?
남 3일이요. 얼마인가요?
여 총 가격은 450달러입니다. 그리고 2명 분의 아침 식사가 포함되어 있어요.
남 좋네요. 여기 제 신용 카드입니다.
여 좋습니다. 여기 방 열쇠고요, 아침 식사를 하는 식당은 2층에 있습니다. 여기서 즐겁게 머무르시길 바랍니다.

W Welcome to Meriton Hotel. How may I help you?
　　정답 근거
M Hello. I'd like a double room, please.
　　① 2인용 방을 원함
W Sure. May I have your name, please?
M My name is Lucas Adams, and I'm here with my little
　　② 성인 1명과 아이 1명
son.
W Okay. ＿＿＿＿＿ ＿＿＿＿＿ ＿＿＿＿＿ would you like to
stay?
M Three nights. How much is it?
　　③ 3일 숙박
W The total price is 450 dollars. And it ＿＿＿＿＿ breakfast
　　⑤ 총 숙박료　　　　　　　　　　　④ 아침 식사 포함
for two.
M Sounds great. Here's my credit card.
W All right. This is your room key, and the restaurant for
breakfast is on the second floor. I hope you ＿＿＿＿＿
＿＿＿＿＿ ＿＿＿＿＿ here.

14 언급되지 않은 것

대화를 듣고, 남자가 판매할 물건으로 언급되지 않은 것을 고르시오.

① 책　　　② 음악 CD　　③ 옷
④ 사진　　⑤ 자전거

남 안녕, Alice. 이것들은 뭐야?
여 이것들은 내 오래된 물건들이야. 나는 그것들을 이번 주 일요일에 벼룩시장에서 팔 거야.
남 오, 정말? 나도 같이 해도 되니?
여 왜 안 되겠어? 너는 뭘 팔 거야?
남 나는 내 오래된 책들과 음악 CD들, 그리고 바지 두 벌을 팔고 싶어.
여 네가 찍은 사진들을 파는 것은 어때? 그것들은 정말 멋지거든.
남 좋은 생각이야! 돈을 좀 벌면 좋겠다.
여 너는 그 돈으로 무엇을 할 거니?
남 내 자전거가 일주일 전에 망가져서 나는 새 자전거를 살 거야.

M Hi, Alice. What is this?
W This is my old ＿＿＿＿＿. I'm going to sell it at a flea
　　　　　　　　　　　　　　　　　　　　　　　　벼룩시장
market this Sunday.
M Oh, really? Can I join you?
W Why not? What are you going to sell?
　　정답 근거
M I want to sell my old books, music CDs, and two ＿＿＿＿＿
＿＿＿＿＿ ＿＿＿＿＿.
W How about selling the photos you have taken? They're
　　　　　　　　　　　　　　　　　　　　　　현재완료(완료)
really nice.
M That's a great idea! It'll be nice to ＿＿＿＿＿ some
＿＿＿＿＿.
W What are you going to do with the money?
　　함정 주의 자전거는 남자가 사고 싶은 물건임
M I'm going to buy a new bike because ＿＿＿＿＿ ＿＿＿＿＿ a
week ago.

15 할 일

대화를 듣고, 여자가 오늘 저녁에 할 일로 가장 적절한 것을 고르시오.

① 게임하기
② 우산 가져오기
③ 시험공부하기
④ 연극 보러 가기
⑤ 일기예보 확인하기

남 안녕, Jenny.
여 안녕, Sam. 어떻게 지내?
남 잘 지내. 근데 이런 날씨는 정말 나를 우울하게 해. 비 좀 그쳤으면 좋겠어.
여 일기 예보에서 비가 오늘 저녁에 그칠 거라고 했어.
남 일기 예보가 맞길 바라. 그런데, 오늘 저녁에 뭐 할 거니? 연극 보러 가는 것 어때?
여 가고 싶은데 못 가. 내일 있을 수학 시험 때문에 공부해야 해.
남 그렇구나. 다음에 봐야겠네. 시험 잘 봐.
여 고마워. 안녕.

M　Hi, Jenny.

W　Hi, Sam. How are you doing?

M　Okay. But this weather really _____ me _____. I wish it would stop raining.
I wish 가정법 과거: ~라면 좋을 텐데

W　The _____ _____ said the rain would stop this evening.

M　I hope they're right. By the way, what are you doing this evening? Why don't we go to a play?
연극 보러 가다
🎸정답 근거

W　I'd like to, but I can't. I have to study for a math test tomorrow.

M　I see. Maybe next time. _____ _____ _____ your test.

W　Thanks. Bye.

16 금액

대화를 듣고, 남자가 지불할 금액을 고르시오.

① $10　　② $40　　③ $44
④ $50　　⑤ $55

여 도와드릴까요?
남 네. 저 블라우스를 한번 볼 수 있을지 궁금해요.
여 이것이요?
남 아뇨, 오른쪽에 있는 연분홍색 블라우스요.
여 여기 있습니다. 사람들이 그것의 색을 무척 좋아해요. 그건 요즘에 인기가 아주 많습니다.
남 좋네요. 엄마께 드리려고요. 얼마인가요?
여 40달러이고요, 10%의 세금이 가격에 부과됩니다.
남 네. 그것으로 할게요. 50달러 여기 있습니다.

W　May I help you?

M　Yes. _____ _____ if I could have a look at that blouse.
~을 한번 보다
명사절 접속사: ~인지

W　This one?

M　No, the light pink one on the right.
= blouse

W　Here _____ _____. People really like _____ _____. It's very popular these days.

M　Good. It's for my mom. How much is it?

🎸정답 근거
W　It's 40 dollars, and a 10% tax _____ _____ to the price.

M　Okay. I'll take it. Here's 50 dollars.

⬅ **Solution Tip** 블라우스는 40달러이고, 이 금액에 10% 세금이 부과되므로 남자가 지불해야 하는 금액은 44달러이다.

17 적절한 응답

대화를 듣고, 남자의 마지막 말에 대한 여자의 응답으로 가장 적절한 것을 고르시오.

Woman: _____

① Would you come to my party?
② I don't mind. You can go there.
③ We'll have the party at my house.
④ Why don't we invite everyone from class?
⑤ Friday is a busy day for me. How about Saturday?

[휴대 전화벨이 울린다.]
여　여보세요, Jack. 나 Beth야.
남　안녕, Beth. 무슨 일이야?
여　이번 주 금요일에 우리 집에서 Mia의 환영 파티를 열려고 해.
남　좋은 생각이야.
여　파티를 위해 쇼핑을 하러 가야 하는데. 너 내일 학교 끝나고 나랑 쇼핑몰에 갈 수 있어?
남　물론이지. 그런데 누구를 초대해야 하지?
여　④ 반 아이들 모두를 초대하는 게 어때?

☎Cellphone rings.

W　Hello, Jack. This is Beth.

M　Hi, Beth. What's up?

W　I've been thinking of _____ _____ _____
　　현재완료 진행
　　_____ for Mia at my house this Friday.

M　That's a good idea.

W　I need to go shopping for the party. Can you go to the mall with me tomorrow after school?

M　Sure. By the way, _____ should we _____?
　　　정답 근거
　　그런데(화제 전환)

W　④ Why don't we invite everyone from class?

① 내 파티에 와 주겠니?　　　② 나는 상관 안 해. 너는 그곳에 가도 돼.
③ 우리 집에서 파티를 열 거야.　　　⑤ 내겐 금요일이 바쁜 날이야. 토요일은 어떠니?

18 적절한 응답

대화를 듣고, 여자의 마지막 말에 대한 남자의 응답으로 가장 적절한 것을 고르시오.

Man: _____

① No, I've never been there.
② I wish I could help them again.
③ I felt happy to see their smiling faces.
④ Honestly, yes. I'm worried about the work.
⑤ I feel sick. I think I need to see a doctor.

여　너는 자원봉사를 해 본 적 있니?
남　응, 해 봤어.
여　어디에서 자원봉사를 했니?
남　어린이 병원에서 자원봉사 일을 했어.
여　거기서 무엇을 했니?
남　나는 아이들과 책을 읽거나 게임을 했어.
여　기분이 어땠어?
남　③ 그들의 웃는 얼굴을 봐서 행복했어.

W　_____ you _____ _____ volunteering?

M　Yes, I have.

W　Where did you volunteer?

M　I did some volunteer work at a children's hospital.

W　What did you do there?

M　I _____ _____ and _____ games with the kids.
　　　정답 근거

W　How did you feel?

M　③ I felt happy to see their smiling faces.

① 아니, 나는 거기에 가 본 적이 없어.　　② 내가 그들을 다시 도울 수 있으면 좋을 텐데.
④ 솔직히, 맞아. 나는 그 일이 걱정돼.　　⑤ 나는 몸이 안 좋아. 병원에 가야 할 것 같아.

19 적절한 응답

대화를 듣고, 남자의 마지막 말에 대한 여자의 응답으로 가장 적절한 것을 고르시오.

Woman: _____

① I'm sure he'll pick you up.
② Sorry. I've already done that.
③ Don't worry. I'll do it for you.
④ Yes, you can. It'll be nice to eat out.
⑤ Yes. Would you pick up a sandwich for me?

🇬🇧

M Stacy, are you working _____ _____ the night again?

W Yes, I am.

M I guess I am, too. Aren't you hungry?
   부정 의문문

W Well, I think I feel hungry.
   🎵정답 근거   feel+형용사 보어: ~한 느낌이 나다

M I'm going to _____ _____ something to eat. Do you
   to부정사의 형용사적 용법(앞의 something 수식)
   want to come with me?

W I'm sorry, I can't. I have _____ _____ _____
   _____ _____.

M No problem. Then can I get you anything?

W ⑤ Yes. Would you pick up a sandwich for me?

남 Stacy, 오늘도 밤늦도록 일할 거니?
여 응, 그럴 거야.
남 나도 그래야 할 것 같아. 배 안 고프니?
여 음, 고픈 것 같네.
남 난 먹을 것 좀 사러 갈 거야. 너도 나랑 같이 갈래?
여 미안한데 못 가. 걸어야 할 전화 몇 통이 있거든.
남 알겠어, 그럼 뭐 좀 사다 줄까?
여 ⑤ 응. 샌드위치 좀 사다 줄래?

① 그가 분명히 너를 데리러 올 거야. ② 미안해. 난 이미 그것을 했어.
③ 걱정하지 마. 내가 널 위해 그걸 해 줄게. ④ 응, 넌 할 수 있어. 외식하면 좋을 거야.

20 상황에 맞는 말

다음 상황 설명을 듣고, Gary가 점원에게 할 말로 가장 적절한 것을 고르시오.

Gary: _____

① I'm just looking around.
② How much does it cost?
③ I like the design. I'll take it.
④ Could you come down a little?
⑤ Do you have this in a smaller size?

W Gary is in a clothing shop. He _____
   _____ a pair of jeans. The clerk recommends a brand-
   청바지 한 벌
   new one. And he likes its color and design. He tries it on
   try on: ~을 입어[신어] 보다
   in a fitting room, but it is _____ _____ on
   탈의실
   him. He decides to ask for _____ _____ _____.
   🎵정답 근거
   In this situation, what would Gary most likely say to the
   clerk?

Gary ⑤ Do you have this in a smaller size?

여 Gary는 옷 가게에 있다. 그는 청바지 한 벌을 사고 싶다. 점원이 신상품 하나를 추천해 준다. 그리고 그는 그것의 색상과 디자인이 마음에 든다. 그는 탈의실에서 그것을 입어 보는데, 그것은 그에게 약간 헐렁하다. 그는 더 작은 것을 요청하기로 한다. 이러한 상황에서 Gary는 점원에게 뭐라고 말할까?
Gary ⑤ 더 작은 사이즈 있나요?

① 저는 그냥 둘러보는 거예요. ② 그것은 얼마인가요?
③ 저는 그 디자인이 마음에 들어요. 그것으로 할게요. ④ 값을 조금 깎아 주시겠어요?

[VOCABULARY] 실전 모의고사 16회

어휘를 알아야 들린다

모의고사를 먼저 풀고 싶으면 250쪽으로 이동하세요.

🎧 다음 표현을 듣고 모르는 것에 표시하시오.

- [ ] 01 **leopard print** 호피 무늬
- [ ] 02 **not one's cup of tea** ~가 좋아하는 것이 아닌
- [ ] 03 **cotton** 면직물
- [ ] 04 **pure** (다른 것이 섞이지 않은) 순수한
- [ ] 05 **floral** 꽃무늬의
- [ ] 06 **chain** 사슬
- [ ] 07 **get in touch with** ~와 연락하다
- [ ] 08 **entire** 전체의
- [ ] 09 **postpone** 미루다(= delay)
- [ ] 10 **client** 고객
- [ ] 11 **reschedule** 일정을 변경하다
- [ ] 12 **at half the price** 반값으로
- [ ] 13 **noisy** 시끄러운
- [ ] 14 **unusually** 평소와 달리, 특이하게
- [ ] 15 **reserve** 예약하다
- [ ] 16 **fur** 털
- [ ] 17 **develop** 성장하다
- [ ] 18 **coloring** (동식물이 원래 지니고 있는) 색
- [ ] 19 **national** 국가의
- [ ] 20 **treasure** 보물
- [ ] 21 **grass** 풀
- [ ] 22 **bamboo** 대나무
- [ ] 23 **female** 암컷
- [ ] 24 **male** 수컷

- [ ] 25 **gloomy** 우울한
- [ ] 26 **as quiet as a mouse** 아주 조용한
- [ ] 27 **social** 사교적인
- [ ] 28 **electricity** 전기
- [ ] 29 **imagine** 상상하다
- [ ] 30 **conversation** 대화, 회화
- [ ] 31 **foreign** 외국의
- [ ] 32 **language** 언어
- [ ] 33 **election** 선거
- [ ] 34 **period** (수업) 교시
- [ ] 35 **therefore** 그러므로
- [ ] 36 **active** 활동적인
- [ ] 37 **make a copy** 복사하다
- [ ] 38 **document** 서류
- [ ] 39 **charge** 청구하다
- [ ] 40 **bind** 묶다, 제본하다
- [ ] 41 **holiday** 휴가
- [ ] 42 **scenery** 경치
- [ ] 43 **shame** 아쉬운 일
- [ ] 44 **(musical) instrument** 악기
- [ ] 45 **No worries.** 걱정 마.
- [ ] 46 **not ~ any longer** 더 이상 ~하지 않는
- [ ] 47 **operator** 전화 상담원

🎧 들으면서 표현을 완성한 다음, 뜻을 고르시오.

표현의 의미를 생각하며 다시 써 보기!

01 soci　l 　　　　☐ 사교적인　☐ 개인의　　→

02 con　ersa　ion 　☐ 편리　　　☐ 대화　　　→

03 p　riod 　　　　☐ (수업) 교시　☐ 학기　　→

04 s　enery 　　　　☐ 장면　　　☐ 경치　　　→

05 f　male 　　　　☐ 암컷　　　☐ 수컷　　　→

06 develo　 　　　　☐ 승진하다　☐ 성장하다　→

07 tre　sure 　　　☐ 보물　　　☐ 함정　　　→

08 　lient 　　　　☐ 고객　　　☐ 전문가　　→

09 doc　ment 　　　☐ 증거　　　☐ 서류　　　→

10 f　oral 　　　　☐ 꽃무늬의　☐ 복수형의　→

11 co　ton 　　　　☐ 작물　　　☐ 면직물　　→

12 a　tive 　　　　☐ 활동적인　☐ 매력적인　→

13 ele　tri　ity 　　☐ 전기　　　☐ 선거　　　→

14 glo　my 　　　　☐ 영예로운　☐ 우울한　　→

15 p　stpon　 　　　☐ 정하다　　☐ 미루다　　→

16 　ntire 　　　　☐ 전체의　　☐ 예비의　　→

17 ima　ine 　　　☐ 계획하다　☐ 상상하다　→

18 the　efore 　　☐ 왜냐하면　☐ 그러므로　→

19 instr　ment 　　☐ 악기　　　☐ 전주　　　→

20 for　ign 　　　☐ 국내의　　☐ 외국의　　→

어휘 16회

Vocabulary **249**

실전 모의고사 [16]회

실전 모의고사 16회 →
┌ 모의고사 보통 속도
└ 모의고사 빠른 속도

✎ 들으면서 주요 표현 메모하기!

01 대화를 듣고, 여자가 구입할 스카프를 고르시오.

① 　② 　③ 　④ 　⑤

02 대화를 듣고, 남자가 여자에게 전화한 목적으로 가장 적절한 것을 고르시오.

① 노트북을 빌리려고
② 과제가 무엇인지 물어보려고
③ 과제를 함께할 것을 제안하려고
④ 약속 시간을 확인하려고
⑤ 방과 후 수업을 신청하려고

03 다음 그림의 상황에 가장 적절한 대화를 고르시오.

①　　②　　③　　④　　⑤

04 대화를 듣고, 남자의 직업으로 가장 적절한 것을 고르시오.

① farmer
② bank teller
③ restaurant server
④ delivery man
⑤ supermarket clerk

고난도　메모하며 풀기

05 대화를 듣고, 두 사람이 만나기로 한 시각을 고르시오.

① 3:30 p.m.　② 4:00 p.m.　③ 4:15 p.m.　④ 7:00 p.m.　⑤ 7:30 p.m.

고난도 메모하며 풀기

06 다음을 듣고, 수영장에 관해 언급되지 <u>않은</u> 것을 고르시오.

① 재개장일 　　② 운영 요일 　　③ 개장 시간
④ 입장료 　　⑤ 입장 제한 연령

✎ 들으면서 주요 표현 메모하기!

07 대화를 듣고, 남자가 여자에게 부탁한 일로 가장 적절한 것을 고르시오.

① 문 닫기 　　② 예약 변경하기
③ 식탁 치우기 　　④ 주문한 음식 바꾸기
⑤ 바꿀 자리가 있는지 알아보기

08 다음을 듣고, 무엇에 관한 설명인지 고르시오.

① 판다 　　② 치타 　　③ 북극곰 　　④ 침팬지 　　⑤ 얼룩말

09 대화를 듣고, 여자의 마지막 말에 담긴 의도로 가장 적절한 것을 고르시오.

① 위로 　　② 조언 　　③ 요청 　　④ 동의 　　⑤ 거절

10 다음을 듣고, 두 사람의 대화가 <u>어색한</u> 것을 고르시오.

① 　　② 　　③ 　　④ 　　⑤

틀린 문제는 Dictation에서
완벽하게 이해하세요.

실전 모의고사 [16]회

✎ 들으면서 주요 표현 메모하기!

11 대화를 듣고, 두 사람이 대화하는 장소로 가장 적절한 곳을 고르시오.

① hotel   ② school   ③ library   ④ bookstore   ⑤ post office

12 다음을 듣고, 무엇에 관한 안내 방송인지 고르시오.

① 수업 일정 변동   ② 방학 일정 안내   ③ 학생회 후보 소개
④ 방과 후 수업 개설   ⑤ 학생회 선거 결과 발표

13 다음 표를 보면서 대화를 듣고, 남자가 예약한 내용을 고르시오.

	Date	Number of People	Time	Floor
①	July 13th	4	7 p.m.	1st
②	July 13th	7	4 p.m.	1st
③	July 30th	4	7 p.m.	1st
④	July 30th	7	4 p.m.	2nd
⑤	July 30th	4	7 p.m.	2nd

14 대화를 듣고, 두 사람이 대화 직후에 할 일로 가장 적절한 것을 고르시오.

① 쇼핑하기   ② 연 만들기   ③ 배드민턴 치기
④ TV 시청하기   ⑤ 컴퓨터 게임하기

고난도   메모하며 풀기

15 대화를 듣고, 남자가 지불할 금액을 고르시오.

① $12   ② $15   ③ $24   ④ $27   ⑤ $30

16 대화를 듣고, 여자가 구입할 물건을 고르시오.

① 귀걸이   ② 벨트   ③ 지갑   ④ 브로치   ⑤ 셔츠

✎ 들으면서 주요 표현 메모하기!

17 대화를 듣고, 남자의 마지막 말에 대한 여자의 응답으로 가장 적절한 것을 고르시오.

Woman: _____

① I hope we can next year.
② What was the last visit like?
③ Don't be ashamed of yourself.
④ Are you sure we're on the same flight?
⑤ I didn't think the scenery would be this good.

고난도   메모하며 풀기
18 대화를 듣고, 여자의 마지막 말에 대한 남자의 응답으로 가장 적절한 것을 고르시오.

Man: _____

① Can you play any instruments?
② Wow! You're very good at singing.
③ Congratulations! I knew you could make it.
④ Cheer up! Everyone can learn from mistakes.
⑤ That's alright. You can get training in whatever you are interested in.

19 대화를 듣고, 남자의 마지막 말에 대한 여자의 응답으로 가장 적절한 것을 고르시오.

Woman: _____

① Sorry. The meeting has been canceled.
② All right. Thank you for understanding.
③ Of course. I hope you'll get better soon.
④ Never mind. I'll take you to the hospital.
⑤ No problem. I've already finished the project.

20 다음 상황 설명을 듣고, Nick이 상담원에게 할 말로 가장 적절한 것을 고르시오.

Nick: _____

① I'd like to order a camera.
② Where can I fix my camera?
③ I want to exchange this camera.
④ When can I get the camera I ordered?
⑤ There's something wrong with this camera.

틀린 문제는 Dictation에서
완벽하게 이해하세요.

01 그림 묘사

*들을 때마다 체크 ☐☐

대화를 듣고, 여자가 구입할 스카프를 고르시오.

① ② ③

④ ⑤

M Good evening, ma'am. How can I help you?

W I'd like to buy a scarf for my aunt.

함정 주의 호피 무늬는 이모의 취향이 아니라는 여자의 말이 이어짐

M How about this leopard print scarf? Isn't it nice?
호피 무늬   부정 의문문

W Well, that's _____ _____ _____ _____

_____. Is that striped one made of silk?
be made of: ~로 만들어지다

M No, it's made of _____. If you're looking for a pure
100% 실크

silk scarf, how about these _____ print or chain print

scarves?
정답 근거

W I'd rather take that chain print scarf. _____ _____
would rather: ~하는 편이 낫다

_____ _____ to me?

M No problem. Here you are.

W Oh, I like it.

남 안녕하세요, 손님. 어떻게 도와드릴까요?

여 이모에게 드릴 스카프를 사고 싶어요.

남 이 호피 무늬 스카프는 어떠세요? 멋지지 않나요?

여 글쎄요, 그것은 그녀의 취향이 아니에요. 저 줄무늬 스
카프는 실크로 만들어졌나요?

남 아뇨, 그것은 면으로 만들어졌어요. 100% 실크 스카
프를 찾고 계시면, 이 꽃무늬나 사슬 무늬 스카프는 어
떠세요?

여 사슬 무늬 스카프를 고르는 편이 낫겠네요. 그것을 제
게 보여 주시겠어요?

남 물론이죠. 여기 있습니다.

여 오, 좋네요.

02 목적

☐☐

대화를 듣고, 남자가 여자에게 전화한 목적으로 가장
적절한 것을 고르시오.

① 노트북을 빌리려고

② 과제가 무엇인지 물어보려고

③ 과제를 함께할 것을 제안하려고

④ 약속 시간을 확인하려고

⑤ 방과 후 수업을 신청하려고

📞 Cellphone rings.

W Hello.

M Hi, Emily. This is Minho. Have you found a partner for
(전화 통화에서) 저는 ~입니다 정답 근거 현재완료 의문문(완료)

the science project?

W No, not yet. How about you?

M _____ _____. I have a great idea for the project. I'm

wondering if you'd join me.
명사절을 이끄는 접속사(~인지)

W I'd love to. I think we should meet, then.

M Sure. How about tomorrow after school?

W Good. Can you _____ your laptop? I _____

_____ _____ my brother.

M Okay. I'll take it. See you tomorrow.

[휴대 전화벨이 울린다.]

여 여보세요.

남 안녕, Emily. 나 민호야. 너 과학 과제 같이할 사람 구
했니?

여 아니, 아직. 너는?

남 나도 못 구했어. 나한테 과제에 대한 좋은 아이디어가
있거든. 네가 나랑 같이하고 싶은지 궁금해.

여 하고 싶지. 그럼 우리 만나야 할 것 같은데.

남 물론이야. 내일 학교 끝난 뒤에 어떠니?

여 좋아. 너 노트북 가져올 수 있니? 내 것은 동생에게 빌
려줬어.

남 그래. 내가 가져갈게. 내일 보자.

Dictation 16회 →
┌ 전체 듣기
└ 문항별 듣기

Dictation의 효과적인 활용법
STEP 1 들으면서 대본의 빈칸 채우기
STEP 2 축쇄 문제를 보며 다시 풀어 보기
STEP 3 해석을 보며 영어로 말하거나 영작해 보기

공부한 날   월   일

03 그림 상황

다음 그림의 상황에 가장 적절한 대화를 고르시오.

① ② ③ ④ ⑤

① 남 내일 등산하러 가자.
　여 좋아. 우리 몇 시에 만날까?
② 남 아야! 당신이 제 발을 밟았어요!
　여 죄송해요. 못 봤어요.
③ 남 도와드릴까요?
　여 네. 저는 조깅화 한 켤레를 찾고 있어요.
④ 남 캠핑 여행은 어땠어?
　여 끔찍했어. 여행 내내 비가 왔거든.
⑤ 남 어제 너랑 연락하려고 했었는데, 못 했어.
　여 나는 하루 종일 휴대 전화를 꺼 두었어.

① M Let's go hiking tomorrow.

W Sounds good. What time shall we meet?

🔖정답 근거
② M Ouch! You _____ _____ _____ _____!

W Sorry. I didn't see that.

③ M Can I help you?

W Yes. I'm looking for a pair of jogging shoes.
　　　　　　　　　　　쌍을 이루는 물건의 수량을 나타내는 단위명사

④ M How was your camping trip?

W It was terrible. It rained _____ the trip.

⑤ M I tried to _____ _____ _____ _____ you yesterday, but I couldn't.

W I kept my cellphone off the entire day.

04 직업

대화를 듣고, 남자의 직업으로 가장 적절한 것을 고르시오.
① farmer
② bank teller
③ restaurant server
④ delivery man
⑤ supermarket clerk

남 주문하시겠습니까?
여 네. 저는 오늘의 스테이크로 할게요.
남 오, 탁월한 선택이십니다. 스테이크는 어떻게 익혀 드릴까요?
여 중간보다 더 익혀 주세요.
남 네. 그리고 스테이크에 감자를 곁들여 드실 수 있습니다. 구운 것과 튀긴 것 중에 어느 것으로 하시겠습니까?
여 저는 구운 것이 더 좋아요.
남 알겠습니다. 곧 준비해 드리겠습니다.

① 농부　　　② 은행원　　　③ 식당 종업원
④ 배달원　　⑤ 슈퍼마켓 점원

🔖정답 근거
M May I _____ _____ _____?

W Yes. I'm going to have today's steak.

M Oh, good choice. How would you like that _____?
　　　　　　　　　　　　　　　　　～을 어떻게 해 드릴까요?

W Medium well-done, please.

M Okay. And you can have potatoes with that. _____ do you _____ _____, baked or fried?

W Baked are better for me.

M All right. I'll be right back.

16회

[Dictation] 실전 모의고사 16회

05 시각

대화를 듣고, 두 사람이 만나기로 한 시각을 고르시오.
① 3:30 p.m.　　② 4:00 p.m.
③ 4:15 p.m.　　④ 7:00 p.m.
⑤ 7:30 p.m.

W David, _____ _____ _____ the meeting to 4:00 p.m.?

M What's the matter?

W One of my new clients is going to call me at 3:30.
one of+복수 명사: ~들 중 하나　　　　　함정 주의 회의는 다른 날로 미뤄짐

M I see. But I have another meeting at 4:15. Then let's reschedule our meeting for another day.
정답 근거

W Okay. By the way, _____ _____ our dinner reservation.
그런데(화제 전환)

M Of course. Oliver's Restaurant, right?

W Yeah. I booked the restaurant at 7.

M Great! See you _____.

여 David, 우리 회의를 오후 4시로 미룰 수 있을까?
남 무슨 일인데?
여 내 신규 고객들 중 한 분이 3시 30분에 전화를 하실 거야.
남 그렇구나. 그런데 내가 4시 15분에 다른 회의가 있어. 그럼 우리 회의를 다른 날로 일정을 변경하자.
여 좋아. 그런데, 저녁 식사 예약한 것 잊지 마.
남 물론이지. Oliver's Restaurant, 맞지?
여 응. 식당을 7시에 예약했어.
남 좋아! 그때 보자.

> **Solution Tip** 두 사람이 같이 하기로 한 회의는 다른 날로 미뤄졌고, 대화의 마지막에 식당에서 7시에 만나기로 했다.

06 언급되지 않은 것

다음을 듣고, 수영장에 관해 언급되지 않은 것을 고르시오.
① 재개장일
② 운영 요일
③ 개장 시간
④ 입장료
⑤ 입장 제한 연령

W 정답 근거 May I have your attention, please? The swimming pool _____ _____ on May 1st. It is open six days a week
① 재개장일
from Tuesday to Sunday. Opening hours are _____ 10
② 운영 요일　　　　　　　　　　③ 개장 시간
a.m. _____ 8 p.m. Admission to the pool is 10 dollars
④ 입장료
for adults and 8 dollars for students. Children under 7 can
(나이 등이) ~ 미만의
enter _____ _____ _____ _____ of the adults' fee. Enjoy your swim. Thank you.

여 주목해 주시겠습니까? 수영장이 5월 1일에 다시 문을 엽니다. 수영장은 화요일부터 일요일까지 일주일에 6일 문을 엽니다. 개장 시간은 오전 10시부터 오후 8시까지입니다. 수영장 입장료는 성인은 10달러, 학생은 8달러입니다. 7세 미만 어린이는 성인 요금의 반값에 입장할 수 있습니다. 즐겁게 수영하세요. 감사합니다.

256 실전 모의고사 16회

07 부탁한 일

대화를 듣고, 남자가 여자에게 부탁한 일로 가장 적절한 것을 고르시오.

① 문 닫기
② 예약 변경하기
③ 식탁 치우기
④ 주문한 음식 바꾸기
⑤ 바꿀 자리가 있는지 알아보기

M Excuse me.

W Yes, sir. Can I help you?

M It's very _____ here _____ _____ the door.

W Sorry. It's unusually busy today.

M Can't we move to the table in the corner?

W I'm afraid it's _____, sir.

M But we can't sit and eat here anymore. Would you
_____ _____ _____ if there are any other tables
~인지   다른
available?

🎵 정답 근거

W Sure. I'll go and check.

남 실례합니다.
여 네, 손님. 도와드릴까요?
남 여기 문 옆 자리는 너무 시끄럽군요.
여 죄송합니다. 오늘 유난히 붐비네요.
남 구석에 있는 자리로 옮길 수 없을까요?
여 예약이 되어 있어서 곤란합니다, 손님.
남 하지만 이곳에서는 더 이상 앉아서 먹을 수가 없네요.
   앉을 수 있는 다른 자리가 있는지 알아봐 주시겠어요?
여 물론이죠. 가서 알아보겠습니다.

08 담화 화제

다음을 듣고, 무엇에 관한 설명인지 고르시오.

① 판다   ② 치타
③ 북극곰   ④ 침팬지
⑤ 얼룩말

🎵 정답 근거

M This animal has black and white _____. It is _____
white, and develops its loved coloring later. It lives mainly
                              (동식물의) 색
in the mountains of southwest China. Chinese people
consider it a _____ _____. It eats grasses or fruits,
and especially likes bamboo. An adult eats about 30 kg of
bamboo every day. _____ can grow up to about 90 kg,
                                          ~까지
while _____ can grow up to about 140 kg as adults.
~인 데 반하여(대조)

남 이 동물은 검고 하얀 털을 가지고 있다. 그것은 하얗
게 태어나고, 나중에 사랑받는 색으로 성장한다. 그것
은 주로 중국 남서부의 산속에서 산다. 중국 사람들은
그것을 국가의 보물로 여긴다. 그것은 풀이나 과일을
먹으며, 특히 대나무를 좋아한다. 성체(다 자란 동물)
는 매일 약 30kg의 대나무를 먹는다. 성체가 되면 암
컷은 90kg 정도까지 자랄 수 있는데 반하여, 수컷은
140kg 정도까지 자랄 수 있다.

09 마지막 말의 의도

대화를 듣고, 여자의 마지막 말에 담긴 의도로 가장 적절한 것을 고르시오.

① 위로   ② 조언   ③ 요청
④ 동의   ⑤ 거절

W What's wrong? You _____ so _____.

M Actually, I'm worried about my friend, Alice.

W Why? What's going on?

M Well, I think she's unhappy. She's been _____ _____ _____ _____ _____ lately.

W Has she told you how come?
                                = why

M No. She's usually so _____, but lately she hasn't even texted me.

W Then I think you should call her and ask her why.
              정답 근거   ~해야 한다

여 무슨 일이야? 너 무척 우울해 보여.
남 사실 난 내 친구 Alice가 걱정돼.
여 왜? 무슨 일인데?
남 음, 그녀가 불행한 것 같아. 그녀는 최근에 아주 조용하거든.
여 그녀가 네게 이유를 말했어?
남 아니. 그녀는 평소에 아주 사교적인데, 최근에는 내게 문자조차 보내지 않아.
여 그렇다면 나는 네가 그녀에서 전화해서 이유를 물어봐야 한다고 생각해.

10 어색한 대화

다음을 듣고, 두 사람의 대화가 어색한 것을 고르시오.
①   ②   ③   ④   ⑤

① W What are you going to do this weekend?

  M I'm planning to go to the beach.

② W _____ _____ _____ _____ no electricity?

  M Well, I just can't imagine a day without it.
                                          = electricity

③ W Hello. May I speak to John?
              ~와 통화할 수 있습니까?

  M I'm sorry, but he's not here now.

④ W I decided to go back to Canada next week.

  M I'll _____ _____. Take care.
          정답 근거   몸조심하세요.(헤어질 때의 인사말)

⑤ W I'm sure we'll _____ this tennis game.

  M Of course. I feel bad about it.

① 여 너는 이번 주말에 무엇을 할 거니?
   남 나는 해변에 갈 계획이야.
② 여 만약 전기가 없다면 어떨까?
   남 글쎄, 나는 전기가 없는 단 하루도 상상할 수 없어.
③ 여 여보세요. John과 통화할 수 있나요?
   남 죄송하지만 그는 지금 여기에 없어요.
④ 여 나는 다음 주에 캐나다로 돌아가기로 했어.
   남 네가 그리울 거야. 몸조심하렴.
⑤ 여 나는 우리가 이번 테니스 경기에서 이길 거라고 확신해.
   남 물론이지. 나는 그것 때문에 기분이 안 좋아.

◀ **Solution Tip** 테니스 경기에서 이길 것을 확신한다는 여자의 말에 동의를 표한 뒤 불쾌감을 드러내는 말을 하는 것은 어색하다.

11 장소

대화를 듣고, 두 사람이 대화하는 장소로 가장 적절한 곳을 고르시오.

① hotel　　　② school
③ library　　 ④ bookstore
⑤ post office

여　실례합니다.
남　무엇을 도와드릴까요, 손님?
여　영어 회화 책을 좀 사야 하는데요. 그것들을 어디에서 찾을 수 있나요?
남　그 책들은 외국어 구역에 있습니다.
여　거기가 어디죠?
남　저기 모퉁이가 보이세요? 모퉁이에서 오른쪽으로 도세요. 그것은 어린이 도서 구역 옆에 있습니다.
여　알겠습니다. 정말 감사합니다.
남　천만에요.

① 호텔　　② 학교　　③ 도서관
④ 서점　　⑤ 우체국

W　Excuse me.

M　What can I do for you, ma'am?

W　🔑정답 근거
I _____ _____ _____ some English conversation books. Where can I find them?
= English conversation books

M　Those books are in the _____ _____ section.

W　Where's that?

M　Do you see the corner over there? _____ _____ at the corner. It's next to the children's book section.
～ 옆에

W　Okay. Thank you so much.

M　You're welcome.

👉 Solution Tip　책을 구입해야 한다고 했으므로 library(도서관)는 정답이 될 수 없다.

12 담화 주제

다음을 듣고, 무엇에 관한 안내 방송인지 고르시오.

① 수업 일정 변동
② 방학 일정 안내
③ 학생회 후보 소개
④ 방과 후 수업 개설
⑤ 학생회 선거 결과 발표

여　주목해 주세요. 돌아오는 이번 금요일의 수업 일정에 몇몇 변동이 있을 예정입니다. 학생회 선거가 금요일 3교시에 있을 예정입니다. 그러므로 원래 예정되었던 3교시는 그날 7교시로 옮겨집니다. 다음 주 월요일부터 금요일에는 변동이 없습니다. 감사합니다.

W　🔑정답 근거
Attention, please. There'll be some changes in the
There will be: ～이 있을 것이다
class schedule _____ this Friday. The student body
학생회
_____ is going to _____ during third period on
～할 것이다
Friday. Therefore, the originally scheduled third hour will
그러므로
_____ _____ the seventh hour on that day. There
are no changes from Monday _____ Friday next week.
Thank you.

13 표 정보

다음 표를 보면서 대화를 듣고, 남자가 예약한 내용을 고르시오.

	Date	Number of People	Time	Floor
①	July 13th	4	7 p.m.	1st
②	July 13th	7	4 p.m.	1st
③	July 30th	4	7 p.m.	1st
④	July 30th	7	4 p.m.	2nd
⑤	July 30th	4	7 p.m.	2nd

[전화벨이 울린다.]
여 여보세요. Peter's Steakhouse입니다.
남 안녕하세요. 7월 30일에 4명 예약하고 싶어요.
여 좋아요. 몇 시요?
남 7시요. 그리고 저는 2층 테이블이 더 좋아요.
여 죄송하지만 2층 테이블은 모두 예약이 됐어요. 하지만 1층은 아직 몇 개가 남아 있어요.
남 그럼 1층으로 예약할게요.
여 알겠습니다. 성함이 어떻게 되세요, 손님?
남 Andrew Roads로 예약해 주세요.

📞Telephone rings.

W Hello. Peter's Steakhouse. ┌ 스테이크 전문 식당

M Hello. I'd like to make a reservation _____ _____ 예약하다
_____ on July 30th. 🔑정답 근거

W All right. What time?

M 7 o'clock. And I prefer a table on the second floor. 🔺함정 주의 2층 테이블은 예약이 끝났다는 남자의 말이 이어짐

W _____ all the tables on the second floor are booked. But we still have some tables on the first floor. ┌ afraid 뒤에 접속사 that 생략됨 that절의 주어

M I'll _____ _____ _____ on the first floor, then.

W Okay. Can I have your name, sir?

M Please _____ it for Andrew Roads.

14 할 일

대화를 듣고, 두 사람이 대화 직후에 할 일로 가장 적절한 것을 고르시오.
① 쇼핑하기　② 연 만들기
③ 배드민턴 치기　④ TV 시청하기
⑤ 컴퓨터 게임하기

남 정말 지루하다. 재미있게 할 만한 것 좀 찾아보자.
여 음, 컴퓨터 게임을 하거나 TV를 보는 건 어떠니?
남 배드민턴 치는 것처럼 활동적인 것을 하는 건 어때?
여 그건 못 할 것 같아. 밖에 바람이 많이 불거든.
남 그래? 그럼 나가서 연을 날리자.
여 하지만 우리는 연이 없어.
남 걱정하지 마. 나는 그것을 만드는 법을 알아. 그렇게 오래 안 걸릴 거야.
여 그래. 재미있겠다.

M I'm so _____. Let's find something fun to do. -thing으로 끝나는 대명사+형용사+to부정사

W Well, how about playing a computer game or watching TV? 제안하는 표현

M Why don't we do something _____ like playing badminton? 제안하는 표현

W I'm afraid we can't. It's _____ outside.

M Really? Let's go out and _____ a kite, then. 🔑정답 근거 제안하는 표현

W But we don't have a kite.

M Don't worry. I know _____ _____ _____ one. It won't take that _____.

W Okay. It'll be fun.

15 금액

대화를 듣고, 남자가 지불할 금액을 고르시오.

① $12   ② $15   ③ $24
④ $27   ⑤ $30

W Good morning, sir. How can I help you?

정답 근거

M Can you _____ two _____ of this document? It has 100 pages.

W Certainly. Do you want them in color, or black and white?
(흑백의)

M Just black and white. How much will that be?
= How much does it cost?, How much is it?

W We _____ 12 dollars for 100 pages.

M Do you do _____?

W Yes. There's a three-dollar _____ _____ for each one, and it'll take about two hours.

M Okay. Please _____ the copies.

여 안녕하세요, 선생님. 어떻게 도와드릴까요?
남 이 서류를 2부 복사해 주시겠어요? 100쪽입니다.
여 물론이죠. 컬러로 원하세요, 아니면 흑백으로 원하세요?
남 그냥 흑백이요. 얼마인가요?
여 100쪽에 12달러를 받고 있어요.
남 제본도 하시나요?
여 네. 1부에 3달러의 추가 비용이 있고, 2시간 정도 걸릴 거예요.
남 좋아요. 복사본을 제본해 주세요.

Solution Tip 100쪽을 복사하는 비용은 12달러이므로 200쪽을 복사하면 24달러이다. 또한 제본하는 비용은 권당 3달러이므로 2부 제본하면 6달러이다. 그러므로 남자는 총 30달러를 지불해야 한다.

---

16 구입할 물건

대화를 듣고, 여자가 구입할 물건을 고르시오.

① 귀걸이   ② 벨트   ③ 지갑
④ 브로치   ⑤ 셔츠

W I can't _____ _____ to buy for Mom's birthday.

함정 주의 귀걸이는 사 드려도 안 할 것 같다고 함

M How about earrings?

W I'm not sure. I don't think my mom will wear earrings _____ _____ I buy them for her.
= earrings

함정 주의 지갑은 언니가 사 드릴 거라고 함

M Hmm ... what about a leather wallet?

W I heard my sister will buy a wallet for her.

정답 근거

M I see. Why don't you buy a brooch then? Look. I think this brooch would _____ _____ _____ your mom.
(제안하는 표현)

W Oh, it's great. I'll take it.

여 엄마 생신 선물로 뭘 사야 할지 결정을 못 하겠어.
남 귀걸이는 어때?
여 잘 모르겠어. 내가 엄마께 귀걸이를 사 드려도 하실 것 같지 않아.
남 음…… 가죽 지갑은 어떠니?
여 언니가 엄마께 지갑을 사 드릴 거라고 들었어.
남 그렇구나. 그럼 브로치를 사 드리는 것은 어때? 봐. 이 브로치가 너의 엄마께 잘 어울릴 것 같아.
여 오, 멋지다. 그것으로 할래.

17 적절한 응답

대화를 듣고, 남자의 마지막 말에 대한 여자의 응답으로 가장 적절한 것을 고르시오.

Woman: _____

① I hope we can next year.
② What was the last visit like?
③ Don't be ashamed of yourself.
④ Are you sure we're on the same flight?
⑤ I didn't think the scenery would be this good.

남 마침내 크리스마스 시즌이야.
여 너는 크리스마스 휴가 때 어디에 갈 거니?
남 음, 나는 뉴질랜드로 여행을 갈 거야.
여 예전에 거기에 가 본 적이 있니?
남 아니, 이번이 처음이 될 거야. 넌 가 봤어?
여 아니, 하지만 정말 가고 싶어. 그곳의 경치가 멋있다는 말을 들었어.
남 응, 분명히 그럴 거야. 우리가 같이 갈 수 없다는 것이 안타깝다.
여 ① 내년엔 같이 갈 수 있기를 바라.

M   It's finally the Christmas season.

W   Where are you going for your Christmas _____?

M   Well, I'm _____ _____ _____ to New Zealand.

W   Have you been there before?
     현재완료(경험)   정답 근거

M   No, this will be my first time. Have you ever been there?

W   No, but I'd love to go. I've heard the _____ there is beautiful.

M   Yes, I'm sure it is. It's a _____ we can't go together.

W   ① I hope we can next year.

② 지난번 방문은 어땠니?   ③ 스스로를 부끄러워하지 마.
④ 우리가 같은 비행기인 게 확실하니?   ⑤ 나는 경치가 이렇게 좋을 거라고 생각하지 않았어.

---

18 적절한 응답

대화를 듣고, 여자의 마지막 말에 대한 남자의 응답으로 가장 적절한 것을 고르시오.

Man: _____

① Can you play any instruments?
② Wow! You're very good at singing.
③ Congratulations! I knew you could make it.
④ Cheer up! Everyone can learn from mistakes.
⑤ That's alright. You can get training in whatever you are interested in.

여 너 방과 후에 바쁜 것 같더라. 요즘에 무슨 일을 하고 있니?
남 사실은 내가 밴드에 가입했어. 나는 드럼을 쳐.
여 정말? 그건 몰랐어. 드럼은 얼마나 오래 쳤니?
남 2년 정도. 나는 그것을 매우 좋아해.
여 좋겠다. 나도 악기를 연주할 수 있다면 좋을 텐데.
남 우리 밴드에 가입하는 건 어때?
여 그러고 싶은데, 나는 다룰 줄 아는 악기가 없어.
남 ⑤ 괜찮아. 네가 관심 있는 어떤 악기라도 배울 수 있어.

W   You seem to be busy after school. What are you up to these days?
                                        = What have you been doing lately?

M   Actually, I joined a band. I play the drums.

W   Really? I didn't know that. _____ _____ _____ you _____ the drums?

M   For about two years. I like it very much.
     for+기간: ~ 동안 cf. since+과거 시점: ~부터

W   Good for you. _____ _____ I _____ play a musical instrument.
     정답 근거

M   Why don't you join our band?

W   I'd love to, but I don't play any instrument.

M   ⑤ That's alright. You can get training in whatever you are interested in.

① 너는 악기를 연주할 수 있니?   ② 와! 너는 정말 노래를 잘하는구나.
③ 축하해! 나는 네가 해낼 줄 알았어.   ④ 힘내! 누구나 실수를 하면서 배워.

19 적절한 응답 ☐☐

대화를 듣고, 남자의 마지막 말에 대한 여자의 응답으로 가장 적절한 것을 고르시오.

Woman: _____

① Sorry. The meeting has been canceled.
② All right. Thank you for understanding.
③ Of course. I hope you'll get better soon.
④ Never mind. I'll take you to the hospital.
⑤ No problem. I've already finished the project.

[휴대 전화벨이 울린다.]
남 안녕, Claire. 무슨 일이야?
여 Jake, 우리 과학 프로젝트 때문에 하기로 한 모임을 미룰 수 있을까?
남 무슨 일 있어?
여 엄마가 오늘 발목이 부러지셨어. 그래서 내가 이번 주말에 엄마를 돌봐드려야 해.
남 그 소식을 듣게 되어 유감이야. 엄마가 힘드시겠구나. 음, 이번 주 일요일에 우리 모임은 할 수 없겠네.
여 맞아. 정말 미안해.
남 걱정 마. 그럼 다음 주 월요일로 바꿀까?
여 ② 좋아. 이해해 줘서 고마워.

📞Cellphone rings.

M Hi, Claire. What's up?

W Jake, can we _____ the meeting for our science project?

M Is there a problem?

W My mom _____ _____ _____ today. So I'll have to take care of her this weekend.
　　~을 돌보다

M I'm sorry to hear that. That must be hard for her. Well, we
　　　　　　　　　　　　　강한 추측을 나타내는 조동사: ~임에 틀림없다
　can't have our meeting this Sunday.

W That's right. I'm so sorry.

　　　　　　　　　　🎵정답 근거
M _____ _____. Then shall we change it to next
　　　　　　　　　　　　　　제안하는 표현: ~할까?
　Monday?

W ② All right. Thank you for understanding.

① 미안해. 회의는 취소됐어.　　　　　　③ 물론이지. 네가 빨리 낫길 바라.
④ 신경쓰지 마. 내가 너를 병원에 데려다 줄게.　　⑤ 문제없어. 나는 그 프로젝트를 벌써 끝냈어.

20 상황에 맞는 말 ☐☐

다음 상황 설명을 듣고, Nick이 상담원에게 할 말로 가장 적절한 것을 고르시오.

Nick: _____

① I'd like to order a camera.
② Where can I fix my camera?
③ I want to exchange this camera.
④ When can I get the camera I ordered?
⑤ There's something wrong with this camera.

남 Nick은 카메라를 사고 싶었다. 그는 충분한 돈을 모았고 마침내 새로 출시된 카메라를 온라인으로 주문했다. 그들은 그가 3일 뒤에 그것을 받을 것이라고 했지만, 그것은 아직 도착하지 않았다. 10일째가 되었다. Nick은 더 이상 기다릴 수 없다. 그는 고객 서비스 센터에 전화를 건다. 이러한 상황에서 Nick은 전화 상담원에게 뭐라고 말할까?

Nick ④ 제가 주문했던 카메라는 언제 받을 수 있나요?

M Nick wanted to buy a camera. He _____ _____ money and finally ordered a brand-new camera online. They said he would get it 3 days later, but it _____
　　　　　　　　　🎵정답 근거
_____ yet. It's been 10 days. Nick _____ wait
　　　　아직
_____ _____. He calls the customer service center.

In this situation, what would Nick most likely say to the operator?

Nick ④ When can I get the camera I ordered?

① 저는 카메라를 주문하고 싶습니다.　　② 제 카메라를 어디에서 고칠 수 있나요?
③ 저는 이 카메라를 교환하고 싶어요.　　⑤ 이 카메라에 뭔가 문제가 있어요.

모의고사를 먼저 풀고 싶으면 266쪽으로 이동하세요.

🎧 다음 표현을 듣고 모르는 것에 표시하시오.

01 blanket 담요	25 severe 심각한
02 plain 무늬가 없는	26 search 찾다, 수색하다
03 currently 현재, 지금	27 three-legged race 2인 3각 경주
04 lucky 운이 좋은, 행운의	28 tug of war 줄다리기
05 complimentary 무료의	29 depart 출발하다
06 noon 정오	30 following 그 다음의
07 pot 항아리	31 schedule 일정을 잡다
08 go back in time 시간을 거슬러 오르다	32 calendar 달력
09 lifestyle 생활 방식	33 fridge 냉장고(= refrigerator)
10 support 지지	34 serve 제공하다
11 release 공개하다, 발표하다	35 name 이름을 대다
12 bright 밝은	36 miracle 기적
13 cheerful 경쾌한	37 survive 살아남다, 견뎌 내다
14 rhythm 리듬	38 operate 수술하다
15 success 성공	39 terrific 멋진, 훌륭한
16 course 과목	40 get used to ~에 익숙해지다
17 in advance 미리	41 strict 엄격한
18 give it one's best shot 최선을 다하다	
19 as long as ~하는 한	

✎ 알아두면 유용한 선택지 어휘

20 wherever ~한 곳 어디에나	42 hopeful 희망에 찬
21 simply 그냥, 그저 (단순히)	43 out of season 제철이 아닌
22 inform 알리다	44 stand 참다, 견디다
23 construction 공사	45 in my opinion 내 생각에는
24 ahead 앞쪽에	

🎧 들으면서 표현을 완성한 다음, 뜻을 고르시오.

표현의 의미를 생각하며 다시 써 보기!

01 ope␣ate   ☐ 수술하다   ☐ 치료하다   →

02 str␣ct   ☐ 단단한   ☐ 엄격한   →

03 re␣ease   ☐ 공개하다   ☐ 안심시키다   →

04 s␣hedule   ☐ 머무르다   ☐ 일정을 잡다   →

05 se␣ere   ☐ 심각한   ☐ 몇몇의   →

06 te␣rific   ☐ 최악의   ☐ 멋진   →

07 mira␣le   ☐ 기적   ☐ 실패   →

08 co␣rse   ☐ 과목   ☐ 입학   →

09 pl␣in   ☐ 화려한   ☐ 무늬가 없는   →

10 lifest␣le   ☐ 생활 방식   ☐ 평생   →

11 suc␣ess   ☐ 사업   ☐ 성공   →

12 f␣llowing   ☐ 그 다음의   ☐ 이전의   →

13 cur␣ently   ☐ 현재   ☐ 앞으로   →

14 cheerf␣l   ☐ 심란한   ☐ 경쾌한   →

15 fri␣ge   ☐ 세탁기   ☐ 냉장고   →

16 blan␣et   ☐ 담요   ☐ 여백   →

17 in␣orm   ☐ 개선하다   ☐ 알리다   →

18 cons␣ru␣tion   ☐ 제약   ☐ 공사   →

19 a␣ead   ☐ 앞쪽에   ☐ 나중에   →

20 compl␣mentar␣   ☐ 복잡한   ☐ 무료의   →

실전 모의고사 17회 →
모의고사 보통 속도
모의고사 빠른 속도

✎ 들으면서 주요 표현 메모하기!

01 대화를 듣고, 남자가 구입할 담요를 고르시오.

02 대화를 듣고, 남자가 여자에게 전화한 목적으로 가장 적절한 것을 고르시오.

① 식당을 홍보하려고
② 식당 이전을 알리려고
③ 소비자 만족도를 조사하려고
④ 무료 식사권 당첨을 알리려고
⑤ 무료 식사권 사용을 독려하려고

03 다음 그림의 상황에 가장 적절한 대화를 고르시오.

①　　②　　③　　④　　⑤

04 대화를 듣고, 두 사람이 보기로 한 영화 시작 시각을 고르시오.

① 11:45 a.m.　② 11:55 a.m.　③ 12:00 p.m.　④ 12:15 p.m.　⑤ 12:20 p.m.

고난도 메모하며 풀기

05 대화를 듣고, 두 사람이 대화하는 장소로 가장 적절한 곳을 고르시오.

① 학교　　② 박물관　　③ 경찰서　　④ 극장　　⑤ 방송국

고난도 메모하며 풀기

06 대화를 듣고, 두 사람의 관계로 가장 적절한 것을 고르시오.

① 작곡가 — 연주자   ② 영화감독 — 배우   ③ 방송 진행자 — 가수
④ 영화배우 — 팬   ⑤ 방송 제작진 — 방청객

✎ 들으면서 주요 표현 메모하기!

07 대화를 듣고, 남자의 심정으로 가장 적절한 것을 고르시오.

① angry   ② lonely   ③ worried
④ delighted   ⑤ hopeful

08 다음을 듣고, 무엇에 관한 설명인지 고르시오.

① 교통 신호등   ② 횡단보도   ③ 도로 표지판
④ 운전면허증   ⑤ 내비게이션

09 대화를 듣고, 여자가 남자에게 부탁한 일로 가장 적절한 것을 고르시오.

① 숙제 제출하기   ② 병원 같이 가기   ③ 책 전달하기
④ 메시지 전달하기   ⑤ 농구공 빌려주기

10 다음을 듣고, 두 사람의 대화가 <u>어색한</u> 것을 고르시오.

①   ②   ③   ④   ⑤

틀린 문제는 Dictation에서
완벽하게 이해하세요.

실전 모의고사 [17]회

✎ 들으면서 주요 표현 메모하기!

11 대화를 듣고, 남자의 직업으로 가장 적절한 것을 고르시오.

① teacher　　　　　② reporter　　　　　③ police officer
④ shop manager　　　⑤ tour guide

12 다음을 듣고, 방송의 목적으로 가장 적절한 것을 고르시오.

① 선수를 소개하려고　　　　　② 운동회 날짜를 공지하려고
③ 우승자를 발표하려고　　　　　④ 행사 참여 방법을 설명하려고
⑤ 행사의 활동을 안내하려고

고난도 | 메모하며 풀기

13 다음 표를 보면서 대화를 듣고, 남자가 예약한 표를 고르시오.

	출국 날짜	귀국 날짜	좌석 등급	인원
①	May 13th	June 7th	economy	1
②	May 13th	June 8th	first	2
③	May 30th	June 7th	economy	1
④	May 30th	June 8th	business	2
⑤	May 30th	June 8th	business	1

14 대화를 듣고, 여자가 지난밤에 한 일로 가장 적절한 것을 고르시오.

① TV 보기　　② 숙제하기　　③ 등산하기　　④ 편지 쓰기　　⑤ 방 청소하기

15 대화를 듣고, 두 사람이 콘서트에 가기로 한 날짜를 고르시오.

① September 3rd　　　② September 10th　　　③ September 11th
④ October 10th　　　　⑤ October 11th

16 대화를 듣고, 여자가 구입할 물건을 고르시오.

① bread   ② cheese   ③ butter
④ eggs   ⑤ sandwiches

들으면서 주요 표현 메모하기!

17 대화를 듣고, 남자의 마지막 말에 대한 여자의 응답으로 가장 적절한 것을 고르시오.

Woman: _____

① I'm allergic to crabs.
② Squid is out of season.
③ I'd love to go there, then.
④ Seafood is better than meat.
⑤ People should eat more fish.

고난도   메모하며 풀기

18 대화를 듣고, 여자의 마지막 말에 대한 남자의 응답으로 가장 적절한 것을 고르시오.

Man: _____

① No news is good news.
② I didn't mean to bother you.
③ Well, I can't stand the waiting.
④ What? He didn't survive the accident.
⑤ Yes, the doctors are in the operating room.

19 대화를 듣고, 남자의 마지막 말에 대한 여자의 응답으로 가장 적절한 것을 고르시오.

Woman: _____

① I had a great time there.
② I want to go there someday.
③ Will you take a picture of me?
④ Yes. Do you want to see them?
⑤ When are you leaving for the Philippines?

20 다음 상황 설명을 듣고, Jack의 엄마가 Jack에게 할 말로 가장 적절한 것을 고르시오.

Jack's mom: Jack, _____

① I suggest you save some money.
② I think you should go to bed early.
③ in my opinion, you should study harder.
④ why don't you join a club and make new friends?
⑤ if I were you, I would spend less time watching TV.

틀린 문제는 Dictation에서
완벽하게 이해하세요.

01 그림 묘사 *들을 때마다 체크

대화를 듣고, 남자가 구입할 담요를 고르시오.

① ② ③
④ ⑤

여 안녕하세요. 어떻게 도와드릴까요?
남 매트리스 커버와 어울리는 담요를 찾고 있어요.
여 매트리스 커버에 무늬가 있나요?
남 네, 하나는 녹색과 파란색 줄무늬가 있고, 다른 하나는 꽃무늬가 있어요.
여 글쎄요, 그렇다면 무늬가 없는 담요가 좋을 것 같아요. 너무 많은 다양한 무늬는 서로 잘 안 어울리거든요.
남 알겠습니다. 그런 것 같네요. 얼마인가요?
여 저희는 현재 무늬 없는 담요 2개를 1개 가격에 드리고 있어서 2개에 35달러입니다.
남 정말요? 오늘 운이 좋네요! 그것으로 할게요.

W Hi. How may I help you?
M I'm looking for a blanket to _____ _____ my mattress covers.
W Do they have _____ _____?
 함정 주의 stripes와 flowers는 매트리스 커버의 무늬임
M Yes, one has green and blue stripes, and the other has flowers.
🔑정답 근거
W Well, in that case, I think a plain blanket would be best. 그렇다면, 그런 경우에는
Too many _____ patterns don't go well together. 너무 많은
M I see. I think you're right. How much is it?
W We're currently offering two plain blankets for the price of one, so it's 35 dollars _____ _____.
M Really? Today is my _____ day! I'll go for them.

02 목적

대화를 듣고, 남자가 여자에게 전화한 목적으로 가장 적절한 것을 고르시오.
① 식당을 홍보하려고
② 식당 이전을 알리려고
③ 소비자 만족도를 조사하려고
④ 무료 식사권 당첨을 알리려고
⑤ 무료 식사권 사용을 독려하려고

[전화벨이 울린다.]
여 여보세요?
남 White 씨 계신가요?
여 전데요. 누구세요?
남 저는 Blue Hill 식당의 매니저인 Steve Miller입니다. 무료 점심 식사권에 당첨되셨어요. 축하합니다!
여 정말요? 믿을 수 없네요! 식사권에 대해 제가 해야 할 게 있나요?
남 아뇨, 다만 그것을 사용하신 뒤에 저희 식당에 관한 의견을 남겨 주시면 감사하겠습니다.
여 물론이죠. 그렇게 할게요.

📞Telephone rings.
W Hello?
M Is Ms. White there?
W This is _____. _____ calling?
M This is Steve Miller, the manager of Blue Hill Restaurant.
🔑정답 근거
You _____ a _____ lunch coupon. Congratulations!
W Really? I can't believe it! Is there anything I need to do 놀람을 나타내는 표현   to부정사의 명사적 용법(동사 need의 목적어) for the coupon?
M No, but we'd appreciate it if you _____ _____ _____ about our restaurant after using it.
= the coupon
W Sure. I can do that.

Dictation 17회 →
- 전체 듣기
- 문항별 듣기

Dictation의 효과적인 활용법
STEP 1 들으면서 대본의 빈칸 채우기
STEP 2 축쇄 문제를 보며 다시 풀어 보기
STEP 3 해석을 보며 영어로 말하거나 영작해 보기

공부한 날　　월　　일

03 그림 상황

다음 그림의 상황에 가장 적절한 대화를 고르시오.

① ② ③ ④ ⑤

① 남 이 책들 좀 날라 주겠어요?
　여 그럼요. 그것들을 어디에 놓기를 바라세요?
② 남 안녕하세요, 손님. 도와드릴까요?
　여 네. 여성용 지갑이 있나요?
③ 남 마음껏 드세요.
　여 고맙습니다. 맛있는 냄새가 나네요.
④ 남 집에 가는 길에 잠시 들러 줄래?
　여 물론이지, 그렇게 할게.
⑤ 남 실례합니다. 이것을 떨어뜨리셨어요.
　여 오, 정말 고맙습니다.

① M　Can you _____ these books for me?

　W　Sure. Where do you want me to put them?

② M　Hello, ma'am. May I help you?

　W　Yes. Do you have _____ _____ _____ ?

③ M　Please help yourself.
　　　음식을 권하는 말(마음껏 드세요.)

　W　Thank you. It _____ _____ .

④ M　Will you please drop by on your way home?
　　　　　　　　　　　들르다

　W　Sure, I will.
　　　정답 근거

⑤ M　Excuse me. You _____ this.

　W　Oh, thank you very much.

04 시각

대화를 듣고, 두 사람이 보기로 한 영화 시작 시각을 고르시오.
① 11:45 a.m.　　② 11:55 a.m.
③ 12:00 p.m.　　④ 12:15 p.m.
⑤ 12:20 p.m.

여 안녕, Jim. 늦어서 미안해.
남 무슨 일이 있었던 거야?
여 차가 너무 막히더라고. 오래 기다렸어?
남 음, 12시부터 기다렸어.
여 그럼 15분 동안 기다렸구나. 내가 얼마나 미안한지 말할
　수 없어.(얼마나 미안한지 몰라.)
남 괜찮아. 어쨌든 우린 바로 가야 해. 영화가 5분 뒤에
　시작해.
여 그래. 가자.

W　Hey, Jim. I'm sorry for _____ _____ .

M　What happened?

W　The traffic was so heavy. Have you been waiting for a
　　　　　　　　　　　　　　　현재완료 진행 의문문
long time?
　정답 근거

M　Well, I've been waiting _____ _____ .

W　Then you've been waiting for 15 minutes. I can't tell you
　　　　　　　　　　　　　　for+시간: ~ 동안
_____ _____ _____ _____ .

M　Never mind. Anyway we should go right away. The movie
　　괜찮아.
starts in 5 minutes.
　　in+시간: ~ 후에

W　Sure. Let's go.

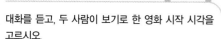 Solution Tip 남자는 12시부터 15분 동안 여자를 기다렸으므로 현재 시각은 12시 15분이다. 영화가 5분 후에 시작하므로 영화 시작 시각은 12시 20분임을 알 수 있다.

05 장소

대화를 듣고, 두 사람이 대화하는 장소로 가장 적절한 곳을 고르시오.

① 학교　　② 박물관　　③ 경찰서
④ 극장　　⑤ 방송국

남 유리 뒤에 있는 이 오래된 항아리들 좀 봐.
여 와, 아름다워 보인다.
남 응. 나는 오래된 이 모든 것들이 무척 흥미로울 수 있다는 것을 상상하지 못했어.
여 네 말이 맞아. 나는 학교에서 그것들에 관해 배웠어. 그런데 여기서는 그것들이 정말 사실적으로 보여.
남 그러게. 그것들이 실생활에서 사용되는 것을 상상해 볼 수 있어.
여 시간을 거슬러 오르는 것 같아.
남 미래에 우리 생활 속의 물건들이 이곳에 놓이게 될 거라고 생각하니?
여 물론이지. 우리 생활 양식에 관한 모든 것이 여기에 전시될 거야.

🎵 정답 근거

M Look at these old _____ behind the glass.
　　　　　　　　　　　~ 뒤에
W Wow, they look beautiful.
M Yes. I never imagined that all these old things could be so
　　　　　　　　　　명사절을 이끄는 접속사
interesting.
W You're right. I've learned about them in school. But they
　　　　　　　현재완료(경험)　　　= all these old things
seem so real here.
M I know. You can imagine them being used in real life.
W It's like _____ _____ _____ _____.
M Do you think that things from our lives will be put here in
　　　　　　　　　　　　　　　　　　미래 시제 수동태:
the future?　　　　　　　　　　　　will be+p.p.
W Of course. I believe everything about our lifestyle
_____ _____ _____ here.

🔙 **Solution Tip** 두 사람은 전시된 과거의 물건들을 보며 흥미롭다는 이야기를 하고 있으므로, 대화하는 장소로는 ② 박물관이 가장 적절하다.

06 두 사람의 관계

대화를 듣고, 두 사람의 관계로 가장 적절한 것을 고르시오.

① 작곡가 — 연주자
② 영화감독 — 배우
③ 방송 진행자 — 가수
④ 영화배우 — 팬
⑤ 방송 제작진 — 방청객

남 오늘 저희 쇼에 나와 주셔서 감사합니다.
여 천만에요.
남 저희 청취자들에게 인사를 해 주시겠어요?
여 네. 여러분의 사랑과 지지에 정말 감사드립니다. 고맙습니다.
남 좋습니다. 첫 번째 질문입니다. 두 번째 앨범은 언제 발표되나요?
여 다음 달 초입니다.
남 첫 번째 앨범과 어떻게 다른지 말씀해 주시겠어요?
여 상당히 달라요. 밝고 경쾌한 리듬을 더 많이 포함하고 있어요.
남 그렇군요. 좋은 결과가 있길 바라요.

🎵 정답 근거

M Thank you for taking the time to come to our show today.
　　　　　　　　　　　　　　　to부정사의 형용사적 용법(앞의 time 수식)
W It's my pleasure.
M Why don't you say hello to our listeners?
　　　　　　　　~에게 안부를 전하다
W Okay. I _____ all your love and support. Thank you.
M Alright. Here's the first question. When is your second
album going to be _____?
W Early next month.
M Can you tell us how it's going to be _____ _____
the first one?
　　= album
W Quite different. It has a more bright and _____
_____.
M I see. I hope it'll be a great _____.

07 심정

대화를 듣고, 남자의 심정으로 가장 적절한 것을 고르시오.

① angry　② lonely
③ worried　④ delighted
⑤ hopeful

W Did you hear about our new math teacher?

M No, I didn't. What is he like?

정답 근거

W I heard he always _____ 50% of his class.

M Oh, no! I really need this course to graduate. Do you think I can pass the course?

W _____ _____ too much _____ _____. Just give it your best shot.
give it one's best shot: 최선을 다하다

M Yeah, but math is not my favorite. If I fail, I won't be able to graduate.
~할 수 없을 것이다

W You'll be just fine _____ _____ _____ you try hard enough.

여 새로 오신 수학 선생님에 관해 들었어?
남 아니, 못 들었어. 어떤 분인데?
여 학급의 50%를 항상 낙제시킨다고 들었어.
남 오, 안 돼! 나는 졸업하려면 이 과목이 정말 필요한데. 내가 이 과목을 통과할 수 있을 것 같니?
여 미리 너무 걱정하지 마. 그냥 최선을 다하도록 해.
남 응, 하지만 수학은 내가 좋아하는 과목이 아니야. 만약 낙제하면 나는 졸업을 할 수 없을 거야.
여 네가 충분히 열심히 노력하면 괜찮을 거야.

① 화가 난　② 외로운　③ 걱정하는
④ 기뻐하는　⑤ 희망에 찬

Solution Tip 새로 오신 수학 선생님은 학급의 50%를 낙제시킬 정도로 엄격한데, 남자는 졸업하려면 자신이 좋아하지 않는 수학 과목을 꼭 통과해야 해서 걱정하고 있다.

08 담화 화제

다음을 듣고, 무엇에 관한 설명인지 고르시오.
① 교통 신호등　② 횡단보도
③ 도로 표지판　④ 운전면허증
⑤ 내비게이션

정답 근거

M You can often find these on the road _____ _____ _____. On them, you can see numbers, letters of the alphabet, words, or simply pictures. Some of them will show you the _____ _____ or road features. They
도로의 특징
can also _____ you of road construction ahead. While
도로 공사　　　　　　　～하는 동안
you are walking or driving a car, you will see them. They tell you what to do or _____ _____ to do.

남 여러분은 어디에 가든지 도로에서 이것들을 흔히 볼 수 있습니다. 그것들에서 여러분은 숫자, 알파벳 글자, 낱말, 혹은 단순히 그림을 볼 수 있습니다. 어떤 것은 여러분에게 제한 속도나 도로의 특징을 보여 줍니다. 또 앞쪽에 있는 도로 공사를 여러분에게 알려 주기도 합니다. 걷거나 차를 운전하는 동안 여러분은 그것들을 보게 될 것입니다. 그것들은 해야 할 일과 하지 말아야 할 일을 여러분에게 알려 줍니다.

09 부탁한 일

대화를 듣고, 여자가 남자에게 부탁한 일로 가장 적절한 것을 고르시오.

① 숙제 제출하기
② 병원 같이 가기
③ 책 전달하기
④ 메시지 전달하기
⑤ 농구공 빌려주기

남 안녕, Lily. 몸이 안 좋아 보이는구나. 괜찮니?
여 나는 심한 감기에 걸린 것 같아. 병원에 가는 길이야.
남 그렇구나. 곧 나아지길 바라.
여 고마워. 너는 어디 가고 있니?
남 나는 도서관에 가는 길이야. Mike랑 과학 숙제를 하려고.
여 오, 잘됐다! 내가 막 Mike에게 전화를 하려던 참이었거든. 그에게 내가 내일 농구를 못한다고 말해 주겠니? 우리는 농구를 하기로 약속했는데, 나는 며칠 쉬는 게 좋을 것 같아.
남 물론이지. 몸조리 잘 하렴.
여 응. 고마워.

M Hey, Lily. You don't look good. Are you okay?
W I think I've got a _____ cold. I'm going to see a doctor.
　　　　　　　　　　　　　　　　　　　　병원에 가다
M I see. I hope you'll _____ _____ _____.
W Thanks. Where are you going?
M I'm on my way to the library. I'm going to _____
　　　on one's[the] way to: ~로 가는 길에
_____ the science homework with Mike.　🔑정답 근거
W Oh, that's good! I was about to call Mike. Can you tell
　　　　　　　　　　　　be about to: 막 ~하려고 하다
him that I can't play basketball tomorrow? We made an
appointment to play basketball, but I think I had better
　　　　　　　　　　　　　　　　　　　　　　　　　　　~하는 것이 낫다
_____ _____ _____ for a few days.
M No problem. Take good care of yourself.
　　　　　　　　　　몸조리 잘 하렴.
W Okay. Thank you.

10 어색한 대화

다음을 듣고, 두 사람의 대화가 어색한 것을 고르시오.
①　②　③　④　⑤

① 여 안녕하세요. 오늘 밤에 묵을 방을 예약하고 싶은데요.
　남 죄송합니다만 예약이 꽉 찼습니다.
② 여 영화 보러 자주 가세요?
　남 아뇨. 저는 집에서 DVD 보는 것을 더 좋아해요.
③ 여 어제 제가 한 말 죄송해요.
　남 맞아요. 그것이 마음에 드셨으면 좋겠어요.
④ 여 무슨 운동을 가장 좋아하세요?
　남 수영만큼 좋은 게 없죠.
⑤ 여 Julia에게 생일 선물로 무엇을 줄 거예요?
　남 꽃을 좀 보내려고 해요.

① W Hi. I'd like to _____ a room for tonight.
　M Sorry, but we're all _____.
② W Do you go to the movies often?
　　　　　　　　　　　　영화 보러 가다(= go to a movie)
　M No. I _____ _____ watch DVDs at home.
　🔑정답 근거
③ W I'm sorry for what I said yesterday.
　　　　　　　　　목적어로 쓰인 명사절
　M That's right. I hope you like it.
④ W What sport do you like best?
　M There's nothing like swimming.
　　　~만큼 좋은 것이 없다
⑤ W What are you going to give Julia for her birthday?
　M I'm going to _____ _____ _____.

👉 **Solution Tip** I hope you like it.은 선물 등을 건네주면서 하는 말로 '그것이 마음에 들었으면 좋겠다'는 의미이므로, 사과에 대한 응답으로는 어색하다.

11 직업 🎧

대화를 듣고, 남자의 직업으로 가장 적절한 것을 고르시오.

① teacher ② reporter
③ police officer ④ shop manager
⑤ tour guide

🇬🇧

M Hello. How may I help you?
　　🔑정답 근거
W I've lost my six-year-old son. Please help me, officer.

M When and where did you _____ _____ him?

W At the street market, not _____ _____ this police station, about 30 minutes ago.

M What's his name?

W Kevin Anderson. He's wearing a yellow T-shirt and jeans.

M Okay. We'll _____ _____ right away. Write down
　　　　　　　　　　　　　　즉시, 즉각
your phone number here, please.

W Thank you so much. Please find him.

남 안녕하세요. 어떻게 도와드릴까요?
여 저는 6살 아들을 잃어버렸어요. 도와주세요, 경관님.
남 언제 그리고 어디에서 그를 마지막으로 보셨나요?
여 약 30분 전에 이곳 경찰서에서 멀지 않은 길가의 시장에서요.
남 그의 이름은 무엇인가요?
여 Kevin Anderson이에요. 그는 노란 티셔츠와 청바지를 입고 있어요.
남 알겠습니다. 바로 수색을 시작할게요. 여기에 전화번호를 적어 주세요.
여 정말 감사합니다. 제발 그를 찾아 주세요.

① 교사　② 기자　③ 경찰관
④ 가게 관리자　⑤ 여행 가이드

12 목적 🎧

다음을 듣고, 방송의 목적으로 가장 적절한 것을 고르시오.

① 선수를 소개하려고
② 운동회 날짜를 공지하려고
③ 우승자를 발표하려고
④ 행사 참여 방법을 설명하려고
⑤ 행사의 활동을 안내하려고

W Good morning, everyone. I'd like to _____ all parents
　　　　　　　　　　　　　 would like to: ~하고 싶다 🔑정답 근거
and students to our school's sports day. Today we will
have _____ _____ _____ like a three-legged
　　　　　　　　　(예를 들어) ~와 같은
race, a relay race, a tug of war, and so on. If there is
　　　　　　　　　　 줄다리기
_____ _____ _____ the schedule of activities,
you can download it from the school website. I hope you
　　　　　　　 = the schedule of activities
all enjoy the activities. Thank you.

여 안녕하세요, 여러분. 저희 학교의 운동회에 오신 학부모님들과 학생 여러분 모두 환영합니다. 오늘 저희는 2인 3각 경주, 이어달리기, 줄다리기 등과 같은 다양한 스포츠 활동을 할 예정입니다. 행사 일정에 관심 있는 분이 계시다면 학교 웹 사이트에서 다운받으실 수 있습니다. 여러분 모두가 활동을 즐기시길 바랍니다. 감사합니다.

13 표 정보

다음 표를 보면서 대화를 듣고, 남자가 예약한 표를 고르시오.

	출국 날짜	귀국 날짜	좌석 등급	인원
①	May 13th	June 7th	economy	1
②	May 13th	June 8th	first	2
③	May 30th	June 7th	economy	1
④	May 30th	June 8th	business	2
⑤	May 30th	June 8th	business	1

W Hello. How can I help you?

🎵 정답 근거

M Hello. I'd like to book two _____-_____ tickets to Singapore.

W When are you leaving and returning?

M I want to _____ on May 30th and return on June 7th.

W All right. How would you like to fly, economy, business, or first class?
~을 어떻게 하고 싶으세요?
economy class: 일반석
business class: 비즈니스석
first class: 일등석

M Business, please.

W Okay. Wait a second, please. [*Typing sound*] I'm afraid we don't have any seats available on June 7th. But we have two seats _____ on the _____ _____.

M Well, I think I can _____ my schedule. I'll take that one.

여 안녕하세요. 어떻게 도와드릴까요?
남 안녕하세요. 싱가포르행 왕복표 2장을 예약하고 싶어요.
여 언제 가서 언제 돌아오실 건가요?
남 5월 30일에 출발해서 6월 7일에 돌아오고 싶어요.
여 알겠습니다. 일반석, 비즈니스석, 일등석 중에서 좌석은 어떻게 하시겠어요?
남 비즈니스석으로 주세요.
여 알겠습니다. 잠시만 기다려 주세요. [타자 치는 소리] 죄송하지만 6월 7일에 이용 가능한 좌석이 없습니다. 하지만 그 다음 날에는 좌석이 2개 남아 있어요.
남 음, 제 일정을 바꿀 수 있을 것 같아요. 그걸로 할게요.

14 과거에 한 일

대화를 듣고, 여자가 지난밤에 한 일로 가장 적절한 것을 고르시오.
① TV 보기　　　② 숙제하기
③ 등산하기　　　④ 편지 쓰기
⑤ 방 청소하기

🎵 정답 근거

M Did you watch the Night Show on Channel 9 last night?

W No, I _____ _____ _____ my homework.

M Oh, you shouldn't have missed it.
shouldn't have+p.p.: ~하지 말았어야 했다(과거 사실에 대한 후회)

W What was on? It's not a popular show.

M The famous mountain climber, David Jones who _____
주격 관계대명사
Mt. Everest was on it.

W Hmm .... What is so special about that?

M Don't you know that he _____ _____ our middle
부정 의문문
school?

W Oh, really? That's surprising!

남 너 지난밤에 9번에서 방영한 Night Show 봤니?
여 아니, 나는 숙제하느라 바빴어.
남 이런, 놓쳐서는 안 되는 거였는데.
여 뭐가 나왔는데? 그건 인기 있는 쇼도 아니잖아.
남 에베레스트산을 등정한 유명한 산악인 David Jones가 나왔거든.
여 음…… 그게 뭐가 그렇게 특별한데?
남 그분이 우리 중학교 출신인거 모르니?
여 오, 정말? 놀랍다!

🎵 Sound Tip 묵음 b

단어 끝에 오는 b는 발음하지 않는 경우가 많다. 예를 들어, climb은 /클라임/, comb은 /코움/, thumb은 /썸/으로 발음한다.

15 날짜

대화를 듣고, 두 사람이 콘서트에 가기로 한 날짜를 고르시오.

① September 3rd
② September 10th
③ September 11th
④ October 10th
⑤ October 11th

M Emma, you didn't forget the concert next week, _____ _____?

W Of course not. I scheduled it in my cellphone calendar.

M _____ _____ _____.

W The concert is September 10th, Friday, right?

M Oh, dear! You _____ _____.

W 🔑정답 근거 No, I didn't. September 10th is Friday, isn't it?
be동사 부가 의문문

M Yes, it is. But the concert is the _____ _____.

남 Emma, 다음 주 콘서트 잊지 않았지, 그렇지?
여 물론 잊지 않았지. 휴대 전화 달력에 일정을 추가해 두었어.
남 잘했어.
여 콘서트는 9월 10일, 금요일 맞지?
남 오, 이런! 너 잊었구나.
여 아니야. 9월 10일이 금요일이잖아. 그렇지 않아?
남 맞아. 하지만 콘서트는 그 다음날이야.

Solution Tip 여자가 휴대 전화에 저장해 둔 콘서트는 9월 10일 금요일인데, 남자는 콘서트가 그 다음 날이라고 했으므로 콘서트는 9월 11일 토요일임을 알 수 있다.

16 구입할 물건

대화를 듣고, 여자가 구입할 물건을 고르시오.

① bread   ② cheese
③ butter   ④ eggs
⑤ sandwiches

W Dad, what are you making?

M I'm making sandwiches. Can you get some _____ and _____ for me?

W Sure. Are they in the _____?

M Yes, _____ _____ the eggs. Oh, I also need two eggs.

W 🔑정답 근거 Okay. Hmm ... we have only one egg in the fridge.

M Then can you go to the supermarket and buy some?

W Of course. I'll _____ _____ the supermarket right away. Call me if you need anything else.
즉시, 즉각
조건의 부사절을 이끄는 접속사: (만약) ~라면

M Thanks.

여 아빠, 뭐 만들고 계세요?
남 샌드위치를 만들고 있단다. 내게 버터랑 치즈 좀 가져다주겠니?
여 네. 그것들은 냉장고 안에 있나요?
남 응, 달걀 옆에 있단다. 오, 나는 달걀 2개도 필요해.
여 알겠어요. 흠…… 냉장고 안에 달걀이 하나밖에 없어요.
남 그러면 슈퍼마켓에 가서 좀 사다 주겠니?
여 물론이죠. 지금 당장 슈퍼마켓으로 갈게요. 다른 필요하신 게 있으면 전화 주세요.
남 고맙구나.

① 빵   ② 치즈   ③ 버터
④ 달걀   ⑤ 샌드위치

17 적절한 응답 ☐☐

대화를 듣고, 남자의 마지막 말에 대한 여자의 응답으로
가장 적절한 것을 고르시오.

Woman: _____

① I'm allergic to crabs.
② Squid is out of season.
③ I'd love to go there, then.
④ Seafood is better than meat.
⑤ People should eat more fish.

W It's lunch time! What shall we _____?

M Have you _____ Seafood World?

W No, not yet. Is it good?

M Yeah, it's clean, and the food _____ _____. They have a lunch special for only 5 dollars.

W Oh, that's a reasonable price! What kind of seafood do they _____?
_{종류의}

M Almost everything. You _____ it, they _____ it.

W ③ I'd love to go there, then.

여 점심시간이야! 뭘 먹을까?
남 너 Seafood World 가 봤니?
여 아니, 아직. 괜찮니?
남 응, 깨끗하고 음식도 맛있어. 5달러짜리 점심 특선도 있더라.
여 오, 가격 저렴하다! 어떤 종류의 해산물이 있니?
남 거의 다 있어. 이름만 대면 다 있어.
여 ③ 그럼 거기 가 보고 싶어.

① 나는 게에 알레르기가 있어. ② 오징어는 제철이 아니야.
④ 해산물이 고기보다 나아. ⑤ 사람들은 생선을 더 많이 먹어야 해.

18 적절한 응답 ☐☐

대화를 듣고, 여자의 마지막 말에 대한 남자의 응답으로
가장 적절한 것을 고르시오.

Man: _____

① No news is good news.
② I didn't mean to bother you.
③ Well, I can't stand the waiting.
④ What? He didn't survive the accident.
⑤ Yes, the doctors are in the operating room.

W Brian, are you okay?

M Yeah. I _____ _____.

W It's a _____ that you and your brother _____ the car accident!

M It is. But I'm not sure if he will make it.
_{~인지 (심각한 질병·사고 후에) 살아남다, 이겨 내다}

W Are the doctors still in the operating room?

M Yes, they've _____ _____ on him for more than three hours now.
_{~ 이상}

W Don't worry. I'm sure he'll be fine.

M ③ Well, I can't stand the waiting.

여 Brian, 너 괜찮은 거야?
남 응. 그런 것 같아.
여 너와 네 남동생이 그 자동차 사고에서 살아남은 것은 기적이야!
남 그래. 하지만 남동생이 회복할지 확신할 수가 없어.
여 의사들은 아직 수술실에 있니?
남 응, 지금 3시간도 넘게 수술을 하고 있어.
여 걱정하지 마. 그는 틀림없이 괜찮아질 거야.
남 ③ 글쎄, 기다리는 게 힘들어.

① 무소식이 희소식이야. ② 너를 방해할 생각은 아니었어.
④ 뭐라고? 그는 사고에서 살아남지 못했어. ⑤ 응, 의사들은 수술실에 있어.

19 적절한 응답

대화를 듣고, 남자의 마지막 말에 대한 여자의 응답으로
가장 적절한 것을 고르시오.

Woman: _____

① I had a great time there.
② I want to go there someday.
③ Will you take a picture of me?
④ Yes. Do you want to see them?
⑤ When are you leaving for the Philippines?

W How did you _____ your vacation?

M I had a great time. I visited Cebu in the Philippines with my family.

W Wow! Did you _____ _____?

M Yes, we did. We _____ a lot in the sea and went rafting in the river. It was really _____ and a lot of fun. How about you?
go rafting: 래프팅을 하러 가다

W I visited my grandpa in Jejudo.

M Really? I've never been there. Did you take lots of photos?
정답 근거
take a photo[picture]: 사진을 찍다

W ④ Yes. Do you want to see them?

여 휴가 어떻게 보냈니?
남 아주 잘 보냈어. 가족과 필리핀 세부에 다녀왔거든.
여 왜! 재미있었니?
남 응. 그랬지. 바다에서 수영도 많이 했고, 강에서 래프팅을 했어. 정말 멋지고 재미있었어. 너는 어땠어?
여 나는 제주도에 계신 할아버지 댁에 갔어.
남 그래? 나는 거기에 가 본 적이 없어. 사진은 많이 찍었니?
여 ④ 응. 사진 보고 싶니?

① 거기서 즐겁게 지냈어. ② 나는 언젠가 거기에 가 보고 싶어.
③ 내 사진 좀 찍어 주겠니? ⑤ 너는 필리핀으로 언제 떠날 거니?

20 상황에 맞는 말

다음 상황 설명을 듣고, Jack의 엄마가 Jack에게 할 말로
가장 적절한 것을 고르시오.

Jack's mom: Jack, _____

① I suggest you save some money.
② I think you should go to bed early.
③ in my opinion, you should study harder.
④ why don't you join a club and make new friends?
⑤ if I were you, I would spend less time watching TV.

W Jack has just moved to a new school. It seems it's not that easy for him to get _____ _____ the new environment. He tells his mom that his new classmates aren't _____ _____ _____ his old friends. He also says the teachers are stricter than his old ones. He _____ his old friends and teachers. He wants to go back to the old school he _____. In this situation, what would Jack's mom most likely say to Jack?

Jack's mom Jack, ④ why don't you join a club and make new friends?

여 Jack은 새로운 학교로 막 전학을 왔다. 그가 새로운 환경에 적응하는 것은 그리 쉽지 않아 보인다. 그는 그의 엄마에게 새로운 반 친구들이 예전 친구들만큼 친절하지 않다고 말한다. 또 그는 선생님들도 예전 선생님들보다 더 엄격하다고 말한다. 그는 예전 친구들과 선생님들이 그립다. 그는 떠나 온 예전 학교로 돌아가고 싶어 한다. 이러한 상황에서 Jack의 엄마는 Jack에게 뭐라고 말할까?
Jack의 엄마 Jack, ④ 동아리에 가입해서 새 친구들을 사귀지 그러니?

Solution Tip 전학 온 학교에서 적응하지 못하고 예전 학교로 돌아가고 싶다는 Jack에게 그의 엄마는 새 학교에서 친구 사귀는 방법을 제안해 줄 것이다.

① 나는 네가 돈을 아껴야 한다고 제안할게. ② 너는 일찍 자야 할 것 같아.
③ 내 생각에 너는 공부를 더 열심히 해야 해. ⑤ 내가 너라면 TV 보는 시간을 줄이겠어.

모의고사를 먼저 풀고 싶으면 282쪽으로 이동하세요.

🎧 다음 표현을 듣고 모르는 것에 표시하시오.

01 **be into** ～에 관심이 많다

02 **overhead** 머리 위의

03 **switch** 바꾸다

04 **take off** 이륙하다

05 **fasten** 매다

06 **dental** 치과의

07 **stadium** 경기장

08 **ace** (시험 등에서) 좋은 성과를 내다

09 **chance** 기회

10 **take away** 치우다, 가져가다

11 **full** 배부른

12 **strap** 끈

13 **turn in** ～을 제출하다

14 **network** 통신망

15 **connect** 연결하다

16 **millions of** 수백만의

17 **a variety of** 여러 가지의

18 **communicate** 의사소통하다

19 **mobile** 이동할 수 있는

20 **boring** 지루한

21 **wrap** 포장하다

22 **impressed** 감명을 받은

23 **host** (행사를) 주최하다

24 **doubt** 확신하지 못하다

25 **post** (웹 사이트에) 올리다, 게시하다

26 **give out** ～을 나눠 주다

27 **prize** 상, 상품

28 **start off** ～을 시작하다

29 **serve** 제공하다

30 **fresh** 신선한, 갓 만든

31 **rent** (사용료를 내고) 빌리다

32 **in ages** 오랫동안

33 **total** 합계, 총액

34 **tax** 세금

35 **social studies** (과목) 사회

36 **in a row** (여러 번을) 잇달아

37 **unfortunately** 불행하게도

38 **silly** 어리석은, 바보 같은

🔖 알아두면 유용한 선택지 **어휘**

39 **pleased** 기쁜

40 **would rather** (차라리) ～하는 것이 낫다

41 **charge** 신용 카드

42 **bill** 계산서

43 **unfair** 부당한, 불공평한

44 **blame** ～를 탓하다

45 **be dying to** ～하고 싶어 죽겠다

🎧 들으면서 표현을 완성한 다음, 뜻을 고르시오.

표현의 의미를 생각하며 다시 써 보기!

01 stra◻◻   ☐ 선   ☐ 끈   → _____

02 a vari◻ty of   ☐ 단일한   ☐ 여러 가지의   → _____

03 f◻esh   ☐ 오래된   ☐ 신선한, 갓 만든   → _____

04 i◻pressed   ☐ 감명을 받은   ☐ 무서워하는   → _____

05 com◻unicate   ☐ 의사소통하다   ☐ 통근하다   → _____

06 fas◻en   ☐ 풀다   ☐ 매다   → _____

07 un◻air   ☐ 부당한   ☐ 공정한   → _____

08 dou◻t   ☐ 최선을 다하다   ☐ 확신하지 못하다   → _____

09 s◻lly   ☐ 어리석은   ☐ 실용적인   → _____

10 conne◻t   ☐ 연결하다   ☐ 협력하다   → _____

11 pri◻e   ☐ 우승   ☐ 상, 상품   → _____

12 mobil◻   ☐ 이동할 수 있는   ☐ 회전하는   → _____

13 se◻ve   ☐ 예약하다   ☐ 제공하다   → _____

14 bl◻me   ☐ 섞다   ☐ ~를 탓하다   → _____

15 to◻al   ☐ 합계, 총액   ☐ 나머지   → _____

16 over◻ead   ☐ 머리 위의   ☐ 머리 아래의   → _____

17 swi◻ch   ☐ 돌다   ☐ 바꾸다   → _____

18 a◻e   ☐ 판단하다   ☐ 좋은 성과를 내다   → _____

19 un◻ort◻nately   ☐ 운 좋게도   ☐ 불행하게도   → _____

20 hos◻   ☐ 주최하다   ☐ 초대받다   → _____

실전 모의고사 [18]회

실전 모의고사 18회 →
┌ 모의고사 보통 속도
└ 모의고사 빠른 속도

✎ 들으면서 주요 표현 메모하기!

01 대화를 듣고, 두 사람이 구입할 휴대 전화 케이스를 고르시오.

①   ②   ③   ④   ⑤

02 대화를 듣고, 여자가 남자에게 부탁한 일로 가장 적절한 것을 고르시오.

① 아침에 깨워 주기   ② 간식 사다 주기   ③ 간식 만들어 주기
④ 수학 문제집 사다 주기   ⑤ 수학 문제 푸는 법 알려 주기

03 대화를 듣고, 남자의 직업으로 가장 적절한 것을 고르시오.

① police officer   ② doctor   ③ flight attendant
④ taxi driver   ⑤ safety guard

04 대화를 듣고, 두 사람이 만나기로 한 시각을 고르시오.

① 11 a.m.   ② 12 p.m.   ③ 1 p.m.   ④ 2 p.m.   ⑤ 3 p.m.

고난도   메모하며 풀기

05 대화를 듣고, 여자의 심정으로 가장 적절한 것을 고르시오.

① proud   ② lonely   ③ worried
④ pleased   ⑤ disappointed

06 다음 그림의 상황에 가장 적절한 대화를 고르시오.

①　　　②　　　③　　　④　　　⑤

✎ 들으면서 주요 표현 메모하기!

07 대화를 듣고, 두 사람의 관계로 가장 적절한 것을 고르시오.

① 의사 — 환자　　② 미용사 — 손님　　③ 사진작가 — 모델
④ 옷 가게 주인 — 손님　　⑤ 감독 — 운동선수

08 대화를 듣고, 가방에 관해 언급되지 <u>않은</u> 것을 고르시오.

① 색상　　② 크기　　③ 재질
④ 가격　　⑤ 끈 길이

`고난도` `메모하며 풀기`

09 다음을 듣고, 무엇에 관한 설명인지 고르시오.

① book　　② clock　　③ camera　　④ television　　⑤ Internet

10 다음을 듣고, 두 사람의 대화가 <u>어색한</u> 것을 고르시오.

①　　　②　　　③　　　④　　　⑤

틀린 문제는 Dictation에서
완벽하게 이해하세요.

들으면서 주요 표현 메모하기!

11 대화를 듣고, 여자의 마지막 말에 담긴 의도로 가장 적절한 것을 고르시오.

① 초대　　　② 감사　　　③ 사과　　　④ 거절　　　⑤ 격려

12 다음 표를 보면서 대화를 듣고, 두 사람이 선택한 제품을 고르시오.

	Model	Memory Size	Color	Price
①	A	8GB	white	$4
②	B	8GB	black	$4
③	C	16GB	white	$5
④	D	16GB	black	$5
⑤	E	32GB	black	$10

13 대화를 듣고, 두 사람이 만나기로 한 요일을 고르시오.

① Tuesday　　② Wednesday　③ Thursday　　④ Friday　　⑤ Saturday

14 대화를 듣고, 여자가 어제 한 일로 가장 적절한 것을 고르시오.

① 라디오 듣기　　　　　　　　② 웹 사이트 만들기
③ 라디오에 사연 올리기　　　　④ 담임 선생님 선물 사기
⑤ 담임 선생님께 편지 쓰기

15 다음을 듣고, 방송의 목적으로 가장 적절한 것을 고르시오.

① 빵집을 광고하려고　　　　　② 아침 먹기를 장려하려고
③ 할인 행사를 안내하려고　　　④ 빵 만드는 방법을 설명하려고
⑤ 쇼핑몰 영업시간을 공지하려고

16 대화를 듣고, 남자가 지불할 금액을 고르시오.

① $20　　② $30　　③ $40　　④ $50　　⑤ $60

들으면서 주요 표현 메모하기!

고난도　메모하며 풀기

17 대화를 듣고, 남자의 마지막 말에 대한 여자의 응답으로 가장 적절한 것을 고르시오.

Woman: _____

① No, I'd rather move to L.A.
② Well, I thought I already did.
③ Because I've been sick lately.
④ That sounds great. I'd love to.
⑤ Yes, Chicago is a good place to visit.

18 대화를 듣고, 여자의 마지막 말에 대한 남자의 응답으로 가장 적절한 것을 고르시오.

Man: _____

① Cash or charge?
② This jacket isn't my style.
③ Can you bring me the bill?
④ I'll put it on my credit card.
⑤ Thank you. Here's your receipt.

19 대화를 듣고, 남자의 마지막 말에 대한 여자의 응답으로 가장 적절한 것을 고르시오.

Woman: _____

① Same as usual.
② It can't be true.
③ That's so unfair.
④ I know how you feel.
⑤ I couldn't agree with you more.

20 다음 상황 설명을 듣고, Mia가 David에게 할 말로 가장 적절한 것을 고르시오.

Mia: David, _____

① sure. Go ahead.
② that's a good point.
③ don't blame yourself too much.
④ I'm dying to play soccer.
⑤ I don't think it's possible.

틀린 문제는 **Dictation**에서 완벽하게 이해하세요.

01 그림 묘사

*들을 때마다 체크 ☐☐

대화를 듣고, 두 사람이 구입할 휴대 전화 케이스를 고르시오.

① ② ③
④ ⑤

여 여기에 괜찮은 휴대 전화 케이스들이 많이 있네!
남 응. Jake의 생일 선물로 어떤 케이스를 살까?
여 이것 봐. 위에 그려진 개 캐릭터가 정말 귀여워, 그렇지 않니?
남 응, 그런데 그에게는 야구공이 그려진 이것이 더 나을 것 같아. 너도 알다시피 그가 야구에 빠져 있잖아.
여 그럼 이건 어때? 야구 선수가 그려져 있어.
남 오, 마음에 든다. 그리고 10달러밖에 안 해.
여 멋지다! 그것으로 하자. Jake가 좋아할 거야.

W There are many nice phone cases here!
　　~이 있다
M Yeah. Which case ＿＿＿＿ ＿＿＿＿ ＿＿＿ for Jake's birthday present?
W Look at this one. The dog character on it is so cute, isn't it?
　　= case
M Yeah, but I think this one with a baseball is better for him.
　　　　　　　　　　　　　　be into: ~에 관심이 많다
＿＿＿＿ ＿＿＿＿ ＿＿＿, he's really into baseball.
　　　　　　　　　　　정답 근거
W Then how about this one? There's a baseball player on it.
M Oh, I like it. And it's only 10 dollars.
W Cool! Let's take it. Jake ＿＿＿ ＿＿＿ ＿＿＿.

02 부탁한 일

☐☐

대화를 듣고, 여자가 남자에게 부탁한 일로 가장 적절한 것을 고르시오.
① 아침에 깨워 주기
② 간식 사다 주기
③ 간식 만들어 주기
④ 수학 문제집 사다 주기
⑤ 수학 문제 푸는 법 알려 주기

남 Lisa, 뭐 하고 있니?
여 수학 시험 때문에 공부하느라 바빠요, 아빠.
남 오, 시험이 언제야?
여 일주일 남았어요. 시험이 너무 걱정돼요.
남 걱정하지 말렴. 나는 네가 잘할 거라고 확신해. 도움이 필요하니?
여 네. 간식 좀 만들어 주실 수 있나요? 저는 배가 고파요.
남 물론이지. 너는 잠깐 쉬는 게 좋겠다.

M Lisa, what are you doing?
W I'm busy studying for the math test, Dad.
　　be busy+동사원형-ing: ~하느라 바쁘다
M Oh, when is the test?
W It's ＿＿＿＿ ＿＿＿＿ ＿＿＿. I'm so worried about it.
M Don't worry. I'm sure you'll do well. Do you need any help?
　　　　　　　　　　정답 근거
W Yes, please. Could you ＿＿＿ ＿＿＿ ＿＿＿＿
＿＿＿? I feel hungry.
M Of course. You'd better ＿＿＿ ＿＿＿ ＿＿＿ for a
　　　　　　　had better: ~하는 것이 좋겠다
while.

Dictation 18회 →
전체 듣기
문항별 듣기

Dictation의 효과적인 활용법
STEP 1 들으면서 대본의 빈칸 채우기
STEP 2 축쇄 문제를 보며 다시 풀어 보기
STEP 3 해석을 보며 영어로 말하거나 영작해 보기

공부한 날 　　 월 　　 일

03 직업

대화를 듣고, 남자의 직업으로 가장 적절한 것을 고르시오.

① police officer　　② doctor
③ flight attendant　　④ taxi driver
⑤ safety guard

남 손님, 가방을 앞 좌석 밑에 두거나 머리 위 짐칸에 넣어 주시겠어요?
여 네. 그런데, 다른 사람과 자리를 바꿀 수 있을까요? 저의 남편과 제가 같이 앉고 싶어서요.
남 물론이죠, 손님. 지금은 자리에 계시고 비행기가 이륙하면 도와드릴게요.
여 감사합니다. 그리고 헤드폰이 작동하지 않아요.
남 오, 죄송합니다. 바로 다른 것을 가져다 드릴게요. [잠시 후] 여기 있습니다.
여 감사합니다.
남 안전벨트를 착용하셨는지 확인해 주세요. 곧 이륙합니다.

① 경찰관　　② 의사　　③ 항공기 승무원
④ 택시 운전사　　⑤ 안전 요원

M Ma'am, would you place your bag under the seat in front of you or put it in the overhead bin?
　　　　　　　　　　(비행기 좌석 머리 위의) 짐 넣는 곳
W Sure. By the way, would it be possible to _____ _____ with someone? My husband and I would like to _____ together.
🎵정답 근거
M Certainly, ma'am. For now, please take your seat, and
　　take off: 이륙하다　cf. land 착륙하다
once the plane takes off, I'll help you with that.
(일단) ~하면(때를 나타내는 접속사)
W Thank you. And the headphones are not working.
M Oh, I'm sorry. Let me get you _____ _____ right away. [*Pause*] Here you are.
W Thank you.
M Please make sure your seatbelt _____ _____. We'll
　　　　　　　　　확인하다
take off soon.

Solution Tip　여자가 필요로 하는 물품을 가져다주고, 안전벨트의 착용을 확인하며, 곧 비행기가 이륙할 것임을 알려 주는 것으로 보아 남자의 직업은 flight attendant(항공기 승무원)이다.

04 시각

대화를 듣고, 두 사람이 만나기로 한 시각을 고르시오.

① 11 a.m.　　② 12 p.m.
③ 1 p.m.　　④ 2 p.m.
⑤ 3 p.m.

[휴대 전화벨이 울린다.]
남 안녕, Ava. 나 Owen이야.
여 안녕. 무슨 일이니?
남 나한테 이번 주 토요일 Dreams와 Stars 간의 야구 경기 표가 있거든. 네가 나와 같이 가고 싶은지 궁금해서.
여 가고 싶지. 경기가 몇 시에 시작하는데?
남 오후 2시. 정오에 올 수 있니? 점심을 같이 먹고 경기를 볼 수 있을 거야.
여 글쎄, 그보다 한 시간 뒤에 만나도 될까? 나는 11시에 치과 예약이 되어 있거든.
남 알겠어. 그럼 1시에 경기장 앞에서 만나자.
여 그래. 그때 보자.

📞 Cellphone rings.
M Hi, Ava. This is Owen.
W Hi. What's up?
M I have tickets for a baseball game _____ the Dreams _____ the Stars this Saturday. I'm wondering if you'd
　　　　　　　　　　　　　　　　명사절을 이끄는 접속사(~인지)
like to join me.
W _____ _____ _____. What time does it start?
　함정 주의 1시에 만나자는 여자의 말이 이어짐
M At 2 p.m. Can you make it at noon? We can have lunch together and then watch the game.
W Well, can we meet _____ _____ _____ than that?
I have a dental appointment at 11.
🎵정답 근거
M I see. Then let's meet at 1 in front of the stadium.
　　　　　　　　　　　　　　　~ 앞에
W Okay. See you then.

05 심정

대화를 듣고, 여자의 심정으로 가장 적절한 것을 고르시오.

① proud
② lonely
③ worried
④ pleased
⑤ disappointed

여 너 그거 아니? 우리는 이번 달에 쪽지 시험을 벌써 세 번이나 봤어.

남 응, 나도 알아. 잘 봤니?

여 별로. 공부를 많이 안 했거든.

남 우리는 이번 주 목요일에 시험이 하나 더 있어. 과학 시험 말이야.

여 맞아. 나는 그 시험을 잘 봐야 해. 그게 내 마지막 기회거든.

남 마지막 기회라니 무슨 뜻이야?

여 내가 또 잘 못 보면 엄마가 내 전화기를 가져가 버리겠다고 말씀하셨거든.

남 오, 정말 안됐다. 너는 공부를 더 열심히 해야겠구나.

① 자랑스러운
② 외로운
③ 걱정하는
④ 기쁜
⑤ 낙담한

W You know what? We've _____ _____ quizzes three times this month.

M Yeah, I know. Did you do well?

W Not really. I _____ _____ much.

M We have another one this Thursday. I mean a science test.

W 〔정답 근거〕 You're right. I _____ _____ _____ the test. It's my last chance.

M What do you mean by your last chance?
상대방이 한 말이 무슨 뜻인지 물어보는 표현: ~가 무슨 뜻인가요?

W My mom said she would take my phone away if I didn't do well again.

M Oh, that's too bad. You have to study _____.

🔙 **Solution Tip** 또 다시 시험을 잘 못 보면 전화기를 가져가겠다는 엄마의 말을 들은 여자의 심정으로는 worried(걱정하는)가 가장 적절하다.

06 그림 상황

다음 그림의 상황에 가장 적절한 대화를 고르시오.

① ② ③ ④ ⑤

① 남 마음껏 드세요.
　여 고마워요. 당신은 요리를 잘하시는군요.
② 남 더 드시겠어요?
　여 아뇨, 저는 이미 배가 불러요. 고맙습니다.
③ 남 초콜릿은 어디에 있습니까?
　여 저쪽 섹션 2에 있어요.
④ 남 당신은 건강을 위해서 채소를 더 먹어야 해요.
　여 나도 알지만 나는 채소를 안 좋아해요.
⑤ 남 주문하시겠습니까?
　여 치즈버거, 감자튀김, 그리고 탄산음료 주세요.

① M _____ _____.

W Thanks. You're a good cook.

② M Would you like some more?

W No, I'm _____ _____. Thanks.

③ M Where can I find chocolate?

W It's over there, in section two.

④ M You _____ _____ more vegetables for your health.

W I know, but I don't like vegetables.

⑤ M 〔정답 근거〕 May I _____ _____ _____?

W I'd like a cheeseburger, fries, and a soda, please.
감자튀김(= French fries)

07 두 사람의 관계

대화를 듣고, 두 사람의 관계로 가장 적절한 것을 고르시오.

① 의사 — 환자
② 미용사 — 손님
③ 사진작가 — 모델
④ 옷 가게 주인 — 손님
⑤ 감독 — 운동선수

여 안녕하세요. 오늘은 어떻게 도와드릴까요?
남 음, 다른 무언가를 시도해 보고 싶어요.
여 알겠습니다. 염두에 둔 특별한 스타일이 있나요?
남 별로 그렇지는 않아요. 제게 하나 추천해 주시겠어요?
여 그럼, 파마를 해 보시는 건 어때요? 손님께 잘 어울릴 것 같아요.
남 그게 좋은 선택인지 확신이 안 드네요.
여 이 스타일북을 보시겠어요? 다양한 헤어스타일을 보실 수 있어요.
남 네.

W Hi. How can I help you today?

M Well, I want to try something different.
   -thing으로 끝나는 대명사는 형용사가 뒤에서 수식

W Okay. Do you have any _____ _____ in mind?
   have ~ in mind: ~을 염두에 두다

M Not really. Can you recommend one for me?
                                    = a style
   🎵정답 근거

W Then, what about having a perm? I think it'll _____
                have[get] a perm: 파마를 하다
   _____ _____ you.

M I'm not sure if that's a good choice.
              명사절을 이끄는 접속사(~인지)

W Would you like to _____ _____ _____ _____
   this stylebook? You can see different hairstyles.

M Yes, please.

08 언급되지 않은 것

대화를 듣고, 가방에 관해 언급되지 않은 것을 고르시오.

① 색상   ② 크기
③ 재질   ④ 가격
⑤ 끈 길이

[전화벨이 울린다.]
남 분실물 센터입니다. 어떻게 도와드릴까요?
여 안녕하세요. 제가 어제 가방을 잃어버려서요. 지하철에 두고 온 것 같아요.
남 알겠습니다. 가방에 관해 좀 더 말씀해 주시겠어요?
여 물론이죠. 그건 검은색이고, 노트북을 담을 만큼 충분히 커요.
남 무엇으로 만들어졌나요?
여 천으로 만들어졌어요. 그리고 길이가 70cm쯤 되는 끈이 달려 있어요.
남 확인해 보겠습니다. [잠시 후] 여기 있네요. 오늘 아침에 접수됐어요.
여 오, 정말 감사합니다. 학교 끝나고 그곳에 들르겠습니다.

📞Telephone rings.

M Lost and Found. How can I help you?
   분실물 센터

W Hello. I lost my bag yesterday. I think _____ _____
   _____ on the subway.

M I see. Can you tell me more about the bag?

W Sure. It's black and big _____ _____ hold a laptop.
        🎵정답 근거

M What is it made of?
   be made of: ~로 만들어지다

W It's made of fabric. And it has a strap about 70 cm long.

M Let me check. [Pause] I have it here. It was turned in this
   morning.   turn in: ~을 제출하다

W Oh, thank you so much. I'll _____ _____ there after
   school.

09 담화 화제 ☐☐

다음을 듣고, 무엇에 관한 설명인지 고르시오.
① book
② clock
③ camera
④ television
⑤ Internet

여 이것은 전 세계의 컴퓨터 시스템을 연결하는 통신망이다. 그것은 수백만의 컴퓨터 사용자들이 여러 정보를 공유하고 서로 의사소통하도록 해 준다. 우리는 이것을 통해 일하고, 물건을 사고, 게임을 하고, 메시지를 주고받을 수 있다. 이제 태블릿이나 스마트폰 같은 모바일 기기들은 사람들이 항상 이것에 연결되어 있는 것을 가능하게 한다.

① 책
② 시계
③ 카메라
④ 텔레비전
⑤ 인터넷

정답 근거

W This is a network that connects computer systems
　　　　　　　　　　　주격 관계대명사
around the world. It allows millions of computer users
　　　　　　　5형식: allow+목적어+목적격 보어(to부정사) / 목적어가 ~하게 해 주다
to share _____ _____ _____ information and to
communicate with each other. We can work, buy things,
play games, and send or receive messages through this.
Now mobile devices, such as tablets and smartphones,
_____ _____ _____ for people to be connected
to this at all times.
　　　항상

Solution Tip 전 세계의 컴퓨터 시스템을 연결해서 사람들이 정보를 공유하고 의사소통할 수 있게 해 주는 것은 Internet(인터넷)이다.

10 어색한 대화 ☐☐

다음을 듣고, 두 사람의 대화가 어색한 것을 고르시오.
①　②　③　④　⑤

① 남 네 휴대 전화에 무슨 문제 있니?
　여 작동이 안 돼. 그걸 껐다가 다시 켜 봐야 할 것 같아.
② 남 Cathy, 다시 만나서 반가웠어.
　여 나도 그래. 뜻밖에 정말 반가웠어!
③ 남 나는 이게 가장 지루한 수업이라고 들었어.
　여 정말? 그거 신청하지 말자.
④ 남 우리 이번 주 일요일에 등산 가는 거 어때?
　여 그거 좋겠다.
⑤ 남 내 새 안경 어떠니?
　여 그것을 포장해 주시겠어요?

① M What's wrong with your cellphone?

　W It doesn't work. I think I should _____ it _____
and then _____ it back _____.

② M Cathy, nice seeing you again.
　　　　　　　　　Nice seeing you.: 만나서 반가웠습니다. cf. Nice to see you.: 만나서 반갑습니다.

　W I feel the same. _____ _____ _____ !

③ M I heard this is the most boring class.
　　　　　　　　　　　　　　최상급

　W Really? Let's not sign up for it.
　　　　　　　Let's의 부정형

④ M Why don't we go hiking this Sunday?
　　제안하는 표현

　W That'd be great.

　정답 근거
⑤ M How do you like my new glasses?

　W Can you _____ _____, please?

11 마지막 말의 의도

대화를 듣고, 여자의 마지막 말에 담긴 의도로 가장 적절한 것을 고르시오.

① 초대 ② 감사 ③ 사과
④ 거절 ⑤ 격려

여 Sam, 시간 있니? 너와 잠시 얘기 좀 하고 싶구나.
남 물론이죠. 무슨 일이세요?
여 나는 네 에세이가 마음에 들었단다. 그걸 정말 잘 썼더구나.
남 고맙습니다. 저는 그냥 최선을 다했을 뿐이에요.
여 나는 정말 감명받았단다. 그리고 네가 시에서 주최하는 백일장에 참가하면 좋겠어.
남 네? 저는 제가 그렇게 글을 잘 쓴다고 생각하지 않아요.
여 걱정하지 말렴. 네가 대회 준비하는 것을 내가 도와줄 수 있단다.
남 글쎄요, 제가 그런 것에 준비가 되어 있는지 잘 모르겠어요.
여 자신감을 가져! 너는 충분히 잘한단다.

W Sam, do you have time? I want to _____ _____ _____ for a second.
　　　　　　　　　　　　　　　　　　　　잠시 동안
M Sure. What's the matter?
W I _____ _____ _____ your essay. You wrote it really well.
M Thank you. I just did my best.
　　　　　　　　　do one's best: 최선을 다하다
W I'm so _____. And I want you to participate in the
　　　　　　　　　　　　　　　　　　　　　　　～에 참가하다
　 writing contest _____ _____ the city.
M What? I don't think I'm so good at writing.
W Don't worry. I can help you prepare for the contest.
🎵정답 근거　　　　　5형식: help+목적어+동사원형 / 목적어가 ~하도록 돕다
M Well, I _____ if I'm ready for something like that.
　　　　　　　　명사절을 이끄는 접속사(~인지)
W Be confident! You're good enough.

🔔 **Sound Tip** 묵음 b
t 앞의 b는 묵음이 되어 doubt는 /다우트/, debt는 /데트/로 발음한다.

12 표 정보

다음 표를 보면서 대화를 듣고, 두 사람이 선택한 제품을 고르시오.

	Model	Memory Size	Color	Price
①	A	8GB	white	$4
②	B	8GB	black	$4
③	C	16GB	white	$5
④	D	16GB	black	$5
⑤	E	32GB	black	$10

남 나는 오늘 USB 플래시 드라이브를 잃어버렸어. 네 것을 빌릴 수 있을까?
여 오, 내 것은 사진으로 꽉 찼어. 새것을 하나 사면 어때?
남 좋아. 그럼 온라인 쇼핑하는 것을 도와줄래?
여 알았어. [잠시 후] 이게 내가 가장 좋아하는 온라인 쇼핑 사이트야. 어떤 용량이 필요해?
남 8GB는 충분하지 않을 것 같아. 16GB는 어때?
여 흠, 가격 차이가 그렇게 크지 않아서 메모리가 더 큰 것을 사는 것이 좋을 것 같아. 이것은 어때? 10달러에 가장 메모리가 큰 드라이브를 살 수 있어.
남 글쎄, 그건 조금 비싼데.
여 그럼 두 가지 선택만 남았어. 검은색과 흰색 중, 어느 것을 더 좋아하니?
남 항상 검은색이지.
여 좋아, 그것을 주문하자.

M I lost my USB flash drive today. Can I borrow yours?
W Oh, mine is _____ of pictures. Why don't you buy a new one?
M Okay. Then can you help me buy it online?
W Sure. [*Pause*] This is my favorite online shopping site. What memory size do you need?
🎵정답 근거
M I think 8GB is _____ _____. How about 16GB?
W Hmm, I think you'd better buy one with more memory
　　　　　　　　　had better
　 because the price difference isn't that big. How about this
　　　　　　　　　가격 차이
　 one? You can get the drive with the most memory for 10 dollars.
M Well, it's a bit expensive.
W Then we have only two options left. _____ _____ _____ _____ _____, black or white?
M Always black.
W Alright, let's order it.

13 요일

대화를 듣고, 두 사람이 만나기로 한 요일을 고르시오.

① Tuesday
② Wednesday
③ Thursday
④ Friday
⑤ Saturday

남 Lina, 우리 학교 끝나고 영화 보러 갈래? 'Bear Man'이 정말 재미있다고 그러더라.
여 그러고 싶은데 친구 생일 파티에 초대를 받았어. 내일은 어때?
남 화요일에는 내가 할 일이 많아.
여 흠, 나는 수요일과 목요일에 방과 후 수업이 있어. 그리고 금요일에는 동아리 모임이 있고.
남 그러면 토요일은 어떠니? 이발해야 하는데, 그렇게 오래 걸리진 않을 거야.
여 나도 토요일 괜찮아.
남 그래. 그때 보자.

M Lina, why don't we _____ _____ _____ _____ after school? People say *Bear Man* is so exciting.
　　　　　　　　　　　　　　　　　~라고들 말한다
W I'd love to, but I was invited to my friend's birthday party. How about tomorrow?
M I have _____ _____ things to do on Tuesday.
　　　　　　　　　　　　to부정사의 형용사적 용법(앞의 things 수식)
W Hmm, I have after-school classes on Wednesday and Thursday. And there's a club meeting on Friday.
　　정답 근거
M Then what about Saturday? I have to get a haircut, but it
　　　　　　　　　　　　　　　　　　　　이발하다
_____ _____ too long.
W Saturday would be fine with me.
M Okay. See you then.

14 과거에 한 일

대화를 듣고, 여자가 어제 한 일로 가장 적절한 것을 고르시오.

① 라디오 듣기
② 웹 사이트 만들기
③ 라디오에 사연 올리기
④ 담임 선생님 선물 사기
⑤ 담임 선생님께 편지 쓰기

남 Olivia, 뭐 하고 있니?
여 난 라디오 프로그램을 듣고 있어.
남 재미있어?
여 응. 사실은 내가 어제 프로그램 웹 사이트에 사연을 올렸거든. 가장 재미있는 사연을 뽑아서 상품을 준대.
남 뭐에 관해 썼니?
여 내 담임 선생님에 관해서. 그분은 우리 학교에서 가장 재미있는 선생님들 중 한 분이셔.
남 네 것이 뽑히면 알려 줘. 행운을 빌게.
여 고마워.

M Olivia, what are you doing?
W I'm _____ _____ a radio program.
M Is it fun?
　　　　정답 근거
W Yeah. Actually, I _____ my story on the program's website yesterday. They choose the _____ _____ and give out prizes.
　　~을 나눠 주다
M What did you write about?
W About my homeroom teacher. He's one of the funniest
　　　　　　　　　　　　　one of the+최상급+복수 명사: 가장 ~한 … 중 하나
teachers in our school.
M Let me know if they choose yours. _____ _____
　　　　　　　　　조건절을 이끄는 접속사(~라면)
_____ good luck.
W Thanks.

15 목적

다음을 듣고, 방송의 목적으로 가장 적절한 것을 고르시오.

① 빵집을 광고하려고
② 아침 먹기를 장려하려고
③ 할인 행사를 안내하려고
④ 빵 만드는 방법을 설명하려고
⑤ 쇼핑몰 영업시간을 공지하려고

W Do you want to have a delicious breakfast to _____ your day _____ right? Then Leah's Bakery is the right place for you. It _____ the best breakfast around. Just stop by Leah's, and the fresh bread and coffee will make
들르다   *5형식: make＋목적어＋목적격 보어(동사원형) / 목적어가 ～하게 만들다*
you feel good. It _____ _____ on the first floor of Best Mall and opens every day _____ 7 a.m. _____ 8 p.m.

정답 근거

여 하루를 잘 시작하기 위해 맛있는 아침을 드시고 싶으신가요? 그렇다면 Leah's Bakery가 당신에게 딱 맞는 곳입니다. 그곳은 여러분께 최고의 아침을 제공합니다. Leah's에 방문하시면 갓 구운 빵과 커피가 여러분을 기분 좋게 만들 것입니다. 그곳은 Best Mall 1층에 위치해 있고, 매일 오전 7시부터 오후 8시까지 문을 엽니다.

Solution Tip 빵집의 위치와 영업시간을 안내하며 맛있는 아침을 제공한다고 광고하는 방송이다.

16 금액

대화를 듣고, 남자가 지불할 금액을 고르시오.

① $20   ② $30   ③ $40
④ $50   ⑤ $60

W Good morning, sir. Can I help you?
정답 근거
M Yes. I'd like to _____ _____ _____ for three days.
for＋기간: ～ 동안
W How many people will be in the vehicle?
How many＋셀 수 있는 명사 ～?: 얼마나 많은 ～?
M Seven.
W I guess _____ _____ _____ _____ in a minivan.
M I think so. How much will that cost?
W 20 dollars a day. But this week, we are offering a _____
～당(= per)
_____ for the third day. Your third day is 10 dollars.
M Cool. I'll take it.

여 안녕하세요, 손님. 도와드릴까요?
남 네. 저는 3일간 차량을 빌리고 싶습니다.
여 몇 명이 차에 타실 건가요?
남 7명이요.
여 손님께서는 미니밴을 이용하시는 게 가장 편하실 것 같네요.
남 저도 그렇게 생각해요. 얼마인가요?
여 하루에 20달러입니다. 그런데 이번 주에 세 번째 날은 특가에 해 드리고 있어요. 세 번째 날은 10달러입니다.
남 좋네요. 그것으로 할게요.

Solution Tip 미니밴 하루 렌트비는 20달러인데 세 번째 날은 10달러에 해 준다고 했으므로, 3일간 미니밴을 빌리는 데 드는 비용은 50달러이다.

받아쓰기 18회

17 적절한 응답

대화를 듣고, 남자의 마지막 말에 대한 여자의 응답으로 가장 적절한 것을 고르시오.

Woman: _____

① No, I'd rather move to L.A.
② Well, I thought I already did.
③ Because I've been sick lately.
④ That sounds great. I'd love to.
⑤ Yes, Chicago is a good place to visit.

남 이봐, Julia, 정말 오랜만이야.
여 Dan? 이거 믿기지가 않는데.
남 이게 얼마만이야?
여 잘 모르겠어. 적어도 5년이나 6년은 됐을 거야, 그렇지 않니?
남 그래서 지금은 어디에서 살고 있어?
여 난 여전히 여기 시카고에 살고 있어. 너는?
남 나는 3년 전에 L.A.로 이사했어.
여 L.A.? 왜! 거기서 살아보니까 어때?
남 좋아. 해변도 아름답고, 나는 항상 서핑을 하러 가. L.A.에 오지 않을래?
여 ④ 그거 좋지. 나도 가 보고 싶어.

M Hey, Julia, I haven't seen you _____ _____.
   현재완료 부정문: have not+p.p.
W Dan? I _____ _____ it.
M How long has it been?
   얼마나 오래
W I don't know. At least five or six years, hasn't it?
   적어도   부가 의문문
M So where are you living now?
W I'm still here in Chicago. What about you?
M I _____ _____ L.A. three years ago.
W L.A.? Wow! How do you like living out there?
                                        그곳에(서)
M It's great. The beaches are beautiful, and I can go surfing
                  🎵정답 근거   서핑하러 가다
   all the time. Why don't you _____ to L.A.?
W ④ That sounds great. I'd love to.

① 아니, 나는 L.A.로 이사를 가고 싶어. ② 글쎄, 나는 이미 했다고 생각했어.
③ 나는 최근에 아팠거든. ⑤ 응, 시카고는 방문하기에 좋은 곳이야.

18 적절한 응답

대화를 듣고, 여자의 마지막 말에 대한 남자의 응답으로 가장 적절한 것을 고르시오.

Man: _____

① Cash or charge?
② This jacket isn't my style.
③ Can you bring me the bill?
④ I'll put it on my credit card.
⑤ Thank you. Here's your receipt.

여 그 재킷이 잘 어울리시네요, 손님.
남 그런데 다른 것들보다 더 비싸네요.
여 이렇게 말씀드릴게요. 제가 10%를 할인해 드릴게요.
남 10%요? 그러면 얼마죠?
여 그런 경우엔 세금을 포함한 총 금액이 99달러예요.
남 적당한 것 같네요. 그것으로 할게요.
여 네. 어떻게 계산하시겠어요?
남 ④ 신용 카드로 할게요.

W The jacket _____ _____ _____ you, sir.
M But it's more expensive than other ones.
                                        = jackets
W I'll tell you what: I'll give you a 10% discount.
   제안하는 표현: 이렇게 말씀드릴게요.
M 10%? How much is it then?
W In that case, the _____ comes to 99 dollars _____
                                  come to: (총계가) ~이 되다
   _____.
M I think that's _____. I'll take it.
             🎵정답 근거
W Okay. How would you like to pay?
       지불 수단을 묻는 표현: 어떻게 계산하시겠습니까?
M ④ I'll put it on my credit card.

① 현금으로 계산하시겠어요, 카드로 계산하시겠어요? ② 이 재킷은 제 취향이 아니에요.
③ 제게 계산서 좀 가져다주시겠어요? ⑤ 고맙습니다. 영수증 여기 있어요.

19 적절한 응답

대화를 듣고, 남자의 마지막 말에 대한 여자의 응답으로 가장 적절한 것을 고르시오.

Woman: _____

① Same as usual.
② It can't be true.
③ That's so unfair.
④ I know how you feel.
⑤ I couldn't agree with you more.

남 Lisa, 학교 첫날 어땠니?
여 좋았어. 나는 새 담임 선생님이 마음에 들어.
남 올해 네 담임 선생님이 누구시니?
여 Wilson 선생님이셔.
남 수학 선생님 말이니?
여 아니. 선생님께서는 작년에 우리에게 사회를 가르치셨어.
남 오, 그 Wilson 선생님이시구나! 그 분은 친절하시고 재미있으셔. 그 분이 담임 선생님이라니 넌 정말 운이 좋구나.
여 ⑤ 네 말에 전적으로 동의해.

M Lisa, how was _____ _____ _____ at school?
W It was good. I like my new homeroom teacher.
　담임 선생님
M Who is your homeroom teacher this year?
W Ms. Wilson.
M You mean the math teacher?
W No. She _____ _____ social studies last year.
M Oh, that Ms. Wilson! She's _____ _____ _____. You're so lucky to have her.
W ⑤ I couldn't agree with you more.

① 평소랑 같아.　② 그럴 리 없어.
③ 그건 너무 불공평해.　④ 네 기분이 어떤지 알아.

20 상황에 맞는 말

다음 상황 설명을 듣고, Mia가 David에게 할 말로 가장 적절한 것을 고르시오.

Mia: David, _____

① sure. Go ahead.
② that's a good point.
③ don't blame yourself too much.
④ I'm dying to play soccer.
⑤ I don't think it's possible.

여 Mia에게는 David라는 친구가 있다. David는 축구를 잘한다. 그는 학교 축구팀에서 뛰고 있다. 그의 팀은 10경기를 연속으로 이겼고 결승전에 진출했다. 그러나 불행히도 David가 어처구니없는 실수를 하는 바람에 그의 팀은 어제 결승전에서 졌다. David는 무척 우울해하고, Mia는 그를 격려해 주고 싶다. 이러한 상황에서 Mia는 David에게 뭐라고 말할까?
Mia David, ③ 너무 자책하지 마.

W Mia has a friend, David. David _____ _____ soccer. He plays on the school soccer team. His team won 10 games _____ _____ _____ and went to the final game. Unfortunately, however, David made a silly mistake, so his team lost the final game
make a mistake: 실수하다
yesterday. David is _____ _____, and Mia wants to cheer him up. In this situation, what would Mia most
cheer up: ~를 격려하다
likely say to David?
Mia David, ③ don't blame yourself too much.

① 물론이지. 그렇게 하렴.　② 그거 좋은 지적이야.
④ 나는 축구하고 싶어 죽겠어.　⑤ 나는 그게 가능하다고 생각하지 않아.

모의고사를 먼저 풀고 싶으면 298쪽으로 이동하세요.

🎧 다음 표현을 듣고 모르는 것에 표시하시오.

- 01 **face** (시계의) 앞면, 문자반
- 02 **digital** 디지털의
- 03 **appetite** 식욕
- 04 **pedal** 페달을 밟다
- 05 **chilly** 쌀쌀한
- 06 **have no choice** 선택의 여지가 없다
- 07 **parcel** 소포
- 08 **weight** 무게
- 09 **weigh** 무게가 ~이다
- 10 **depend** ~에 달려 있다
- 11 **regular** 보통의
- 12 **form** 양식
- 13 **taste** 맛이 ~하다
- 14 **used to** 과거 한때는 ~였다
- 15 **plain** 평원, 평지
- 16 **pleased** 기쁜
- 17 **cooperation** 협조
- 18 **view** 전망, 경관
- 19 **plus** ~을 더하여
- 20 **service charge** 봉사료
- 21 **half** 반의, 절반의
- 22 **rip off** 바가지를 씌우다
- 23 **field trip** 현장 학습
- 24 **newly-opened** 새로 개장한

- 25 **folk** 민속의
- 26 **organ** (인체 내의) 장기, 기관
- 27 **normally** 보통
- 28 **fist** 주먹
- 29 **lung** 폐
- 30 **chest** 가슴
- 31 **blood** 피, 혈액
- 32 **be made up of** ~로 구성되다
- 33 **muscle** 근육
- 34 **mess up** 망치다
- 35 **equipment** 장비, 용품
- 36 **outdoors** 전원, 야외
- 37 **worn out** 닳아서 못 쓰게 된
- 38 **exhausted** 기진맥진한
- 39 **out of stock** 재고가 없는, 품절된
- 40 **unfamiliar** 낯선, 생소한

알아두면 유용한 선택지 어휘

- 41 **vet** 수의사(= veterinarian)
- 42 **zookeeper** 동물원 사육사
- 43 **pharmacist** 약사
- 44 **coincidence** 우연의 일치
- 45 **trouble** 문제, 골칫거리
- 46 **regards** 안부(의 말)

실전 모의고사 19회 →
Vocabulary List
Vocabulary Test

공부한 날 [　] 월 [　] 일

🎧 들으면서 표현을 완성한 다음, 뜻을 고르시오.

표현의 의미를 생각하며 다시 써 보기!

01 de　end 　☐ ~을 작성하다　☐ ~에 달려 있다　　➡ _____

02 p　arma　ist　☐ 약사　☐ 수의사　　➡ _____

03 co　pera　ion　☐ 협조　☐ 작동　　➡ _____

04 app　tite　☐ 소화　☐ 식욕　　➡ _____

05 plea　ed　☐ 기쁜　☐ 화가 난　　➡ _____

06 c　illy　☐ 쌀쌀한　☐ 아늑한　　➡ _____

07 fol　　☐ 포크　☐ 민속의　　➡ _____

08 reg　rds　☐ 안부(의 말)　☐ 안심　　➡ _____

09 l　ng　☐ 폐　☐ 간　　➡ _____

10 p　rcel　☐ 공　☐ 소포　　➡ _____

11 mu　cle　☐ 신경　☐ 근육　　➡ _____

12 coin　idence　☐ 우연의 일치　☐ 사고　　➡ _____

13 e　uipment　☐ 장비　☐ 개발　　➡ _____

14 pla　n　☐ 산맥　☐ 평원, 평지　　➡ _____

15 e　haus　ed　☐ 기진맥진한　☐ 열정적인　　➡ _____

16 unfam　liar　☐ 낯선　☐ 익숙한　　➡ _____

17 outd　ors　☐ 전원, 야외　☐ 야생　　➡ _____

18 or　an　☐ 장기, 기관　☐ 세균　　➡ _____

19 weig　　☐ 무게　☐ 무게가 ~이다　　➡ _____

20 re　ular　☐ 보통의　☐ 동등한　　➡ _____

실전 모의고사 [19]회

실전 모의고사 19회 →
모의고사 보통 속도
모의고사 빠른 속도

✎ 들으면서 주요 표현 메모하기!

01 대화를 듣고, 여자가 구입할 시계를 고르시오.

① 　② 　③ 　④ 　⑤

02 대화를 듣고, 여자의 직업으로 가장 적절한 것을 고르시오.

① vet　② doctor　③ zookeeper　④ reporter　⑤ pharmacist

03 다음 그림의 상황에 가장 적절한 대화를 고르시오.

① ② ③ ④ ⑤

04 대화를 듣고, 두 사람이 만나기로 한 시각을 고르시오.

① 9:30 a.m.　② 10:00 a.m.　③ 11:30 a.m.　④ 1:00 p.m.　⑤ 3:00 p.m.

고난도 | 메모하며 풀기
05 대화를 듣고, 남자가 구입할 농구화에 관해 언급되지 않은 것을 고르시오.

① 무게　② 색깔　③ 사이즈　④ 디자인　⑤ 할인 금액

06 대화를 듣고, 두 사람이 대화하는 장소로 가장 적절한 곳을 고르시오.

① bank   ② airport   ③ subway   ④ hospital   ⑤ post office

 들으면서 주요 표현 메모하기!

07 다음을 듣고, 두 사람의 대화가 <u>어색한</u> 것을 고르시오.

①   ②   ③   ④   ⑤

08 대화를 듣고, 여자가 어제 한 일로 가장 적절한 것을 고르시오.

① 요리 수업 듣기   ② 시험공부하기   ③ 가족 여행 가기
④ 봉사 활동하기   ⑤ 생일 파티 준비하기

09 다음을 듣고, 무엇에 관한 안내 방송인지 고르시오.

① 도서 구입 신청   ② 도서관 임시 휴무   ③ 저자 강연 개최
④ 도서 대출 규칙   ⑤ 열람실 이용 방법

고난도   메모하며 풀기

10 대화를 듣고, 남자가 지불할 금액을 고르시오.

① $200   ② $225   ③ $250   ④ $260   ⑤ $275

틀린 문제는 Dictation에서
완벽하게 이해하세요.

실전 모의고사 [19]회

11 대화를 듣고, 여자가 대화 직후에 할 일로 가장 적절한 것을 고르시오.
① 백팩 환불받기   ② 백팩 교환하기
③ 백팩 수선받기   ④ 중고로 백팩 판매하기
⑤ 중고로 백팩 구매하기

12 다음을 듣고, 현장 학습에 관해 언급되지 <u>않은</u> 것을 고르시오.
① 방문 장소   ② 방문 요일   ③ 모이는 장소
④ 모이는 시각   ⑤ 입장료

13 다음 회의실 배치도를 보면서 대화를 듣고, 두 사람이 사용할 회의실을 고르시오.

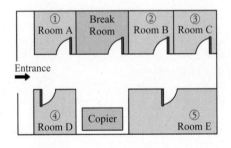

고난도   메모하며 풀기

14 다음을 듣고, 무엇에 관한 설명인지 고르시오.
① 뇌   ② 폐   ③ 심장   ④ 위   ⑤ 혈액

15 대화를 듣고, 여자가 시험을 보는 날짜를 고르시오.
① November 2nd   ② November 6th   ③ November 12th
④ November 13th   ⑤ November 14th

16 대화를 듣고, 남자가 구입할 물건을 고르시오.

① tent   ② boots   ③ lantern
④ sleeping bag   ⑤ backpack

들으면서 주요 표현 메모하기!

`고난도` `메모하며 풀기`

17 대화를 듣고, 여자의 마지막 말에 대한 남자의 응답으로 가장 적절한 것을 고르시오.

Man: _____

① How terrible!
② So, how was the musical?
③ What an amazing coincidence!
④ Try to keep yourself out of trouble.
⑤ You should have been more careful.

18 대화를 듣고, 남자의 마지막 말에 대한 여자의 응답으로 가장 적절한 것을 고르시오.

Woman: _____

① I hate circling.
② I appreciate that.
③ That's all my fault.
④ You're right. I'm sorry.
⑤ Didn't you get enough sleep last night?

19 대화를 듣고, 여자의 마지막 말에 대한 남자의 응답으로 가장 적절한 것을 고르시오.

Man: _____

① I ordered the bag yesterday.
② Do you like the bag?
③ That's my favorite bag.
④ Thank you. I'd love that.
⑤ Have you seen the bag?

20 다음 상황 설명을 듣고, Lily가 소년에게 할 말로 가장 적절한 것을 고르시오.

Lily: _____

① How have you been?
② You can say that again.
③ I'm happy to see you again.
④ Excuse me, but have we ever met?
⑤ Give my best regards to your parents.

틀린 문제는 Dictation에서
완벽하게 이해하세요.

01 그림 묘사

*들을 때마다 체크 □□

대화를 듣고, 여자가 구입할 시계를 고르시오.

① ② ③

④ ⑤

여 실례합니다. 저는 여동생에게 줄 손목시계를 찾고 있어요.
남 여동생이 몇 살인가요?
여 7살이에요.
남 이것 어때세요? 아이들이 시계의 앞면에 그려진 원숭이 캐릭터를 좋아하거든요. 귀엽지 않나요?
여 네, 그런데 저는 디지털시계가 더 나을 것 같아요. 동생이 읽기가 더 쉽잖아요.
남 알겠습니다. 그러면 저 네모난 것을 구입하는 건 어때세요?
여 좋네요. 그런데 둥근 것은 없나요?
남 있어요. 잠시만 기다려 주세요. [잠시 후] 여기 있습니다. 어때세요?
여 오, 완벽하네요. 그것으로 가져갈게요.

W Excuse me. I'm looking for a watch for my little sister.
   look for: ~을 찾다
M How old is she?

W She's 7 years old.

M How about this one? Children like the monkey character on the face of it. _____ _____ cute?
   🔑정답 근거
W Yes, but I think a digital watch is better. It's _____ _____ _____ to read.

M I see. Then why don't you buy that square one?
   제안하는 표현   = digital watch
W Good. But don't you have a _____ _____?

M Yes. Wait a second. [Pause] Here it is. What do you think?

W Oh, perfect. I'll take it.

---

02 직업

□□

대화를 듣고, 여자의 직업으로 가장 적절한 것을 고르시오.

① vet   ② doctor
③ zookeeper   ④ reporter
⑤ pharmacist

여 안녕하세요. 고양이에게 무슨 문제가 있나요?
남 제 고양이가 잘 안 먹어요.
여 언제부터 그랬나요?
남 이틀 전부터요. 콧물도 흘려요.
여 어디 봅시다. [잠시 후] 감기에 걸렸네요. 약을 좀 드릴게요. 하루에 세 번 고양이에게 주세요.
남 알겠습니다. 고맙습니다.
여 내일 다시 고양이를 봐야할 것 같아요. 오실 수 있나요?
남 물론이죠. 내일 뵐게요.

① 수의사   ② 의사   ③ 동물원 사육사
④ 기자   ⑤ 약사

W Hello. What's 🔑정답 근거 _____ _____ _____ _____?

M My cat has lost her appetite.
   lose one's appetite: 입맛을 잃다
W When did it start?

M A couple of days ago. She also has a runny nose.
   have a runny nose: 콧물이 흐르다
W Let me see. [Pause] She _____ _____ _____. I'll give you some medicine. Give it to her three times a day.
   = medicine 하루에 세 번
M Okay. Thank you.

W I think I _____ _____ check her again tomorrow. Can you make it?

M Sure. See you tomorrow.

 Solution Tip 여자는 고양이에게 무슨 문제가 있는지 물었고, 남자가 고양이의 증상을 설명하자 진찰 후 약을 주겠다고 했다. 따라서 여자는 수의사이다. 의사와 환자의 대화로 혼동하지 않도록 주의한다.

Dictation 19회 →
┌ 전체 듣기
└ 문항별 듣기

Dictation의 효과적인 활용법
STEP 1 들으면서 대본의 빈칸 채우기
STEP 2 축쇄 문제를 보며 다시 풀어 보기
STEP 3 해석을 보며 영어로 말하거나 영작해 보기

공부한 날   월   일

03 그림 상황

다음 그림의 상황에 가장 적절한 대화를 고르시오.

① ② ③ ④ ⑤

① 남 너 잘하고 있어. 페달을 계속 밟아.
　여 진짜 재미있어요. 놓지 마세요.
② 남 제가 자전거를 빌려도 될까요?
　여 물론이죠.
③ 남 안녕하세요. 어떻게 도와드릴까요?
　여 저는 이 자전거를 사고 싶습니다.
④ 남 내일 날씨가 어떨 것 같아요?
　여 일기 예보에서는 좀 쌀쌀할 거라고 했어요.
⑤ 남 무엇을 도와드릴까요?
　여 제가 이 책을 환불받을 수 있는지 궁금해요.

① M　You're doing well. Keep pedaling.

W　This is great fun. Don't let go.

② M　Do you mind if I ＿＿＿＿ ＿＿＿＿ ＿＿＿＿?
　　허락을 구하는 표현: 제가 ~해도 될까요?

W　Not at all.

③ M　Hello. How may I help you?

W　I'd like to buy this bike.

④ M　What's the weather going to be like tomorrow?

W　The weather report said it'd ＿＿＿＿ ＿＿＿＿ ＿＿＿＿ ＿＿＿＿.

⑤ M　What can I do for you?

W　I wonder if I can ＿＿＿＿ ＿＿＿＿ ＿＿＿＿ on this book.

04 시각

대화를 듣고, 두 사람이 만나기로 한 시각을 고르시오.
① 9:30 a.m.　　② 10:00 a.m.
③ 11:30 a.m.　　④ 1:00 p.m.
⑤ 3:00 p.m.

여 Dave, 우리 일요일에 무슨 영화 볼까?
남 어디 보자. Star 극장에 5개의 영화가 있어. 흠, 나는 'Big Storm'에 가장 관심이 있어.
여 잘됐다. 그게 내가 보고 싶은 거야. 그거 몇 시에 시작해?
남 우리는 그걸 오전 10시, 오후 1시, 또는 오후 3시에 볼 수 있어.
여 그러면 오전 10시 어때?
남 좋아. 영화 끝나고 점심 먹을래?
여 그거 좋지. 9시 30분에 극장에서 만나자.
남 그래. 그때 보자.

W　Dave, what movie ＿＿＿＿ ＿＿＿＿ ＿＿＿＿ on Sunday?

M　Let's see. There are five movies at Star Cinema. Hmm, I'm most interested in *Big Storm*.
　　~이 있다　　be interested in: ~에 관심이 있다

W　Good. That's what I ＿＿＿＿ ＿＿＿＿ see. What time does it start?

M　We can see it at 10 a.m., 1 p.m., or 3 p.m.

W　Then how about 10 a.m.?
　　함정 주의 영화를 보기로 한 시각

M　Good. Why don't we have lunch ＿＿＿＿ ＿＿＿＿ ＿＿＿＿?
　　제안하는 표현: 우리 ~하는 게 어때?

W　That'd be nice. Let's meet at the cinema at 9:30.

M　Okay. See you then.

05 언급되지 않은 것 ☐☐

대화를 듣고, 남자가 구입할 농구화에 관해 언급되지 않은 것을 고르시오.

① 무게   ② 색깔
③ 사이즈   ④ 디자인
⑤ 할인 금액

M Excuse me. I'd like to buy these basketball shoes.

W Good. They're the lightest basketball shoes _____
최상급: 가장 ~한
= basketball shoes
_____. They're only 400 grams. ♪정답 근거

M Really? It's amazing! What color do you have?

W We only have black ones. Is it okay with you?

M Well, I have no choice. Do you have them in size 7?
선택의 여지가 없다

W Sure. Just _____ _____ _____, please. [*Pause*]
Here you are.

M Thank you. How much are they?

W They're originally 90 dollars, but we're _____
_____ five-dollar _____ this week.

남 실례합니다. 이 농구화를 사고 싶은데요.
여 좋아요. 그건 지금까지 만들어진 농구화 중 가장 가벼운 것입니다. 400g밖에 나가지 않아요.
남 정말요? 대단하네요! 무슨 색이 있나요?
여 검은색만 있어요. 괜찮으신가요?
남 글쎄요. 선택의 여지가 없네요. 사이즈 7이 있나요?
여 물론이죠. 잠시만 기다려 주세요. [잠시 후] 여기 있습니다.
남 고맙습니다. 얼마인가요?
여 원래는 90달러인데, 이번 주에 5달러 할인해 드리고 있어요.

Solution Tip 무게(400 grams), 색깔(black ones), 크기(size 7), 할인 금액(giving a five-dollar discount)은 언급되었으나, 디자인은 언급되지 않았다.

06 장소 ☐☐

대화를 듣고, 두 사람이 대화하는 장소로 가장 적절한 곳을 고르시오.

① bank   ② airport
③ subway   ④ hospital
⑤ post office

M Hello. How can I help you?
♪정답 근거

W Hi. I'd like to _____ this _____ to London.

M Can you put it on the scale, please? I'll check the weight.
= the parcel

W Sure. Here you go.

M Hmm, it _____ _____ 10 kilograms.

W How much is it?

M It _____. Regular mail is 10 dollars, and express mail is 24 dollars.

W Then I'll take the _____ _____.

M Okay. Fill out this form, please.
fill out a form: 양식을 작성하다

남 안녕하세요. 어떻게 도와드릴까요?
여 안녕하세요. 이 소포를 런던으로 보내고 싶습니다.
남 그것을 저울 위에 올려놔 주시겠어요? 무게를 확인해 볼게요.
여 물론이죠. 여기 있습니다.
남 흠, 무게가 10kg이 넘게 나가네요.
여 얼마인가요?
남 상황에 따라 다릅니다. 일반 우편은 10달러이고, 속달 우편은 24달러입니다.
여 그러면 저는 더 저렴한 것으로 할게요.
남 알겠습니다. 이 양식을 작성해 주세요.

① 은행   ② 공항   ③ 지하철
④ 병원   ⑤ 우체국

07 어색한 대화

다음을 듣고, 두 사람의 대화가 <u>어색한</u> 것을 고르시오.

①   ②   ③   ④   ⑤

① 남 음식이 어떠세요?
   여 제 입맛에 딱 맞아요.
② 남 어느 나라를 가 보고 싶으세요?
   여 저는 한라산에 올라갈 것이 무척 기대돼요.
③ 남 이곳은 30년 전에 어땠어요?
   여 허허벌판이었어요.
④ 남 저는 내일 발표가 있어요. 너무 긴장되네요.
   여 걱정하지 마세요. 잘하실 거예요.
⑤ 남 몇 시에 셔틀버스가 오는지 아세요?
   여 죄송하지만 저도 그걸 알아보려고 하는 중이에요.

① M   How do you like the food?

① W   It _____ _____ _____ to me.
    🎸정답 근거

② M   What country do you want to visit?

② W   I'm really looking forward to _____ Mt. Halla.
    look forward to+(동)명사: ~(하는 것)을 고대하다

③ M   What was this place like 30 years ago?

③ W   It _____ _____ be a wild plain.
    벌판

④ M   I have a presentation tomorrow. I'm so nervous.

④ W   Don't worry. You'll do just fine.

⑤ M   Do you know what time the shuttle bus comes?

⑤ W   Sorry, but that's what I'm trying to _____ _____, too.

08 과거에 한 일

대화를 듣고, 여자가 어제 한 일로 가장 적절한 것을 고르시오.
① 요리 수업 듣기
② 시험공부하기
③ 가족 여행 가기
④ 봉사 활동하기
⑤ 생일 파티 준비하기

남 Christina, 너 오늘 무척 피곤해 보이는구나. 어제 뭐 했니?
여 사실은 어제가 아버지 생신이었거든.
남 오, 가족들과 좋은 시간 보냈어?
여 응, 오빠랑 나는 아버지를 위해 파티를 열어 드렸어. 그래서 할 일이 정말 많았어.
남 예를 들면?
여 우선 선물을 사러 쇼핑몰에 갔어. 집에 온 뒤에는 집을 청소했고. 그러고 나서는 오빠랑 파티를 위해 요리를 했어.
남 와, 너 정말 바빴구나! 그래도 아버지께서 분명 기뻐하셨겠다.
여 맞아. 정말 기뻐하시는 것 같았어.

M   Christina, you look so tired today. What did you do yesterday?

W   Actually, yesterday was my father's birthday.

M   Oh, did you have a good time with your family?

W   🎸정답 근거 Yeah, my brother and I _____ _____ _____ for him. So, there were so many things to do.
    to부정사의 형용사적 용법 (앞의 things 수식)

M   Like what?

W   First, I went to the mall to buy a present. After coming home, I _____ the house. Then I _____ for the party with my brother.
    to부정사의 부사적 용법(목적)

M   Wow, you were so busy! But your father must have been happy.
    must have+p.p.: ~였음에 틀림없다

W   Right. He seemed really _____.

09 담화 주제

다음을 듣고, 무엇에 관한 안내 방송인지 고르시오.
① 도서 구입 신청
② 도서관 임시 휴무
③ 저자 강연 개최
④ 도서 대출 규칙
⑤ 열람실 이용 방법

M Welcome to the National Library. I'd like to tell you a few things that you should know. First, you can <u>check out</u> (책 등을) 대출하다 three books _____ _____ _____. Second, you can borrow books for 10 days. Be sure to return books for+기간: ~ 동안   명령문: 반드시 ~해라 before the _____ _____. Third, please put your books in the book drop box _____ _____ _____ 책 반납함 the library on holidays. Thank you for your cooperation.

남 국립 도서관에 오신 것을 환영합니다. 여러분이 아셔야 할 몇 가지를 말씀드리고자 합니다. 첫째로 여러분은 책을 한 번에 세 권 대출하실 수 있습니다. 둘째로 책은 10일 동안 빌리실 수 있습니다. 책은 반드시 반납 기한 전에 반납해 주십시오. 셋째로 휴일에는 책을 도서관 앞에 있는 반납함에 넣어 주세요. 협조해 주셔서 감사합니다.

Solution Tip 책의 대출 가능 권수, 대출 기간, 휴일에 반납할 장소 등을 언급하고 있으므로, 도서 대출 규칙에 관한 안내 방송이다.

10 금액

대화를 듣고, 남자가 지불할 금액을 고르시오.
① $200   ② $225   ③ $250
④ $260   ⑤ $275

[전화벨이 울린다.]
여 Ocean Side 호텔입니다. 어떻게 도와드릴까요?
남 안녕하세요. 저는 5월 30일에 1박으로 방을 예약하고 싶습니다.
여 일행이 몇 분이신가요?
남 단 두 명이에요.
여 그렇군요. 바다 전망인 2인실이 있습니다. 그런데 그건 시내 전망인 것보다 50달러 더 비쌉니다. 바다 전망인 방을 원하시나요?
남 음, 얼마인가요?
여 250달러이고 10%의 봉사료가 부가됩니다.
남 알겠습니다. 그것으로 예약할게요.

☎ Telephone rings.

W Ocean Side Hotel. How can I help you?

M Hello. I'd like to _____ _____ _____ for one night on May 30th.

W How many people will be _____ _____ _____? How many+셀 수 있는 명사 ~?: 얼마나 많은 ~?

M Just two.

W I see. We have a <u>double room</u> with an ocean view. But it 2인실 costs 50 dollars _____ _____ the one with a city view. Would you like the ocean view room?

M Well, how much is it?

W It's 250 dollars _____ a 10% <u>service charge</u>. 봉사료

M Okay. I'll take it.

Solution Tip 방값 250달러에 10%의 봉사료 25달러를 더한 275달러를 지불해야 한다.

11 할 일

대화를 듣고, 여자가 대화 직후에 할 일로 가장 적절한 것을 고르시오.

① 백팩 환불받기
② 백팩 교환하기
③ 백팩 수선받기
④ 중고로 백팩 판매하기
⑤ 중고로 백팩 구매하기

M   Hey, Emma. Look at my backpack. I just _____ _____.

W   What a surprise! I got the same one yesterday.
    What 감탄문: What(+a(n))+형용사+명사(+주어+동사)!

M   Oh, really? Wasn't it really cheap?

W   Well, I don't think 200 dollars is that cheap.
    가격, 시간, 거리 등은 하나의 단위로 봐서 단수 취급함

M   200 dollars? I got mine _____ _____ _____ _____!

W   What? I was totally _____ _____. 🎵정답 근거 I'm going to get a refund right now.

M   Well, I can tell you the shop where I bought mine.

W   Thanks.

남 안녕, Emma. 내 백팩 좀 봐. 난 그걸 방금 전에 샀어.
여 놀랍다! 나도 어제 똑같은 걸 샀는데.
남 오, 정말? 그거 정말 싸지 않았니?
여 글쎄, 200달러는 그렇게 싼 것 같지 않은데.
남 200달러라고? 내 것은 그 반값에 샀는걸!
여 뭐라고? 나 완전히 바가지 썼나 봐. 지금 바로 환불받아야겠어.
남 음, 내가 내 것을 구입한 가게를 네게 말해 줄 수 있어.
여 고마워.

---

12 언급되지 않은 것

다음을 듣고, 현장 학습에 관해 언급되지 않은 것을 고르시오.

① 방문 장소
② 방문 요일
③ 모이는 장소
④ 모이는 시각
⑤ 입장료

W   Attention, students. Tomorrow, we're 🎵정답 근거 _____ _____ a field trip to the newly-opened National Folk Museum.
    현장 학습   새로 개장한   ① 방문 장소
    You should be at the main entrance of the museum by
                     ③ 모이는 장소
    9 o'clock. The admission is 5 dollars for students.
    ④ 모이는 시각   ⑤ 입장료
    _____ _____ _____ _____ your student ID cards. However, if it rains, you should come to school.
                              조건의 부사절을 이끄는 접속사(~라면)
    The field trip _____ _____ _____ until next
    Friday in case of rain. Thank you.
    ~의 경우

여 주목해 주세요, 학생 여러분. 내일 우리는 새로 문을 연 국립 민속 박물관으로 현장 학습을 갑니다. 여러분은 9시까지 박물관 정문에 와 있어야 합니다. 학생 입장료는 5달러입니다. 학생증 가지고 오는 것을 잊지 마세요. 그렇지만 만약 비가 온다면 여러분은 학교로 와야 합니다. 우천 시에는 현장 학습이 다음 주 금요일로 미뤄질 것입니다. 감사합니다.

🔺 Solution Tip 방문 장소(National Folk Museum), 모이는 장소(the main entrance of the museum), 모이는 시각(9 o'clock), 입장료(5 dollars)는 언급되었지만, 방문하는 요일은 언급되지 않았다.

13 그림 정보

다음 회의실 배치도를 보면서 대화를 듣고, 두 사람이 사용할 회의실을 고르시오.

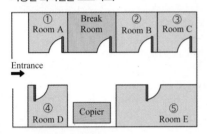

여 우리는 오늘 오후 회의를 위한 회의실을 예약해야 해요.
남 확인해 볼게요. 우리는 Room A, C 또는 E를 사용할 수 있어요.
여 입구 옆에 있는 회의실들은 좀 시끄러워요.
남 네. 그러면 Room E는 어때요? 우리한테는 더 큰 방이 나을 것 같아요.
여 동의해요. 오, 잠깐만요. 누군가가 이미 그것을 예약했어요.
남 음, 한 개만 남았네요.
여 그럼 지금 바로 그걸 예약하죠.

W We _____ _____ reserve a meeting room for our meeting this afternoon.
M Let me check. We can use Room A, C, or E. *정답 근거*
W The rooms _____ _____ the entrance are a little noisy.
M Okay. Then how about Room E? I think the bigger room is _____ for us.
W I agree. Oh, wait. Someone _____ already _____ it.
M Well, there is only one left.
   과거분사가 앞의 one 수식
W Then let's reserve it right now.

14 담화 화제

다음을 듣고, 무엇에 관한 설명인지 고르시오.
① 뇌   ② 폐   ③ 심장
④ 위   ⑤ 혈액

M This is _____ _____ the most important _____ *정답 근거* in your body. It is normally about the size of your fist. It is located _____ _____ _____ in the chest. It is also the busiest organ in your body. It never stops working even when you sleep. It is made up of muscle and works
be made up of: ~로 구성되다
like a pump sending blood around your body to keep you
to부정사의 부사적 용법(목적)
_____. You cannot live without it.

남 이것은 당신 몸에서 가장 중요한 장기들 중 하나이다. 그것은 보통 당신 주먹 크기이다. 그것은 가슴에서 폐 사이에 위치해 있다. 그것은 또한 당신 몸에서 가장 바쁜 장기이다. 그것은 당신이 잠을 잘 때조차 일하기를 멈추지 않는다. 그것은 근육으로 구성되어 있고, 당신을 살아있게 하기 위해 전신에 피를 보내는 펌프처럼 일을 한다. 당신은 그것 없이는 살 수 없다.

15 날짜

대화를 듣고, 여자가 시험을 보는 날짜를 고르시오.

① November 2nd
② November 6th
③ November 12th
④ November 13th
⑤ November 14th

여 안녕, Luke. 너 기분 정말 좋아 보인다.
남 응, 나는 과학 시험에서 만점을 받았어.
여 정말? 잘됐다. 네가 부러워.
남 너는 어때?
여 음, 나는 그것을 망쳤어. 선생님께서 내가 다음 주 화요일에 재시험을 봐야 한다고 말씀하셨어.
남 오, 정말 유감이다. 잠깐! 다음 주 화요일은 네 생일이잖아, 그렇지 않니?
여 아니, 내 생일은 시험 전날인 11월 12일이야.
남 오, 이런! 정말 안됐구나. 네가 공부하는 것을 내가 도와줄 수 있어.
여 그러면 좋지. 정말 고마워.

W Hi, Luke. You look so happy.

M Yeah, I got a _____ _____ on my science test.

W Really? That's great. I envy you.

M How about you?

W Well, I _____ it _____. The teacher told me that
   = science test   명사절을 이끄는 접속사
   I have to take the test again next Tuesday.

M Oh, I'm so sorry to hear that. Wait! Next Tuesday is your
   birthday, isn't it?
   🎵정답 근거 │ 부가 의문문
W No, my birthday is November 12th, _____ _____
   _____ the test.

M Oh, no! That's too bad. I can help you study.

W That'd be great. Thanks a lot.

▶ Solution Tip 여자의 생일은 11월 12일이고 시험 하루 전날이므로 시험 날짜는 11월 13일이다.

16 구입할 물건

대화를 듣고, 남자가 구입할 물건을 고르시오.

① tent   ② boots
③ lantern   ④ sleeping bag
⑤ backpack

남 Olivia, 너 오늘 오후에 특별한 계획 있니?
여 아니. 왜?
남 Billy's Outdoors에서 캠핑 장비를 크게 할인하고 있다고 들었어. 나랑 같이 가고 싶니?
여 오, 가고 싶어. 나는 캠핑 여행에 가져갈 침낭이 필요하거든.
남 그래? 침낭하고 텐트는 50% 할인 중이야.
여 잘됐다. 그리고 너는 뭘 사고 싶니?
남 나는 부츠 한 켤레를 사고 싶어. 내 부츠는 닳아서 못 신어.
여 그렇구나. 우리 3시에 만나는 게 어떠니?
남 좋아.

① 텐트   ② 부츠   ③ 손전등
④ 침낭   ⑤ 배낭

M Olivia, do you have any special plans for this afternoon?

W No. Why?

M I heard that there's _____ _____ _____ _____
   camping equipment at Billy's Outdoors. Would you like to
   join me?
                    ⚠️함정 주의 침낭은 여자에게 필요한 물건임
W Oh, I'd love to. I need a sleeping bag for my camping trip.

M Do you? Sleeping bags and tents are 50% off.

W Cool. And what do you want to buy?
   🎵정답 근거 │
M I want to buy a pair of boots. My boots are _____
   _____.

W I see. Why don't we meet at 3?
          제안하는 표현(= Let's ～)
M Fine with me.

17 적절한 응답

대화를 듣고, 여자의 마지막 말에 대한 남자의 응답으로 가장 적절한 것을 고르시오.

Man: _____

① How terrible!
② So, how was the musical?
③ What an amazing coincidence!
④ Try to keep yourself out of trouble.
⑤ You should have been more careful.

여 나랑 같이 뮤지컬 'Heroes' 보러 갈래? 나한테 VIP 표가 생겼거든.
남 VIP 표라고? 표 구하기가 쉽지 않다고 들었는데.
여 넌 내 이야기를 믿지 않을 거야.
남 어떤 이야기인데? 그냥 말해 봐.
여 내가 길을 걷고 있었는데, 한 남자가 넘어지는 걸 봤어. 난 그를 일으켜 줬지.
남 그래서?
여 그가 그 뮤지컬의 감독이었던 거야. 그가 내게 표를 주었어.
남 ③ 정말 놀라운 우연의 일치다!

W Would you like to go to the musical *Heroes* with me? I've got VIP tickets.

M VIP tickets? I heard it's not easy to _____ _____ _____.

W You wouldn't believe my story.

M What story? Just tell me.

W When I was walking along the street, I saw a man fall down. I _____ _____ _____ up.

M And then?

W 〔정답 근거〕 He _____ _____ _____ _____ the director of the musical. He gave the tickets to me.

M ③ What an amazing coincidence!

① 정말 끔찍하다!　　　　② 그래서 뮤지컬은 어땠어?
④ 문제를 일으키지 않도록 해.　　⑤ 너는 좀 더 조심했어야 했어.

18 적절한 응답

대화를 듣고, 남자의 마지막 말에 대한 여자의 응답으로 가장 적절한 것을 고르시오.

Woman: _____

① I hate circling.
② I appreciate that.
③ That's all my fault.
④ You're right. I'm sorry.
⑤ Didn't you get enough sleep last night?

여 Sam, 우리 아직도 다 못 온 거야? 어두워지고 있어.
남 나도 알아. 거의 다 왔다고 생각했는데. 나무 말고는 아무것도 보이질 않아.
여 난 배도 고프고 지쳤어. 저녁 먹고 쉬고 싶다고!
남 나도 그래. 그냥 우리가 어디에 있는 건지를 모르겠어.
여 우리가 길을 잃었다고 말하고 있는 거니?
남 그럴 수도 있어. 나는 우리가 같은 곳을 계속 맴도는 것 같거든.
여 애! 대단하군! 아주 대단해!
남 지금 화내는 건 아무런 도움이 안 돼. 그냥 여기서 벗어날 방법을 찾아보자.
여 ④ 네 말이 맞아. 미안해.

W Sam, are we there yet? It's _____ _____.

M I know. I thought we were almost there. I can't see anything but trees.

W I feel hungry and _____. I want to have dinner and get some rest!

M Me, too. I just don't know where we are.

W Are you saying _____ _____?

M It's possible. I feel like we're circling around the same area.
　　　　　　　～한 느낌이 있다　　circle around: ～의 주변을 돌다

W 〔정답 근거〕 Ah! That's great! That's so great!

M Getting angry isn't going to _____ _____ now. Let's just think of ways to get out of here.
　　　　　　　～을 벗어나다

W ④ You're right. I'm sorry.

① 나는 맴도는 게 싫어.　② 그거 정말로 고마워.　③ 다 내 잘못이야.　⑤ 지난밤에 잠을 충분히 못 잤니?

19 적절한 응답 □□

대화를 듣고, 여자의 마지막 말에 대한 남자의 응답으로 가장 적절한 것을 고르시오.

Man: _____

① I ordered the bag yesterday.
② Do you like the bag?
③ That's my favorite bag.
④ Thank you. I'd love that.
⑤ Have you seen the bag?

W May I help you?

M Yes. I'm looking for a bag I saw on the Internet.
   look for: ~을 찾다   인터넷에서

W Do you know the model number?

M No, but I _____ _____ _____ of it on my phone.

W That's great. Can you show me the picture?
   4형식: 동사＋간접목적어＋직접목적어

M Sure. Just a minute. [*Pause*] Here it is. It's black and has a long strap.

W I think I know what _____ _____ _____. But
   🔑정답 근거
   we're out of stock. I can _____ one for you if you
   재고가 없는, 품절된   조건의 부사절을 이끄는 접속사(~라면)
   want.

M ④ Thank you. I'd love that.

여 도와드릴까요?
남 네. 저는 인터넷에서 본 가방을 찾고 있어요.
여 상품 번호를 아세요?
남 아뇨, 그렇지만 제 전화기에 그것의 사진이 있어요.
여 잘됐네요. 사진을 보여 주실래요?
남 네. 잠시만요. [잠시 후] 여기 있어요. 그것은 검은색이고, 긴 끈이 달려 있어요.
여 무엇을 찾고 계신지 알 것 같아요. 그런데 재고가 없네요. 손님께서 원하신다면 하나 주문해 드릴 수는 있어요.
남 ④ 고맙습니다. 그렇게 해 주세요.

① 저는 어제 그 가방을 주문했어요.   ② 그 가방이 마음에 드세요?
③ 그건 제가 가장 좋아하는 가방이에요.   ⑤ 그 가방 보신 적 있으세요?

20 상황에 맞는 말 □□

다음 상황 설명을 듣고, Lily가 소년에게 할 말로 가장 적절한 것을 고르시오.

Lily: _____

① How have you been?
② You can say that again.
③ I'm happy to see you again.
④ Excuse me, but have we ever met?
⑤ Give my best regards to your parents.

W Lily is _____ _____ _____ _____ when a boy
   stops her. He says hello to Lily and says he is Brian. But
   say hello to: ~에게 인사하다
   Lily doesn't remember who he is. She is even _____
                                          🔑정답 근거
   with his name. The boy keeps talking to her. Lily is
   wondering _____ she has met him before _____
   _____. In this situation, what would Lily most likely
   say to the boy?

Lily ④ Excuse me, but have we ever met?

여 Lily가 집에 가는 길에 한 소년이 그녀를 멈춰 세운다. 그는 Lily에게 인사를 하고 자신이 Brian이라고 밝힌다. 하지만 Lily는 그가 누구인지 기억이 나질 않는다. 그녀는 그의 이름조차도 생소하다. 소년은 계속해서 그녀에게 말을 건다. Lily는 전에 그를 만난 적이 있는지 없는지가 궁금하다. 이러한 상황에서 Lily는 그 소년에게 뭐라고 말할까?

Lily ④ 실례지만, 우리가 만난 적이 있나요?

① 어떻게 지냈어요?   ② 전적으로 동의해요.
③ 다시 만나서 기뻐요.   ⑤ 부모님께 안부 전해 주세요.

모의고사를 먼저 풀고 싶으면 314쪽으로 이동하세요.

🎧 다음 표현을 듣고 모르는 것에 표시하시오.

- 01 **pile** 무더기, 더미
- 02 **printout** 인쇄물
- 03 **vacation** 휴가
- 04 **tropical** 열대 지방의
- 05 **scissors** 가위
- 06 **curly** 곱슬곱슬한
- 07 **fault** 잘못
- 08 **due date** 납기, 반납 기한
- 09 **misunderstand** 오해하다, 잘못 이해하다
- 10 **subject** 주제
- 11 **follow** 이해하다
- 12 **cut oneself** (칼에) 베이다
- 13 **burn** 데다, 화상을 입다
- 14 **annual** 연례의, 매년의
- 15 **take place** 개최되다
- 16 **accept** 받아 주다
- 17 **limp** 절뚝거리다
- 18 **ankle** 발목
- 19 **sprain** 삐다, 접질리다
- 20 **healthy** 건강에 좋은
- 21 **fixed** 고정된
- 22 **wing** 날개
- 23 **transportation** 수송, 운송
- 24 **cargo** 화물

- 25 **military** 군대, 군인들
- 26 **distance** 거리
- 27 **shorten** 단축하다
- 28 **pack** (짐을) 싸다
- 29 **suitcase** 여행 가방
- 30 **time-zone** 표준 시간대
- 31 **direct flight** 직행 항공편
- 32 **flour** 밀가루
- 33 **change** 잔돈
- 34 **in spite of** ~에도 불구하고(= despite)
- 35 **earn** 벌다
- 36 **tuition** 등록금
- 37 **spare** 시간을 내다
- 38 **charity** 자선
- 39 **bold** 굵은
- 40 **font** 서체
- 41 **temperature** 온도
- 42 **remain** 여전히 ~이다
- 43 **manual** 설명서

📝 알아두면 유용한 선택지 **어휘**

- 44 **achieve** 성취하다
- 45 **volunteer** 자원봉사
- 46 **delicious** 맛있는

🎧 들으면서 표현을 완성한 다음, 뜻을 고르시오.

표현의 의미를 생각하며 다시 써 보기!

01 f　ult 　　☐ 잘못 　☐ 호의 　　➜ _____

02 tro　ical 　☐ 열대 지방의 　☐ 적도의 　➜ _____

03 sp　ain 　　☐ 부러지다 　☐ 삐다 　　➜ _____

04 misunder　tand 　☐ 오해하다 　☐ 실수하다 　➜ _____

05 a　cept 　　☐ 받아 주다 　☐ 부정하다 　➜ _____

06 foll　w 　　☐ 설명하다 　☐ 이해하다 　➜ _____

07 d　e　ate 　☐ 반납 기한 　☐ 기념일 　➜ _____

08 li　p 　　☐ 절뚝거리다 　☐ 뛰어오르다 　➜ _____

09 su　tcase 　☐ 여행 가방 　☐ 서류 가방 　➜ _____

10 tu　tion 　　☐ 장학금 　☐ 등록금 　➜ _____

11 tran　por　ation 　☐ 전염 　☐ 수송 　➜ _____

12 spa　e 　　☐ 시간을 내다 　☐ 쳐다보다 　➜ _____

13 s　bject 　　☐ 세부 사항 　☐ 주제 　➜ _____

14 distan　e 　☐ 길이 　☐ 거리 　➜ _____

15 b　rn 　　☐ (칼에) 베이다 　☐ 데다 　➜ _____

16 p　le 　　☐ 서류철 　☐ 더미 　➜ _____

17 ac　ieve 　☐ 성취하다 　☐ 실패하다 　➜ _____

18 temp　rat　re 　☐ 기압 　☐ 온도 　➜ _____

19 re　ain 　☐ 여전히 ~이다 　☐ 영향을 주다 　➜ _____

20 ch　nge 　☐ 잔돈 　☐ 지폐 　➜ _____

실전 모의고사 [20]회

실전 모의고사 20회 ➔
[모의고사 보통 속도
[모의고사 빠른 속도

✎ 들으면서 주요 표현 메모하기!

01 대화를 듣고, 여자가 남자에게 가져다줄 것을 고르시오.

① ② ③ ④ ⑤

02 대화를 듣고, 두 사람의 관계로 가장 적절한 것을 고르시오.

① 세관원 — 여행객   ② 여행사 직원 — 손님   ③ 호텔 직원 — 투숙객
④ 직업 소개인 — 구직자   ⑤ 교사 — 학생

03 다음 그림의 상황에 가장 적절한 대화를 고르시오.

①   ②   ③   ④   ⑤

고난도   메모하며 풀기

04 대화를 듣고, 현재 시각을 고르시오.

① 4:20 p.m.   ② 4:30 p.m.   ③ 4:50 p.m.   ④ 5:00 p.m.   ⑤ 5:30 p.m.

05 대화를 듣고, 여자가 반납하는 책에 관해 언급되지 <u>않은</u> 것을 고르시오.

① 연체 기간   ② 반납 기한   ③ 연체 사유   ④ 연체료   ⑤ 대여 기간

06 대화를 듣고, 남자의 심정으로 가장 적절한 것을 고르시오.

① upset　　② bored　　③ excited　　④ relieved　　⑤ satisfied

✎ 들으면서 주요 표현 메모하기!

07 다음을 듣고, 두 사람의 대화가 <u>어색한</u> 것을 고르시오.

①　　　　②　　　　③　　　　④　　　　⑤

08 대화를 듣고, 여자가 어제 한 일로 가장 적절한 것을 고르시오.

① 병원 가기　　　　② 생일 선물 사기　　　③ 케이크 만들기
④ 저녁 만들기　　　⑤ 시험공부하기

고난도 메모하며 풀기

09 다음을 듣고, 무엇에 관한 안내 방송인지 고르시오.

① 외국 문화 탐방　　　② 신설 외국어 수업　　　③ 외국어 경시대회
④ 경시대회 수상자　　　⑤ 수강 신청 기간

10 대화를 듣고, 남자가 받을 거스름돈이 얼마인지 고르시오.

① $10　　② $20　　③ $40　　④ $80　　⑤ $100

틀린 문제는 Dictation에서
완벽하게 이해하세요.

실전 모의고사 [20]회

✎ 들으면서 주요 표현 메모하기!

11 대화를 듣고, 남자가 여자에게 부탁한 일로 가장 적절한 것을 고르시오.

① 축구공 빌려주기　　② 병원에 태워다 주기　　③ 병원 예약하기
④ 얼음찜질해 주기　　⑤ 아이스크림 사다 주기

12 다음을 듣고, 건강한 생활 습관으로 언급되지 <u>않은</u> 것을 고르시오.

① 채소와 과일 먹기　　　　② 규칙적으로 운동하기
③ 충분한 수면 취하기　　　④ 물 많이 마시기
⑤ 긍정적으로 생각하기

13 다음 표를 보면서 대화를 듣고, 여자가 수강할 요가 수업을 고르시오.

	Class	Days	Time	Price
①	A	Mon., Wed., Fri.	8 a.m.~9 a.m.	$85
②	B	Mon., Wed., Fri.	7 p.m.~8 p.m.	$90
③	C	Mon., Wed., Fri.	7 p.m.~8 p.m.	$95
④	D	Tue., Fri.	8 a.m.~9 a.m.	$90
⑤	E	Tue., Fri.	7 p.m.~8 p.m.	$95

14 다음을 듣고, 무엇에 관한 설명인지 고르시오.

① 기차　　② 자동차　　③ 열기구　　④ 비행기　　⑤ 헬리콥터

고난도　메모하며 풀기

15 대화를 듣고, 남자가 뉴욕에 도착하는 요일을 고르시오.

① Monday　　② Tuesday　　③ Wednesday　　④ Thursday　　⑤ Friday

16 대화를 듣고, 여자가 구입할 물건을 고르시오.

① cake   ② flour   ③ bread   ④ flower   ⑤ cookie

✎ 들으면서 주요 표현 메모하기!!

고난도 메모하며 풀기

17 대화를 듣고, 남자의 마지막 말에 대한 여자의 응답으로 가장 적절한 것을 고르시오.

Woman: _____

① I'm really proud of him.
② It sounds like a good idea.
③ Well, I'm not sure if he likes it.
④ Of course. He did the work on his own.
⑤ Try hard, and you'll achieve your dream.

18 대화를 듣고, 여자의 마지막 말에 대한 남자의 응답으로 가장 적절한 것을 고르시오.

Man: _____

① I'm sorry to hear that.
② I did volunteer work at a nursing home.
③ Thank you for your advice.
④ If I were you, I wouldn't do that.
⑤ You mean it needs to be more fun?

19 대화를 듣고, 남자의 마지막 말에 대한 여자의 응답으로 가장 적절한 것을 고르시오.

Woman: _____

① I shouldn't have bought it.
② There has never been a problem.
③ Why didn't you read the manual?
④ You can't get a refund without a receipt.
⑤ No problem. Please call us if you have any questions.

20 다음 상황 설명을 듣고, Tom이 점원에게 할 말로 가장 적절한 것을 고르시오.

Tom: _____

① These look delicious!
② How much are these?
③ Are you ready to order?
④ Is there anything else you need?
⑤ Excuse me, but these aren't what I ordered.

틀린 문제는 Dictation에서
완벽하게 이해하세요.

[Dictation] 실전 모의고사 20회

손으로 써야 내 것이 된다

01 그림 묘사

*들을 때마다 체크 □□

대화를 듣고, 여자가 남자에게 가져다줄 것을 고르시오.

①
②
③
④
⑤

남 Amy, 부탁 좀 들어주겠니?
여 네, 선생님. 어떻게 도와드릴까요?
남 교무실에서 내 책상이 어디에 있는지 알고 있지?
여 네, 알고 있죠.
남 그러면 상단 오른쪽 구석에 메모지를 붙여 놓은 인쇄물 뭉치를 가져오렴. 너희 반에게 나눠 줄 인쇄물을 가져온다는 걸 깜빡했구나.
여 알겠습니다. 선생님 책상 위에 있나요?
남 응. 내가 메모지에 '5반'이라고 써 두었단다.
여 알겠습니다.

M Amy, can you do me a favor?

W Yes, sir. How can I help you?

M Do you know _____ _____ _____ _____ in the teachers' room?
교무실

W Yes, I do.

M 🎵정답 근거
Then _____ _____ the pile of printouts with a Post-it note on the top right corner, **please**. I forgot to bring
to부정사의 명사적 용법(forgot의 목적어)
printouts for your class.

W Okay. Are they on your desk?

M Yes. _____ _____ "Class 5" on the note.

W All right.

---

02 두 사람의 관계

□□

대화를 듣고, 두 사람의 관계로 가장 적절한 것을 고르시오.

① 세관원 — 여행객
② 여행사 직원 — 손님
③ 호텔 직원 — 투숙객
④ 직업 소개인 — 구직자
⑤ 교사 — 학생

남 안녕하세요. 자리에 앉으시겠어요?
여 고맙습니다.
남 자, 어떤 종류의 휴가에 관심이 있으세요?
여 음, 전 더운 날씨가 좋아요.
남 두바이로의 여행은 어떠세요?
여 글쎄요, 저는 좀 더 열대 지방을 생각하고 있었어요.
남 알겠습니다. 하와이는 어떠세요? 일 년 중 이맘때 정말 좋은 곳이죠.
여 하와이요? 네, 그곳이 좋을 것 같아요.
남 알겠습니다. 손님이 관심을 가질 만한 다양한 상품이 있어요.

M Good morning. Why don't you take a seat?
제안하는 표현: ~하는 것은 어때요?

W Thanks.

M 🎵정답 근거
Now, what kind of _____ are you interested in?

W Well, I enjoy hot weather.

M How about a _____ _____ Dubai?

W Well, I was thinking about somewhere _____ _____.

M Okay. How about Hawaii? It's very nice there this time of year.

W Hawaii? Yes, I think I'd like that.

M All right. We have _____ _____ you might be interested in.

Dictation 20회 →
┌ 전체 듣기
└ 문항별 듣기

Dictation의 효과적인 활용법
STEP 1 들으면서 대본의 빈칸 채우기
STEP 2 축쇄 문제를 보며 다시 풀어 보기
STEP 3 해석을 보며 영어로 말하거나 영작해 보기

공부한 날   월   일

03 그림 상황 □□

다음 그림의 상황에 가장 적절한 대화를 고르시오.

① ② ③ ④ ⑤

① 남 이 가위를 어디서 사셨나요?
　여 차고 세일에서 샀어요.
② 남 제 머리 어때요?
　여 딱 보기 좋은 것 같아요.
③ 남 Anthony와 통화할 수 있을까요?
　여 죄송하지만, 그런 이름을 가진 사람은 여기 없어요.
④ 남 머리를 어떻게 손질해 드릴까요?
　여 저는 파마를 하고 싶어요.
⑤ 남 그녀는 어떻게 생겼나요?
　여 그녀는 키가 아주 커요. 갈색의 곱슬머리를 하고 있어요.

① M　Where did you buy _____ _____?

　W　I got them at a garage sale.
　　　　　　　　　차고 세일(차고에서 중고 물건을 싼 값에 판매하는 것)

② M　How do you like my hair?

　W　I think your hair looks just fine.

③ M　May I speak to Anthony?

　W　Sorry, but there's no one here _____

　_____.
　🎵정답 근거

④ M　How would you like your hair done?

　W　I'd like to get my hair _____.

⑤ M　What does she _____ _____?

　W　She's very tall. She has curly brown hair.

04 시각 □□

대화를 듣고, 현재 시각을 고르시오.
① 4:20 p.m.　② 4:30 p.m.
③ 4:50 p.m.　④ 5:00 p.m.
⑤ 5:30 p.m.

[휴대 전화벨이 울린다.]
여 안녕, Jake. 너 지금 어디야?
남 나는 거의 다 왔어. 너는 어때? 너는 박물관이니?
여 물론 그렇지. 나는 여기에 4시 30분에 왔어. 너는 왜 그렇게 늦니?
남 무슨 소리야? 우리 오후 5시에 만나기로 했잖아.
여 4시 30분이었어. 나는 여기에서 20분 동안 기다리고 있어.
남 처음에는 4시 30분이었지만, 내가 어젯밤에 너에게 문자 메시지를 보냈잖아. 내가 5시에 만나고 싶다고 했어.
여 잠깐만. [잠시 후] 오, 네 말이 맞네. 내가 네 메시지를 확인하지 않았어. 내 잘못이야.
남 괜찮아. 내가 곧 거기로 갈게.

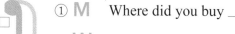
📞Cellphone rings.

W　Hi, Jake. Where are you now?

M　I'm almost there. _____ _____ _____? Are you at the museum?
　　　　　　🎵정답 근거

W　Of course I am. I came here at 4:30. Why are you so late?
　　　　　　　　　⚠️함정 주의 5시는 만나기로 한 시각임

M　What are you talking about? We're supposed to meet at 5 p.m.

W　What? It was 4:30. I've been waiting here for 20 minutes.
　　　　　　　　　현재완료 진행(have been+동사원형-ing): 계속 ~해 오고 있다

M　It was 4:30 at first, but I sent you a text message last night. I told you that I _____ _____ _____ at 5.

W　Hold on. [Pause] Oh, you're right. I didn't check your message. My fault.
　　　잠깐만.

M　It's okay. _____ _____ there soon.

🔙**Solution Tip** 여자는 4시 30분에 박물관에 도착했고 20분 동안 남자를 기다려 왔다고 했으므로, 현재 시각은 4시 30분에서 20분이 지난 4시 50분이다.

20회

받아쓰기

05 언급되지 않은 것

대화를 듣고, 여자가 반납하는 책에 관해 언급되지 않은 것을 고르시오.

① 연체 기간   ② 반납 기한
③ 연체 사유   ④ 연체료
⑤ 대여 기간

M Good morning. What can I help you with?

W Hi. I want to return this book.

M Okay. _____ _____ to me. [*Beeping sound*] Well, it's a week after the due date. You should've _____
_____ by July 11th.
납기, 반납 기한

W I'm so sorry. I took a long trip, so I couldn't return it.
take a trip: 여행하다   = the book

M You have to pay the late fees. It's 10 cents per day.
late fee: 연체료   ~당[마다]

W Then I have to pay 70 cents. Here you are.

M Don't be _____ _____, please.

W Yes, sir.

남 안녕하세요. 무엇을 도와드릴까요?
여 안녕하세요. 이 책을 반납하려고요.
남 네. 책을 제게 주세요. [삐 소리] 음, 반납 기한에서 일주일이 지났네요. 7월 11일까지 반납하셨어야 했어요.
여 정말 죄송합니다. 긴 여행을 다녀오느라 반납할 수가 없었어요.
남 연체료를 내셔야 합니다. 하루에 10센트입니다.
여 그러면 제가 70센트를 내야겠네요. 여기 있습니다.
남 다시는 늦지 마세요.
여 네.

> **Solution Tip** 연체 기간(a week), 반납 기한(July 11th), 연체 사유(took a long trip), 연체료(70 cents)는 언급되었지만, 대여 기간은 언급되지 않았다.

06 심정

대화를 듣고, 남자의 심정으로 가장 적절한 것을 고르시오.

① upset   ② bored
③ excited   ④ relieved
⑤ satisfied

W Steve, did you get a good grade on the last essay?
좋은 성적을 받다

M Not really. I _____ _____ _____, but I got a D.

W What? How did that happen?

M I _____ the subject of the essay, so I wrote it wrong.

W Have you talked to the teacher about it?

M Of course, I have. She said it was _____ _____
_____, though.
그렇지만, 하지만

W That's too bad.

여 Steve, 너 지난번 에세이 점수 잘 받았니?
남 별로. 최선을 다했는데 D를 받았어.
여 뭐라고? 어쩌다 그랬어?
남 내가 에세이의 주제를 잘못 이해하는 바람에 잘못 써 버렸어.
여 선생님께 말씀은 드려 봤니?
남 물론 말씀드려 봤지. 그런데 선생님께서는 전적으로 내 잘못이라고 하셨어.
여 정말 안됐구나.

① 속상한   ② 지루한   ③ 신이 난
④ 안도하는   ⑤ 만족하는

09 담화 주제

다음을 듣고, 무엇에 관한 안내 방송인지 고르시오.

① 외국 문화 탐방
② 신설 외국어 수업
③ 외국어 경시대회
④ 경시대회 수상자
⑤ 수강 신청 기간

남 외국어를 배우고 있는 여러분 모두에게 좋은 소식이 있습니다. 우리 학교가 제2회 연례 외국어 경시대회를 주최합니다. 누구나 이 행사에 참가할 수 있습니다. 경시대회는 한국어, 중국어, 스페인어, 프랑스어, 그리고 독일어의 다섯 개의 외국어 분야로 개최됩니다. 멋진 상품도 있으니까 오셔서 경시대회에 참가하시기 바랍니다. 신청서는 9월 10일까지 접수를 받습니다. 정보를 더 알고 싶으시면, 영어 선생님인 Brown 선생님에게 연락하시면 됩니다.

M Here's good news for all of you who are learning foreign languages. Our school is hosting the second annual foreign language contest. All are welcome to participate in the event. The contest will _____ _____ in five different languages: Korean, Chinese, Spanish, French, and German. There are great prizes, so come on and _____ the competition. Applications _____ _____ _____ until September 10th. For more information, you may contact Ms. Brown, the English teacher.

10 금액

대화를 듣고, 남자가 받을 거스름돈이 얼마인지 고르시오.

① $10 ② $20 ③ $40
④ $80 ⑤ $100

남 실례합니다. 도와주시겠어요?
여 물론이죠. 무엇을 도와드릴까요?
남 저는 이 스웨터가 마음에 들어요. 그런데 다른 색도 있나요?
여 네. 이것들을 보세요. 저희는 세 가지 다른 색이 있어요. 검은색, 회색, 그리고 빨간색이요.
남 좋네요. 저는 검은 것과 빨간 것으로 할게요.
여 알겠습니다. 각각 40달러입니다.
남 여기 100달러짜리 지폐예요.

M Excuse me. Can you help me?

W Sure. What can I do for you?

M I like _____ _____. But do you have other colors?

W Yes. Look at these. We have three different colors: black, gray, and red.

M Good. I'll take the _____ _____ and the _____ _____.

W Okay. 40 dollars for _____.

M Here's a 100-dollar bill.

Solution Tip 남자는 빨간 스웨터와 검은 스웨터 두 벌을 구입하겠다고 하며 100달러짜리 지폐를 냈다. 스웨터 한 벌에 40달러이므로 100달러에서 80달러를 뺀 20달러를 거슬러 받아야 한다.

11 부탁한 일

대화를 듣고, 남자가 여자에게 부탁한 일로 가장 적절한 것을 고르시오.

① 축구공 빌려주기
② 병원에 태워다 주기
③ 병원 예약하기
④ 얼음찜질해 주기
⑤ 아이스크림 사다 주기

W You're limping. _____ _____ to you?
　　limp: 절뚝거리다

M I hurt my ankle. Can I have an ice pack?

W Sure. [*Pause*] Here it is. How did you hurt your ankle?

M I _____ _____ playing soccer at school. I guess I just _____ it.

W Let me see. Oh, it's badly swollen.

M Ouch! That hurts, Mom! I can't move it that much.

W You'd better _____ _____ _____ right now, _____ it'll get worse.

M I think you're right. <u>Can you give me a ride, please?</u>
　　🎵정답 근거
　　give ~ a ride: ~를 (차로) 태워 주다

W Sure. Let's go right now.

여 너 절뚝거리고 있잖아. 네게 무슨 일이 있었던 거야?
남 발목을 다쳤어요. 얼음 팩을 제게 주시겠어요?
여 물론이지. [잠시 후] 여기 있단다. 어쩌다 발목을 다쳤니?
남 학교에서 축구하다가 넘어졌어요. 그냥 삔 것 같아요.
여 어디 보자. 오, 심하게 부었잖아.
남 아얘 아파요, 엄마! 그렇게 많이 움직일 수 없다고요.
여 지금 당장 병원에 가 보는 게 좋겠어, 그렇지 않으면 더 심해질 거야.
남 엄마 말씀이 맞는 것 같아요. 차로 태워다 주시겠어요?
여 물론이지. 지금 바로 가자.

12 언급되지 않은 것

다음을 듣고, 건강한 생활 습관으로 언급되지 않은 것을 고르시오.

① 채소와 과일 먹기
② 규칙적으로 운동하기
③ 충분한 수면 취하기
④ 물 많이 마시기
⑤ 긍정적으로 생각하기

W Hello, students. I'm Dr. Peterson. Today, I'd like to talk about _____ _____ _____. There are some easy
　　┌ ~이 있다
　　🎵정답 근거
ways to improve your health. First, try to eat vegetables and fruits _____ _____ fast food. Regular exercise is also very helpful. <u>Be sure to get</u> _____ _____
　　명령문: 반드시 ~해라
every day. The most important thing is thinking positively. Your body believes what you think.

여 안녕하세요, 학생 여러분. 저는 Peterson 박사입니다. 오늘 저는 건강한 생활 습관에 관해 이야기하려고 해요. 건강을 증진시킬 쉬운 방법이 몇 가지 있어요. 첫째로 패스트푸드 대신에 채소와 과일을 먹으려 노력하세요. 규칙적인 운동 또한 도움이 많이 된답니다. 반드시 매일 충분한 수면을 취해 주세요. 가장 중요한 것은 긍정적으로 생각하는 것입니다. 여러분의 몸은 여러분이 생각하는 것을 믿거든요.

20회

받아쓰기

13 표 정보

다음 표를 보면서 대화를 듣고, 여자가 수강할 요가 수업을 고르시오.

	Class	Days	Time	Price
①	A	Mon., Wed., Fri.	8 a.m.~9 a.m.	$85
②	B	Mon., Wed., Fri.	7 p.m.~8 p.m.	$90
③	C	Mon., Wed., Fri.	7 p.m.~8 p.m.	$95
④	D	Tue., Fri.	8 a.m.~9 a.m.	$90
⑤	E	Tue., Fri.	7 p.m.~8 p.m.	$95

여 실례합니다. 다음 달 요가 수업을 신청하고 싶은데요.
남 네. 수업을 얼마나 자주 듣고 싶으신가요?
여 일주일에 3번이요.
남 오전 수업을 듣고 싶으세요, 아니면 오후 수업을 듣고 싶으세요?
여 음, 저는 오전에 수업을 못 들어요.
남 그러면 저녁 7시에 시작하는 수업이 2개 있어요. 하나는 90달러이고, 다른 하나는 95달러입니다.
여 그 둘의 차이가 뭔가요?
남 더 비싼 수업을 들으면 무료로 요가 매트를 받을 수 있어요.
여 괜찮네요. 그걸로 할게요.

W Excuse me. I'd like to _____ _____ _____ a yoga class next month.

M Okay. How often do you want to take the class?
정답 근거) 얼마나 자주   to부정사의 명사적 용법(want의 목적어)

W Three _____ _____ _____.

M Would you like to take the class in the morning or afternoon?

W Well, I can't take the class in the morning.

M Then there are two classes that start at 7 p.m. One is 90
one ~, the other ...: (둘 중에서) 하나는 ~, 다른 하나는 …
dollars and the other is 95 dollars.

W What's the difference _____ _____ _____?

M If you take the more expensive class, you can get a yoga mat for free.

W Sounds great. I'll take that one.

14 담화 화제

다음을 듣고, 무엇에 관한 설명인지 고르시오.
① 기차
② 자동차
③ 열기구
④ 비행기
⑤ 헬리콥터

남 이것은 하늘을 나는 운송 수단이다. 이 운송 수단은 그것을 날 수 있게 하는 고정된 날개와 엔진이 달려 있다. 이 운송 수단의 용도는 사람과 화물, 군대 등의 수송을 포함한다. 이 운송 수단은 사람들이 장거리를 이동하는 것을 가능하게 하고, 한 장소에서 다른 장소로 이동하는 데 걸리는 시간을 단축한다. 이것은 다양한 크기와 모양이 있다. 어떤 모델은 500명 이상의 사람을 태울 수 있다.

정답 근거)
M This is a vehicle _____ in the air. This vehicle has fixed wings and engines that make it fly. The uses for this
고정된   주격 관계대명사
vehicle include _____ of people and cargo, military, and so on. This vehicle makes it possible for people to
~ 등, 기타 등등
_____ _____ _____ and shortens the amount of time it takes to go from one place to another. It comes in many different sizes and shapes. Some models can _____ more than 500 people.

15 요일

대화를 듣고, 남자가 뉴욕에 도착하는 요일을 고르시오.

① Monday ② Tuesday
③ Wednesday ④ Thursday
⑤ Friday

W When are you leaving for New York?
M **정답 근거** Next Monday. It's only a week away.
W You _____ _____ so excited.
M Of course. I can't wait! I've already _____ my suitcase.
　　　　　　　　기대를 나타내는 표현
W How long does it take to get to New York?
M I've luckily got a direct flight, so it'll only take about 12 hours.
　　　　　　　　직행 항공편
W That's still a long one. Do you arrive _____ _____ _____ _____?
M No, it'll be on the same day because of the time-zone change.

여 뉴욕에 언제 출발하니?
남 다음 주 월요일에. 일주일밖에 안 남았어.
여 정말 신나겠구나.
남 물론이지. 정말 기대돼! 나는 벌써 여행 가방도 싸 놨어.
여 뉴욕까지는 시간이 얼마나 걸려?
남 다행히 직항 편을 구해서 12시간 정도밖에 안 걸릴 거야.
여 그래도 오래 걸린다. 그 다음 날에 도착하는 거니?
남 아니, 표준 시간대 변화 때문에 같은 날 도착할 거야.

16 구입할 물건

대화를 듣고, 여자가 구입할 물건을 고르시오.

① cake ② flour ③ bread
④ flower ⑤ cookie

W Dad, what are you baking?
M I'm _____ _____ _____ for your grandma. You know, tomorrow is her birthday.
W You're right. She'll like your cake.
M Thanks. By the way, can you do me a favor?
　　　　　　그런데(화제 전환)
W Sure. Just tell me.
M **정답 근거** I _____ _____ _____ for the cake. Can you go to the supermarket and buy some for me?
W No problem. How much _____ should I get?
　　　　　　　How much+셀 수 없는 명사 ~?: 얼마나 많은 ~?
M I think one kilogram is enough. Here's the money. Keep the change.

여 아빠, 뭐 만들고 계세요?
남 할머니께 드리려고 케이크를 굽고 있단다. 알다시피 내일이 할머니의 생신이잖니.
여 맞네요. 할머니께서 아빠가 만든 케이크를 좋아하실 거예요.
남 고맙구나. 그런데 부탁 하나만 들어 줄래?
여 물론이죠. 말씀만 하세요.
남 케이크에 들어갈 밀가루가 더 필요해. 슈퍼마켓에 가서 좀 사다 주겠니?
여 물론이죠. 밀가루를 얼마나 사 오면 되나요?
남 1kg이면 충분할 것 같구나. 돈 여기 있다. 잔돈은 가지렴.

🔊 **Sound Tip** flour vs. flower
flour와 flower는 발음이 같으므로 문맥을 통해 파악하도록 한다. 케이크를 굽는 데 필요한 것은 밀가루(flour)다.

17 적절한 응답

대화를 듣고, 남자의 마지막 말에 대한 여자의 응답으로 가장 적절한 것을 고르시오.

Woman: _____

① I'm really proud of him.
② It sounds like a good idea.
③ Well, I'm not sure if he likes it.
④ Of course. He did the work on his own.
⑤ Try hard, and you'll achieve your dream.

남 너 그 소식 들었니?
여 뭐에 관해서 말이야?
남 Chris가 수석으로 졸업했대.
여 정말? 와, 그는 대단해!
남 응, 그는 그럴만한 자격이 있어.
여 정말 그래. 그는 그의 형편에도 불구하고 공부를 정말 열심히 했잖아.
남 내 말이. 그는 등록금을 벌기 위해 아르바이트를 3개나 했어. 하루에 3시간 정도밖에 못 잤대.
여 ① 나는 정말로 그가 자랑스러워.

M Did you hear the news?

W About what?

정답 근거
M Chris _____ with top honors.

W Really? Wow, he's amazing!

M Yeah, I think he _____ _____.

W You can say that again. He studied really hard in spite of
동의를 나타내는 표현(= I couldn't agree more. 등)   ~에도 불구하고
his situation.

M That's _____ _____ _____ _____. He had
three part-time jobs to earn his tuition. He said he slept
about three hours a day.
                        ~당(= per)

W ① I'm really proud of him.

② 그거 좋은 생각인 것 같아.   ③ 음, 그가 그것을 좋아하는지 잘 모르겠어.
④ 물론이지. 그는 그 일을 스스로 했어.   ⑤ 열심히 해, 그러면 넌 너의 꿈을 이룰 거야.

18 적절한 응답

대화를 듣고, 여자의 마지막 말에 대한 남자의 응답으로 가장 적절한 것을 고르시오.

Man: _____

① I'm sorry to hear that.
② I did volunteer work at a nursing home.
③ Thank you for your advice.
④ If I were you, I wouldn't do that.
⑤ You mean it needs to be more fun?

남 Davis 선생님, 시간 좀 내주실 수 있으세요?
여 물론이지. 뭘 도와줄까?
남 제가 자선 행사를 위한 포스터를 만들었거든요. 그걸 보고 조언을 좀 해 주시겠어요?
여 물론이지. 지금 가지고 있니?
남 네. 여기 있어요. [잠시 후] 어떻게 생각하세요?
여 음, 충분히 잘 만들었어. 행사 이름에 크고 굵은 서체를 사용하면 훨씬 더 좋을 것 같구나.
남 ③ 조언해 주셔서 감사합니다.

M Ms. Davis, could you spare some time for me?
            시간 좀 내 주시겠어요?
W Sure. What can I do for you?

정답 근거
M I made a poster for a charity event. Would you _____
_____ _____ _____ it and give me some advice?
                                    give ~ advice: ~에게 조언해 주다
W Sure. Do you have it now?

M Yes. Here it is. [Pause] What do you think?

W Well, it's good enough. I think it'd _____
_____ to use a large and bold font for your event title.

M ③ Thank you for your advice.

① 그 말을 듣게 되어 유감이에요.   ② 저는 양로원에서 봉사 활동을 했어요.
④ 제가 선생님이라면 그렇게 하지 않을 거예요.   ⑤ 그것이 더 재미있어야 한다는 말씀이세요?

19 적절한 응답

대화를 듣고, 남자의 마지막 말에 대한 여자의 응답으로 가장 적절한 것을 고르시오.

Woman: _____

① I shouldn't have bought it.
② There has never been a problem.
③ Why didn't you read the manual?
④ You can't get a refund without a receipt.
⑤ No problem. Please call us if you have any questions.

[전화벨이 울린다.]
여 고객 서비스 센터입니다. 어떻게 도와드릴까요?
남 안녕하세요. 제가 어제 세탁기를 샀는데요. 마음에 들지 않네요.
여 무엇이 문제인가요, 고객님?
남 잘 작동했는데, 지금은 문을 열 수가 없어요.
여 그렇군요. 드럼 안에 물이 보이나요?
남 아뇨, 안 보여요.
여 음, 드럼 안의 온도가 높은 경우 문은 잠김 상태가 돼요. 온도가 떨어질 때까지 기다렸다가 다시 해 보세요.
남 오, 그렇군요. 설명서를 먼저 읽었어야 했는데, 죄송해요.
여 ⑤ 괜찮아요. 다른 문의사항이 있으면 전화주세요.

📞Telephone rings.

W Customer Service Center. How can I help you?

M Hi. I bought a washing machine yesterday. I'm not _____ _____ it.

W What's the problem, sir?

M It _____ _____, but now I can't open the door.

W I see. Do you see water in the drum?

M No, I don't.

W Well, if the temperature inside the drum is high, the door may _____ _____. Please wait until the temperature ~까지
drops and try it again.
🔑정답 근거

M Oh, I see. I should have _____ the manual first. I'm sorry.

W ⑤ No problem. Please call us if you have any questions.

① 저는 그것을 구입하지 말았어야 했어요.   ② 문제가 있었던 적이 없어요.
③ 왜 설명서를 읽지 않았나요?   ④ 영수증 없이는 환불받으실 수 없습니다.

20 상황에 맞는 말

다음 상황 설명을 듣고, Tom이 점원에게 할 말로 가장 적절한 것을 고르시오.

Tom: _____

① These look delicious!
② How much are these?
③ Are you ready to order?
④ Is there anything else you need?
⑤ Excuse me, but these aren't what I ordered.

M Tom and his friends go into a bakery with a cafe.
what+to부정사: 무엇을 ~할지
They decide what to have, and Tom orders. _____
한 조각의(셀 수 없는 명사는 단위명사로 수량을 표현)
_____ _____ _____, the server brings a piece
🔑정답 근거
of cheesecake and two cups of hot chocolate. But they
a cup of: 한 잔의(단위명사)
are not _____ Tom _____. He calls the server over
again. In this situation, what would Tom most likely say
to the server?

Tom ⑤ Excuse me, but these aren't what I ordered.

남 Tom과 그의 친구들은 카페를 겸하는 빵집에 들어간다. 그들은 무엇을 먹을지 정하고, Tom이 주문을 한다. 몇 분 뒤에 종업원이 치즈케이크 한 조각과 코코아 두 잔을 가져다준다. 그런데 그것들은 Tom이 주문했던 것이 아니다. 그는 종업원을 다시 부른다. 이러한 상황에서 Tom은 종업원에게 뭐라고 말할까?
Tom ⑤ 실례지만, 이것들은 제가 주문한 게 아니에요.

① 이것들은 맛있어 보여요!   ② 이것들은 얼마인가요?
③ 주문하시겠어요?   ④ 다른 필요하신 게 있나요?

모의고사를 먼저 풀고 싶으면 330쪽으로 이동하세요.

🎧 다음 표현을 듣고 모르는 것에 표시하시오.

01 pose 자세

02 inner 안쪽의

03 thigh 허벅지

04 in prayer 기도하는

05 breath 호흡, 숨

06 name 이름을 지어 주다

07 sweaty 땀투성이의, 땀에 젖은

08 treadmill 러닝 머신

09 lose weight 살을 빼다, 체중이 줄다

10 dry-clean 드라이클리닝하다

11 drop off ~을 맡기다

12 found 설립하다

13 issue 발행하다

14 coat (동물의) 털, 가죽

15 blend 섞이다

16 prey 먹이

17 agree 동의하다

18 in a hurry (시간이 많지 않아서) 바쁜

19 slight 약간의, 조금의

20 sore 아픈

21 throat 목, 목구멍

22 freely 자유롭게

23 amusement park 놀이공원

24 announce 방송으로 알리다

25 rule 규칙

26 feed 먹이를 주다

27 tease 못살게 굴다, 괴롭히다

28 lean on ~에 기대다

29 fence 울타리

30 instruction 설명, 지시

31 cucumber 오이

32 in total 모두 합해서

33 additional 추가의

34 novel 소설

35 huge 엄청난

36 be made into ~로 만들어지다

37 noise 소음

38 upstairs 위층에

39 the other day 일전에

40 elegant 우아한, 멋진

41 woodworking 목공예

42 even ~도[조차]

📝 알아두면 유용한 선택지 어휘

43 hippo 하마

44 be all ears 귀 기울여 듣다

45 management office 관리 사무실

46 oakwood 떡갈나무

🎧 들으면서 표현을 완성한 다음, 뜻을 고르시오.

표현의 의미를 생각하며 다시 써 보기!

21회 어휘

01 tea⬜e   ☐ 짜증내다   ☐ 괴롭히다   ➜

02 thi⬜h   ☐ 허벅지   ☐ 종아리   ➜

03 breat⬜   ☐ 호흡   ☐ 기침   ➜

04 f⬜ed   ☐ 습격하다   ☐ 먹이를 주다 ➜

05 tread⬜ill   ☐ 체중계   ☐ 러닝 머신 ➜

06 ele⬜ant   ☐ 비싼   ☐ 우아한   ➜

07 is⬜ue   ☐ 발행하다   ☐ 가입하다   ➜

08 agr⬜e   ☐ 반대하다   ☐ 동의하다   ➜

09 b⬜end   ☐ 섞이다   ☐ 분해되다   ➜

10 sli⬜ht   ☐ 약간의   ☐ 많은   ➜

11 i⬜ner   ☐ 안쪽의   ☐ 초보의   ➜

12 cucum⬜er   ☐ 고구마   ☐ 오이   ➜

13 hug⬜   ☐ 엄청난   ☐ 시시한   ➜

14 an⬜ounce   ☐ 방송으로 알리다 ☐ 놀라게 하다 ➜

15 ins⬜r⬜ction   ☐ 설명   ☐ 규제   ➜

16 sw⬜aty   ☐ 소름 돋은   ☐ 땀투성이의 ➜

17 fo⬜nd   ☐ 찾다   ☐ 설립하다   ➜

18 th⬜o⬜t   ☐ 목구멍   ☐ 성대   ➜

19 p⬜ey   ☐ 기도   ☐ 먹이   ➜

20 addi⬜ional   ☐ 필수적인   ☐ 추가의   ➜

실전 모의고사 [21]회

실전 모의고사 21회 →
┌ 모의고사 보통 속도
└ 모의고사 빠른 속도

✎ 들으면서 주요 표현 메모하기!

고난도 | 메모하며 풀기

01 대화를 듣고, 여자가 하고 있는 동작을 고르시오.

①   ②   ③   ④   ⑤

02 대화를 듣고, 여자가 남자에게 전화한 목적으로 가장 적절한 것을 고르시오.

① 지갑을 새로 주문하려고   ② 지갑을 가져다줄 것을 부탁하려고
③ 버스 정류장 위치를 물어보려고   ④ 버스 도착 시각을 확인하려고
⑤ 늦은 귀가를 알리려고

03 대화를 듣고, 남자의 애완동물에 관해 언급되지 <u>않은</u> 것을 고르시오.

① 종류   ② 나이   ③ 생김새   ④ 이름   ⑤ 버릇

04 대화를 듣고, 남자가 방문하기로 한 시각을 고르시오.

① 10 a.m.   ② 12 p.m.   ③ 1 p.m.   ④ 3 p.m.   ⑤ 5 p.m.

05 다음 그림의 상황에 가장 적절한 대화를 고르시오.

①   ②   ③   ④   ⑤

06 대화를 듣고, 두 사람이 대화하는 장소로 가장 적절한 것을 고르시오.

① 카페　　　　② 체육관　　　　③ 영화관　　　　④ 미용실　　　　⑤ 식물원

✎ 들으면서 주요 표현 메모하기!

07 대화를 듣고, 여자가 남자에게 부탁한 일로 가장 적절한 것을 고르시오.

① 빨래 널기　　　　　　　　② 방 청소하기
③ 외투 교환하기　　　　　　④ 세탁소에 옷 맡기기
⑤ 세탁소에서 옷 찾아오기

고난도 　메모하며 풀기

08 다음을 듣고, *Dream Writers' Club*에 관해 언급되지 <u>않은</u> 것을 고르시오.

① 설립 연도　　② 모임 장소　　③ 모임 시각　　④ 활동 내용　　⑤ 회비

09 다음을 듣고, 무엇에 관한 설명인지 고르시오.

① hippo　　　② cheetah　　　③ elephant　　　④ lion　　　⑤ squirrel

10 다음을 듣고, 두 사람의 대화가 <u>어색한</u> 것을 고르시오.

①　　　　　②　　　　　③　　　　　④　　　　　⑤

틀린 문제는 Dictation에서
완벽하게 이해하세요.

실전 모의고사 [21]회

✎ 들으면서 주요 표현 메모하기!

11 대화를 듣고, 남자가 대화 직후에 할 일로 가장 적절한 것을 고르시오.

① 병원 가기　　　② 약 사러 가기　　　③ 빵 사러 가기
④ 침대에서 쉬기　　⑤ 물 가져다주기

고난도　메모하며 풀기

12 대화를 듣고, 두 사람이 다음 주에 학교에 가지 않는 요일을 고르시오.

① Monday　② Tuesday　③ Wednesday　④ Thursday　⑤ Friday

13 다음 좌석 배치도를 보면서 대화를 듣고, 두 사람이 앉을 자리의 구역을 고르시오.

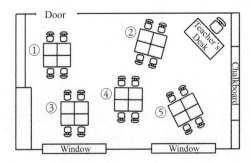

14 대화를 듣고, 여자가 어제 한 일로 가장 적절한 것을 고르시오.

① 책 읽기　　　　② 독후감 쓰기　　　③ 놀이공원 가기
④ 친척 집에 놀러 가기　⑤ 공원에서 산책하기

15 다음을 듣고, 방송의 목적으로 가장 적절한 것을 고르시오.

① 식당 위치를 안내하려고　　　② 체험 활동을 소개하려고
③ 폐장 시각을 공지하려고　　　④ 표 구입 방법을 설명하려고
⑤ 동물원 규칙을 안내하려고

고난도 메모하며 풀기

16 대화를 듣고, 남자가 지불할 금액을 고르시오.

① $9   ② $12   ③ $22   ④ $29   ⑤ $32

17 대화를 듣고, 여자의 마지막 말에 대한 남자의 응답으로 가장 적절한 것을 고르시오.

Man: _____

① Yes. It was really exciting.
② I watch movies twice a month.
③ Let's go to watch movies sometimes.
④ What kind of movies do you like the most?
⑤ I thought the book was better than the movie.

18 대화를 듣고, 남자의 마지막 말에 대한 여자의 응답으로 가장 적절한 것을 고르시오.

Woman: _____

① I'm all ears.
② Yes, you may.
③ I wish you good luck.
④ I'm not sure where he lives.
⑤ I think we should call the management office.

19 대화를 듣고, 여자의 마지막 말에 대한 남자의 응답으로 가장 적절한 것을 고르시오.

Man: _____

① Good for you!
② Both of them are mine.
③ It is made of oakwood.
④ Are you ready to order?
⑤ You're not supposed to take pictures.

20 다음 상황 설명을 듣고, Matthew가 수미에게 할 말로 가장 적절한 것을 고르시오.

Matthew: Sumi, _____

① I'm sorry, but I can't.
② thanks. You are my true friend.
③ you need to do your homework first.
④ can you buy something to eat for me?
⑤ do you need help with the homework?

틀린 문제는 **Dictation**에서
완벽하게 이해하세요.

01 그림 묘사

*들을 때마다 체크

대화를 듣고, 여자가 하고 있는 동작을 고르시오.

① ② ③

④ ⑤

남 너 요즘 요가를 한다고 들었어.
여 응. 요가 하는 법을 배우는 중이야. 스트레스를 줄이는 데 도움이 되는 것 같아.
남 정말? 나에게 동작 하나 보여 줄 수 있어?
여 물론이지. 두 발을 모으는 것으로 시작해서 왼쪽 발을 너의 오른쪽 상단 허벅지에 올려.
남 오, 한 발로 서서 내 몸의 균형을 유지하는 것이 쉽지 않구나.
여 맞아, 그렇지만 너는 잘하고 있어. 그 다음에 두 손을 기도하는 모습으로 모으고 너의 가슴 앞에 오게 해. 그대로 유지하면서 숨을 10번 쉬어.
남 알았어. [잠시 후] 휴! 보는 것만큼 쉽지 않구나.

M I heard you're doing yoga these days.

W Yeah. I'm learning how to do it. I think it helps reduce stress.
   how+to부정사: ~하는 방법

M Really? Can you show me one pose?

W Sure. Start with your feet together and place your left foot
   ~부터 시작하다
   on your inner right upper _____.

M Oh, it's not easy to stand and keep my body _____ on one foot.

W No, but you're doing great. Then put your hands together _____ _____ and place them in front of your chest.
   = your hands
   Hold and _____ for 10 breaths.

M Alright. [*Pause*] Whew! It's not _____ _____ it looks.

💡 **Sound Tip** 묵음 gh

모음 다음에 gh가 있으면 묵음인 경우가 있다. 예를 들어, thigh는 /싸이/로, daughter는 /도우터/, thorough는 /써로우/로 발음한다. 하지만, gh가 rough /러프/나 enough /이너프/처럼 f 소리가 나는 경우도 있다.

02 목적

대화를 듣고, 여자가 남자에게 전화한 목적으로 가장 적절한 것을 고르시오.
① 지갑을 새로 주문하려고
② 지갑을 가져다줄 것을 부탁하려고
③ 버스 정류장 위치를 물어보려고
④ 버스 도착 시각을 확인하려고
⑤ 늦은 귀가를 알리려고

[전화벨이 울린다.]
남 여보세요.
여 아빠, 저예요, Emma.
남 무슨 일이니?
여 버스를 타려고 했는데, 제게 지갑이 없다는 걸 알게 되었어요.
남 오, 이런! 너 지갑 안 가져갔구나!
여 네, 책상 위에 그것을 두고 온 것 같아요.
남 어디 보자. [잠시 후] 찾았어!
여 제게 그걸 가져다주시겠어요? 저는 버스 정류장에 있어요.
남 그래. 금방 갈게.
여 고맙습니다, 아빠.

📞 Telephone rings.

M Hello.

W Dad, it's me, Emma.

M What's the matter?

W I was about to _____ _____ the bus and I realized
   be about to: 막 ~하려고 하다
   I didn't have my wallet.

M Oh, dear! You didn't take your wallet!

W No, I think I _____ it on my desk.

M Let's see. [*Pause*] I _____ it!

W Could you _____ _____ to me, please? I'm at the bus stop.

M Okay. I'll be right there.

W Thank you, Dad.

Dictation 21회 →
┌ 전체 듣기
└ 문항별 듣기

Dictation의 효과적인 활용법
STEP 1 들으면서 대본의 빈칸 채우기
STEP 2 축쇄 문제를 보며 다시 풀어 보기
STEP 3 해석을 보며 영어로 말하거나 영작해 보기

공부한 날 　 월 　 일

03 언급되지 않은 것 □□

대화를 듣고, 남자의 애완동물에 관해 언급되지 않은 것을 고르시오.

① 종류　　　　② 나이
③ 생김새　　　④ 이름
⑤ 버릇

W _____ _____ the puppy is! Is this your pet dog?

M No. My cousin asked me to take care of it while she's on a
　 　~을 돌보다　　　　　여행을 간
trip. I actually _____ _____ _____.
　　　　　　　　① 종류

W Really? I didn't know that. Can I see a picture of your cat?

M Here it is. It's still a baby. It's only six months old.
　　　　　　　　　　　　② 나이

W It's so pretty. Look at its white fur and blue eyes!
　　　　　　　③ 생김새

M _____ _____ _____ Jelly because its pink paw
　　　　　　　④ 이름　　　paw pad: (개·고양이 등의)
pads look like jelly beans.　　　　　　발바닥 살

W I see. Can I come over to your house _____ _____
　　　　　　　~의 집에 들르다
Jelly someday?
언젠가

M Sure. Anytime.

여 정말 귀여운 강아지구나! 네 애완견이니?
남 아니. 내 사촌이 여행 가 있는 동안에 내게 돌봐달라고 부탁했어. 나는 사실 고양이를 키워.
여 정말? 그건 몰랐네. 네 고양이 사진 좀 볼 수 있을까?
남 여기 있어. 아직 새끼야. 태어난 지 6개월밖에 안 되었어.
여 정말 예쁘다. 흰 털과 파란 눈 좀 봐!
남 분홍색 발바닥의 살이 젤리빈 같아서 나는 고양이에게 Jelly라는 이름을 지어 줬어.
여 그렇구나. Jelly 보러 너의 집에 언젠가 가 봐도 될까?
남 그럼. 언제든지.

04 시각 □□

대화를 듣고, 남자가 방문하기로 한 시각을 고르시오.

① 10 a.m.　　　② 12 p.m.
③ 1 p.m.　　　④ 3 p.m.
⑤ 5 p.m.

📞Cellphone rings.

W Hello.

M Hello. Is this Charlotte Smith?

W Yes, _____.

M This is Star Electronics. I'm going to visit you to set up an
　　　　　　　　　　　　　　　　　　　　(기계 등을) 설치하다
air conditioner tomorrow. Will you be _____ _____
에어컨
around 10 a.m.?

W Sorry, I'll be out until noon.
　　　　　　　　정오

M Then _____ _____ _____ _____ visit you?

W Well, could you come between 1 p.m. and 5 p.m.?
　　　　　　　　　　between A and B: A와 B 사이에

M How about 3 p.m.? Is that okay with you?

W That's fine with me.

[휴대 전화벨이 울린다.]
여 여보세요.
남 여보세요. Charlotte Smith 씨인가요?
여 네, 전데요.
남 Star Electronics입니다. 제가 내일 에어컨을 설치해 드리기 위해 댁에 방문할 건데요. 오전 10시쯤 댁에 계실 건가요?
여 죄송하지만, 저는 정오까지는 나가 있을 거예요.
남 그러면 제가 몇 시에 방문해야 할까요?
여 음, 오후 1시에서 5시 사이에 와 주시겠어요?
남 오후 3시는 어떤가요? 괜찮으신가요?
여 저는 좋아요.

21회

받아쓰기

05 그림 상황

다음 그림의 상황에 가장 적절한 대화를 고르시오.

① ② ③ ④ ⑤

① 남 이 상자들을 나와 함께 옮겨 주지 않을래?
　여 좋아.
② 남 조금 더 먹을래?
　여 고맙지만 사양할게. 나는 이미 배가 불러.
③ 남 도와줘서 정말로 고마워. 여기 작은 선물이야.
　여 오, 이러지 않아도 되는데.
④ 남 이 식당에 관해 어떻게 생각하니?
　여 좋아. 여기 타코가 정말 맛있어.
⑤ 남 지하철역으로 가는 길을 제게 알려 주시겠어요?
　여 네, 모퉁이에서 오른쪽으로 도셔야 해요.

① M ＿＿＿＿ ＿＿＿＿ ＿＿＿＿ carrying these boxes with me?

W Of course not. Do you mind ~?로 허락을 구할 때, 부정으로 답하면 승낙의 의미
🎵 정답 근거

② M ＿＿＿＿ ＿＿＿＿ ＿＿＿＿ some more?

W No, thanks. I'm already full.

③ M I really appreciate your help. Here's a small gift.

W Oh, you shouldn't have.
이러지 않아도 되는데.(선물 받을 때 인사말)

④ M What do you think of this restaurant?

W It's good. The tacos here are really ＿＿＿＿.

⑤ M Can you tell me the way to the subway station?

W Yes. You have to ＿＿＿＿ ＿＿＿＿ at the corner.

06 장소

대화를 듣고, 두 사람이 대화하는 장소로 가장 적절한 것을 고르시오.

① 카페　　　　② 체육관
③ 영화관　　　④ 미용실
⑤ 식물원

남 Kelly, 너 온통 땀에 젖었구나!
여 40분 동안 러닝 머신에서 뛰었거든. 여기 정말 덥다.
남 40분 동안이라고? 와, 너 잘하는구나. 너는 여기서 매일 운동을 하니?
여 응. 나는 이곳에 거의 매일 와.
남 우리 내일부터 함께 운동하지 않을래? 나는 살을 좀 빼고 싶거든.
여 그거 좋겠다. 저녁 먹고 8시에 만나자.
남 그래. 나는 이제 샤워해야겠다. 그때 보자.

M Kelly, you're ＿＿＿＿ ＿＿＿＿!
🎵 정답 근거

W I ran on the treadmill for 40 minutes. It's so hot in here.
러닝 머신

M For 40 minutes? Wow, you're good. Do you ＿＿＿＿ ＿＿＿＿ every day?

W Yes, I do. I come here almost every day.

M ＿＿＿＿ ＿＿＿＿ ＿＿＿＿ work out together from tomorrow? I want to lose some weight.
운동하다
lose weight: 살을 빼다

W That'd be great. Let's meet at 8 after dinner.

M Okay. I need to take a shower now. See you then.
샤워를 하다

ℹ️ Sound Tip That'd be great.

That'd는 That would의 축약형이다. d는 약화되어 잘 들리지 않으며, That'd be는 /대드 비/로 들린다.

07 부탁한 일

대화를 듣고, 여자가 남자에게 부탁한 일로 가장 적절한 것을 고르시오.

① 빨래 널기
② 방 청소하기
③ 외투 교환하기
④ 세탁소에 옷 맡기기
⑤ 세탁소에서 옷 찾아오기

여 어디 가니, David?
남 세탁소에 가려고 해. 외투를 드라이클리닝 해야 하거든.
여 오, 그러면 부탁 하나만 들어 줄래? 내가 지금 방을 청소하느라 바쁘거든.
남 그래. 드라이클리닝 할 게 있니?
여 아니야. 내가 며칠 전에 세탁소에 스웨터를 맡겼거든. 그것 좀 찾아다 주겠니?
남 그래.
여 고마워. 돈은 이미 지불했어.
남 알았어.

W Where are you going, David?

M I'm going to the dry-cleaning shop. I need to dry-clean my coat.
세탁소

W Oh, then can you do me a favor? I'm _____ _____ my room now.

함정 주의 세탁소에 맡긴 옷을 찾아다 달라는 내용이 뒤에 이어짐

M Okay. Do you have something to dry-clean?

W 정답 근거
No. I dropped off my sweater at the dry-cleaning shop a
drop off: ~을 맡기다
few days ago. Can you _____ _____ _____ for me?

M No problem.

W Thanks. I've already _____ for it.

M Okay.

08 언급되지 않은 것

다음을 듣고, *Dream Writers' Club*에 관해 언급되지 않은 것을 고르시오.

① 설립 연도　　② 모임 장소
③ 모임 시각　　④ 활동 내용
⑤ 회비

여 Dream Writers' Club은 2018년에 설립되었습니다. 그것은 글쓰기를 사랑하는 사람들의 모임입니다. 우리는 목요일마다 오후 5시에 모임을 가지고, 좋은 이야기를 쓰는 방법에 관한 아이디어를 공유합니다. 모임에서 회원들은 자신이 쓴 것을 돌아가며 발표합니다. 우리는 또한 6개월마다 잡지를 발행합니다. 회비는 없으므로, 편하게 동아리에 가입하셔서 글쓰기의 즐거움을 경험해 보세요.

W 정답 근거
Dream Writers' Club was founded _____ _____. It is
과거 시제 수동태: was[were]+p.p.
a gathering of people who love writing. We have meetings
주격 관계대명사
at 5 p.m. on Thursdays and _____ _____ on how
how+to부정사: ~하는 방법
to write a good story. At the meeting, members take turns
~을 돌아가며 하다
presenting what they wrote. We also _____ _____
_____ every six months. There's no membership fee, so
~마다   회비
please _____ _____ to join the club and experience
the joy of writing.

09 담화 화제

다음을 듣고, 무엇에 관한 설명인지 고르시오.
① hippo ② cheetah ③ elephant
④ lion ⑤ squirrel

남 이것은 지구상에서 가장 빠른 동물이다. 이것은 짧은 거리를 시속 100에서 120km의 속도에 이를 수 있다. 그것의 털 색깔은 회색이나 갈색이고 털에 검은색 반점이 있다. 얼룩무늬 털이 초원의 키가 크고 마른 풀과 섞이기 때문에 이 동물은 보기가 힘들다. 그것은 '큰 고양잇과 동물' 중 하나로 간주된다. 호랑이, 사자, 표범, 그리고 재규어 또한 이 그룹의 일부이다. 이 동물은 낮 동안 먹이를 찾는 데 도움이 되는 뛰어난 시력을 가지고 있다.

① 하마 ② 치타 ③ 코끼리
④ 사자 ⑤ 다람쥐

정답 근거

M This is the fastest animal on earth. It can _____ _____ of 100 or 120 kilometers an hour over short distances. Its hair color is gray or brown and it has black spots on its coat. This animal is _____ _____ _____ because its spotted coat blends in with the tall, dry grass of the plains. It is considered one of the "big cats." Tigers, lions, leopards, and jaguars are also part of this grouping. This animal has excellent eyesight that _____ it _____ _____ during the day.

최상급
= per
함정 주의 호랑이, 사자, 표범, 그리고 재규어도 '큰 고양잇과 동물'에 속함
주격 관계대명사

Solution Tip 사자도 치타와 같은 '큰 고양잇과 동물'이지만 몸에 검은색 반점이 없다.

10 어색한 대화

다음을 듣고, 두 사람의 대화가 어색한 것을 고르시오.
① ② ③ ④ ⑤

① 남 몇 시니?
   여 미안하지만 지금 당장은 안 돼.
② 남 나에게는 운동이 좀 필요하다고 생각해.
   여 나도 그래. 나는 오늘부터 집에 걸어가기로 결심했어.
③ 남 그것은 멋진 경기였어.
   여 맞아. 정말 재미있었어.
④ 남 너는 왜 그렇게 급하니?
   여 30분 뒤에 보스턴으로 가는 기차를 타야 해서.
⑤ 남 너는 컴퓨터 게임을 얼마나 자주 하니?
   여 나는 주말마다 두 시간 동안 게임을 해.

정답 근거

① M Do you _____ _____ _____?
   W Sorry, but not right now.

② M I think I need some exercise.
   W So do I. I've _____ _____ _____ home from today.

③ M That was a great game.
   W _____. It was really fun.

④ M Why are you in a hurry?
   W It's because I have to _____ _____ _____ to Boston in 30 minutes.
   (시간이 많지 않아서) 바쁜
   이유를 나타내는 접속사

⑤ M How often do you play computer games?
   얼마나 자주
   W I play games for two hours every weekend.
   ~마다

11 할 일

대화를 듣고, 남자가 대화 직후에 할 일로 가장 적절한 것을 고르시오.
① 병원 가기
② 약 사러 가기
③ 빵 사러 가기
④ 침대에서 쉬기
⑤ 물 가져다주기

남 Lucy, 너 몸이 안 좋아 보이는구나.
여 감기에 걸린 것 같아요. 미열이 약간 있어요.
남 어제 쌀쌀했어. 내가 재킷을 입으라고 말했잖아.
여 아빠 말씀을 들었어야 했어요. 그런데 외출하시는 거예요?
남 그래. 빵을 좀 사러 나가려고. 약 좀 사다 줄까?
여 네, 부탁드려요.
남 그래. 침대에서 쉬렴.
여 따뜻한 물 좀 마시고 나서요. 목이 아프네요.
남 너는 침대에 누우렴. 내가 나가기 전에 물을 한 잔 가져다줄게.

🇬🇧

M Lucy, you don't look good.

W I guess I _____ _____ _____. I have a slight fever.
have a fever: 열이 있다

M It was chilly yesterday. I told you to wear a jacket.
to부정사의 명사적 용법(목적격 보어)

W I should have _____ to you, Dad. By the way, are you going out?
그런데(화제 전환)

⚠️ 함정 주의 남자가 외출한 뒤에 할 일, 외출하기 전에 할 일을 주의해서 듣기

M Yes. I'm going out to buy some bread. Can I buy you some medicine?

W Yes, please.

M Okay. Have a rest in your bed.
쉬다

W After I drink some warm water. I have a sore throat.
🎵 정답 근거 목이 아프다

M You lie down on the bed. I'll get you _____ _____ _____ _____ before I go out.
눕다

12 요일

대화를 듣고, 두 사람이 다음 주에 학교에 가지 않는 요일을 고르시오.
① Monday　② Tuesday
③ Wednesday　④ Thursday
⑤ Friday

남 너는 다음 주 휴교일에 무엇을 할 거니?
여 계획은 없어. 그게 월요일이나 금요일이면 3박 4일로 가족들과 여행을 갈 수 있을 텐데.
남 그렇지만 학교를 이틀만 가고 나면 우리는 쉴 수 있어.
여 그래. 그 후에 학교를 이틀 가고, 그리고는 주말이지.
남 내 말이 그 말이야.
여 그래서 너는 휴일에 특별한 계획이 있니?
남 나는 Nick이랑 영화 보러 갈 거야. 우리랑 같이 갈래?
여 그거 좋지!

M What are you going to do on the school holiday next week?

W I don't have a plan. If it were Monday or Friday, I could _____ _____ _____ _____ with my family for 4 days and 3 nights.
🎵 정답 근거 B days and A nights: A박 B일

M But we just go to school _____ _____ _____, and then we can have a break.

W Yeah. After that, we go to school for two days, and it's the weekend.

M That's what I'm saying.

W So, do you have a special plan on the holiday?

M _____ _____ _____ go to a movie with Nick. Why don't you join us?

W That sounds wonderful!

🔄 Solution Tip 학교를 이틀 가고 나면 쉴 수 있고, 그리고 나서 또 이틀을 가면 주말이라고 했으므로 학교에 안 가는 요일은 수요일이다.

13 그림 정보 ☐☐

다음 좌석 배치도를 보면서 대화를 듣고, 두 사람이 앉을 자리의 구역을 고르시오.

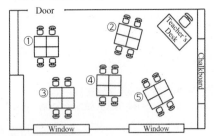

남 Julia, 우리 수학 시간에 어디에 앉을까?
여 우리가 어디에 앉을지 고를 수 있어?
남 응. White 선생님께서 우리가 자유롭게 자리를 골라도 된다고 하셨어.
여 잘됐다! 그러면 문 바로 옆 뒤쪽에 앉자.
남 음…… 앞쪽에 앉지 않을래? 내가 안경을 집에 두고 왔어.
여 오, 정말? 그럼 여기 앉자.
남 거기는 선생님과 너무 가깝지 않니? 창문 옆에 앉는 것은 어때?
여 좋아. 거기에 앉자.

M Julia, _____ _____ _____ sit in the math class?

W Can we choose where to sit?
　　　　　where+to부정사: 어디에 ~할지

M Yes. Ms. White said we could freely choose _____

_____.

　┌ How 감탄문
W How nice! Then let's sit in the back, right next to the door.

🎵정답 근거
M Hmm ... why don't we have a seat in _____ _____?
　　　　　　　　　　　　　　　　　앉다
I left my glasses at home.

W Oh, really? Then let's sit here.

M Isn't it too close to the teacher? How about _____

_____ _____ the window?

W Sounds good. Let's have a seat there.

🔊 **Sound Tip**　have a seat

have와 a는 연음되어 [해버]로 짧게 들리므로 주의한다.

---

14 과거에 한 일 ☐☐

대화를 듣고, 여자가 어제 한 일로 가장 적절한 것을 고르시오.
① 책 읽기
② 독후감 쓰기
③ 놀이공원 가기
④ 친척 집에 놀러 가기
⑤ 공원에서 산책하기

남 너 바빠 보여. 뭐 하고 있니?
여 독후감을 쓰고 있어.
남 그거 아직 못 끝냈어? 우리 오늘 오후까지 독후감을 제출해야 해.
여 나도 알아. 그것을 더 일찍 끝냈어야 했는데.
남 왜 아직 못 끝낸 거야?
여 밴쿠버에 살고 있는 사촌이 어제 우리 집에 왔거든. 나는 그랑 많은 시간을 보내고 싶었어.
남 그랑 어제 뭘 했니?
여 우리는 놀이공원에 갔어.
남 그렇구나. 음, 너는 서두르는 게 좋겠다.

M You look busy. What are you doing?

W _____ _____ a book report.
　　　　　　　　　　독후감

M Didn't you finish it yet? We have to hand in the report by
　　부정 의문문　　　　　　　　　　　　　~을 제출하다
this afternoon.

W I know. I should have _____ _____ _____.

M Why haven't you finished it yet?
　　　　　　　　　　　　　　아직

W My cousin living in Vancouver visited us yesterday.

I wanted to _____ a lot of _____ with him.
　🎵정답 근거
M What did you do with him yesterday?

W We went to _____ _____ _____.

M I see. Well, you'd better hurry.
　　　　　　　　had better: ~하는 편이 낫다

---

15 목적

다음을 듣고, 방송의 목적으로 가장 적절한 것을 고르시오.

① 식당 위치를 안내하려고
② 체험 활동을 소개하려고
③ 폐장 시각을 공지하려고
④ 표 구입 방법을 설명하려고
⑤ 동물원 규칙을 안내하려고

여 ABC 동물원에 오신 것을 환영합니다. 여러분께 몇 가지 중요한 규칙을 안내드리고자 합니다. 주의 깊게 듣고 따라 주시길 바랍니다. 첫째로 동물들에게 먹이를 주지 마세요. 그것은 그들을 아프게 할 수 있습니다. 둘째로 동물들을 만지거나 괴롭혀서는 안 됩니다. 그리고 절대로 울타리 위에 서거나, 앉거나, 올라타거나, 기대지 마세요. 만약 울타리에서 떨어지면 동물들이 여러분을 해칠 수도 있습니다. 또한 저희 직원의 지시에 따라 주시길 부탁드립니다. 즐거운 시간 보내시길 바랍니다.

W Welcome to ABC Zoo. 🎵정답 근거 I'd like to announce some

_____ _____ for you. Please listen carefully and

follow them. First, _____ _____ _____ the
　　　　　　　　= rules

animals. It can make them sick. Second, you _____

_____ touch or tease the animals. Also, make sure that
　　　　　　　　　　　　　　　　　　　　Make sure (that) ~.: 반드시 ~해라.

you do not stand, sit, climb, or lean on the fences. If you
　　　　　　　　　　　　　　　　　　lean on ~에 기대다

fall from the fences, the animals _____ _____ you.
(~으로부터) 떨어지다

I also ask you to follow the instructions given by our staff.

I hope you have a good time.

16 금액

대화를 듣고, 남자가 지불할 금액을 고르시오.

① $9　　② $12　　③ $22
④ $29　　⑤ $32

여 도와드릴까요, 손님?
남 네. 저는 이 고구마랑 오이를 사고 싶어요. 이것들은 얼마인가요?
여 고구마는 한 봉지에 7달러이고, 오이는 한 봉지에 2달러입니다.
남 그러면 각각 한 봉지씩 살게요. 이 양파는 얼마인가요?
여 그것들은 kg당 10달러입니다.
남 2kg 주세요.
여 다 해서 29달러입니다. 배달해 드리길 원하세요? 배달료 3달러를 더 내셔야 해요.
남 알겠습니다. 배달해 주세요.

W May I help you, sir?

M Yes, please. _____ _____ _____ buy these sweet
potatoes and cucumbers. How much are they?

W A pack of sweet potatoes is 7 dollars, and a pack of
　　한 봉지의
cucumbers is 2 dollars.

M Then I'll take one pack of each. How about these onions?

W They're 10 dollars _____ _____ _____.

M Give me two kilos, please.

🎵정답 근거
W That's 29 dollars in total. Do you want me to have them
　　　　　　　　　모두 합해서
delivered? You have to _____ _____ _____
3 dollars for the delivery.

M Okay. Please deliver them.

▶ **Solution Tip** 고구마와 오이 각각 한 봉지와 양파 2kg 값을 모두 합해 29달러라고 했다. 거기에 배달료 3달러를 더하면 32달러이다.

17 적절한 응답 ▢▢

대화를 듣고, 여자의 마지막 말에 대한 남자의 응답으로
가장 적절한 것을 고르시오.

Man: _____

① Yes. It was really exciting.
② I watch movies twice a month.
③ Let's go to watch movies sometimes.
④ What kind of movies do you like the most?
⑤ I thought the book was better than the movie.

남 Amelia, 뭐 읽고 있니?
여 나는 소설을 읽고 있어.
남 오, 그거 Stephen King이 쓴 책이니? 난 그의 엄청난 팬이야.
여 그래? 줄거리가 재미있어. 이 책이 영화로 만들어지면 좋겠다.
남 사실 그거 이미 영화로 만들어졌어.
여 정말? 너는 그거 봤니?
남 응, 봤어.
여 영화 어땠어?
남 ⑤ 나는 책이 영화보다 더 낫다고 생각했어.

M Amelia, what are you reading?

W I'm _____ a novel.

M Oh, is that a book by Stephen King? I'm a _____ _____ of his.

W Are you? The story is interesting. I wish this book would be made into a movie.
~로 만들어지다

M Actually, it _____ already _____ _____ a movie.

W Really? Did you watch it?

M Yes, I did.
♪정답 근거

W _____ _____ _____ like the movie?

M ⑤ I thought the book was better than the movie.

① 응. 그거 정말 신나더라.   ② 나는 한 달에 두 번 영화를 봐.
③ 가끔 영화를 보러 가자.   ④ 너는 어떤 종류의 영화를 가장 좋아하니?

18 적절한 응답 ▢▢

대화를 듣고, 남자의 마지막 말에 대한 여자의 응답으로
가장 적절한 것을 고르시오.

Woman: _____

① I'm all ears.
② Yes, you may.
③ I wish you good luck.
④ I'm not sure where he lives.
⑤ I think we should call the management office.

남 엄마, 저 소음은 뭐죠?
여 위층에 살고 있는 남자가 피아노를 치고 있는 것 같구나.
남 오, 그 피아니스트 말씀하시는 거죠?
여 그래. 그는 가끔씩 밤에도 피아노를 연습해.
남 그렇지만 지금은 밤 9시예요. 너무 늦었다고요.
여 나도 알아. 내가 이미 일전에 저녁 8시 이후에는 피아노를 치지 말라고 부탁했었단다.
남 그러면 우리가 어떻게 해야 하는 거죠?
여 ⑤ 관리 사무실에 전화를 해 봐야 할 것 같구나.

M Mom, what's that noise?

W I guess the man _____ _____ is playing the piano.

M Oh, you mean that pianist guy?

W Yeah. He sometimes practices the piano _____ _____ _____.

M But it's 9 p.m. It's too late.

W I know. I already _____ _____ not to play it after 8 p.m. the other day.
to부정사의 부정: not+to부정사
♪정답 근거 일전에, 며칠 전에

M Then what _____ we do?

W ⑤ I think we should call the management office.

① 나는 잘 듣고 있어.   ② 응, 그래도 돼.   ③ 행운을 빌어.   ④ 그가 어디에 사는지 확실하지 않아.

19 적절한 응답

대화를 듣고, 여자의 마지막 말에 대한 남자의 응답으로 가장 적절한 것을 고르시오.

Man: _____

① Good for you!
② Both of them are mine.
③ It is made of oakwood.
④ Are you ready to order?
⑤ You're not supposed to take pictures.

M Julia, welcome to my house. _____ _____ _____.

W Thank you for inviting me.

M Please make yourself _____ _____.

W What a beautiful house! Oh, that chair looks really
   명사를 강조하는 What 감탄문
   elegant.

M Actually, I _____ _____ by myself. I've been
   by oneself: 혼자   현재완료 진행
   learning woodworking.

W Wow! That's cool!

M Thanks. My father likes _____ _____ very much as
   well.
   🎵정답 근거
W What is it made of?
   be made of: ~로 만들어지다
M ③ It is made of oak wood.

남 Julia, 내 집에 온 걸 환영해. 들어와.
여 나를 초대해 줘서 고마워.
남 편하게 있으렴.
여 정말 예쁜 집이야! 오, 저 의자가 무척 우아해 보여.
남 사실 내가 직접 만든 거야. 나는 목공예를 배우고 있거든.
여 왜! 멋지다!
남 고마워. 아버지께서도 그 의자를 무척 좋아하셔.
여 뭐로 만든 거니?
남 ③ 그건 떡갈나무로 만든 거야.

① 잘됐다! ② 그것들 둘 다 내 것이야. ④ 주문할 준비가 되었니? ⑤ 너는 사진을 찍어서는 안 돼.

---

20 상황에 맞는 말

다음 상황 설명을 듣고, Matthew가 수미에게 할 말로 가장 적절한 것을 고르시오.

Matthew: Sumi, _____

① I'm sorry, but I can't.
② thanks. You are my true friend.
③ you need to do your homework first.
④ can you buy something to eat for me?
⑤ do you need help with the homework?

M It is _____ _____. Matthew is very busy doing his
   math homework. He has to finish it _____ the class
   begins. He feels hungry. He didn't _____ _____
   _____. Then he sees that Sumi, one of his classmates,
   🎵정답 근거
   is going to the cafeteria with her friends. He wants to
   ask her to _____ _____ _____ for him. In this
   situation, what would Matthew most likely say to Sumi?

Matthew Sumi, ④ can you buy something to eat for me?

남 쉬는 시간이다. Matthew는 수학 숙제를 하느라 매우 바쁘다. 그는 수업이 시작하기 전에 그것을 마쳐야 한다. 그는 배가 고프다. 그는 심지어 점심도 먹지 못했다. 그때 그는 반 친구 중 한 명인 수미가 친구들과 카페테리아에 가는 것을 본다. 그는 그녀에게 간식을 좀 사다 달라고 부탁하고 싶다. 이러한 상황에서 Matthew는 수미에게 뭐라고 말할까?

Matthew 수미야, ④ 내게 먹을 것 좀 사다 주겠니?

① 미안하지만 난 못해. ② 고마워. 너는 나의 진정한 친구야.
③ 너는 우선 숙제를 해야 해. ⑤ 너 숙제하는 데 도움이 필요하니?

모의고사를 먼저 풀고 싶으면 346쪽으로 이동하세요.

🎧 **다음 표현을 듣고 모르는 것에 표시하시오.**

01	traditional 전통의, 전통적인	25	spicy 양념 맛이 강한, 매운
02	fan 부채	26	relieve 완화하다
03	village 마을	27	express 표현하다
04	by mistake 실수로	28	choice 선택
05	direct (영화를) 감독하다	29	include 포함하다
06	insect 곤충	30	biography 전기, 일대기
07	excuse 변명, 이유	31	dried seaweed 김
08	quite 꽤, 상당히	32	evenly 고르게
09	dead (배터리가) 다 된	33	filling (음식의) 속[소]
10	sneeze 재채기하다	34	sesame oil 참기름
11	coin 동전	35	bite-sized 한입 크기의
12	absent 결석한	36	stair 계단
13	culture 문화	37	instead of ~ 대신에
14	wonder 궁금하다	38	long face 시무룩한 얼굴
15	come across ~을 우연히 발견하다	39	unlucky 운이 나쁜
16	raise (돈을) 모으다	40	pity 유감, 안된 일
17	visitor 방문객	41	P.E. (과목) 체육(= physical education)
18	in need 도움이 필요한	42	familiar 익숙한
19	field 경기장	43	turn down 거절하다
20	equipment 장비		
21	offense 공격		**알아두면 유용한 선택지 어휘**
22	defense 수비		
23	pitcher 투수	44	give it a try 시도하다, 한번 해 보다
24	score 점수	45	jump rope 줄넘기하다
		46	Break a leg. 행운을 빌어요.

🎧 들으면서 표현을 완성한 다음, 뜻을 고르시오.

표현의 의미를 생각하며 다시 써 보기!

01 ins　ct　　☐ 곤충　　☐ 파충류　　➡ _____

02 w　nder　　☐ 궁금하다　　☐ 인정하다　　➡ _____

03 bi　e-sized　　☐ 한입 크기의　　☐ 중간 크기의　　➡ _____

04 f　mi　iar　　☐ 낯선　　☐ 익숙한　　➡ _____

05 incl　de　　☐ 포함하다　　☐ 제외하다　　➡ _____

06 bio　raphy　　☐ 전기　　☐ 자필 서명　　➡ _____

07 of　ense　　☐ 공격　　☐ 수비　　➡ _____

08 sp　cy　　☐ 쓴　　☐ 매운　　➡ _____

09 co　n　　☐ 지폐　　☐ 동전　　➡ _____

10 e　uipment　　☐ 장비　　☐ 기계　　➡ _____

11 stai　　　☐ 계단　　☐ 바닥　　➡ _____

12 e　enly　　☐ 고르게　　☐ 둥글게　　➡ _____

13 snee　e　　☐ 토하다　　☐ 재채기하다　　➡ _____

14 　xcuse　　☐ 결과　　☐ 변명　　➡ _____

15 di　ect　　☐ 연기하다　　☐ (영화를) 감독하다　　➡ _____

16 fie　d　　☐ 경기장　　☐ 전시장　　➡ _____

17 r　lieve　　☐ 완화하다　　☐ 강화하다　　➡ _____

18 lon　face　　☐ 시무룩한 얼굴　　☐ 들뜬 얼굴　　➡ _____

19 ab　ent　　☐ 참석한　　☐ 결석한　　➡ _____

20 ra　se　　☐ (돈을) 모으다　　☐ (돈을) 아끼다　　➡ _____

22회
중학

실전 모의고사 [22]회

실전 모의고사 22회 →
┌ 모의고사 보통 속도
└ 모의고사 빠른 속도

✎ 들으면서 주요 표현 메모하기!

01 대화를 듣고, 남자가 선물한 부채를 고르시오.

① ② ③ ④ ⑤

02 대화를 듣고, 여자가 남자에게 전화한 목적으로 가장 적절한 것을 고르시오.

① 사용법을 물어보려고　　　　　② 제품 고장을 문의하려고
③ 환불을 요청하려고　　　　　　④ 주문을 취소하려고
⑤ 수리점 위치를 확인하려고

03 대화를 듣고, 두 사람이 함께 볼 영화에 관해 언급되지 <u>않은</u> 것을 고르시오.

① 제목　　　② 감독　　　③ 배우　　　④ 장르　　　⑤ 소재

고난도　메모하며 풀기

04 대화를 듣고, 여자가 카페를 떠난 시각을 고르시오.

① 4:00 p.m.　② 4:45 p.m.　③ 5:00 p.m.　④ 5:15 p.m.　⑤ 5:30 p.m.

05 다음 그림의 상황에 가장 적절한 대화를 고르시오.

①　　　　　②　　　　　③　　　　　④　　　　　⑤

06 대화를 듣고, 두 사람이 대화하는 장소로 가장 적절한 곳을 고르시오.

① 집   ② 학교   ③ 병원   ④ 도서관   ⑤ 극장

✎ 들으면서 주요 표현 메모하기!

07 대화를 듣고, 남자가 여자에게 부탁한 일로 가장 적절한 것을 고르시오.

① 사진 출력하기   ② 잡지 빌려주기
③ 몽골에 관해 조사하기   ④ 미술 준비물 사다 주기
⑤ 미술 프로젝트 같이 하기

고난도 메모하며 풀기

08 다음을 듣고, 전시회에 관해 언급되지 <u>않은</u> 것을 고르시오.

① 목적   ② 작가   ③ 장소   ④ 기간   ⑤ 작품 수

09 다음을 듣고, 무엇에 관한 설명인지 고르시오.

① 축구   ② 탁구   ③ 농구   ④ 야구   ⑤ 배구

10 다음을 듣고, 두 사람의 대화가 <u>어색한</u> 것을 고르시오.

①   ②   ③   ④   ⑤

틀린 문제는 Dictation에서
완벽하게 이해하세요.

들으면서 주요 표현 메모하기!

11 대화를 듣고, 두 사람이 할 일로 가장 적절한 것을 고르시오.

① 수학 공부하기　　　② 컴퓨터 게임하기　　　③ 매운 음식 먹으러 가기
④ 요리 강좌 수강하기　　⑤ 쇼핑하러 가기

12 대화를 듣고, 남자의 심정으로 가장 적절한 것을 고르시오.

① sad　　　② jealous　　　③ worried　　　④ pleased　　　⑤ surprised

13 다음 표를 보면서 대화를 듣고, 남자가 구입할 제품을 고르시오.

	Model	Number of Colors	Price	Sketchbook
①	A	24	$13	×
②	B	24	$16	○
③	C	32	$17	×
④	D	32	$19	○
⑤	E	36	$27	○

14 대화를 듣고, 여자가 어젯밤에 한 일로 가장 적절한 것을 고르시오.

① 게임하기　　　② 책 읽기　　　③ 영화 보기
④ 공부하기　　　⑤ 독후감 쓰기

고난도　메모하며 풀기

15 다음을 듣고, 방송의 목적으로 가장 적절한 것을 고르시오.

① 조리법을 설명하려고　　　　② 운영 중인 식당을 홍보하려고
③ 요리 경연 참여를 장려하려고　　④ 요리 경연 우승자를 발표하려고
⑤ 좋은 식재료 고르는 방법을 알려 주려고

고난도 메모하며 풀기

16 대화를 듣고, 남자가 지불할 금액을 고르시오.

① $30 ② $65 ③ $70 ④ $100 ⑤ $130

17 대화를 듣고, 여자의 마지막 말에 대한 남자의 응답으로 가장 적절한 것을 고르시오.

Man: _____

① No way! I'm healthy enough.
② That's a good idea. I'll give it a try.
③ Running is easier than jumping rope.
④ Nothing is more important than health.
⑤ Why don't you take a swimming lesson?

고난도 메모하며 풀기

18 대화를 듣고, 남자의 마지막 말에 대한 여자의 응답으로 가장 적절한 것을 고르시오.

Woman: _____

① Break a leg!
② I'm sure you can do it.
③ What do you mean by that?
④ Bad luck never comes alone.
⑤ I'll keep my fingers crossed for you.

19 대화를 듣고, 여자의 마지막 말에 대한 남자의 응답으로 가장 적절한 것을 고르시오.

Man: _____

① It's not far.
② You can take a bus.
③ I want to see paintings.
④ I go there once a month.
⑤ It takes about 20 minutes.

20 다음 상황 설명을 듣고, Joan이 Brian에게 할 말로 가장 적절한 것을 고르시오.

Joan: _____

① Why don't we see a movie?
② Let's make it at 6 at the bus stop.
③ I've already bought the movie tickets.
④ I'm so glad to see the movie with you.
⑤ Sorry. I have something important to do on Saturday.

틀린 문제는 Dictation에서
완벽하게 이해하세요.

01 그림 묘사
*들을 때마다 체크

대화를 듣고, 남자가 선물한 부채를 고르시오.

여 안녕, James. 봄 방학은 어땠니?
남 즐거운 시간을 보냈어. 전주로 가족 여행을 다녀왔거든.
여 재미있었겠다.
남 응. 그리고 너에게 줄 것이 있어. 내가 한옥 마을에서 한국 전통 부채를 사 왔어.
여 오, 멋지다! 부채에 있는 그림이 마음에 들어. 나비는 내가 가장 좋아하는 거야.
남 네가 그것들을 좋아할 거라고 생각했어.
여 나는 빨간색 꽃도 좋아. 진짜 꽃처럼 보여. 고마워.
남 네가 마음에 들어 하니 기뻐.

🇬🇧

W Hi, James. How was your spring break?

M I had a great time. I _____ _____ a family trip to Jeonju.

W That sounds like fun.

M Yeah. And I got something for you. I bought a _____ 〔정답 근거〕 Korean _____ in the Hanok Village.

W Oh, it's cool! I love the picture on the fan. Butterflies are _____ _____.

M I thought you would like them.
= butterflies

W I also like the red flower. It _____ _____ a real one. Thank you.
= flower

M I'm glad you like it.

02 목적

대화를 듣고, 여자가 남자에게 전화한 목적으로 가장 적절한 것을 고르시오.
① 사용법을 물어보려고
② 제품 고장을 문의하려고
③ 환불을 요청하려고
④ 주문을 취소하려고
⑤ 수리점 위치를 확인하려고

[전화벨이 울린다.]
남 Dream Electronics입니다. 어떻게 도와드릴까요?
여 안녕하세요. 제가 지난주에 거기에서 헤어드라이어를 샀는데요.
남 그것에 무슨 문제라도 있으신가요?
여 작동을 안 해요. 제가 실수로 그것을 떨어뜨렸거든요.
남 유감입니다. 고객 서비스 센터에 그것을 수리 맡기셔야 할 것 같네요.
여 그렇군요. 센터의 전화번호를 말씀해 주시겠어요?
남 물론이죠. 1234–1234입니다.
여 고맙습니다. 그리고 제가 수리비를 내야 하나요?
남 이 경우에는 그러셔야 할 것 같네요.

📞 Telephone rings.

M Dream Electronics. How may I _____ _____?

W Hello. I bought a hairdryer there last week.

M Is there anything wrong with it?
〔정답 근거〕   = the hairdryer
W It doesn't work. I _____ _____ by mistake.
실수로

M I'm sorry to hear that. I think you should have it _____ at the customer service center.

W I see. Can you tell me the phone number of the center?

M Sure. It's 1234–1234.

W Thanks. And _____ _____ _____ _____ pay for the repair?

M In this case, you most likely have to.
이 경우에는

Dictation 22회 →
⌈ 전체 듣기
⌊ 문항별 듣기

Dictation의 효과적인 활용법
STEP 1 들으면서 대본의 빈칸 채우기
STEP 2 축쇄 문제를 보며 다시 풀어 보기
STEP 3 해석을 보며 영어로 말하거나 영작해 보기

공부한 날　　월　　일

03 언급되지 않은 것 ▢▢

대화를 듣고, 두 사람이 함께 볼 영화에 관해 언급되지
않은 것을 고르시오.

① 제목　　　　　② 감독
③ 배우　　　　　④ 장르
⑤ 소재

여　너 'Flying'이라는 영화에 관해 들어 봤니?
남　제목은 들어 봤어. Tommy Williams가 감독한 영화 말
　　하는 거지?
여　응. 그거 정말 재미있대.
남　무엇에 관한 거야?
여　애니메이션 영화야. 곤충들의 삶을 다루고 있어.
남　오, 우리 과학 과제에 도움이 될 수 있겠다.
여　그게 내가 말하려던 거야. 오늘 오후에 그 영화를 같이
　　보자.
남　좋아.

♪정답 근거
W　Have you heard about the movie *Flying*?

M　I've heard the title. You mean the movie _____
　　_____ Tommy Williams?

W　Yes. They said it's very interesting.

M　What is it about?

W　It's an _____ movie. It's about the lives of insects.

M　Oh, it may be helpful for our science project.

W　That's what I _____ _____ _____ _____.
　　Let's see the movie together this afternoon.

M　Sounds great.

04 시각 ▢▢

대화를 듣고, 여자가 카페를 떠난 시각을 고르시오.

① 4:00 p.m.　　　② 4:45 p.m.
③ 5:00 p.m.　　　④ 5:15 p.m.
⑤ 5:30 p.m.

[휴대 전화벨이 울린다.]
남　여보세요. Mia, 오늘 모임은 정말로 미안해.
여　물론, 그래야지. 핑계가 뭐니?
남　믿지 않을 수도 있지만, 차가 막혀서 한참 동안이나 꼼
　　짝을 못했어.
여　그러면 내게 전화를 했어야지.
남　설상가상으로 내 전화기의 배터리가 방전됐었어. 모
　　임은 몇 시에 끝났니?
여　4시 45분에 끝났어. 모임이 끝난 뒤에도 나는 너를 카
　　페에서 30분 동안이나 더 기다렸다고.
남　나는 5시 30분에 도착했는데 그곳에 아무도 없더라.
　　정말로 다시 한 번 미안해.

📞Cellphone rings.

M　Hello. Mia, I'm terribly sorry about the meeting today.

W　Of course, you should be. What's your _____?

M　You may not believe me, but I _____ _____
　　_____ _____ for quite some time.
　　　　　　　　　　한참 동안

W　Then you should have called me.

M　To make things worse, my phone battery was dead. What
　　설상가상으로
　　time was the meeting over?
　　♪정답 근거

W　It finished at 4:45. After the meeting, I _____
　　you for half an hour more at the cafe.

M　I arrived at 5:30 and nobody was there. I'm really sorry,
　　again.

 Solution Tip　모임이 끝난 시각은 4시 45분이며, 여자는 그로부터 30분을 더 기다렸다고 했다. 따
라서 여자가 카페를 떠난 시각은 5시 15분이다.

05 그림 상황

다음 그림의 상황에 가장 적절한 대화를 고르시오.

① ② ③ ④ ⑤

① 여 이곳 주변에 지하철역이 있나요?
　 남 네. 모퉁이를 돌면 하나 있어요.
② 여 오늘은 어디가 불편하세요?
　 남 재채기를 자주 하고 열이 있어요.
③ 여 너는 그곳에 지하철 타고 갈 거니?
　 남 아니, 나는 버스를 탈 계획이야.
④ 여 여기에 앉으시겠어요?
　 남 오, 고맙습니다. 정말로 친절하시군요.
⑤ 여 이 발권기를 어떻게 사용할 수 있나요?
　 남 여기에 동전을 넣고 이 버튼을 누르세요.

① W　Is there a subway station around here?

　 M　Yes. There's one around the corner.
　　　　　　　　= a subway station

② W　What seems to be the problem today?

　 M　I _____ _____ and have a fever.

③ W　Are you going there by subway?
　　　　　　　　　　　　~로(수단을 나타내는 전치사)
　 M　No, _____ _____ _____ take a bus.
　　　　정답 근거

④ W　Would you like to take a seat here?
　　　　　　　　　　(자리에) 앉다
　 M　Oh, thank you. It's very kind of you.

⑤ W　_____ _____ _____ use the ticket machine?
　　　　　　　　　　　　　　　表 판매기, 발권기

　 M　Put the coins in here and press this button.

06 장소

대화를 듣고, 두 사람이 대화하는 장소로 가장 적절한 곳을 고르시오.

① 집　　　　　② 학교
③ 병원　　　　④ 도서관
⑤ 극장

남 Smith 선생님, 제가 지금 스마트폰을 사용해도 될까요?
여 규칙을 알잖아, 그렇지 않니?
남 저도 아는데요, 사회 숙제 때문에 정보를 검색해 봐야
　 하거든요.
여 숙제? 그것을 집에서 했어야지.
남 제가 어제 학교에 결석해서요. 숙제에 관해 아무것도
　 몰랐어요.
여 오, 그렇구나. 하지만 다 하고 나면 전화기를 끔.
　 규칙을 기억해. 학교에서는 전화기 금지.
남 물론이죠. 명심할게요.

M　Ms. Smith, can I use my smartphone now?

W　You know the rule, _____ _____?

M　I know, but I have to search for some information for the social studies homework.
　　　　　　　　　　　　　　　　　　(과목) 사회

W　Homework? You should have _____ it at home.
　　　　　　　　　　　　　　　　　　　　= homework

M　I was absent from school yesterday. I didn't know
　　　be absent from: ~에 결석하다
anything about the homework.

W　Oh, I see. But you _____ _____ _____ the phone
　　　　　　　　　　　　　　　　　　　　정답 근거
after you finish it. Remember the rule — no phone in school.

M　Sure. I'll keep that in mind.
　　　　keep ~ in mind: ~을 명심하다

07 부탁한 일

대화를 듣고, 남자가 여자에게 부탁한 일로 가장 적절한 것을 고르시오.

① 사진 출력하기
② 잡지 빌려주기
③ 몽골에 관해 조사하기
④ 미술 준비물 사다 주기
⑤ 미술 프로젝트 같이 하기

여 미술 프로젝트에 쓸 사진들 가져왔니?
남 무슨 프로젝트? 왜 우리에게 사진이 필요해?
여 세계의 다양한 문화에 관한 미술 프로젝트 기억 안 나?
남 오, 이런! 그걸 완전히 잊어버렸어. 난 아무것도 준비하지 못했어. 너는 좀 가져왔니?
여 응, 난 몽골에 관한 잡지를 가져왔어. 몽골의 전통 가옥을 그릴 거야.
남 네 잡지를 빌려줄 수 있어?
여 물론이지. 하지만 네가 괜찮은 사진을 찾을 수 있을지 모르겠어. 그건 모두 몽골에 관한 것이거든.
남 내가 원하는 사진이 나오면 너에게 물어볼게. 고마워.
여 천만에.

W Did you bring some photos for the art project?

M What project? Why do we need them?
= photos

W Don't you remember our art project on _____ _____
~에 관하여(= about)
in the world?

M Oh, no! I _____ _____ about it. I didn't prepare
anything. Did you bring some?

W Yes, I brought a magazine about Mongolia. I'm going to
draw a _____ _____ _____.
🔑정답 근거

M Can you _____ me your magazine?

W Sure. But I wonder if you can find a nice photo. It's all
about Mongolia.

M If I come across a photo I want, I'll ask you. Thanks.
~을 우연히 발견하다

W No problem.

08 언급되지 않은 것

다음을 듣고, 전시회에 관해 언급되지 않은 것을 고르시오.

① 목적   ② 작가
③ 장소   ④ 기간
⑤ 작품 수

남 학생 여러분, 안녕하세요. 저는 학교 미술 동아리의 Jimmy Smith입니다. 저희의 전시회에 관해 말씀드리려고 합니다. 자선 모금을 하기 위해 전시회를 열 것입니다. 여러분은 저희 동아리 회원들이 그린 그림들을 보고 구입할 수 있습니다. 또한 방문객들이 그림 그리는 법을 배우는 워크숍이 하루 종일 있을 것입니다. 전시회는 12월 20일부터 31일까지 미술실에서 열립니다. 전시회에 오셔서 도움이 필요한 사람들을 도와주세요.

M Good afternoon, students. This is Jimmy Smith from the
school art club. I'd like to talk about our exhibition. It is
🔑정답 근거
going to be held _____ _____ _____
_____. You can see and buy some paintings by our
club members. Also, there will be full-day workshops for
visitors _____ _____ _____ _____.
The exhibition will be held in the art classroom from
December 20th to 31st. Please come to the exhibition and
help people in need.
도움이 필요한

09 담화 화제

다음을 듣고, 무엇에 관한 설명인지 고르시오.
① 축구 ② 탁구 ③ 농구
④ 야구 ⑤ 배구

남 이것은 9명의 선수로 이루어진 두 팀이 하는 구기 종목이다. 그것은 내야, 외야, 그리고 4개의 베이스가 있는 다이아몬드 모양의 경기장에서 경기를 한다. 사용되는 장비의 일부는 공, 방망이, 그리고 글러브이다. 각 팀은 돌아가며 공격과 수비를 한다. 한 팀은 9명의 선수가 경기장에 있는 것으로 시작한다. 그들은 수비를 한다. 그들은 다른 팀이 3아웃을 당하게 해야 한다. 한 선수는 투수라고 불리고, 경기를 시작하기 위해 그가 공을 던진다.

🎵 정답 근거

M This is a ball game played between two teams of nine
a ball game을 수식하는 과거분사구
players. It is played on a diamond-shaped field that has
an infield, outfield, and four bases. Some of the _____
_____ is balls, bats, and gloves. Each team takes turns
playing _____ and _____. One team starts with all
start with: ~로 시작하다
nine of their players on the field. They are on defense.
They need to make three outs on the other team. One
player _____ _____ the pitcher, and he throws the
ball to start the game.
to부정사의 부사적 용법(목적)

10 어색한 대화

다음을 듣고, 두 사람의 대화가 어색한 것을 고르시오.
①　②　③　④　⑤

① 남 이번 주말에 무엇을 할 거니?
　여 나는 친구들이랑 스키 타러 갈 거야.
② 남 너는 집에 혼자 있는 것과 친구들과 시간을 보내는 것 중에 어느 것을 더 좋아하니?
　여 그래, 나는 그것들을 아주 좋아해.
③ 남 내가 창문을 열어도 괜찮겠니?
　여 응. 그렇게 하렴.
④ 남 내 생각에는 정크 푸드는 학교에서 판매되어서는 안 돼.
　여 전적으로 동의해.
⑤ 남 휴식에 좋은 음악을 추천해 줄래?
　여 물론이지, D2의 신곡들을 들어 봐.

① M What are you going to do this weekend?
　W I'm going to _____ _____ with my friends.
　🎵 정답 근거
② M Which do you prefer, staying at home alone _____
hanging out with your friends?
hang out with: ~와 시간을 보내다
　W Yes, I like them a lot.
③ M Do you mind if I open the window?
~해도 괜찮은가요?(허락을 요청하는 말)
　W No, I don't. _____ _____.
Do you mind ~? 질문에 대해 허락은 No로, 금지는 Yes로 답한다.
④ M In my opinion, junk food should not be sold at school.
내 생각에는
　W You can say that again.
⑤ M _____ _____ _____ some good music for
relaxing?
　W Sure. Try D2's new songs.

🔙 **Solution Tip** Which do you prefer, *A* or *B*?는 'A와 B 중, 어느 것을 더 좋아합니까?'라는 뜻의 선호를 묻는 말이다. 이에 대해서는 둘 중 하나를 선택해서 답한다.

11 할 일

대화를 듣고, 두 사람이 할 일로 가장 적절한 것을 고르시오.

① 수학 공부하기
② 컴퓨터 게임하기
③ 매운 음식 먹으러 가기
④ 요리 강좌 수강하기
⑤ 쇼핑하러 가기

여 우울해 보이는구나. 무슨 일 있니?
남 오늘 수학 시험을 잘 보지 못했어.
여 정말? 나는 네가 시험공부를 정말 열심히 했다고 생각했는데.
남 그랬는데, 소용없었어. 내 수학 점수는 절대 오르지 않아.
여 네 기분이 어떤지 알겠다. 음, 우리 매운 음식 먹으러 가지 않을래?
남 매운 음식? 왜?
여 매운 음식을 먹으면 네 기분이 훨씬 나아질 거야. 그건 스트레스를 완화하는 데 도움을 주거든.
남 알겠어, 그럼. 가자.

W You look down. What's wrong?
M I didn't _____ _____ on the math test today.
W Really? I thought you studied for the test really hard.
M I did, but it was no use. My math score never goes up.
　go up: 오르다
　It is no use ~: 소용없다
　정답 근거
W I know _____ _____ _____. Well, why don't we eat some spicy food?
M Spicy food? Why?
W Eating spicy food will _____ _____ _____ much better. It helps relieve stress.
M Okay, then. Let's go.

12 심정

대화를 듣고, 남자의 심정으로 가장 적절한 것을 고르시오.

① sad　② jealous
③ worried　④ pleased
⑤ surprised

여 안녕, 세준아. 뭐 하고 있니?
남 공부해. 다음 주에 중학교 마지막 시험이 있잖아.
여 그래. 시간이 얼마나 빨리 가는지! 우리는 곧 고등학생이 되잖아.
남 맞아. 나는 사실 정말 걱정이 돼.
여 무엇이 그렇게 걱정되니?
남 나는 내가 무엇을 잘하는지 모르겠어. 또 내가 무엇이 되고 싶은지도 모르겠고.
여 나도 그래. 그렇지만 우리가 그것을 알아낼 수 있을 거라고 생각해. 일단 시험공부나 열심히 하자.

① 슬픈　② 질투하는　③ 걱정하는
④ 기쁜　⑤ 놀란

W Hey, Sejun. What are you doing?
M I'm studying. We have the last exam of middle school next week.
W Yeah. _____ _____ _____! We'll be high school students soon.
　정답 근거
M That's right. I'm quite worried actually.
W What are you so worried about?
M I don't know _____ I'm good at. Also, I have no idea _____ I want to be.
　be good at: ~을 잘하다
W _____ _____ _____. But I think we can find that out. Let's study hard for the exam first.

Sound Tip want to
want to는 /원트투/로 발음하지 않고, want와 to의 t가 연음되어 /원투/로 발음된다.

13 표 정보

다음 표를 보면서 대화를 듣고, 남자가 구입할 제품을
고르시오.

	Model	Number of Colors	Price	Sketchbook
①	A	24	$13	×
②	B	24	$16	○
③	C	32	$17	×
④	D	32	$19	○
⑤	E	36	$27	○

여 야, Dave! 너 뭐 보고 있어?
남 나는 조카에게 줄 크레용을 찾고 있어.
여 너 정말 다정하구나. 몇 가지 색을 원하니?
남 그가 원하는 것을 표현하려면 30가지 이상의 색이 필
요할것 같아.
여 네 말이 맞아. 그럼 3가지 선택이 남는구나.
남 그리고 20달러 미만이면 좋겠어.
여 오, 이건 스케치북을 포함하고 있어.
남 그거 잘됐다! 그것으로 살래.

W Hey, Dave! What are you looking at?

M I'm _____ _____ crayons for my nephew.

W You're so kind. How many colors do you want?
　정답 근거　　　　얼마나 많은

M I think he'll need _____ _____ thirty colors
_____ _____ what he wants.
express의 목적어로 쓰인 명사절

W You're right. Then, there are three choices left.

M And I want it to be _____ 20 dollars.

W Oh, this one includes a sketchbook.

M That's great! I'll take it.

14 과거에 한 일

대화를 듣고, 여자가 어젯밤에 한 일로 가장 적절한 것을
고르시오.
① 게임하기
② 책 읽기
③ 영화 보기
④ 공부하기
⑤ 독후감 쓰기

남 Anna, 네가 수업 시간에 자고 있는 걸 봤어. 무슨 일
있니?
여 정말 죄송해요, Davis 선생님. 피곤했어요.
남 어젯밤에 잠을 잘 못 잤니?
여 별로 못 잤어요. 사실은 책을 읽느라 밤을 새웠거든요.
남 무엇을 읽었니?
여 스티븐 호킹의 전기를 읽었어요. 너무 재미있어서 읽는
것을 멈출 수가 없었어요.
남 네가 독서에 빠져 있다는 건 알지만, 잠을 충분히 자야
한단다.
여 명심할게요.

M Anna, I _____ you _____ in class. What's wrong?

W I'm so sorry, Mr. Davis. I felt tired.

M _____ _____ sleep well last night?
　　　　　　　　　　　　　정답 근거　　┌→ be up all night: 밤을 지새우다

W Not really. Actually, I was up all night reading a book.
부정 의문문에 대한 응답은 대답의 내용이 긍정이면 Yes, 부정이면 No로 한다.

M What did you read?

W I read a biography of Steve Hawking. It was _____
interesting _____ I coundn't stop reading.

M I know you're into reading books, but you should
　　　　　　be into: ～에 관심이 많다
_____ _____ _____.

W I'll keep that in mind.

15 목적

다음을 듣고, 방송의 목적으로 가장 적절한 것을 고르시오.

① 조리법을 설명하려고
② 운영 중인 식당을 홍보하려고
③ 요리 경연 참여를 장려하려고
④ 요리 경연 우승자를 발표하려고
⑤ 좋은 식재료 고르는 방법을 알려 주려고

W Good evening. This is Chef Lee, your cooking teacher. 🔑정답 근거 How do you make *gimbap*? It's easy. First, place a sheet of dried seaweed [한 장의] on a rolling mat. Next, _____ _____ [김] _____ the seaweed and spread it evenly. Then place eggs, fish cakes, ham, carrots, spinach, and pickled radish [어묵] [단무지] onto the rice. You can add _____ _____ _____ you want. Carefully _____ the mat. Finally, spread sesame oil on it and slice it into bite-sized pieces. [참기름] [한입 크기의]

여 안녕하세요. 여러분의 요리 선생님, 이 주방장입니다. 김밥은 어떻게 만들까요? 그건 쉽습니다. 우선 김 한 장을 김발 위에 놓으세요. 그 다음에 김 위에 밥을 얹어 고르게 펴세요. 그리고 나서 밥 위에 달걀, 어묵, 햄, 당근, 시금치, 그리고 단무지를 올리세요. 여러분이 원하는 다른 속 재료를 추가하셔도 됩니다. 조심스럽게 김발을 말아 주세요. 마지막으로 그 위에 참기름을 바르고 한입 크기로 자르세요.

> **Solution Tip** 김밥을 만드는 절차를 First, Next, Then, Finally 등의 표현을 이용하여 설명하고 있다.

16 금액

대화를 듣고, 남자가 지불할 금액을 고르시오.

① $30 ② $65 ③ $70
④ $100 ⑤ $130

M Excuse me. I'm _____ _____ a coat for my cousin's wedding.

W Take a look at our coat section, please. [~을 보다]

M Oh, I like this coat. _____ _____ _____ if I try this <u>on</u>? [try on: ~을 입어 보다]

W Of course not. Go ahead.

M Hmm ... I like it. How much is it? 🔑정답 근거

W It's normally 100 dollars, but it's 30% off now.

M Okay. I also have a _____ coupon.

W Let me check. [*Pause*] You can get an _____ 5 dollars off.

M That sounds good. I'll take it.

남 실례합니다. 저는 사촌의 결혼식에 입고 갈 외투를 찾고 있어요.
여 저희 외투가 있는 곳을 보시죠.
남 오, 저는 이 외투가 마음에 드네요. 입어 봐도 될까요?
여 물론입니다. 입어 보세요.
남 음…… 좋군요. 얼마인가요?
여 정상가는 100달러인데, 지금 30% 할인 중입니다.
남 그렇군요. 저한테 할인 쿠폰도 있어요.
여 확인해 볼게요. [잠시 후] 5달러를 추가로 할인받으실 수 있네요.
남 그거 잘됐군요. 그것을 살게요.

> **Solution Tip** 외투의 가격이 100달러였는데 30% 할인 중이므로 70달러이다. 또한 남자가 가지고 있는 할인 쿠폰으로 5달러 추가 할인을 받았으므로, 지불할 금액은 65달러이다.

[Dictation] 실전 모의고사 **22**회

17 적절한 응답 ☐☐

대화를 듣고, 여자의 마지막 말에 대한 남자의 응답으로
가장 적절한 것을 고르시오.

Man: _____

① No way! I'm healthy enough.
② That's a good idea. I'll give it a try.
③ Running is easier than jumping rope.
④ Nothing is more important than health.
⑤ Why don't you take a swimming lesson?

여 야, 너 무척 피곤해 보인다. 괜찮니?
남 안 괜찮아. 나는 요즘에 힘이 없고 피곤해.
여 나는 네가 걱정돼. 잠은 충분히 자고 있는 거니?
남 응, 그런데도 여전히 피곤해.
여 나는 네가 운동을 좀 해야 할 것 같아.
남 그것을 위한 충분한 시간이 없어. 영어 말하기 대회까지
　일주일 밖에 안 남았거든.
여 그러면 엘리베이터를 타는 대신 계단을 걸어 올라가
　보지 그러니? 그건 간단하고 쉽잖아.
남 ② 그거 좋은 생각이다. 한번 해 볼게.

W　Hey, you look really tired. Are you okay?

M　I'm not okay. I feel _____ _____ these
요즘에
　days.

W　I'm worried about you. Are you _____ enough sleep?

M　Yeah, but I still feel tired.

W　I think you _____ _____ some exercises.

M　I don't have enough time for that. I have only a week left
= doing some exercises
　before the English speaking contest.

W　정답 근거　Then why don't you _____ _____ the stairs instead
~ 대신에
　of taking the elevator? It's simple and easy.

M　② That's a good idea. I'll give it a try.

① 절대 안 돼! 나는 충분히 건강해.　③ 달리기가 줄넘기보다 더 쉬워.
④ 건강보다 더 중요한 건 없어.　⑤ 수영 강습을 받아 보는 건 어떠니?

18 적절한 응답 ☐☐

대화를 듣고, 남자의 마지막 말에 대한 여자의 응답으로
가장 적절한 것을 고르시오.

Woman: _____

① Break a leg!
② I'm sure you can do it.
③ What do you mean by that?
④ Bad luck never comes alone.
⑤ I'll keep my fingers crossed for you.

남 왜 그런 시무룩한 얼굴을 하고 있니?
여 나는 오늘 정말로 운이 안 좋아.
남 왜 그렇게 생각하는데?
여 내가 오늘 아침에 늦게 일어났거든. 버스 정류장으로
　서둘러 갔는데, 버스를 놓치고 말았어. 그리고 나서 학
　교에 5분 지각했지.
남 오, 안됐구나!
여 또 체육 시간에는 안경이 부러졌어. 설상가상으로 나의
　팀이 농구 시합에도 졌다는 거야.
남 정말 안됐다.
여 ④ 나쁜 일은 절대로 한 개로 끝나지 않는다니까.

M　Why the long face?
정답 근거　시무룩한 얼굴
W　I'm _____ _____ today.

M　What makes you think so?
이유를 묻는 표현
W　I got up late this morning. I _____ _____ the bus
　stop, but I missed the bus. Then I was five minutes late for
　school.

M　Oh, _____ _____ _____!

W　Also, my glasses were broken in P.E. class. What is worse,
(과목) 체육　설상가상으로
　_____ _____ _____ the basketball game.

M　I'm so sorry to hear that.

W　④ Bad luck never comes alone.

① 행운을 빌어!　② 나는 네가 그것을 할 수 있다고 확신해.
③ 그게 무슨 말이니?　⑤ 너를 위해 행운을 빌어 줄게.

358 실전 모의고사 22회

19 적절한 응답

대화를 듣고, 여자의 마지막 말에 대한 남자의 응답으로 가장 적절한 것을 고르시오.

Man: _____

① It's not far.
② You can take a bus.
③ I want to see paintings.
④ I go there once a month.
⑤ It takes about 20 minutes.

여 실례합니다. 이 지역을 잘 아시나요?
남 네, 저는 여기 살아요. 왜 그러시죠?
여 미술관을 가는 방법을 알려 주시겠어요?
남 물론이죠. 걷는 것과 버스를 타는 것 중에 어느 것이 더 좋으세요?
여 걷는 것 같아요. 거리가 먼가요?
남 그다지 멀지는 않아요. 그저 이 공원을 가로질러 반대편으로 걸어가세요. 그러면 미술관이 보일 거예요.
여 그게 다인가요?
남 네. 그 미술관은 아주 커요. 쉽게 찾으실 수 있을 거예요.
여 알겠습니다. 공원을 가로질러 걸어가는 데 시간이 얼마나 걸리나요?
남 ⑤ 20분 정도 걸려요.

W Excuse me. Are you _____ _____ this area?

M Yes, I live here. Why?

W Can you tell me _____ _____ _____ to the art museum?

M Sure. Which do you prefer, walking or taking a bus?

W Walking, I guess. Is it _____?

M Not really. Just _____ _____ this park to the other side. Then you'll see the museum.

W Is that it?

M Yeah. The museum is _____. You can't miss it.
   정답 근거   찾기 쉽습니다.

W Okay. How long does it take to walk through the park?
  How long does it take to ~?: ~하는 데 시간이 얼마나 걸리나요?

M ⑤ It takes about 20 minutes.

---

① 그건 멀지 않아요.   ② 버스를 타실 수 있어요.
③ 저는 그림들을 보고 싶어요.   ④ 저는 한 달에 한 번 그곳에 가요.

20 상황에 맞는 말

다음 상황 설명을 듣고, Joan이 Brian에게 할 말로 가장 적절한 것을 고르시오.

Joan: _____

① Why don't we see a movie?
② Let's make it at 6 at the bus stop.
③ I've already bought the movie tickets.
④ I'm so glad to see the movie with you.
⑤ Sorry. I have something important to do on Saturday.

여 Joan은 Brian으로부터 전화 한 통을 받는다. 그는 공짜 영화표가 생겼다며, 토요일에 함께 영화 보러 가자고 제안한다. 그런데 Joan은 이미 그저께 그 영화를 봤다. 그와 함께 영화를 보러 가고 싶지도 않다. 그녀는 핑계를 대고 그의 제안을 거절하기로 결심한다. 이러한 상황에서 Joan은 Brian에게 뭐라고 말할까?
Joan ⑤ 미안해. 나는 토요일에 해야 할 중요한 일이 있어.

W Joan _____ _____ _____ _____ from Brian. He says that he has free movie tickets and _____ they go to a movie together on Saturday. However, Joan _____ _____ the movie the day before yesterday. 그저께 She doesn't feel like going to a movie with him, either. She _____ _____ make an excuse and turn down his 핑계를 대다   거절하다 offer. In this situation, what would Joan most likely say to Brian?

Joan ⑤ Sorry. I have something important to do on Saturday.

---

① 우리 영화 보지 않을래?   ② 버스 정류장에서 6시에 만나자.
③ 나는 이미 그 영화표를 샀어.   ④ 너와 함께 영화를 보게 되어 기뻐.

[VOCABULARY] 실전 모의고사 **23**회

어휘를 알아야 들린다

모의고사를 먼저 풀고 싶으면 362쪽으로 이동하세요.

🎧 다음 표현을 듣고 모르는 것에 표시하시오.

- [ ] 01 **turtle** 거북이
- [ ] 02 **advertise** 광고하다
- [ ] 03 **deadline** 기한, 마감 일자
- [ ] 04 **sci-fi** 공상 과학 소설(의)(= science fiction)
- [ ] 05 **special effect** 특수 효과
- [ ] 06 **character** 등장인물
- [ ] 07 **address** 주소
- [ ] 08 **sundial** 해시계
- [ ] 09 **shine** 빛나다
- [ ] 10 **invent** 발명하다
- [ ] 11 **dynasty** 왕조
- [ ] 12 **invention** 발명품
- [ ] 13 **rent** 집세
- [ ] 14 **cozy** 아늑한
- [ ] 15 **Dutch** 네덜란드의
- [ ] 16 **view** 풍경, 전망
- [ ] 17 **Thanksgiving Day** 추수 감사절
- [ ] 18 **ancestor** 조상, 선조
- [ ] 19 **crop** 농작물
- [ ] 20 **harvest** 수확하다, 거둬들이다
- [ ] 21 **fall** 가을(= autumn)
- [ ] 22 **tradition** 전통
- [ ] 23 **debate** 토론
- [ ] 24 **near** 가까이

- [ ] 25 **terrific** 아주 좋은, 멋진
- [ ] 26 **put off** 미루다, 연기하다
- [ ] 27 **safety** 안전
- [ ] 28 **life vest** 구명조끼
- [ ] 29 **slippery** 미끄러운
- [ ] 30 **lifeguard** 안전 요원
- [ ] 31 **cooperation** 협조
- [ ] 32 **register for** ~에 등록하다(= sign up for)
- [ ] 33 **membership** 회원 (자격)
- [ ] 34 **publisher** 출판사
- [ ] 35 **author** 작가, 저자
- [ ] 36 **college** 대학
- [ ] 37 **playful** 장난기가 많은
- [ ] 38 **scratch** 할퀴다; 할퀸 자국, 상처
- [ ] 39 **struggle** 발버둥치다
- [ ] 40 **escape** 달아나다, 탈출하다
- [ ] 41 **warn** 경고하다

📝 알아두면 유용한 선택지 **어휘**

- [ ] 42 **publish** 출판하다
- [ ] 43 **cut ~ off** ~을 자르다
- [ ] 44 **mirror** 거울
- [ ] 45 **talented** 재능이 있는
- [ ] 46 **Hold on.** 기다려.(명령문)

🎧 들으면서 표현을 완성한 다음, 뜻을 고르시오.

표현의 의미를 생각하며 다시 써 보기!

01 de　ate　　☐ 싸움　☐ 토론　➡

02 ad　ertise　　☐ 보도하다　☐ 광고하다　➡

03 pub　ish　　☐ 편집하다　☐ 출판하다　➡

04 tale　ted　　☐ 재능이 있는　☐ 재산이 있는　➡

05 d　adline　　☐ 신청　☐ 기한　➡

06 ances　or　　☐ 조상　☐ 후손　➡

07 es　ape　　☐ 견뎌 내다　☐ 달아나다　➡

08 life　est　　☐ 구명조끼　☐ 구급상자　➡

09 terrifi　　　☐ 아주 좋은　☐ 끔찍한　➡

10 stru　gle　　☐ 해내다　☐ 발버둥치다　➡

11 c　aracter　　☐ 등장인물　☐ 자격　➡

12 tra　ition　　☐ 운송　☐ 전통　➡

13 co　y　　☐ 답답한　☐ 아늑한　➡

14 su　dial　　☐ 해시계　☐ 나침반　➡

15 mem　ership　　☐ 회원 (자격)　☐ 우수 회원　➡

16 h　rvest　　☐ 수확하다　☐ 씨앗을 뿌리다　➡

17 w　rn　　☐ 경고하다　☐ 주저하다　➡

18 play　ul　　☐ 진지한　☐ 장난기가 많은　➡

19 slipp　ry　　☐ 미끄러운　☐ 부드러운　➡

20 co　peration　　☐ 협상　☐ 협조　➡

실전 모의고사 [23]회

실전 모의고사 23회 →
┌ 모의고사 보통 속도
└ 모의고사 빠른 속도

✎ 들으면서 주요 표현 메모하기!

01 대화를 듣고, 여자가 구입할 필통을 고르시오.

① ② ③ ④ ⑤

02 대화를 듣고, 남자가 여자에게 전화한 목적으로 가장 적절한 것을 고르시오.
① 도시락을 주문하려고　　　　　② 도시락 배송 지연을 항의하려고
③ 자원봉사 프로그램을 신청하려고　　④ 자원봉사 신청 내용을 변경하려고
⑤ 자원봉사 신청 기간을 문의하려고

03 대화를 듣고, 여자가 본 영화에 관해 언급되지 <u>않은</u> 것을 고르시오.
① 제목　　　② 장르　　　③ 특수 효과　　　④ 주연 배우　　　⑤ 수상 내역

고난도 메모하며 풀기
04 대화를 듣고, 현재 시각을 고르시오.
① 6:00 p.m.　② 6:30 p.m.　③ 7:00 p.m.　④ 7:30 p.m.　⑤ 8:00 p.m.

05 다음 그림의 상황에 가장 적절한 대화를 고르시오.

①　　　　②　　　　③　　　　④　　　　⑤

맞은 개수

개 / 20개

공부한 날 월 일

고난도 메모하며 풀기

06 대화를 듣고, 두 사람이 대화하는 장소로 가장 적절한 것을 고르시오.

① gym   ② museum   ③ TV station

④ post office   ⑤ movie theater

✎ 들으면서 주요 표현 메모하기!

07 대화를 듣고, 남자가 여자에게 부탁한 일로 가장 적절한 것을 고르시오.

① 이사 돕기   ② 집수리하기   ③ 집 청소하기

④ 가구 구입하기   ⑤ 부동산 방문하기

08 다음을 듣고, 그림에 관해 언급되지 <u>않은</u> 것을 고르시오.

① 제목   ② 작가   ③ 크기   ④ 제작 연도   ⑤ 묘사 대상

고난도 메모하며 풀기

09 다음을 듣고, 무엇에 관한 설명인지 고르시오.

① 설   ② 추석   ③ 단오   ④ 동지   ⑤ 정월 대보름

10 다음을 듣고, 두 사람의 대화가 <u>어색한</u> 것을 고르시오.

①   ②   ③   ④   ⑤

틀린 문제는 **Dictation**에서
완벽하게 이해하세요.

✎ 들으면서 주요 표현 메모하기!

11 대화를 듣고, 남자가 토요일에 할 일로 가장 적절한 것을 고르시오.
① 뉴욕 여행 가기　　　② 사촌 방문하기　　　③ 사촌 마중 가기
④ 친구 생일 선물 사기　　⑤ 친구 생일 파티 가기

12 대화를 듣고, 두 사람이 만나기로 한 요일을 고르시오.
① 월요일　　② 화요일　　③ 수요일　　④ 목요일　　⑤ 금요일

고난도　메모하며 풀기

13 다음 좌석 배치도를 보면서 대화를 듣고, 여자가 앉을 좌석을 고르시오.

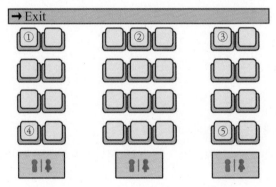

14 대화를 듣고, 여자가 일요일에 한 일로 가장 적절한 것을 고르시오.
① 하이킹 가기　　　② 가족 여행 가기　　　③ 콘서트 관람하기
④ 할머니 찾아뵙기　　⑤ 삼촌의 농장 일 돕기

15 다음을 듣고, 방송의 목적으로 가장 적절한 것을 고르시오.
① 안전 수칙을 알리려고　　　　② 무료 수영 강좌를 소개하려고
③ 이용 가능 시간을 공지하려고　　④ 수영 대회 참여를 독려하려고
⑤ 구명조끼 위치를 안내하려고

16 대화를 듣고, 여자가 지불할 금액을 고르시오.

① $100   ② $270   ③ $300   ④ $480   ⑤ $600

✎ **들으면서 주요 표현 메모하기!**

17 대화를 듣고, 남자의 마지막 말에 대한 여자의 응답으로 가장 적절한 것을 고르시오.

Woman: _____

① It's just three dollars.
② It's about the wild animals.
③ A paperback with 100 pages.
④ It was published by Blue Press.
⑤ Yes. It was written by Emilia Jones.

18 대화를 듣고, 여자의 마지막 말에 대한 남자의 응답으로 가장 적절한 것을 고르시오.

Man: _____

① It doesn't look good at all.
② I like my hairstyle so much.
③ You cut too much off the top.
④ Yes. I've been thinking about this for a month.
⑤ Check out the back of your head with this mirror.

고난도 메모하며 풀기

19 대화를 듣고, 남자의 마지막 말에 대한 여자의 응답으로 가장 적절한 것을 고르시오.

Woman: _____

① Can you make it at 5?
② She's a talented fashion designer.
③ I think I'm the right person for the job.
④ Then why don't you apply for the position?
⑤ I'm sorry, but we don't need a reporter at all.

20 다음 상황 설명을 듣고, Lucy가 Tim에게 할 말로 가장 적절한 것을 고르시오.

Lucy: Tim, _____

① don't wake it up.
② you should take it to a vet.
③ hold on. Let me get some food for the cat.
④ look at your face. It seems you are allergic to cats.
⑤ be careful. If you don't put it down, you'll get hurt.

틀린 문제는 Dictation에서
완벽하게 이해하세요.

01 그림 묘사
*들을 때마다 체크

대화를 듣고, 여자가 구입할 필통을 고르시오.

①   ②   ③

④   ⑤

남 안녕하세요. 무엇을 도와드릴까요?
여 8살 딸아이를 위한 필통을 찾고 있어요.
남 특별히 생각하고 계시는 디자인이 있나요?
여 아뇨, 없어요. 그 나이에 맞는 걸 추천해 주시겠어요?
남 네. 이 상어 모양 필통은 어떠신가요? 이건 매우 인기가 있어요.
여 괜찮아 보이지만, 딸이 그것을 좋아할지 모르겠어요. 그녀는 거북이랑 토끼를 좋아해요. 거북이나 토끼 모양 필통이 있나요?
남 죄송하지만 그것들은 없어요. 이것은 어떠세요? 사각 형이고 위에 거북이랑 토끼가 그려져 있어요.
여 좋네요. 그걸로 할게요.

02 목적

대화를 듣고, 남자가 여자에게 전화한 목적으로 가장 적절한 것을 고르시오.
① 도시락을 주문하려고
② 도시락 배송 지연을 항의하려고
③ 자원봉사 프로그램을 신청하려고
④ 자원봉사 신청 내용을 변경하려고
⑤ 자원봉사 신청 기간을 문의하려고

[전화벨이 울린다.]
여 여보세요. Help the Children입니다. 어떻게 도와드 릴까요?
남 안녕하세요. 저는 신문에 광고된 자원봉사 프로그램 일로 전화 드렸습니다.
여 어떤 것 말씀이신가요?
남 저는 '사랑의 점심 도시락'을 신청하고 싶습니다.
여 죄송합니다만, 지원 마감일이 3일 전이었어요.
남 저도 압니다. 그래서 전화를 드리는 거예요.
여 음, 대기자 명단에 이름을 올려 드릴게요. 성함을 말씀 해 주시겠어요?
남 고맙습니다. 저는 Benjamin Brown입니다.

M Hello. What can I do for you?

W I'm looking for a pencil case for my 8-year-old daughter.

M Do you have _____ _____ _____ in mind?
   have ~ in mind: ~을 염두에 두다

W No, I don't. Could you _____ something for that age?

M Sure. How about this shark-shaped pencil case? This is very popular.

W It looks nice, but I'm not sure if she'd like it. She likes
   would like
   turtles and rabbits. Do you have turtle-shaped or rabbit-shaped ones?

M I'm _____ _____ _____ have any. How about   🔑 정답 근거
   this one? It's square and has a turtle and a rabbit on it.

W Great. I'll take it.

🇬🇧
📞 Telephone rings.

W Hello. This is Help the Children. How can I help you?

M Hi. I'm calling about the _____ _____ _____
   call about: ~ 일로 전화를 걸다
   advertised in the newspaper.

W Which one are you _____ _____?

M I want to sign up for Lunch Boxes of Love.   🔑 정답 근거
   ~을 신청하다

W I'm sorry, but _____ _____ for application was three days ago.

M I know. That's why I'm calling.

W Well, I'll put your name on the _____ _____. Can I have your name, please?

M Thank you. My name is Benjamin Brown.

> **Solution Tip** 남자는 자원봉사 프로그램에 신청하고 싶지만, 지원 마감일이 3일 지났기 때문에 전화를 했다.

Dictation 23회 →
전체 듣기
문항별 듣기

Dictation의 효과적인 활용법
STEP 1 들으면서 대본의 빈칸 채우기
STEP 2 축쇄 문제를 보며 다시 풀어 보기
STEP 3 해석을 보며 영어로 말하거나 영작해 보기

공부한 날   월   일

03 언급되지 않은 것 ☐☐

대화를 듣고, 여자가 본 영화에 관해 언급되지 않은 것을 고르시오.

① 제목   ② 장르
③ 특수 효과   ④ 주연 배우
⑤ 수상 내역

남 Grace, 너 영화 'Jupiter' 봤니?
여 응. 지난 주말에 봤어.
남 영화 어땠니?
여 좋았어. 줄거리가 흥미롭더라.
남 네가 그것을 좋아할 줄 알았어. 너는 공상 과학 영화에 관심이 많잖아.
여 네 말이 맞아. 그리고 특수 효과가 놀랍더라. 3D 인물들이 실제 같았어.
남 나는 영화에서 연기도 훌륭하다고 들었어.
여 응. 사실 내가 그 영화의 주연인 Ethan Smith의 굉장한 팬이거든. 그의 연기가 정말 훌륭했어.

M   Grace, _____ _____ _____ the movie *Jupiter*?   🎵정답 근거
                                                              ① 제목

W   Yes. I saw it last weekend.

M   How did you like the movie?
    상대방의 의견을 묻는 표현: ~는 어땠니?

W   I liked it. The story was interesting.

M   I knew _____ _____ it. You're interested in sci-fi   ② 장르
    movies.   be interested in: ~에 관심이 있다

W   You're right. And the special effects were amazing. The
                                        ③ 특수 효과
    3D characters _____ _____.

M   I also heard that the acting in the movie is excellent.

W   Yeah. Actually, I'm a big fan of Ethan Smith, _____
                                              ④ 주연 배우
    _____ the main character in the movie. His acting was
    really great.

23회 받아쓰기

04 시각 ☐☐

대화를 듣고, 현재 시각을 고르시오.

① 6:00 p.m.   ② 6:30 p.m.
③ 7:00 p.m.   ④ 7:30 p.m.
⑤ 8:00 p.m.

여 Mike, 콘서트는 몇 시에 시작하니?
남 Blue Mountain Hall에서 오후 7시 30분에 시작해.
여 오, 시작하기 전에 시간이 좀 있구나.
남 응. 우리 뭐 할까?
여 음, 바로 길 건너에 있는 카페에 가 보지 않을래? 케이크가 정말 맛있다고 들었거든.
남 그러기에는 충분한 시간이 있는 것 같지 않아. 우리는 7시에 안내 데스크에서 표를 받아야 해.
여 그 전까지는 아직 30분이 있어. 제발! 그리 오래 걸리지 않을 거야.
남 그럼 알겠어.

W   Mike, what time does the concert begin?
    🍐함정 주의 7시 30분은 공연이 시작하는 시각임

M   It starts at 7:30 p.m. at the Blue Mountain Hall.

W   Oh, we have some time before it begins.

M   Yeah. What shall we do?

W   Well, _____ _____ _____ drop by the cafe right
                                          ~에 들르다
    across the street? I heard that their cakes are really good.

M   I don't think we have enough time for that.   🎵정답 근거
                                        = dropping by the cafe
    _____ _____ get our tickets at the front desk at 7.
                                                      안내 데스크

W   We still have half an hour before that. Come on! It
                                = getting our tickets at the front desk at 7
    _____ _____ so long.

M   Okay, then.

 **Solution Tip** 7시에 안내 데스크에서 표를 받아야 한다는 남자의 말에 여자는 그 전까지 아직 30분이 남았다고 했으므로, 현재 시각은 6시 30분이다.

05 그림 상황

다음 그림의 상황에 가장 적절한 대화를 고르시오.

① ② ③ ④ ⑤

① 남 백화점에 가는 방법을 말씀해 주시겠어요?
　여 죄송합니다. 전 이곳에 처음 왔어요.
② 남 소금 좀 제게 건네 주시겠어요?
　여 물론이죠. 여기요.
③ 남 너는 왜 그렇게 바쁘니?
　여 나는 내 과제물을 끝내야 해.
④ 남 너 나랑 같이 사진 찍을래?
　여 그거 좋지.
⑤ 남 피자 한 박스를 저의 집으로 배달해 주실래요?
　여 물론이죠. 주소가 어떻게 되시나요?

① M Could you tell me how to get to the department store?
　　　　how+to부정사: ~하는 방법
　W Sorry. I'm a _____ _____.
　　　정답 근거
② M Will you _____ _____ _____ _____,
　　please?
　W Sure. Here you are.
③ M Why are you so busy?
　W I have to finish my project.
④ M _____ _____ _____ to take a picture with me?
　　　　　　　　사진을 찍다
　W That sounds great.
⑤ M Can I get a box of pizza _____ to my house?
　　　　　~ 한 상자
　W Sure. Can I have your address?

06 장소

대화를 듣고, 두 사람이 대화하는 장소로 가장 적절한 것을 고르시오.
① gym　　② museum
③ TV station　④ post office
⑤ movie theater

여 이걸 보세요. 그게 무엇인지 아시나요?
남 모르겠어요.
여 제가 말씀드리죠. 그건 해시계예요.
남 해시계가 무엇인가요?
여 그건 해가 떠 있을 때 하루의 시간을 알려 주는 일종의 시계예요.
남 흥미롭네요! 누가 그것을 발명했나요?
여 그건 조선 왕조 때 장영실에 의해 발명되었어요. 그는 과학자이자 훌륭한 발명가였어요.
남 그렇군요. 그가 발명한 다른 물건들도 있나요?
여 물론이죠. 이제 여러분께 그의 다른 발명품들을 보여드릴 거예요. 이쪽으로 오세요.

W Take a look at this. _____ _____ _____ what it
　　~을 (한번) 보다
　is?
M I have no idea.
W Let me tell you. It's a sundial.
M What is a sundial?
W It's _____ _____ _____ a clock that tells the time
　　　　　　　　　　　　　주격 관계대명사
　of day when the sun is shining.
M How interesting! Who invented it?
　How 감탄문: How+형용사[부사](+주어+동사)!
W It _____ _____ by Jang Yeong-sil in the Joseon
　Dynasty. He was a great inventor as well as a scientist.
　　　　　　　　　　　B as well as A: A 뿐만 아니라 B도
M I see. Are there any other things invented by him?
　　　정답 근거　　　　　　things를 수식하는 과거분사구
W Of course. Now, I'm going to show you his _____
　_____. Come this way, please.

Solution Tip 해시계에 관한 설명을 한 뒤 지금부터 무엇을 볼지 예고하며 따라오라고 하는 것으로 보아 여자는 박물관 해설사임을 알 수 있다.

07 부탁한 일

대화를 듣고, 남자가 여자에게 부탁한 일로 가장 적절한 것을 고르시오.

① 이사 돕기
② 집수리하기
③ 집 청소하기
④ 가구 구입하기
⑤ 부동산 방문하기

여 James, 여기가 너의 새 집이야?
남 응. 어떻게 생각해?
여 오, 아늑해 보인다. 그런데 고칠 것이 좀 있는 것 같아.
남 응, 나도 알아. 조금 낡았지만 집세가 정말 싸!
여 그렇지만 모든 것을 수리하는 데 비용이 많이 들 것 같아.
남 그것에 관해서는 걱정하지 마. 내 친구들 몇 명이 나를 도와줄 거야.
여 잘됐다. 언제 이사 올 거니?
남 다음 주 토요일. 이사 오는 것 좀 도와줄래?
여 물론이지.

W James, is this your new _____?

M Yes. What do you think?

W Oh, it looks cozy. But I guess there are a few things to fix.
   to부정사의 형용사적 용법(things 수식)

M Yeah, I know. It's a little _____, but the rent is really cheap!

W But I think it will cost a lot to fix everything.

M Don't worry about it. _____ _____ my friends will help me.

W Great. When are you going to move in?
   이사 오다

M Next Saturday. Can you help me _____ _____?
   🎵정답 근거

W Sure can.

08 언급되지 않은 것

다음을 듣고, 그림에 관해 언급되지 <u>않은</u> 것을 고르시오.

① 제목   ② 작가
③ 크기   ④ 제작 연도
⑤ 묘사 대상

여 '별이 빛나는 밤에(The Starry Night)'라는 제목의 그림은 유명한 네덜란드의 화가인 빈센트 반고흐에 의해 그려졌다. 반고흐는 1889년 6월에 그것을 그렸다. 그림은 하루의 다양한 시각에 그의 병실에 있는 창문에서 바라 본 풍경을 보여 준다. 그것은 역사상 가장 유명한 그림 중의 하나이다.

W The painting _____ *The Starry Night* was painted
   🎵정답 근거
   ① 제목   과거 시제 수동태: was[were]+p.p.
   by the famous Dutch artist Vincent van Gogh. Van
   ② 작가
   Gogh painted it in June, 1889. The painting _____
   ④ 제작 연도
   _____ _____ from the window of his hospital room
   ⑤ 묘사 대상
   at different times of day. It is one of the most famous
   one of the+최상급+복수 명사: 가장 ~한 … 중 하나
   paintings _____ _____.

🔊 Sound Tip 연도 읽기
연도는 두 자리씩 끊어 읽는다. 1889는 eighteen eighty-nine, 1941은 nineteen forty-one으로 읽는다.

23회 받아쓰기

09 담화 화제

다음을 듣고, 무엇에 관한 설명인지 고르시오.
① 설   ② 추석   ③ 단오
④ 동지   ⑤ 정월 대보름

M   This is one of the _____ _____ _____ in Korea.
정답 근거   ┌ 추수 감사절
It is similar to Thanksgiving Day in the US. People usually
be similar to: ~와 비슷하다
take three to four days off and return to their hometowns
to be with their family. They _____ _____ _____
for the crops and fruits harvested in the fall of that year.
the crops and fruits를 수식하는 과거분사구
A variety of foods _____ _____ during the holiday,
여러 가지의, 다양한
and it is an old tradition to eat half-moon shaped rice
cakes.

남 이것은 한국의 가장 큰 전통 명절 중 하나이다. 그것은 미국의 추수 감사절과 비슷하다. 사람들은 보통 3~4일을 쉬고, 가족들과 함께 있기 위해 고향으로 돌아간다. 그들은 그해 가을에 추수된 곡식과 과일에 대해 조상들에게 감사를 표현한다. 명절 동안에 다양한 음식이 준비되며, 반달 모양의 떡을 먹는 것이 오랜 전통이다.

10 어색한 대화

다음을 듣고, 두 사람의 대화가 어색한 것을 고르시오.
①   ②   ③   ④   ⑤

정답 근거
① M   How have you been?
안부를 묻는 표현
   W   I _____ _____ _____ to China before.
② M   Do you have any plans for the weekend?
   W   Yes. I'm thinking about going camping.
③ M   You look tired. Didn't you _____ _____ sleep?
부정 의문문에 대한 응답은 대답의 내용이 긍정이면 Yes, 부정이면 No로 함
   W   No. I stayed up late watching a movie.
stay up late: 늦게까지 자지 않고 있다
④ M   How often do you get a haircut?
얼마나 자주
   W   _____ a month.
⑤ M   How long does it take to get there?
비인칭 주어 it
   W   It takes an hour and _____ _____.

① 남 어떻게 지냈니?
   여 나는 전에 중국에 가 본 적이 없어.
② 남 주말에 무슨 계획 있니?
   여 응. 캠핑을 갈까 생각하고 있어.
③ 남 너 피곤해 보이는구나. 잠을 충분히 못 잤니?
   여 못 잤어. 영화를 보느라 늦게까지 자지 않고 있었거든.
④ 남 너는 얼마나 자주 머리를 자르니?
   여 한 달에 한 번.
⑤ 남 거기까지 가는 데 시간이 얼마나 걸려?
   여 한 시간 반 걸려.

11 할 일

대화를 듣고, 남자가 토요일에 할 일로 가장 적절한 것을 고르시오.

① 뉴욕 여행 가기
② 사촌 방문하기
③ 사촌 마중 가기
④ 친구 생일 선물 사기
⑤ 친구 생일 파티 가기

[휴대 전화벨이 울린다.]

여 안녕, David.
남 안녕, 미나야. 무슨 일이야?
여 토요일 저녁에 뭐 할 거야?
남 토요일 저녁? 음, 뉴욕에 있는 내 사촌이 나를 보러 올 거야. 공항에 그를 데리러 가기로 약속했어. 왜 물어보는 거야?
여 사실은 이번 주 토요일이 Lisa의 생일이거든. 친구들을 몇 명 초대해서 그녀를 위해 파티를 열면 좋을 것 같아서.
남 오, 그녀의 생일을 완전히 잊고 있었네. 정말 미안한데, 나는 못 갈 것 같아.
여 괜찮아. 사촌이랑 즐거운 시간 보내.
남 알겠어. 안녕.

📞 Cellphone rings.

W Hello, David.

M Hi, Mina. What's up?

W Are you _____ _____ on Saturday evening?

M Saturday evening? Well, my cousin in New York will visit me. I promised to _____ _____ _____ at the airport. Why are you asking?

W Actually, this Saturday is Lisa's birthday. I thought it'd be nice to invite some friends and throw a party for her.

M Oh, I totally _____ about her birthday. I'm so sorry, but I can't make it.

W That's okay. Have a great time with your cousin.

M Okay. Bye.

🎵 Sound Tip pick him up
pick과 him은 연음되어 /피키멉/으로 들린다. 또한 「동사+부사」로 이루어진 어구는 동사보다 부사에 강세를 두어 발음하므로, pick보다 up이 강하게 들린다.

12 요일

대화를 듣고, 두 사람이 만나기로 한 요일을 고르시오.

① 월요일   ② 화요일
③ 수요일   ④ 목요일
⑤ 금요일

여 네가 지난 금요일에 영어 토론 대회에서 1등을 했다고 들었어. 축하해!
남 고마워. 내 친구 Lia 덕분에 해낼 수 있었어.
여 오, 그녀는 런던에서 온 네 친구지?
남 응. 대회 동안에 그녀가 나를 많이 도와줬어. 그녀에게 특별한 선물을 사 주고 싶어.
여 잘됐다. 나는 방과 후에 쇼핑하러 갈 거야. 나랑 같이 갈래?
남 그러고 싶은데 나는 매주 월요일에 동아리 모임이 있어.
여 그럼 내일은 어떠니?
남 내일 좋아. 방과 후에 보자.

W I heard you _____ _____ _____ in the English debate competition last Friday. Congratulations!

M Thank you. I was able to win _____ _____ my friend Lia.

W Oh, is she your friend who came from London?

M Yes. She _____ _____ a lot during the competition. I'd like to buy her a special gift.

W Good. I'm going shopping after school. Would you like to join me?

M I'd love to, but I have a club meeting every Monday.

W Then how about tomorrow?

M Tomorrow is fine. I'll see you after school.

13 그림 정보

다음 좌석 배치도를 보면서 대화를 듣고, 여자가 앉을 좌석을 고르시오.

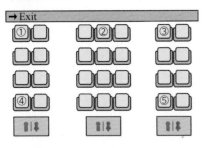

남 안녕하세요. 비행기로 어디로 가시나요?
여 안녕하세요. 저는 샌프란시스코에 가요.
남 여권을 주시겠어요?
여 네. 여기 제 여권입니다.
남 창가 쪽 좌석을 원하세요, 통로 쪽 좌석을 원하세요?
여 통로 쪽 좌석으로 해 주시면 좋겠어요. 제가 화장실을 자주 가거든요.
남 알겠습니다. 화장실 가까이에 지정해 드릴게요.
여 좋아요, 고맙습니다.
남 여기 탑승권과 여권 있습니다. 즐거운 비행되세요.

M Good afternoon. Where are you flying to?
W Hello. I'm flying to San Francisco.
M Can I have your passport?
W Sure. _____ _____ my passport.
M Would you like a window or an _____ seat?
　정답 근거
W I'd be happy if I can get an _____ seat. I go to the restroom _____.
M Okay. I'll put you _____ the restrooms too.
W Wonderful, thanks.
M Here are your boarding pass and passport. Have a nice flight.
　　　　　　　　탑승권

14 과거에 한 일

대화를 듣고, 여자가 일요일에 한 일로 가장 적절한 것을 고르시오.
① 하이킹 가기
② 가족 여행 가기
③ 콘서트 관람하기
④ 할머니 찾아뵙기
⑤ 삼촌의 농장 일 돕기

여 안녕, Jake. 콘서트는 어땠니?
남 아주 좋았어. 표 고마워.
여 천만에. 네가 마음에 들었다니 기뻐.
남 하이킹은 어땠니? 네가 일요일에 하이킹 간다고 했었잖아.
여 그게, 다음 주 일요일로 미뤄졌어. 나는 할머니와 함께 있었어.
남 오, 할머니께서 너의 집에 오셨니?
여 아니. 할머니께서는 건강 때문에 삼촌의 농장에 머무르고 계셔. 나는 부모님과 할머니를 뵈러 갔어.

W Hello, Jake. How was the concert?
M It was _____. Thanks for the tickets.
　= the concert
W My pleasure. I'm glad you liked it.
　　　　　　　　　　　　= the concert
M How was _____ _____? You said you would go hiking on Sunday.
　　　　　　　　　　　　　　　　　　　　　　　정답 근거
W Well, it's been put off until next Sunday. I _____
현재완료 수동태: have[has] been+p.p. / put off: 미루다, 연기하다
_____ my grandma.
M Oh, did she visit you?
W No. She's _____ _____ my uncle's farm because of her health. I visited her with my parents.

Solution Tip 남자가 한 일(콘서트 관람), 여자가 원래 하려고 했던 일(하이킹 가기), 여자가 실제로 한 일(할머니 찾아뵙기)을 혼동하지 않도록 주의하며 듣는다.

15 목적

다음을 듣고, 방송의 목적으로 가장 적절한 것을 고르시오.

① 안전 수칙을 알리려고
② 무료 수영 강좌를 소개하려고
③ 이용 가능 시간을 공지하려고
④ 수영 대회 참여를 독려하려고
⑤ 구명조끼 위치를 안내하려고

W Welcome to Splash Water Park. I'd like to tell you a few rules to follow for _____ _____. First, wear your life vests. Second, _____ _____ _____ the pool because the floor is very slippery. Please remember that only one person _____ _____ on the slides at a time. Also, you should follow the instructions of the lifeguards. Thank you for your cooperation.

구명조끼
한 번에

여 Splash Water Park에 오신 것을 환영합니다. 여러분의 안전을 위해 따라야 할 몇 가지 규칙을 말씀드리고자 합니다. 첫째로 구명조끼를 입으십시오. 둘째로 바닥이 아주 미끄러우므로 수영장 주변을 뛰어다니지 마십시오. 미끄럼틀에는 한 번에 한 사람만 허용된다는 것을 명심하시길 바랍니다. 또한 안전 요원들의 지시를 따라 주셔야 합니다. 협조해 주셔서 고맙습니다.

16 금액

대화를 듣고, 여자가 지불할 금액을 고르시오.

① $100   ② $270   ③ $300
④ $480   ⑤ $600

W Hi. I'd like to register for a yoga class. How much is it _____ _____?
~에 등록하다

M It's 100 dollars.

W Hmm, that's _____ _____ _____ for me.

M If you sign up for the class for three months, you can get 10% off.
조건의 부사절을 이끄는 접속사: 만약 ~라면   for+기간: ~동안   get ~ off: ~만큼 할인받다

W Oh, that sounds better.

M And you'll get 20% off if you choose the six-month membership.

W You mean it's 480 dollars for six months. Am I right?

M Yes. Which membership would you like, the three-month or the six-month?

W I prefer the _____ _____.

여 안녕하세요. 제가 요가 수업을 등록하고 싶은데요. 한 달에 얼마인가요?
남 100달러예요.
여 음, 제게는 조금 비싸네요.
남 수업을 3개월 등록하시면 10% 할인을 받으실 수 있습니다.
여 오, 그게 더 낫네요.
남 그리고 6개월짜리 회원권을 선택하시면 20% 할인을 받으실 수 있어요.
여 6개월에 480달러라는 말씀이시군요. 제 말이 맞죠?
남 네. 3개월과 6개월 중 어떤 회원권으로 하시겠어요?
여 저는 더 긴 것이 더 좋아요.

17 적절한 응답 ☐☐

대화를 듣고, 남자의 마지막 말에 대한 여자의 응답으로 가장 적절한 것을 고르시오.

Woman: _____

① It's just three dollars.
② It's about wild animals.
③ A paperback with 100 pages.
④ It was published by Blue Press.
⑤ Yes. It was written by Emilia Jones.

여 실례합니다. 'Wonders of Wildlife'라는 제목의 책이 있는지 알고 싶어요.
남 확인해 보겠습니다. [타자 치는 소리] 음, 있는 것 같지 않네요.
여 그러면 제가 그 책을 어떻게 구할 수 있나요?
남 원하신다면 주문해 드릴 수 있어요.
여 오, 그거 좋겠군요.
남 출판사를 아시나요?
여 죄송해요. 기억이 안 나네요.
남 괜찮습니다. 그러면 저자의 이름을 말씀해 주시겠어요?
여 ⑤ 네. 그것은 Emilia Jones에 의해 쓰였어요.

W   Excuse me. I'd like to know if you have a book _____ *Wonders of Wildlife*.
　　　　　　　　　　　　　　　명사절을 이끄는 접속사: ~인지

M   Let me check. [*Typing sound*] Well, I don't think we have one.

W   Then how can I get that book?

M   I can _____ _____ for you if you want.
　　　　　　　　　　　　　조건의 부사절을 이끄는 접속사: 만약 ~라면

W   Oh, that'd be great.
　　　= that would

M   Do you know the _____?

W   Sorry. I can't remember it.

M   It's okay. Then can you tell me the _____ _____?
　　　　　　　　　정답 근거

W   ⑤ Yes. It was written by Emilia Jones.

① 단돈 3달러입니다.　　　② 그건 야생 동물에 관한 것이에요.
③ 100쪽의 페이퍼백이에요.　　④ 그건 Blue Press에 의해 출판되었어요.

18 적절한 응답 ☐☐

대화를 듣고, 여자의 마지막 말에 대한 남자의 응답으로 가장 적절한 것을 고르시오.

Man: _____

① It doesn't look good at all.
② I like my hairstyle so much.
③ You cut too much off the top.
④ Yes. I've been thinking about this for a month.
⑤ Check out the back of your head with this mirror.

여 머리를 어떻게 손질해 드릴까요?
남 글쎄요, 오늘은 다른 걸 시도해 보고 싶어요.
여 염두에 두고 계신 것이 있나요?
남 머리를 더 짧게 자르고 싶어요.
여 정확히 얼마나 짧게 원하세요?
남 1cm 길이로 잘라 주세요.
여 그건 너무 짧을 거예요. 확실하신가요?
남 ④ 네. 한 달 동안 이것에 관해 생각했어요.

W   How would you like _____ _____ _____?

M   Well, I want to try something different today.

W   Do you have anything _____ _____?

M   I want my hair cut shorter.
　　　　　　　　　더 짧게(short의 비교급)

W   How short _____ do you want it?

M   Cut it to one centimeter long.
　　　정답 근거

W   That'd be _____ _____. Are you sure about that?
　　= That would　　　　　　　　　be sure about: ~을 확신하다

M   ④ Yes. I've been thinking about this for a month.

① 전혀 좋아 보이지 않아요.　　② 저는 제 머리 모양이 아주 마음에 들어요.
③ 당신은 윗부분을 너무 많이 잘랐네요.　⑤ 이 거울로 뒤통수를 확인하세요.

19 적절한 응답

대화를 듣고, 남자의 마지막 말에 대한 여자의 응답으로 가장 적절한 것을 고르시오.

Woman: _____

① Can you make it at 5?
② She's a talented fashion designer.
③ I think I'm the right person for the job.
④ Then why don't you apply for the position?
⑤ I'm sorry, but we don't need a reporter at all.

남 안녕하세요, Jones 씨. 오랜만입니다. 어떻게 지내고 계세요?
여 만나서 반가워요. 무척 바쁘지만 모든 게 괜찮습니다.
남 당신의 팀에 공석이 있다고 들었어요. 맞나요?
여 네. 저희는 패션 기자를 구하고 있어요.
남 사실은 제가 그 일에 관심이 있어요.
여 정말요? 저는 당신이 패션에 관심이 있으신 줄 몰랐어요.
남 음, 제가 대학에서 패션 디자인을 공부했거든요.
여 ④ 그러면 그 자리에 지원해 보시지 그러세요?

M Hi, Ms. Jones. Long time no see. How are you doing?

W Nice to see you. I'm _____ busy, but everything is okay.

M I heard that there's _____ _____ on your team. Right?

W Yeah. We're looking for a fashion reporter.
　　🔑정답 근거　　look for: ~을 찾다

M Actually, I'm _____ _____ the job.

W Really? I didn't know that you have an interest in fashion.
　　　　　　　　　　　　　　　　　~에 관심이 있다

M Well, I studied fashion design _____ _____.

W ④ Then why don't you apply for the position?

① 5시에 오실 수 있나요?　　　　　② 그녀는 재능 있는 패션 디자이너예요.
③ 제가 그 일에 제격이라고 생각합니다.　　⑤ 죄송하지만 저희는 기자가 전혀 필요하지 않아요.

20 상황에 맞는 말

다음 상황 설명을 듣고, Lucy가 Tim에게 할 말로 가장 적절한 것을 고르시오.

Lucy: Tim, _____

① don't wake it up.
② you should take it to a vet.
③ hold on. Let me get some food for the cat.
④ look at your face. It seems you are allergic to cats.
⑤ be careful. If you don't put it down, you'll get hurt.

여 Lucy는 사랑스러운 고양이 한 마리를 키우고 있다. 고양이는 가끔씩 너무 장난스러워서 Lucy의 손이나 팔을 할퀴고 만다. 오늘 Lucy의 친구들 중 한 명인 Tim이 저녁을 같이 먹으려고 그녀의 집에 방문한다. Tim이 고양이를 끌어안자, 고양이는 그의 품에서 벗어나려고 발버둥을 친다. Lucy는 그의 팔에 큰 상처가 날까 봐 걱정한다. 그녀는 그에게 조심하라고 경고하고 싶다. 이러한 상황에서 Lucy는 Tim에게 뭐라고 말할까?
Lucy Tim, ⑤ 조심해. 네가 고양이를 내려놓지 않으면 다칠 거야.

W Lucy has a lovely cat. The cat is sometimes so playful that
　　　　　　　　　　　　　　　　　　so ~ that ...: 너무 ~해서 …하다
it _____ _____ scratching Lucy's hands or arms.
Today, Tim, one of Lucy's friends, _____ her to have
　　　　　　　　　　　　　　　┌ hold ~ in one's arms: ~을 끌어안다
dinner together. When Tim holds the cat in his arms, it
　　　　　　　　　　　　　　　　🔑정답 근거
_____ _____ _____ from his arms. Lucy is afraid
that he might get a big scratch on his arms. She wants
to _____ him to _____ _____. In this situation,
what would Lucy most likely say to Tim?

Lucy Tim, ⑤ be careful. If you don't put it down, you'll get hurt.

① 그것을 깨우지 마.　　　　　② 너는 그것을 수의사에게 데려가야 해.
③ 기다려. 고양이에게 줄 먹이 좀 가져올게.　④ 네 얼굴을 봐. 너는 고양이 알레르기가 있는 것 같아.

받아쓰기 23회

[VOCABULARY] 실전 모의고사 24회

어휘를 알아야 들린다

모의고사를 먼저 풀고 싶으면 378쪽으로 이동하세요.

🎧 다음 표현을 듣고 모르는 것에 표시하시오.

- ☐ 01 old-fashioned 구식의
- ☐ 02 approximately 대략, 거의
- ☐ 03 delivery 배달
- ☐ 04 smooth out (문제·장애 등을) 없애다
- ☐ 05 vibration 떨림, 진동
- ☐ 06 waterproof 방수의
- ☐ 07 business trip 출장
- ☐ 08 perfectly 완벽하게
- ☐ 09 best-before date 유통 기한
- ☐ 10 plastic bag 비닐봉지
- ☐ 11 aisle 통로
- ☐ 12 doggy bag (남은 음식을 싸 가는) 봉지
- ☐ 13 leftover 남은 음식
- ☐ 14 to-go box (집에 가져갈) 포장 상자
- ☐ 15 imagine 상상하다
- ☐ 16 bookshelf 책꽂이, 책장(목 bookshelves)
- ☐ 17 room 자리, 공간
- ☐ 18 beg 간청하다
- ☐ 19 sleep on ~을 하룻밤 자며 생각하다
- ☐ 20 deal 거래
- ☐ 21 hesitate 망설이다
- ☐ 22 planet 행성; 세상
- ☐ 23 thanks to ~ 덕분에
- ☐ 24 patient 인내심 있는

- ☐ 25 conference room 회의실
- ☐ 26 bother 괴롭히다
- ☐ 27 argue 말다툼하다
- ☐ 28 outer space 우주 공간
- ☐ 29 experiment 실험
- ☐ 30 stargaze 별을 관찰하다
- ☐ 31 note 주의하다
- ☐ 32 grader 학년생
- ☐ 33 dangerous 위험한
- ☐ 34 aquarium 수족관
- ☐ 35 rate 요금
- ☐ 36 salesperson 판매원
- ☐ 37 several 몇몇의
- ☐ 38 neighborhood 근처, 인근
- ☐ 39 plenty of 많은
- ☐ 40 rest 쉬다

📝 알아두면 유용한 선택지 **어휘**

- ☐ 41 departure 출발
- ☐ 42 arrival 도착
- ☐ 43 be ashamed of ~을 부끄러워하다
- ☐ 44 depressed 우울한
- ☐ 45 turn (무엇을 할) 차례

🎧 들으면서 표현을 완성한 다음, 뜻을 고르시오.

표현의 의미를 생각하며 다시 써 보기!

01 i agine   ☐ 상상하다   ☐ 알아차리다   →

02 vib ation   ☐ 고요   ☐ 떨림   →

03 n te   ☐ 생각하다   ☐ 주의하다   →

04 appro imately ☐ 약간, 조금 ☐ 대략, 거의   →

05 sa esperson   ☐ 판매원   ☐ 고객   →

06 lef over   ☐ 식사   ☐ 남은 음식   →

07   est-before date ☐ 유통 기한 ☐ 생산 일자   →

08 exper ment   ☐ 연습   ☐ 실험   →

09 r st   ☐ 쉬다   ☐ 미루다   →

10 ar ue   ☐ 말다툼하다 ☐ 화해하다   →

11 neighbor ood ☐ 대도시   ☐ 근처, 인근   →

12 waterp oof   ☐ 절전의   ☐ 방수의   →

13 bo her   ☐ 괴롭히다   ☐ 지루하다   →

14 g ader   ☐ 신입생   ☐ 학년생   →

15 severa   ☐ 몇몇의   ☐ 많은   →

16 he itate   ☐ 망설이다   ☐ 서두르다   →

17 star aze   ☐ 별을 관찰하다 ☐ 별똥별이 떨어지다   →

18 r te   ☐ 급여   ☐ 요금   →

19 books el   ☐ 책갈피   ☐ 책꽂이   →

20 arri al   ☐ 출발   ☐ 도착   →

실전 모의고사 [24]회

실전 모의고사 24회 →
모의고사 보통 속도
모의고사 빠른 속도

✎ 들으면서 주요 표현 메모하기!

01 대화를 듣고, 두 사람이 구입할 액자를 고르시오.

①   ②   ③   ④   ⑤

02 대화를 듣고, 여자가 남자에게 전화한 목적으로 가장 적절한 것을 고르시오.

① 음식을 주문하려고   ② 주문을 취소하려고
③ 주문 내용을 변경하려고   ④ 배달 지연을 항의하려고
⑤ 배달 소요 시간을 확인하려고

고난도 메모하며 풀기

03 대화를 듣고, 여자가 구입하려고 하는 물건에 관해 언급되지 <u>않은</u> 것을 고르시오.

① 종류   ② 모델명   ③ 특징   ④ 색상   ⑤ 가격

04 대화를 듣고, 두 사람이 만나기로 한 시각을 고르시오.

① 7 a.m.   ② 8 a.m.   ③ 10 a.m.   ④ 7 p.m.   ⑤ 8 p.m.

05 다음 그림의 상황에 가장 적절한 대화를 고르시오.

①   ②   ③   ④   ⑤

06 대화를 듣고, 두 사람이 대화하는 장소로 가장 적절한 것을 고르시오.

① 약국　　　② 병원　　　③ 식당　　　④ 옷 가게　　　⑤ 동물 병원

✎ 들으면서 주요 표현 메모하기!

07 대화를 듣고, 남자가 여자에게 부탁한 일로 가장 적절한 것을 고르시오.

① 새집 청소하기　　　　　　② 책 반납하기
③ 책장 골라 주기　　　　　　④ 책장 설치 도와주기
⑤ 책 보관해 주기

고난도　메모하며 풀기

08 다음을 듣고, 할인 행사에 관해 언급되지 <u>않은</u> 것을 고르시오.

① 할인 품목　　② 할인율　　③ 판매 수량　　④ 행사 기간　　⑤ 행사 장소

09 다음을 듣고, 무엇에 관한 설명인지 고르시오.

① 고래　　　② 기린　　　③ 토끼　　　④ 사슴　　　⑤ 호랑이

10 다음을 듣고, 두 사람의 대화가 <u>어색한</u> 것을 고르시오.

①　　　　　　②　　　　　　③　　　　　　④　　　　　　⑤

틀린 문제는 Dictation에서
완벽하게 이해하세요.

✎ 들으면서 주요 표현 메모하기!

11 대화를 듣고, 남자가 할 일로 가장 적절한 것을 고르시오.

① 꽃꽂이 배우기　　　② 꽃 보내기　　　③ 생일 선물 사기
④ 생일 파티 준비하기　　　⑤ 달력에 생일 표시해 두기

12 대화를 듣고, 두 사람이 콘서트에 가기로 한 날짜를 고르시오.

① March 3rd　　　② March 5th　　　③ March 13th
④ March 14th　　　⑤ March 15th

고난도 메모하며 풀기

13 다음 기차 시간표를 보면서 대화를 듣고, 두 사람이 타려고 하는 기차를 고르시오.

	Departure Edinburgh		**Arrival** London	
①	Friday	03:00 p.m.	Friday	07:50 p.m.
②	Friday	06:10 p.m.	Friday	11:00 p.m.
③	Friday	10:30 p.m.	Saturday	03:00 a.m.
④	Saturday	06:30 a.m.	Saturday	11:00 a.m.
⑤	Saturday	10:30 a.m.	Saturday	03:00 p.m.

14 대화를 듣고, 여자가 어제 방과 후에 한 일로 가장 적절한 것을 고르시오.

① 축구하기　　　② 축구 경기 보기　　　③ 방송국에 놀러가기
④ 방과 후 수업 듣기　　　⑤ 친구 병문안 가기

15 다음을 듣고, 방송의 목적으로 가장 적절한 것을 고르시오.

① 신규 회원을 모집하려고　　　② 신규 동아리를 홍보하려고
③ 과학 실험 방법을 설명하려고　　　④ 천문대 견학 일정을 안내하려고
⑤ 과학실 청소 일정을 공지하려고

16 대화를 듣고, 여자가 지불할 금액을 고르시오.

① $10　　② $25　　③ $27　　④ $34　　⑤ $42

17 대화를 듣고, 남자의 마지막 말에 대한 여자의 응답으로 가장 적절한 것을 고르시오.

Woman: _____

① Okay. Let's try another shop.
② In that case, these are perfect.
③ Do you have them in my size?
④ Why don't you try them on first?
⑤ No. I think I'll buy the white ones.

18 대화를 듣고, 여자의 마지막 말에 대한 남자의 응답으로 가장 적절한 것을 고르시오.

Man: _____

① Don't worry. It won't be hot.
② You'd better wait until summer.
③ We should take a cooking class.
④ If I were you, I would go scuba diving.
⑤ I guess Thailand isn't the right place for you.

19 대화를 듣고, 남자의 마지막 말에 대한 여자의 응답으로 가장 적절한 것을 고르시오.

Woman: _____

① You shouldn't have given up.
② Then do the best that you can.
③ If you're sick, you can't try to play.
④ We can ask Rion when he gets here.
⑤ Don't worry. I'm sure he'll get well soon.

고난도 ｜ 메모하며 풀기

20 다음 상황 설명을 듣고, Kate가 Jay에게 할 말로 가장 적절한 것을 고르시오.

Kate: _____

① I'll help you with your history project.
② Guess what? I got an A on my math test.
③ You should be ashamed of failing the test.
④ Don't be depressed. You'll do better next time.
⑤ It's my turn to help you. Let's study together.

틀린 문제는 Dictation에서
완벽하게 이해하세요.

01 그림 묘사

*들을 때마다 체크 □□

대화를 듣고, 두 사람이 구입할 액자를 고르시오.

① ② ③
④ ⑤

남 Jessica, 이 액자들 좀 봐. 새로 찍은 가족 사진을 넣으려면 어떤 걸 사야 할까?
여 잘 모르겠어. 나보다 네가 취향이 훨씬 더 낫잖아.
남 음, 저기 하트 모양의 액자는 어때?
여 좀 구식이라고 생각하지 않니? 둥근 것도 마찬가지고.
남 그렇다면 저 정사각형 액자는 어때?
여 어느 것 말이야? 큰 것 아니면 작은 것?
남 작은 건 사진을 넣기에 너무 작은 것 같아.
여 좋아. 큰 것으로 사자.

02 목적

□□

대화를 듣고, 여자가 남자에게 전화한 목적으로 가장 적절한 것을 고르시오.
① 음식을 주문하려고
② 주문을 취소하려고
③ 주문 내용을 변경하려고
④ 배달 지연을 항의하려고
⑤ 배달 소요 시간을 확인하려고

[전화벨이 울린다.]
남 안녕하세요. Jone's Pizza입니다. 무엇을 도와드릴까요?
여 안녕하세요. 피자를 주문하려고 합니다.
남 주소와 전화번호를 말씀해 주시겠습니까?
여 주소는 Oak 가 700번지이고, 전화번호는 342-1234-1234입니다.
남 네. 무엇을 주문하고 싶으신가요?
여 하와이안 피자 큰 거 하나랑 샐러드 한 통이요.
남 하와이안 피자 큰 거 하나랑 샐러드 한 통. 그게 전부인가요?
여 네.
남 알겠습니다. 배달에는 30분 정도가 걸릴 거예요.

M Jessica, look at these picture frames. Which one should we get for the new family photo?
= picture frame

W I'm not sure. You have much _____ _____ _____ I do.
비교급 강조: much, even, far, still, a lot 등

M Well, what about this heart-shaped one?

W _____ _____ _____ it's a bit old-fashioned? And, so is the round one.
🔑정답 근거
M Then, what about the square one?

W Which one? The big one or the small one?

M I'm afraid the small one is _____ _____ for the photo.

W Okay. Let's get the other one.

📞Telephone rings.

M Hello. This is Jone's Pizza. What can I do for you?
🔑정답 근거
W Hi. I'd like to _____ a pizza.

M Can you tell me your address and phone number, please?

W My address is 700 Oak Street, and my phone number is 342-1234-1234.

M Okay. _____ _____ _____ _____ to order?

W I want a large Hawaiian pizza and a box of salad.

M A large Hawaiian pizza and _____ _____ _____ salad. Will that be all?
= 앞 문장의 A large ~ salad
W Yes.

M Okay. It'll take approximately 30 minutes _____ _____.

Dictation 24회 →
─ 전체 듣기
─ 문항별 듣기

Dictation의 효과적인 활용법
STEP 1 들으면서 대본의 빈칸 채우기
STEP 2 축쇄 문제를 보며 다시 풀어 보기
STEP 3 해석을 보며 영어로 말하거나 영작해 보기

공부한 날   월   일

03 언급되지 않은 것

대화를 듣고, 여자가 구입하려고 하는 물건에 관해 언급되지 <u>않은</u> 것을 고르시오.

① 종류　　　② 모델명
③ 특징　　　④ 색상
⑤ 가격

W　Excuse me. I'd like to buy an action camera.
　　① 종류　　　　　　　　　　　　　　　정답 근거

M　Okay. Is there any model that you have in mind?
　　　　　　　　　　　　　　　　　　～을 염두에 두다

W　I'm _____ _____ the Run Pro 10.
　　　　　　　　　　　② 모델명

M　Oh, that's a very good one. It's very popular these days.
　　　　　　　　　　　= camera

W　What's so _____ about it?

M　↳ ③ 특징
　　It smooths out the vibrations when you _____ _____.
　　(문제·장애 등을) 없애다
　　Also, it's _____ down to 10 meters.
　　　　　　　　　～에 이르기까지

W　How much is it?

M　It's originally 300 dollars, but you can have it for 280
　　⑤ 가격
　　dollars.

W　Good. I'll take it.

여　실례합니다. 저는 액션 카메라를 사려고 하는데요.
남　네. 염두에 둔 모델이 있으신가요?
여　저는 Run Pro 10을 생각하고 있어요.
남　오, 그거 아주 좋죠. 요즘에 무척 인기 있어요.
여　뭐가 그렇게 특별한가요?
남　그건 사진을 찍을 때 떨림을 제거해요. 그리고 10미터까지 방수가 되고요.
여　얼마인가요?
남　원래는 300달러인데 280달러에 가져가실 수 있어요.
여　좋네요. 그걸로 할게요.

04 시각

대화를 듣고, 두 사람이 만나기로 한 시각을 고르시오.

① 7 a.m.　　　② 8 a.m.
③ 10 a.m.　　④ 7 p.m.
⑤ 8 p.m.

M　Ms. Bruni, are we ready for the _____ _____
　　tomorrow?

W　Yes. Everything is perfectly ready. We just _____
　　_____ get on the plane.
　　타다, 탑승하다

M　Good. What time does the plane leave?
　　　　　　　　　　시각을 물어보는 표현: 몇 시에 ~?

W　It leaves at 10 in the morning.

M　Okay. Let's meet at 8 _____ _____ _____.

W　At 8? We have to meet _____ than that. It'll take a long
　　　　　　　　　　　　　　　　　　= at 8
　　time to check in during the holiday season.
　　　　　　　　탑승 수속을 하다　　정답 근거

M　You're right. Then, how about 7?

W　That's fine. See you tomorrow.

남　Bruni 씨, 내일 출장 갈 준비는 다 된 건가요?
여　네. 모든 것이 완벽하게 준비되었습니다. 우리는 비행기만 타면 됩니다.
남　좋아요. 비행기가 몇 시에 출발하나요?
여　오전 10시에 출발합니다.
남　그렇군요. 공항에서 8시에 만납시다.
여　8시요? 우리는 그보다 더 일찍 만나야 해요. 휴가철에는 탑승 수속하는 데 시간이 많이 걸릴 거예요.
남　당신 말이 맞네요. 그러면, 7시는 어때요?
여　그건 괜찮습니다. 내일 봬요.

Solution Tip 비행기가 출발하는 시각(10시), 남자가 만나자고 제안한 시각(8시), 실제로 만나기로 한 시각(7시)을 구별하여 듣도록 한다.

05 그림 상황

다음 그림의 상황에 가장 적절한 대화를 고르시오.

① ② ③ ④ ⑤

① 남 우리가 무엇을 사야 하나요?
　여 우리는 달걀이랑 우유가 필요해요.
② 남 실례합니다. 여기서 사진을 찍으시면 안돼요.
　여 죄송합니다. 몰랐어요.
③ 남 감자 얼마인가요?
　여 그것들은 1kg에 7달러예요.
④ 남 그 우유는 유통 기한이 언제까지인가요?
　여 당신은 그것을 12월 5일까지 마셔야 합니다.
⑤ 남 비닐봉지를 사용하지 않도록 노력하세요.
　여 네. 저는 제 에코 백을 가져갈게요.

① M　What should we buy?
　W　We need some _____ _____ _____.
　　　🎵정답 근거
② M　Excuse me. Taking pictures is not allowed here.
　W　I'm sorry. I didn't know that.
③ M　How much are the potatoes?
　W　They're 7 dollars _____ _____ _____.
④ M　What's the best-before date on the milk?
　　　　　　　　　유통 기한
　W　You should drink it by December 5th.
　　　　　　　= the milk 시간을 나타내는 전치사: ~까지
⑤ M　_____ _____ _____ use plastic bags.
　W　Okay. I'll take my eco bag.

06 장소

대화를 듣고, 두 사람이 대화하는 장소로 가장 적절한 것을 고르시오.
① 약국　　　　② 병원
③ 식당　　　　④ 옷 가게
⑤ 동물 병원

여 실례합니다.
남 네, 손님. 필요하신 것이 있나요?
여 음, 화장실이 어디인지 말씀해 주시겠어요?
남 통로 끝에 여성용 화장실이 있습니다.
여 알겠습니다. 그리고 남은 음식을 싸갈 수 있을까요?
남 물론이죠. 남은 음식은 상자에 포장될 거예요.
여 알겠습니다. 고맙습니다.

W　Excuse me.
M　Yes, ma'am. Do you need anything else?
W　Well, can you tell me _____ _____ _____ is?
　　　　　　　　┌ 여성용 화장실
M　There's a ladies' room at the end of the _____.
　　　🎵정답 근거
W　I see. And can I have a doggy bag, please?
　　　　　　　　　(남은 음식을 싸 가는) 봉지
M　Sure. The leftovers _____ _____ _____ in a to-go box.
W　Okay. Thanks.

⊙ **Solution Tip** doggy bag, leftovers, to-go box와 같은 표현에서 장소를 유추할 수 있다.

부탁한 일

대화를 듣고, 남자가 여자에게 부탁한 일로 가장 적절한 것을 고르시오.

① 새집 청소하기
② 책 반납하기
③ 책장 골라 주기
④ 책장 설치 도와주기
⑤ 책 보관해 주기

W Are you ready to move out?
이사를 나가다

M Not yet. _____ _____ _____ _____ these days.

W I can imagine. Moving is such hard work.

M That's right. By the way, I want to ask you a favor.
그런데(화제 전환)   ask ~ a favor: ~에게 부탁하다

W Sure. You can _____ me anything.
🎵정답 근거   시간을 나타내는 접속사: ~까지

M Could you keep my books for a couple of weeks just until
두서너 개의
I set up _____ _____ in my new place?

W Well, you know, I don't have that much room for myself.
공간

M Please. I'm _____ you.

W Let me _____ _____ it.

여 너는 이사할 준비 다 됐니?
남 아직 안 됐어. 요즘에 짐 싸느라 바쁘게 지내고 있어.
여 상상이 된다. 이사는 너무 힘든 일이야.
남 맞아. 그나저나 너한테 부탁 하나 하고 싶어.
여 물론이지. 무엇이든 이야기해.
남 새집에 책장을 설치할 때까지 내 책들을 2주 정도만 보관해 줄 수 있니?
여 음, 너도 알다시피 나도 그렇게 공간이 많지 않아서.
남 제발. 부탁할게.
여 생각해 볼게.

---

08 언급되지 않은 것

다음을 듣고, 할인 행사에 관해 언급되지 않은 것을 고르시오.

① 할인 품목   ② 할인율
③ 판매 수량   ④ 행사 기간
⑤ 행사 장소

M Shoppers, may I have your attention, please? We'd like
🎵정답 근거
to announce a _____ _____ on all children's winter
① 할인 품목
clothes. Get your kids their winter clothes at 60% off!
② 할인율
And that's not all. You can get super savings on hats,
= 앞에서 언급한 할인 품목과 할인율
gloves, and sweaters at 50% off. These special deals are
only for today. So, _____ _____. Just go to the
④ 행사 기간
clothes section on the second floor, and get _____
⑤ 행사 장소
_____ _____. Thank you.

남 고객 여러분, 주목해 주시겠습니까? 겨울 아동복 전부를 크게 할인해 드리고 있음을 안내드리고자 합니다. 여러분의 자녀들에게 겨울옷을 60% 할인된 가격에 가져다주세요. 그리고 그것이 전부가 아닙니다. 모자, 장갑, 스웨터를 50% 할인된 아주 저렴한 가격에 가져가실 수 있습니다. 이 특별한 가격은 오늘 뿐입니다. 그러니 망설이지 마세요. 2층에 있는 의류 코너에 가셔서 아주 저렴한 가격에 가져가세요. 감사합니다.

09 담화 화제

다음을 듣고, 무엇에 관한 설명인지 고르시오.
① 고래　② 기린　③ 토끼
④ 사슴　⑤ 호랑이

여 이것은 지구상에서 현존하는 키가 가장 큰 동물이다. 그것은 아프리카에 산다. 그것의 다리만 해도 인간보다 더 길다. 그것은 또한 긴 목을 가지고 있다. 긴 목과 다리 덕분에, 이 동물은 더 쉽게 높은 나무의 꼭대기에 있는 잎들에 닿고 멀리 있는 것들을 본다. 그것은 털에 독특한 점무늬를 가지고 있다.

W This is the _____ _____ _____ on the planet. It lives in Africa. Its legs alone are _____ _____ humans. It also has a long neck. Thanks to its long neck 〜 덕분에 and legs, it is easier for this animal to _____ _____ on top of tall trees and see things far away. 멀리 떨어진 It has a unique _____ _____ on its coat.

10 어색한 대화

다음을 듣고, 두 사람의 대화가 어색한 것을 고르시오.
①　②　③　④　⑤

① 남 새로 오신 선생님은 어떠시니?
　여 그녀는 매우 친절하고 인내심을 가지고 학생들을 대하세요.
② 남 실례합니다. 저희 사진 좀 한 장 찍어 주시겠어요?
　여 물론이죠. 제가 빨간색 버튼을 누르면 되나요?
③ 남 너는 인생에서 무엇이 가장 중요하다고 생각해?
　여 나는 나의 가족이라고 말하겠어.
④ 남 커피에 무엇을 넣어 드리기를 원하시나요?
　여 큰 것으로 주세요. 저는 정말 목이 마르거든요.
⑤ 남 잠깐 시간 있으세요? 당신과 검토하고 싶은 사항 몇 가지가 있거든요.
　여 알겠습니다. 회의실로 가시죠.

① M _____ is your new teacher _____?
　W She's very friendly and _____ _____ her students.
② M Excuse me. Can you take a picture of us? 〜의 사진을 찍다
　W Sure. Should I press the red button?
③ M What do you think is most important in your life?
　W I'd _____ my family.
④ M What do you want me to put in your coffee?
　W A large one, please. I'm really _____.
⑤ M Do you have a second? There are _____ points I'd like to go over with you. 검토하다
　W Okay. Let's go to the conference room.

11 할 일

대화를 듣고, 남자가 할 일로 가장 적절한 것을 고르시오.

① 꽃꽂이 배우기
② 꽃 보내기
③ 생일 선물 사기
④ 생일 파티 준비하기
⑤ 달력에 생일 표시해 두기

여 James, 기운이 없어 보이는구나. 뭐가 너를 괴롭히니?
남 그게, 지난주에 말다툼하고 난 뒤로 아내가 나와 말을 안 해.
여 무슨 일이 있었던 거야? 너희는 행복한 커플이잖아, 그렇지 않니?
남 내가 그녀의 생일을 잊어버렸거든.
여 오, 그녀에게 미안하다고 말은 했니?
남 물론 했지. 그런데 내 말을 안 들어. 내가 어떻게 해야 할까?
여 그녀에게 꽃을 좀 보내는 건 어때? 그녀는 꽃을 좋아하잖아.
남 좋은 생각이야. 지금 바로 그렇게 할게.

W James, you look down. What's _____ you?

M Well, my wife _____ never _____ to me since we _____ last week.
  시간을 나타내는 접속사: ~ 이후로

W What happened? You're a happy couple, _____ _____?

M I forgot her birthday.

W Oh, did you say sorry to her?
  ~에게 미안하다고 말하다

M Of course, I did. But she didn't listen to me. What should I do?

🎵정답 근거
W Why don't you _____ _____ _____ _____? She likes flowers.

M Sounds good. I'll do that right away.
  = sending her some flowers

12 날짜

대화를 듣고, 두 사람이 콘서트에 가기로 한 날짜를 고르시오.

① March 3rd   ② March 5th
③ March 13th   ④ March 14th
⑤ March 15th

남 있잖아, 나한테 재즈 콘서트 무료 표 2장이 생겼어!
여 잘됐다! 너는 재즈를 무척 좋아하잖아.
남 응, 나는 그것에 완전히 빠져있어. 나랑 같이 갈래?
여 당연히 그러고 싶어. 콘서트가 언제야?
남 3월 13일과 3월 15일 사이에 우리가 날짜를 고를 수 있어.
여 13일, 금요일에 갈 수 있니?
남 어디 보자. [잠시 후] 미안하지만, 못 가. Julia랑 약속이 있어.
여 그러면 3월 15일은 어때? 나는 14일은 못 가.
남 그날은 괜찮아. 그날 일정 비워 놓을게.

M You know what? _____ _____ two free tickets for a jazz concert!
  상대방의 주의를 환기시키는 표현

W That's great! You like jazz a lot.

M Yeah, I'm _____ _____. Would you come with me?
  제안하는 표현: ~할래?

W Sure, I'd love to. When is the concert?

M We _____ _____ the date between March 13th and March 15th.
  between A and B: A와 B 사이에

W Can you make it on Friday, March 13th?

M Let's see. [Pause] Sorry, I can't. I have an appointment with Julia.

🎵정답 근거
W Then what about March 15th? I can't make it on the 14th.

M That's fine with me. I'll _____ the day _____.

13 표 정보

다음 기차 시간표를 보면서 대화를 듣고, 두 사람이 타려고 하는 기차를 고르시오.

	Departure Edinburgh		Arrival London	
①	Friday	03:00 p.m.	Friday	07:50 p.m.
②	Friday	06:10 p.m.	Friday	11:00 p.m.
③	Friday	10:30 p.m.	Saturday	03:00 a.m.
④	Saturday	06:30 a.m.	Saturday	11:00 a.m.
⑤	Saturday	10:30 a.m.	Saturday	03:00 p.m.

여 Steve, 여행 계획을 짜 보자. 나한테 기차 시간표가 있어.
남 좋아. 우리는 금요일에 퇴근하고 나서 출발할 수 있을 거야.
여 오후 6시 10분에 에든버러에서 런던으로 출발하는 기차가 있어.
남 우리가 시간 맞춰 갈 수 있을 것 같지 않아. 다음 것은 몇 시에 출발하니?
여 오후 10시 30분에. 그렇지만 그걸 타면 오전 3시에 런던에 도착하게 돼.
남 오, 그건 별로야.
여 토요일 아침 일찍 기차를 타는 건 어떨까? 그건 오전 6시 30분에 출발해서 오전 11시에 도착해.
남 좋아. 그걸 타.

W Steve, let's make a plan for our trip. I've got the _____
　　　계획을 세우다
_____.

M Sounds good. We can leave after work on Friday.

W There's a train _____ _____ Edinburgh for London at 6:10 p.m.

M I don't think we can make it. What time does the next one leave?

W At 10:30 p.m. That would _____ _____ _____
　　　　　오후 10시 30분에 출발하는 기차
London at 3 a.m., though.

M Oh, that's not good.
　🎵정답 근거

W Why don't we take the train early on Saturday morning? It
　　제안하는 표현: ~하는 게 어떨까?
leaves at 6:30 a.m. and _____ _____ 11:00 a.m.

M Okay. Let's take that one.

> 🔙 **Solution Tip** 금요일 오후 6시 10분 기차는 시간 맞춰 갈 수 없다고 했고, 금요일 오후 10시 30분 기차는 다음날 새벽에 도착해서 별로라고 말하면서 토요일 오전 6시 30분에 출발하는 기차를 타자고 했다.

---

14 과거에 한 일

대화를 듣고, 여자가 어제 방과 후에 한 일로 가장 적절한 것을 고르시오.
① 축구하기
② 축구 경기 보기
③ 방송국에 놀러가기
④ 방과 후 수업 듣기
⑤ 친구 병문안 가기

남 너 다리에 깁스했구나, Sue! 무슨 일이 있었던 거니?
여 발목을 삐었어.
남 어제 내가 너를 학교에서 봤을 때는 괜찮았잖아. 방과 후에 뭘 했니?
여 축구를 했어. 우리 반이 3반하고 축구 시합을 했거든.
남 그렇구나. 넘어졌니?
여 응. 내가 좀 더 조심했어야 했어.
남 빨리 낫길 바라.

M You _____ _____ _____ on your leg, Sue! What happened?

W I sprained my ankle.

M You were fine when I saw you at school yesterday.
　　　　　　　　시간을 나타내는 접속사: ~할 때
_____ _____ _____ _____ after school?
　🎵정답 근거

W I played soccer. My class had a soccer match with Class 3.

M I see. Did you _____?

W Yes. I should have been _____ _____.
　　should have+p.p.: ~했어야 했다 (과거 사실에 대한 후회)

M I hope you'll get better soon.

15 목적

다음을 듣고, 방송의 목적으로 가장 적절한 것을 고르시오.

① 신규 회원을 모집하려고
② 신규 동아리를 홍보하려고
③ 과학 실험 방법을 설명하려고
④ 천문대 견학 일정을 안내하려고
⑤ 과학실 청소 일정을 공지하려고

남 학생 여러분, 주목해 주세요. Young Star Club에서는 신규 회원을 찾고 있습니다. 우주에 관심이 있는 누구나 환영합니다. 우리 동아리는 매주 수요일에 과학 실험을 하고, 한 달에 한 번 별을 관측하러 갑니다. 만약 가입하고 싶으시다면 방과 후에 과학실에 들러 주세요. 하지만 어린 1학년 학생들은 위험한 실험들이 있을 수 있기 때문에 동아리 가입이 허가되지 않는다는 점에 주의해 주세요. 감사합니다.

M Students, attention. The Young Star Club is _____ _____ new members. We welcome anyone who is interested in _____ _____. Our club does some science experiments every Wednesday and goes stargazing _____ _____ _____. If you'd like to join us, please stop by the science room after school. Please note that young first graders are _____ _____ to join the club since there might be some dangerous experiments. Thank you.

stop by: ~에 잠시 들르다
since: ~ 때문에
might: 가능성을 나타내는 조동사

16 금액

대화를 듣고, 여자가 지불할 금액을 고르시오.

① $10　　② $25　　③ $27
④ $34　　⑤ $42

남 안녕하세요. 무엇을 도와드릴까요?
여 저는 성인 2명과 7살 아이 1명의 동물원 표를 사고 싶습니다.
남 성인은 10달러, 8살 미만의 어린이는 5달러입니다.
여 잠깐만요. 이곳에 수족관도 새로 생겼다고 들었어요.
남 맞습니다. 동물원과 수족관을 둘 다 가 보고 싶으시면 특별 할인 요금으로 해 드릴 수 있습니다.
여 저희는 둘 다 가 보고 싶어요. 요금이 얼마인가요?
남 성인은 17달러, 그리고 어린이는 8달러입니다. 총액은 42달러네요.
여 알겠습니다. 여기 있습니다.

M Good afternoon. What can I do for you?
W I'd like to buy zoo tickets for _____ _____ and a seven-year-old child.
M It's 10 dollars for an adult and 5 dollars for a child _____ _____ eight.
W Wait. I also heard that there's a new aquarium here.
M That's right. If you want to visit both the zoo and the aquarium, we can offer _____ _____.

both A and B: A와 B 둘 다

W We want to visit both. What are the _____?
M 17 dollars for an adult and 8 dollars for a child. The total comes to 42 dollars.

come to: (총계 등이) ~이 되다

W Okay. Here you are.

17 적절한 응답

대화를 듣고, 남자의 마지막 말에 대한 여자의 응답으로 가장 적절한 것을 고르시오.

Woman: _____

① Okay. Let's try another shop.
② In that case, these are perfect.
③ Do you have them in my size?
④ Why don't you try them on first?
⑤ No. I think I'll buy the white ones.

여 Jerry, 흰색 샌들 찾았니?
남 판매원에게 물어봤는데 갈색하고 검은색밖에 없대.
여 대신 갈색을 사야겠다.
남 하지만 넌 흰색 샌들이 정말 갖고 싶다고 했잖아.
여 그랬지. 그게 내 새 바지랑 잘 어울릴 거라 생각했어.
남 그럼 포기하지 마. 이 근처에 신발 가게가 몇 군데 있어.
여 ① 그래. 다른 가게에 가 보자.

W Jerry, did you find any white sandals?

M I asked the salesperson, but she said they _____ _____ brown ones and black ones.

W I guess I should buy brown ones _____.

M But you said you really want white sandals.

W I did. I thought they would _____ _____ _____ my new pants.

🎵 정답 근거

M Then don't give up. There are _____ _____ _____ in this neighborhood.
   포기하다

W ① Okay. Let's try another shop.

② 그렇다면 이것들이 완벽해.   ③ 그거 내 사이즈도 있니?
④ 먼저 신어 보지 그러니?   ⑤ 아니야. 난 흰색으로 사야겠어.

---

18 적절한 응답

대화를 듣고, 여자의 마지막 말에 대한 남자의 응답으로 가장 적절한 것을 고르시오.

Man: _____

① Don't worry. It won't be hot.
② You'd better wait until summer.
③ We should take a cooking class.
④ If I were you, I would go scuba diving.
⑤ I guess Thailand isn't the right place for you.

여 Alex, 너 태국에 가 본 적 있어?
남 응, 가 봤어. 휴가를 보내기에 아주 멋진 곳이야.
여 내가 이번 휴가 동안 거기 가 볼까 생각 중이거든. 너는 그곳에 있을 때 무엇을 했니?
남 많은 것들을 했지. 한 달간 그곳에 있었으니까 시간이 많았거든.
여 오, 정말? 더 자세히 말해 줄래?
남 하이킹도 갔고, 태국 요리 강습도 받았고, 해변에서 시간을 보내기도 했어. 나는 스쿠버 다이빙도 하러 갔었어.
여 와, 정말 좋은 시간을 보냈구나! 그런데 나는 그것들 모두를 할 충분한 시간이 없어. 내게 하나만 추천해 줄래?
남 ④ 내가 너라면 스쿠버 다이빙을 하러 가겠어.

W Alex, have you ever been to Thailand?

M Yes, I have. It's a _____ _____ to spend a vacation.
   to부정사의 형용사적 용법

W I'm thinking of going there during this holiday. What did you do when you were there?
   기간을 나타내는 전치사: ~ 동안

M I did lots of things. I was there _____ _____ _____, so I had plenty of time.
   많은

W Oh, really? Can you tell me more?

M I went hiking, took a course in Thai cooking, and
   take a course: 강습을 받다
   _____ _____ _____ on the beach. I also _____ scuba diving.

W Wow, you had a great time! I don't have enough time for
   🎵 정답 근거
   all of them, _____. Can you recommend one for me?
   = 남자가 했던 여러 가지 활동들

M ④ If I were you, I would go scuba diving.

① 걱정하지 마. 덥지 않을 거야.   ② 너는 여름까지 기다리는 것이 좋겠어.
③ 우리는 요리 수업을 들어야 해.   ⑤ 태국은 네게 맞는 곳이 아닌 것 같아.

19 적절한 응답

대화를 듣고, 남자의 마지막 말에 대한 여자의 응답으로 가장 적절한 것을 고르시오.

Woman: _____

① You shouldn't have given up.
② Then do the best that you can.
③ If you're sick, you can't try to play.
④ We can ask Rion when he gets here.
⑤ Don't worry. I'm sure he'll get well soon.

W Hi, Mike. I heard that your basketball team has a game today.

M Yeah, but I'm worried.

W You _____ _____ very hard. Don't worry.

M You know who Rion is. He can't come to the game.
간접의문문: 의문사+주어+동사

W What? He's one of your best players! _____ _____ _____ come?

M He's sick. The doctor said he needs to rest for a few days.
기간을 나타내는 전치사: ~ 동안

W 🎵정답 근거
That's too bad. Can't you _____ _____ the game?

M No, we can't do that. It's a very important game.

W ② Then do the best that you can.

여 안녕, Mike. 오늘 너희 농구 팀이 경기에 나간다고 들었어.
남 응, 그런데 걱정돼.
여 아주 열심히 연습해 왔잖아. 걱정하지 마.
남 너 Rion이 누군지 알잖아. 그가 시합에 못 나와.
여 뭐라고? 그는 너희 팀 최고의 선수 중 한 명이잖아! 그가 왜 못 나오는데?
남 그는 아파. 의사 선생님께서 며칠간 쉬어야 한다고 말씀하셨대.
여 정말 안됐다. 경기를 미룰 수는 없니?
남 안 돼, 그럴 수 없어. 무척 중요한 경기거든.
여 ② 그럼 너희들이 할 수 있는 최선을 다해.

① 너는 포기하지 말았어야 했어.
③ 네가 아프면 경기를 하려 하면 안 돼.
④ 우린 Rion에게 여기에 언제 오는지 물어볼 수 있어.
⑤ 걱정하지 마. 나는 그가 곧 좋아질 거라 확신해.

24회 기어오답

20 상황에 맞는 말

다음 상황 설명을 듣고, Kate가 Jay에게 할 말로 가장 적절한 것을 고르시오.

Kate: _____

① I'll help you with your history project.
② Guess what? I got an A on my math test.
③ You should be ashamed of failing the test.
④ Don't be depressed. You'll do better next time.
⑤ It's my turn to help you. Let's study together.

M Kate is not good at math. No matter how _____
be good at: ~을 잘하다   아무리 ~해도
_____ _____, Kate can't get good grades on the
get a good grade: 좋은 성적을 받다
math tests. Her friend Jay, _____ _____
_____, is excellent at math. He helps Kate study for
her next test. Finally, the day of the test comes, and she
does really well. Now she wants to _____ _____
🎵정답 근거
_____. She knows that Jay is worried about the history
be worried about: ~을 걱정하다
test in the following week. She decides to help Jay. In this
situation, what would Kate most likely say to Jay?

Kate ⑤ It's my turn to help you. Let's study together.

남 Kate는 수학을 못한다. 아무리 열심히 노력해도 Kate는 수학 시험에서 좋은 성적을 받지 못한다. 반면에 그녀의 친구 Jay는 수학을 아주 잘한다. 그는 Kate가 다음 시험을 위해 공부하는 것을 도와준다. 마침내 시험 보는 날이 다가오고, 그녀는 정말로 잘 해낸다. 이제 그녀는 그 호의에 보답하고 싶다. 그녀는 Jay가 다음 주에 있는 역사 시험을 걱정하는 것을 안다. 그녀는 Jay를 돕기로 결심한다. 이러한 상황에서 Kate는 Jay에게 뭐라고 말할까?
Kate ⑤ 내가 너를 도와줄 차례야. 같이 공부하자.

① 내가 너의 역사 프로젝트를 도와줄게.
② 그거 아니? 나 수학 시험에서 A를 받았어.
③ 너는 시험에 낙제한 것을 부끄러워해야 해.
④ 우울해 하지 마. 다음에는 더 잘할 거야.

09 회

01 hang on the wall, what I'm looking for
02 don't we, forgot, tricky problems to solve
03 being late, too tired, Not at all, broke it
04 it's, booked up, Can you make it
05 how to save, need, want, how much you spend
06 pick up, made a reservation, Enjoy your tour
07 ran out of, There's something wrong, How many movies
08 Isn't he, went, wanted, interesting to read, return
09 because of, as if, put your foot, say sorry
10 nephew, starting, buy, has the same, from the total
11 has crashed, disappeared, got a virus
12 missing, describe where you lost, what he is wearing
13 So do I, worried about the smell, stuff to carry
14 musical instrument, surrounding, hitting, are used to change
15 canceled my trip, To make matters worse, there's nothing
16 check in, single, take your luggage, available, between, and
17 would you like, must have taken, you like it
18 were speeding, drove, didn't realize, let me off
19 lend me some money, enough, What, friends for
20 on his way home, decides to study

10 회

01 too expensive, much cheaper, with a handle
02 lost, Can you tell me, at noon, is closed
03 broke the window, want to, from now on
04 waiting for, at home, How long, take the subway
05 won first prize, as good, appear, can't wait to see
06 is not able to, needs to stay home
07 Make yourself, help me clean, get to, looks expensive
08 who played, such, too shy to share, how to upload
09 preparing, nice of you, I can't wait, mind doing
10 How much does it cost, be all
11 any suggestions, the features, have a look at, regular price
12 What time do, want, May I have your name
13 a complete stop, for too long, delay
14 to help our neighbors, Bring your donations, looking forward to
15 Do you have time, free, convenient, Can we meet
16 overslept, get up early, can't make it, hurry
17 seem nervous, too much, be confident, to make
18 won't start, get it checked, might be able to
19 in love with, get nowhere, What if
20 decide what to buy, try them on

11 회

01 many different kinds of, knitting, What a wonderful
02 switch, to, at the same price, wait for
03 Have, as much as, go to bed, help, with
04 make an appointment, I've been dizzy, close, open
05 such a long face, might be planning
06 live in, with a view, fit your needs
07 How cute, each, Why didn't you
08 on your way to, drop by, as fast as possible
09 because, yet, problems with, within, apologize for
10 anything around, two of them, off, total price, bill
11 robbed, happened, was taken, as soon as
12 dining, wooden, so that we can invite, its design
13 big sale on, items, one, third, deals
14 equipped with, used for breathing, help, move
15 taking, last time you used, lost it
16 did you pack, doesn't work, does it, extra ones
17 many of them, be surprised, stick to, itself
18 look upset, made a big mistake, missed
19 never tried before, started learning, come with me
20 easy route, after walking, looks, exhausted

12 회

01 wheels, among students, dangerous, square, looks unique
02 choose, on duty, convenient for, All set
03 work for, book a ticket, check out
04 interested in taking, way to attract people
05 sign up for, before graduating, looking forward to
06 report a stolen, left, forgot to lock
07 Do you mind if, how to cook, too dangerous
08 try, on, if you want, leave your address
09 have, finished, broke, do, a favor, mine, either
10 need, one more for free, What colors
11 departure, How would you like, change, leaves from
12 honored, as, reduce, support, show off
13 symptoms, bad cough, three times a day
14 is, connected, cord, control, without using, by moving, flat surface
15 fun things to do, sounds like fun
16 visit, travel abroad, thrilled, You're supposed to, do so
17 There are, participate in, scared, join me
18 Have, ever had, looks delicious, allergic to
19 have only one room, is closed for repairs
20 is preparing, are still waiting, to finish cooking

13회

01 have a backache, what I do, Count to
02 stopped working, movement, so that, make some arrangements
03 turn on, leading by, Are you enjoying
04 are you free, don't you, come with me, be, crowded
05 went to school sick, That's a relief
06 fasten, in a hurry, as fast as, catch
07 my using, go out for dinner, Have, met
08 Is this seat taken, sit together
09 makes, feel, give it up, how it affects
10 available, sounds good, how old, admission for children under
11 Wake up, what I'm talking about, real
12 get tired, changing seasons, Don't forget to
13 look at, isn't she, texted, has been delayed
14 hardest natural material, cut, grind, drill, use in jewelry
15 send out, How many people, need to clean
16 meat, dish, how to make, recipe, anything, help, with, go buy some
17 withdraw, money, fill out, Here you go
18 Aren't you, sit at the back
19 running out of, spent, helps me think twice
20 riding, At that moment, too late to walk

14회

01 sold out, looks stylish, dots, gets dirty, stick out
02 come over, in the mood, some other time
03 take, off, turn off, feel like, as many as
04 sale, I'm planning to visit, make it
05 hurt, what happened, broken, Stay on the line
06 proud of, losing my confidence, make a mistake
07 stranger, kind of you, much faster than
08 depends, a couple of days ago, broke, pay you back
09 late again, miss, hear, go off, stay up
10 A loaf of, we're out of stock, your change
11 except, ago, advertisements, had to, go get, while
12 difference between them, price difference, double
13 something interesting, offer, opportunity, a wide variety of, original, visiting
14 shaped like, its surface, nations, major cities, oceans
15 Is, damaged, The simplest thing to do, place, order
16 built, in, too, to, light enough, to carry
17 greet politely, place, palms, bow, head, take off
18 called you, went out, what, have, baked, fried
19 on vacation, the best season to visit
20 feels sleepy, relax, later than usual

15회

01 what I made, likes sunflowers, loves, enough
02 caught the flu, can be spread, coughs, sneezes
03 started to learn, cross, park here, next to
04 Are, interested in, meet earlier, across from
05 can't wait to go, sights, have a chance
06 missed, the only one, no more, a half hours
07 overslept, stayed up, so, that, return it, will you
08 wild, tail used for balancing, move backwards
09 volunteered, I'm in, I'm tied up, instead
10 hang out with, good at, practice harder, biology
11 scratches a lot, examine, to find out what causes
12 If you're interested, Anyone who loves reading
13 How many nights, includes, enjoy your stay
14 stuff, pairs of pants, make, money, mine broke
15 gets, down, weather forecast, Good luck on
16 I wonder, you are, its color, is added
17 having a welcoming party, who, invite
18 Have, ever tried, read books, played
19 far into, pick up, a few calls to make
20 wants to buy, a little loose, a smaller one

16회

01 not her cup of tea, cotton, floral, Can you show it
02 Me neither, bring, lent mine to
03 stepped on my foot, through, get in touch with
04 take your order, cooked, What, like better
05 shall we postpone, don't forget, then
06 will reopen, from, to, at half the price
07 noisy, next to, reserved, mind finding out
08 fur, born, national treasure, Females, males
09 look, gloomy, as quiet as a mouse, social
10 What if there were, miss you, win
11 need to buy, foreign language, Turn right
12 coming, election, happen, move to, through
13 for four people, I'm afraid, book a table, reserve
14 bored, active, windy, fly, how to make, long
15 make, copies, charge, binding, extra charge, bind
16 decide what, even if, look good on
17 holiday, taking a trip, scenery, shame
18 How long have, played, I wish, could
19 delay, broke her ankle, No worries
20 saved enough, hasn't arrived, can't, any longer

21회

01 thigh, balanced, in prayer, breathe, as easy as
02 get on, left, found, bring it
03 How cute, have a cat, I named it, to see
04 speaking, at home, what time should I
05 Do you mind, Would you like, delicious, turn right
06 all sweaty, exercise here, Why don't we
07 busy cleaning, pick it up, paid
08 in 2018, share ideas, issue a magazine, feel free
09 reach speeds, hard to see, helps, find prey
10 have the time, decided to walk, Agreed, catch the train
11 caught a cold, listened, a glass of water
12 go on a trip, for two days, I'm planning to
13 where shall we, our seats, the front, sitting next to
14 I'm writing, finished it earlier, spend, time, the amusement park
15 important rules, do not feed, must not, may hurt
16 I'd like to, for a kilo, pay an additional
17 reading, huge fan, was, made into, How did you
18 living upstairs, even at night, asked him, should
19 Come on in, at home, made it, the chair
20 break time, before, even have lunch, buy some snacks

22회

01 went on, traditional, fan, my favorite, looks like
02 help you, dropped it, repaired, do I have to
03 directed by, animated, was going to say
04 excuse, was stuck in traffic, waited for
05 sneeze often, I'm planning to, How can I
06 don't you, done, should turn off
07 different cultures, totally forgot, traditional Mongolian house, lend
08 to raise money for charity, to learn how to paint
09 equipment used, offense, defense, is called
10 go skiing, or, Go ahead, Can you recommend
11 do well, how you feel, make you feel
12 How time flies, what, what, Neither do I
13 searching for, more than, to express, under
14 saw, sleeping, Didn't you, so, that, get enough sleep
15 put rice on, any other fillings, roll
16 looking for, Do you mind, discount, additional
17 weak and tired, getting, should do, walk up
18 so unlucky, hurried to, what a pity, my team lost
19 familiar with, how to get, far, walk through, huge
20 gets a phone call, suggests, already saw, decides to

23회

01 any particular design, recommend, afraid we don't
02 volunteer work program, talking about, its deadline, waiting list
03 did you see, you'd like, looked real, who played
04 why don't we, We're supposed to, won't take
05 stranger here, pass me the salt, Would you like, delivered
06 Do you know, a kind of, was invented, other inventions
07 place, old, Some of, move in
08 titled, shows the view, in history
09 biggest traditional holidays, thank their ancestors, are prepared
10 have never been, get enough, Once, a half
11 doing anything, pick him up, forgot
12 won first prize, thanks to, helped me
13 Here is, aisle, aisle, often, near
14 terrific, your hike, was with, staying at
15 your safety, don't run around, is allowed
16 a month, a little expensive, longer one
17 titled, order it, publisher, author's name
18 your hair done, in mind, exactly, too short
19 quite, an opening, interested in, in college
20 ends up, visits, struggles to escape, warn, be careful

24회

01 better taste than, Don't you think, too small
02 order, What would you like, a box of, for delivery
03 thinking of, special, take pictures, waterproof
04 business trip, need to, at the airport, earlier
05 eggs and milk, for a kilo, Try not to
06 where the restroom, aisle, will be wrapped
07 I've been busy packing, ask, some bookshelves, begging, sleep on
08 big sale, don't hesitate, a great deal
09 tallest living animal, taller than, reach leaves, spot pattern
10 What, like, patient with, say, thirsty, a few
11 bothering, has, talked, argued, aren't you, send her some flowers
12 I've got, into it, can choose, keep, open
13 train schedule, departing from, bring us to, arrives at
14 have a cast, what did you do, fall, more careful
15 looking for, outer space, once a month, not allowed
16 two adults, aged under, special rates, rates
17 only have, instead, go well with, several shoe shops
18 great place, for a month, spent time, went, though
19 have practiced, Why can't he, put off
20 hard she tries, on the other hand, return the favor

Answers for Dictation

01회

01 looking for, prefer a square, big enough, only one left

02 order, anything to drink, sold out, comes to

03 do me a favor, hang up

04 join me, What time, at least, let's meet

05 between, and, have stamps, where, next to

06 can't believe, miss, faster, reminding, How long

07 walk, take them to the vet, appointment

08 lost child, found, wearing glasses, guardian

09 hang on, particular year, are used, columns, rows, write down

10 were locked, Either, to see, doesn't it

11 except, still, what I've waited, going, first

12 make a reservation, How many people, If possible

13 take part in, excited, three days left

14 went to, did, experiments, too short

15 traffic update, due to, are not allowed

16 make it, paying, get, refunded, no choice

17 feel bored, always play, go outside

18 looking at, people who saw, whether, supported by

19 made a reservation, spell, under your name

20 text, in detail, looks, confused, check her understanding

02회

01 my nephew, any, animals, likes, the most

02 look sick, headache, cough, runny nose, fever, cold

03 wearing shorts, glasses, try on, confirm, Here you go

04 supposed to, get cleaned up, wake me up

05 seems to be, your inconvenience, Is there

06 looks delicious, on sale, as usual, instead, Here's

07 dust, full, emptied, is closed, book, sweep, mop

08 principal, will be held, topic, right, get a chance

09 white powder, cook, preserve, dries up

10 another, done, cut, well, spent, How, Medium

11 busy, research, easy to decide, send, to you

12 during, considering, too early, Three times, basic, advanced

13 go with, afraid, can't, regret, rerun, in front of

14 wear, donated, to charity, helping others makes, feel, why

15 passengers, delayed, technical, new departure, apologize for, informed

16 I'd like to, item, original price, want, cost

17 visiting, recommend, more than, try, at all

18 Can I speak to, when, if, take, message

19 lost him, Can you tell me, What, look like

20 busy doing, quite noisy, answer the doorbell

03회

01 designed, one of the cities, symbol, more colorful

02 lost, rectangular, several, similar, leather, for a moment

03 reserve, How large, There is, per hour

04 What, do, get to the airport before

05 How did you like, Not yet, What's the matter, Where

06 twisted, walking, swollen, apply, doesn't go away

07 going on vacation, want me to do, water the plants

08 bought, infected with, fix, reset, happen to, repair

09 place, One, the other, take turns, can be removed

10 How long, half an hour, couldn't agree more, better

11 What a, What's the matter, stuck in bed

12 scheduled to see, possible, change, the day after tomorrow

13 has been allowing, on, turn the lights off

14 book a flight, round trip, want to leave, adult

15 celebrate, are invited, review, hand in, through, will be published

16 mice, on sale, recommend, switches off, off, 15 [fifteen]

17 got angry with, Being late, not to be, accept

18 heard, plates break, who it was, living

19 newly opened, because, Have you ever eaten

20 make friends with, too shy to talk

04회

01 titled, gestures, my aunt, avoid, one of, how

02 Time went by, passing, has improved, overcome

03 tight on, floor, Go straight, terrible backache

04 haven't written, busy watching, put off, listened

05 Long time no see, something more important, posted

06 get, cut, seat, as it is, started

07 are, going to, heard, throw a surprise party

08 send, parcel, weighs, if you, How long does, take

09 want to purchase, exit, If, hope you enjoy

10 better take, departs, Have, ever read, seems to be

11 traffic, heavy, standing in line, You can say that

12 opened, all ages, offers, to register, weekdays, every other

13 take a look, seating chart, sit, is, full, Let's not sit

14 poor eyesight, consist of, fixed, can be used, focus on

15 remember to, take care of, get, done, then

16 gifts, similar ones, be better, solid or striped

17 How many, order, can get, add, delivered

18 look worried, never eats, Has, happened

19 too expensive, good deal, suits, can't help buying

20 found, crowded, wait in line, tried to move, so upset

05회

01 surfing, easy to choose, wedding anniversary, without a pattern, with a ribbon
02 leave, have a package, on your way home
03 What, order, close, Who's calling, Which, aisle, article
04 were selling, bought, only weighs, how much
05 How can I get, How often, hurry, got
06 strange noise, fill out, form, take a look at
07 show me, sold out, senior citizens, Are there, go see
08 laboratory, will be replaced, be painted, make, more convenient
09 vehicle, are attached, keep pushing, change directions
10 look busy, It took, time to write, read, correct
11 How's, going, yours, writing, what is wrong, email it
12 have, in mind, choose, too small, never gets boring
13 leaves, lasts for, enjoy, visit, drop you off
14 on the third floor, available, Here is, return
15 may be interested in, sounds like fun, a wonderful cook
16 box of, bottles of, discount for each, change
17 help me move, get a blanket, scratch the floor
18 What's the matter, the strictest, due, in big trouble
19 makes me terrified, drowned, less nervous, as soon as
20 is looking for, wants to ask

06회

01 wrote, at the top of, crying, attractive, as it is
02 tell me there are no, left, come earlier
03 take a picture of, looks, scary, tall enough to ride
04 Can you help, What size, wear, like, better
05 I can't wait, earlier, will be, crowded, better
06 ask you a favor, borrow yours, bring, As soon as
07 between, How far, exact date, as soon as possible
08 be, concerned, decide on, Why don't you, family motto, include
09 Welcome to, remind you, turn off, are not permitted
10 make you look, go well with, for half price
11 located, except, Customers, every meal they order, fill out
12 Look at, less crowded, should we go, Let's hurry
13 you can see, provides, Its most important feature
14 take some rest, more than, not as good as
15 get some flowers, a dozen, a dozen, be, pleased with
16 I'd love to, every Wednesday, on the 5th [fifth] Wednesday
17 Can I skip, I'm tired of, spend so much time
18 it's sore, where you got, Don't scratch, itches
19 because of, kept chasing, run away, might happen
20 manages, hire, applies for, willing, able to

07회

01 Have, tried, full of flavor, Most, stars
02 a little, were not printed, at your convenience
03 How much, What brings you to, Much better
04 move into, help, with, handle, planning to, text
05 first opened, is located, opens, is closed, further questions
06 special reason, toothache, Open, wide, come out
07 never listened to me, Would you mind, meant to
08 on your way, already at home, By the way
09 Why the long face, told her secret, slip out
10 recommend one, comfortable, quiet, is similar, 20 [twenty]
11 what to study, make the most of
12 buying a new one, goes better with, square one
13 good for your health, unless they are parked, beside, behavior
14 has, throws, prevent, from falling down, more, higher, end of
15 get a perm, have, trimmed, turns out beautiful
16 register for, registration, any other way, When, start
17 I'd love to, passed away, to be depressed
18 take a break, feel hungry, near here
19 Are, invited, Why don't we, to be held
20 foreigners, how to get, gets embarrassed

08회

01 is coming, write a message, drawing, write on
02 May I speak to, was about to, letting me know
03 open an account, How do I look, operate, out of order
04 have a second, I'm afraid, attend her funeral, more time
05 glad to invite, be held, per person, in need
06 stopped in, one of the most brilliant, come back here
07 A cup of, by bus, whether, or not, plenty of
08 won first prize, good for her, clean
09 searching online, pretty good, wish, could go
10 used to be, How many books, can pay
11 stopped working, is, charged, everything I could
12 How about, either, or, more expensive than
13 I repeat, stay calm, closest exit, move away from
14 except, but not their hands, with an interval
15 aren't you, honor to meet, a huge fan of, be released
16 shall we go, have, in mind, too young to play
17 fallen off, hurt my right leg, broken, is bent
18 Here you are, far from here, by taxi
19 covered, with, ran by me, What made me, apologized
20 is, good at, to prepare, feel better

17회

01 go with, any patterns, different, for both, lucky
02 she, Who's, won, complimentary, leave your opinion
03 carry, wallets for women, smells delicious, dropped
04 being late, since noon, how sorry I am
05 pots, going back in time, will be displayed
06 appreciate, released, different from, cheerful rhythm, success
07 fails, Don't worry, in advance, as long as
08 wherever you go, speed limit, inform, what not
09 severe, get better soon, work on, take a rest
10 reserve, booked, prefer to, send some flowers
11 last see, far from, start searching
12 welcome, various sports activities, anyone interested in
13 round, trip, depart, left, following day, change
14 was busy doing, climbed, graduated from
15 did you, Good for you, did forget, next day
16 butter, cheese, fridge, next to, leave for
17 have, tried, tastes good, serve, name, have
18 guess so, miracle, survived, been operating
19 spend, enjoy yourselves, swam, terrific
20 used to, as friendly as, misses, left

18회

01 shall we buy, As you know, would love it
02 a week away, make me some snacks, take a break
03 switch seats, sit, another pair, is fastened
04 between, and, I'd love to, an hour later
05 already had, didn't study, have to ace, harder
06 Help yourself, already full, should eat, take your order
07 particular style, look good on, take a look at
08 I left it, enough to, stop by
09 a variety of, make it possible
10 turn, off, turn, on, What a nice surprise, wrap them
11 talk with you, was happy with, impressed, hosted by, doubt
12 full, not enough, Which color do you prefer
13 go to a movie, lots of, won't take
14 listening to, posted, funniest story, I wish you
15 start, off, serves, is located, from, to
16 rent a vehicle, you'd be most comfortable, special price
17 in ages, can't believe, moved to, come
18 looks good on, total, with tax, reasonable
19 your first day, taught us, kind and fun
20 is good at, in a row, so depressed

19회

01 Isn't it, easier for her, round one
02 wrong with your cat, caught a cold, need to
03 borrow your bike, be a little chilly, get a refund
04 shall we see, want to, after the movie
05 ever made, wait a second, giving a, discount
06 send, parcel, weighs over, depends, cheaper one
07 tastes just right, climbing, used to, find out
08 had a party, cleaned, cooked, pleased
09 at a time, due date, in front of
10 reserve a room, in your party, more than, plus
11 bought it, at half that price, ripped off
12 going on, Don't forget to bring, will be postponed
13 need to, next to, better, has, reserved
14 one of, organs, between your lungs, alive
15 perfect score, missed, up, a day before
16 a big sale on, worn out
17 get a ticket, helped him stand, turned out to be
18 getting dark, exhausted, we're lost, help us
19 have a picture, you're looking for, order
20 on her way home, unfamiliar, whether, or not

20회

01 where my desk is, pick up, I wrote
02 vacation, trip to, more tropical, various products
03 these scissors, by that name, permed, look like
04 What about you, wanted to meet, I'll be
05 Give it, returned it, late again
06 tried my best, misunderstood, totally my fault
07 would you say, do well, like it, following
08 cut yourself, burned on, should be careful
09 take place, join, will be accepted
10 this sweater, black one, red one, each
11 What happened, fell down, sprained, see a doctor, or
12 healthy living habits, instead of, enough sleep
13 sign up for, times a week, between the two
14 flying, transportation, travel long distances, carry
15 must be, packed, on the following day
16 baking a cake, need more flour, flour
17 graduated, deserved it, what I'm talking about
18 take a look at, be much better
19 happy with, worked fine, remain locked, read
20 A few minutes later, what, ordered